E

Tragédies complètes

I

Texte présenté,
traduit et annoté par
Marie Delcourt-Curvers

Gallimard

La présente édition des Tragédies complètes *d'Euripide
reproduit celle de la Bibliothèque de la Pléiade.*

CE VOLUME CONTIENT :

AVANT-PROPOS
par Marie Delcourt-Curvers

LE CYCLOPE
ALCESTE
MÉDÉE
HIPPOLYTE
LES HÉRACLIDES
ANDROMAQUE
HÉCUBE
LA FOLIE D'HÉRACLÈS
LES SUPPLIANTES
ION

NOTES
par Marie Delcourt-Curvers

AVANT-PROPOS

Je dédie cette traduction à JEAN
SCHLUMBERGER, maître d'humanisme
et ami incomparable.

LE POÈTE

Euripide est né à Salamine, peut-être en 480, et mort en 406
(peu avant Sophocle, son aîné d'une quinzaine d'années), en
Macédoine où l'avait invité le roi Archélaos. Le grand événement de sa vie fut la guerre du Péloponnèse, commencée en 432,
terminée en 405 par la défaite d'Athènes, qu'il ne vit pas. Au
surplus, les Anciens ont raconté sur son existence privée, généralement d'après les médisances des comiques, des anecdotes invé-
rifiables et sans intérêt.

Il nous reste de son œuvre 18 pièces sur 92. On peut, avec
prudence, le suivre dans sa progressive découverte du tragique de
toute destinée mortelle, dont le héros en scène n'est, à un moment
donné, que l'exposant.

Dans ses premières pièces — mais n'oublions pas qu'il avait
quarante-deux ans quand il écrivit Alceste, cinquante-deux
quand il écrivit Hippolyte — c'est dans l'amour qu'il appré-
hende la grandeur et la misère humaines. Alceste meurt pour
son mari, apprenant par là même qu'il n'était pas digne du
sacrifice ; et il doit, lui, la perdre pour savoir combien il l'aimait. Médée est plus qu'une femme trahie et vindicative : en
elle, comme en Phèdre, agit une des forces aveugles qui peuvent
posséder une âme jusqu'à la rendre contraire à elle-même. Euri-

pide montre uniquement des femmes poussées au crime par
l'amour. Il faudra longtemps avant qu'à côté d'elles apparaisse
Othello. C'est que les Grecs considéraient le délire des sens
comme dégradant et en faisaient par conséquent le propre des
femmes : Ménélas est moqué d'être amoureux de la sienne. Une
séculaire exaltation des passions de l'amour sera nécessaire pour
que Racine puisse leur demander une révélation essentielle sur le
tragique de la condition humaine.

Trop d'éléments perdus nous empêchent de deviner comment
Euripide réagit à la réalité des événements dont il fut le specta-
teur. Ce fut, semble-t-il, avec lenteur. Dans Médée, pièce
corinthienne (431), ne se marque aucune colère contre Corinthe
ennemie d'Athènes. Hippolyte, écrite en 428 après deux invasions spartiates et terminée après l'année affreuse qui suivit la
peste, atteste la même impassibilité. Puis, un violent parti pris
anti-spartiate éclate dans Andromaque et, atténué, dans les
Héraclides. Cette tragédie et les Suppliantes respirent un pharisaïsme athénien qui exprime quelque chose de moins négatif
que les diatribes d'Andromaque, mais qui nous gêne peut-être
davantage.

En dehors de ces trois œuvres échelonnées probablement entre
426 et 422, on ne voit pas que les succès ni les revers d'Athènes
aient jamais orienté les sentiments du poète, ni gauchi ses
pensées. Ce qui le possède désormais, c'est le problème de la
guerre en soi. Simone Weil déplore que dans la tragédie française du XVIIᵉ siècle les effets de la force dans la guerre et la
politique aient toujours dû être enveloppés de gloire. Tout au
rebours, c'est là qu'Euripide saisit à l'œuvre les raisons de la
misère humaine. Davantage, il voit tout homme engagé dans
une action collective obligé de subordonner à celle-ci les décisions de sa conscience personnelle et tout ce qu'il pense de la
justice, alors que la moindre faute a des conséquences qui
débordent infiniment et l'individu, et le temps, et le lieu présent.
On admire le poète, si tôt après la partialité qui le suffoque dans
Andromaque, de s'être détaché de l'immédiat pour suivre dans
leur marche destructrice la haine engendrant la haine, le mal
engendrant le mal. Cela est sensible dès Hécube, où des culpa-
bilités alternées viennent successivement des vaincus et des vainqueurs, promis du reste à des malheurs presque égaux. Dans les
Suppliantes, une cité victorieuse expose ses fils au danger pour
le plaisir d'outrager des cadavres, que d'autres sacrifiés iront
reconquérir ; puis, lorsqu'une solennelle cérémonie funèbre

semble avoir ramené la paix, les fils des défunts se lèvent, et aux cris de joie de leurs aïeules, déclarent qu'ils n'attendent que l'âge de pouvoir tenir une épée pour courir venger leurs pères. Ainsi, les conséquences de la folie guerrière se prolongent à l'infini. Euripide savait la vanité de toute victoire. La trilogie des Troyennes, où se déroule un long enchaînement de fautes privées suivies d'immenses expiations, a été jouée en 415 au moment où l'Athènes d'Alcibiade, trop sûre de son triomphe, anticipait sur lui par des abus de pouvoir. Dans la dernière des tragédies, Iphigénie à Aulis, l'ambition dépouille l'homme de ce qu'il a de plus humain. Elle fut jouée en même temps que les Bacchantes, où figure une destruction analogue — une mère tuant son fils en face du père qui tue sa fille — mais due cette fois à la cause la plus opposée aux froids calculs, à l'irruption irrépressible des forces élémentaires.

C'est revenir aux ressorts de Médée, d'Hippolyte. Mais est-il une seule parmi les tragédies où l'irrationnel ne menace, où l'inconscient ne prenne ses terribles revanches ? Héraclès tue ses fils au moment où un flot de haine lui submerge le cœur. Électre chérit sa rancune, la nourrit comme pour remplacer l'enfant qu'elle n'a pas eu ; puis, devant le cadavre de sa mère exécrée, ce spectacle qu'elle espère depuis des années, ne se reconnaissant plus dans son acte, elle demande d'où est venu le néfaste conseil. La question vient trop tard. Parce qu'ils ont tué une première fois, elle et Oreste continueront de détruire, possédés par la même frénésie qui met aux prises Étéocle et Polynice. Les critiques du XIXe siècle ont insisté sur le rationalisme d'Euripide, lequel se plaît, il est vrai, aux discours, aux plaidoyers antithétiques, laissant trop souvent le commentaire inhiber l'émotion. Ceux qui aujourd'hui lisent ses drames sont bien plus sensibles à la richesse, à la vérité du substrat inconscient. Nietzsche considérait comme mortels pour la tragédie les trois principes de l'optimisme socratique : « Vertu égale sagesse ; on ne pèche que par ignorance ; l'homme vertueux est heureux. » (Geburt der Tragœdie, § 14.) Il avait probablement raison. Mais quelle erreur de les trouver attestés dans une œuvre qui en est la puissante, la continuelle négation ! L'homme y apparaît possédé par des volontés qu'il ignore ou dont il ne saurait mesurer le pouvoir ; le drame y dépasse toujours le héros souffrant pour atteindre, autour de lui, d'autres victimes ; la malignité des dieux touche chaque fois, infailliblement, le nœud vital où l'humaine aspiration au bien croise les forces aveugles qui se jouent d'elle.

Comment en effet, si le tragique résulte de la résurgence des tendances souterraines, ne pas mettre les dieux en cause? Lorsqu'un homme commet un acte que sa raison et sa volonté désavouent, c'est, dit le Grec, qu'un dieu est intervenu. Et le caractère des figures divines résulte de l'image ainsi composée. Assurément, ni Euripide ni ses personnages ne sont dupes. Quand Hélène déclare que, si elle a suivi Pâris, ce fut contrainte par un décret d'Aphrodite, la vieille Hécube répond vertement : « Mon fils était très beau. Ton cœur s'est fait Aphrodite à sa vue. » C'est pour avoir versé trop de sang qu'Héraclès a le regard troublé ; Lyssa ne fait que l'aveugler un peu plus. Mais alors, si l'homme lucide veut exiger des comptes, à qui adressera-t-il sa revendication ?

Le problème du mal est moins aigu pour les Grecs que pour nous, car ils n'ont jamais cru à un dieu créateur. Le Chaos préexiste à toute apparition divine. Mais ils n'ont jamais pensé qu'en chaque homme pût rester quelque chose du Chaos primitif, qu'ils se représentent comme un abîme, une profondeur béante disponible pour des naissances futures. Lorsque l'homme se sent vaincu, et toutefois moralement supérieur aux forces qui l'accablent, il peut incriminer chacune de ces volontés dont il a fait des Immortels, et, au-dessus de ceux-ci, le Destin à quoi tout, même Zeus, est soumis. C'est bien ainsi que les choses se présentent dans deux tragédies, Ion et Hélène, où des hommes souffrent parce que des dieux — qui cette fois ne sont pas une projection de leur propre cœur — ont fait d'eux leurs jouets.

Il faut ici revenir en arrière. Les Grecs ont considéré Sophocle comme le poète pieux par excellence. Sophocle, il est vrai, ne formule jamais de critique contre les dieux ; rarement il paraît les juger. Mais il met leurs actions sur la scène, et c'est pour les montrer cruels, injustes, indifférents aux souffrances qu'ils causent. Jamais un Grec n'a pensé que de tels récits puissent ébranler ce qu'il appelait la piété (une bonne description de l'eusébie reste d'ailleurs à donner), puisqu'ils illustrent la puissance des dieux, qui est leur apanage primordial. Le danger commençait à partir des commentaires. Sophocle évitait d'en donner aucun ; ceux d'Euripide étaient volontiers précis et imprudents. Eschyle avait jugé les dieux aussi sévèrement que lui, mais son optimisme lui dictait, pour clore les pires conflits, d'apaisantes réconciliations, créatrices d'ordre cosmique ou politique. Euripide en imagine aussi, et les dieux apparaissent souvent à la fin de ses pièces pour dire des choses lénitives. Ces

*dénouements persuadaient peut-être une partie du public ;
parfois cependant, les personnages mêmes de la pièce refusaient
de s'en déclarer satisfaits (Électre, Bacchantes). Le poète ne
l'était certainement pas davantage. Dans son Olympe se rencontrent en effet des tendances primordiales auxquelles il n'avait
que trop de raisons de croire, et des figures de légende auxquelles
il croyait beaucoup moins. Eschyle a au suprême degré le don de
penser en mythe les problèmes des rapports de l'homme avec les
dieux. Trop de disparates altèrent la transposition euripidienne.*

*Si la théodicée grecque avait été différente, c'est Euripide,
bien plus qu'Eschyle, qui eût élevé la grande protestation de
l'homme contre le divin. Mais ses critiques s'émiettent à inculper
les caprices des Olympiens, non le plan d'un monde dont ils ne
sont pas responsables. Pour lui, comme pour tous les penseurs de
son temps, le divin n'est pas dans les vieux contes, mais ailleurs
et plus haut.*

*Il nomme si respectueusement la Justice qu'on est tenté de
voir en elle une approximation du dieu immanent auquel il
aspire. Prenons garde qu'elle est pour un Grec une notion plus
courte que pour un moderne. Un chrétien la réalise par le salut
individuel ; un politique cherche à construire une société plus
équitable. Un Ancien voit la condition humaine sans ces deux
échappées d'espérance, l'une vers le ciel, l'autre vers l'avenir ; et
elle est irrémédiablement malheureuse. Le chœur affirme bien
sa confiance dans une finale sanction divine, lente à venir, mais
infaillible ; l'instinct vital lance bien de déchirants cris d'amour
à la lumière chérie. Cela ne corrige pas l'impression générale,
celle d'un monde livré à des caprices aveugles. L'infortune
atteint sa limite dans la destinée des femmes. Euripide a mis
dans la bouche de névrosés (Hippolyte, Oreste), ou bien de
femmes écrasées par le mépris, des déclarations misogynes qui
contrastent avec la hauteur de ses figures féminines. Elles apparaissent comme l'exposant par excellence du sort absurde des
éphémères. C'est elles aussi qui en ont la conscience la plus
précise, la plus amère. Euripide a de terribles, d'inoubliables
vieilles femmes, Alcmène, Hécube surtout, qui mesurent avec
une sombre délectation, avec un cynisme désespéré, l'étendue de
la misère humaine. Les jeunes filles condamnées s'en évadent
par la grandeur d'une mort volontaire, tandis que le héros viril
prouve sa supériorité en acceptant de survivre à ses épreuves.*

*Euripide a mis sur la scène de nombreux vieillards, dont il
exagère du reste la sénilité. Cette outrance est tout autre chose*

qu'un artifice théâtral. L'inévitable déclin est un des éléments
du tragique humain, et dans la mesure même où, chez un même
homme, il est inégal, atteignant certains territoires, laissant
intactes les exigences des autres. Il faudra attendre jusqu'à Shakespeare pour revoir sur la scène la vieillesse représentée avec une
aussi douloureuse cruauté. Héros jadis célèbres et qui ont trop
longtemps vécu, simples citoyens, esclaves, les vieillards d'Euripide sont généralement des hommes qui voudraient agir et qui
n'en ont plus la force. D'autres, Phérès, Œdipe, apparaissent
moralement déchus, réduits à de bas égoïsmes ou à une méchan-
ceté haineuse. Une des plus grandes difficultés de la vie est qu'il
soit si difficile d'en sortir dignement.

Ces images si exactes sont pénibles à voir, et tout à la fois
pitoyables et ridicules. Il n'y a rien dont Euripide se soucie
moins que d'éviter les dissonances. C'est une des raisons pour
lesquelles il n'a jamais été beaucoup goûté en France. L'Iphigénie de Gœthe montre avec quelles retouches le classicisme alle-
mand pouvait le supporter. En revanche, les Anglais, qui ont le
plus travaillé à l'exégèse de son œuvre, parlent de lui avec une
familiarité amicale qui est la meilleure des introductions. Ils lui
ont donné les noms les plus différents : l'Humain (Elizabeth
Browning), le Rationaliste (Verrall), l'Idéaliste (Appleton),
l'Irrationaliste (Dodds). Tout cela est exact, mais ne peut l'être
à la fois qu'à l'intérieur d'une œuvre baroque. Assurément, le
baroque de Shakespeare est très différent de celui d'Euripide,
mais le Roi Lear prépare à lire les Phéniciennes.

LA TRAGÉDIE

Elle garde chez Euripide la structure que lui a donnée
Eschyle. Les dialogues récités par les acteurs et le coryphée sont
coupés de morceaux lyriques que chante le chœur avec un
accompagnement de danses — entendons : de pas et d'évolu-
tions. Le chœur entre après le prologue, chante la parodos.
Puis viennent des épisodes séparés par des stasima. L'exodos
suit le dernier chant du chœur.

Les prologues d'Euripide se ramènent souvent à un exposé
narratif. Le poète y insiste sur les points où il s'écarte de la
légende courante. Lorsque le dénouement est annoncé, c'est

*d'une façon incomplète qui sollicite la curiosité et la tient fixée
sur les acheminements.*

*En dehors du coryphée, qui parle au nom du chœur, Eschyle
n'avait à sa disposition que deux acteurs, chacun pouvant jouer
successivement plusieurs rôles. Sophocle introduisit un troisième
acteur, ce qui lui permettait d'accroître le nombre des personnages et de mettre trois interlocuteurs en présence. L'ancienne
forme du dialogue à deux voix s'imposait fortement aux poètes,
qui n'apprirent que peu à peu à en mêler une troisième au
débat. Euripide à la fin de sa vie utilise avec aisance une ressource dont ses premières pièces ont peu profité.*

*Les parties chorales sont celles dont nous pouvons le plus mal
juger, puisque la musique et la danse sont perdues. La métrique
permet d'imaginer le caractère des morceaux lyriques, sans qu'il
soit possible de le marquer dans une traduction. Ils sont chez
Euripide moins étendus que dans la tragédie ancienne. Dans les
dernières œuvres (Hélène, Oreste), elles sont soumises au mouvement dramatique, remplacées en partie par des dialogues
chantés.*

LES REPRÉSENTATIONS

*Les pièces furent écrites pour être jouées en plein air, dans le
théâtre d'Athènes, aux Dionysies de printemps. Une reconstitu-
tion architectonique de la scène du Ve siècle est impossible. Le
chœur occupe l'orchestre, place de danse circulaire tangente à
la scène. Le reste est conjectural. Les acteurs jouent sur une
estrade devant la scène, laquelle est une tente d'habillement
masquée par des cloisons en bois qui figurent une maison.
Sophocle, dit Aristote, inventa les décors peints. Électre se joue
devant une cabane de paysans, le Cyclope devant une grotte de
l'Etna, où des satyres-bergers sont censés ramener leurs troupeaux. On voit mal comment cela pouvait être représenté. Les
poètes demandaient beaucoup à l'imagination. Hécube, Ion,
Électre devraient commencer au lever du jour, Rhésos devrait
se passer entièrement la nuit.*

*Les dieux apparaissent au-dessus des édifices ; les acteurs sont
censés ne pas les voir.*

Un chariot, l'eccyclème, amène sur le devant du théâtre les

*corps de ceux qui ont été tués à l'intérieur. Le public est ainsi
supposé se transporter dans la maison.*

*Le chœur et les acteurs entrent par la droite quand ils
viennent de la ville, par la gauche quand ils viennent de la
campagne. Il faut prendre ces indications par rapport non aux
acteurs, mais au public, qui en effet, assis dans le théâtre
d'Athènes, avait la ville à sa droite, la campagne à sa gauche. Il
n'est pas sûr que la droite et la gauche aient déjà eu une rigoureuse valeur conventionnelle au temps d'Euripide. C'est cependant probable, car elle aidait à suivre la pièce.*

LE TEXTE

*Nous n'avons pour Euripide aucun manuscrit excellent,
mais plusieurs copies du XIIᵉ et du XIIIᵉ siècles pour dix pièces :*
Hécube, Oreste, Phéniciennes, Hippolyte, Médée, Alceste,
Andromaque, Rhésos, Troyennes, Bacchantes. *Elles ont en
marge des scholies remontant aux commentateurs alexandrins.
Ces dix pièces passent pour avoir constitué un choix, ce qui me
paraît fort douteux, car on y trouve* Rhésos *que les Anciens
tenaient pour apocryphe, et* Andromaque *qu'ils jugeaient de
second ordre. À l'époque byzantine, on ne lisait plus que*
Hécube, Oreste, Phéniciennes.

*Deux manuscrits seulement, tous deux du XIVᵉ siècle et prove-
nant d'un même archétype, contiennent l'ensemble des dix-neuf
pièces.*

*Sur les manuscrits, voir les préfaces de Gilbert Murray et de
Louis Méridier à leurs éditions (voir infra), ainsi que le début
des notes.*

*Peu d'œuvres nous sont parvenues aussi altérées. On devine
des interpolations de lecteurs et des interpolations de comédiens
Des passages inintelligibles ne laissent même pas localiser l'altération : il s'en dissimule d'autres dans des morceaux qui se lisent
aisément, le texte ayant été banalisé par elles. Les nombreux
fragments retrouvés sur papyrus ont accru notre connaissance
des pièces perdues, sans beaucoup améliorer celle des pièces
conservées, car ils remontent en général à une tradition moins
bonne encore que celle des manuscrits. Les anthologies anciennes
citent beaucoup Euripide. Deux recueils de citations, l'un à*

*Venise, l'autre au mont Athos (XIIe s.), sont plus anciens que
tous nos manuscrits.*

ÉDITIONS ET ÉTUDES

France

Henri Weil a donné en 1868 Sept Tragédies *(Hippolyte,
Médée, Hécube, Iphigénie à Aulis, Iphigénie en Tauride,
Électre, Oreste, réédditées en 1899 et 1907, à quoi il ajouta*
Alceste *en 1891. Ce texte est à la base de l'excellente traduction
de G. Hinstin (1884, plusieurs fois rééditée), malheureusement
épuisée. Les Belles-Lettres ont commencé en 1925 une édition
avec traduction, qui n'est pas achevée (Méridier, Parmentier,
Grégoire, Chapouthier).*

Allemagne

*L'édition des scholies a été procurée par Schwartz (1887-
1891). Les éditions de Pflugk-Klotz et surtout de Prinz-Weck-
lein (1878-1902) restent utiles par la précision du commentaire,
malgré des corrections trop nombreuses. L'apport d'Ulrich von
Wilamowitz-Moellendorff est considérable :* Analecta Euri-
pidea *(Berlin, 1875), monumentale édition d'*Héraclès, *avec
un commentaire dont le premier volume est une* Einleitung
in die griechische Tragœdie *(1re éd. en 1895) ;* Griechische
Verskunst *(1921) ; édition d'*Ion *(1926).*

Angleterre

En marge du texte établi par Gilbert Murray pour la Scrip-
torum Classicorum Bibliotheca Oxoniensis *(1902-1909), une
équipe de philologues anglais a composé un commode instrument de travail en publiant chaque pièce séparément, avec des
notes généralement bonnes. Quelques-unes, antérieures, viennent
de la même école ou de celle de Jebb :* Alceste *(Hadley, Cambridge, 1911 ; Dale, Oxford, 1954) ;* Andromaque *(Hyslop,*

Londres, 1909); Bacchantes *(Tyrrell, Londres, 1897; Sandys, Cambridge, 1904; Dodds, Oxford, 1944)*; Cyclope *(Long, Oxford, 1891; Patterson, Londres, 1900)*; Électre *(Denniston, Oxford, 1939)*; Hécube *(Tierney, Dublin, 1946; Hadley, Cambridge, 1904; King, Londres, 1938)*; Hélène *(Pearson, Cambridge, 1903; Campbell, Liverpool, 1950)*; Héraclès *(Byrde, Oxford; Gray et Hutchinson, Cambridge, 1917)*; Héraclides *(Pearson, Cambridge, 1909)*; Hippolyte *(Hadley, Cambridge, 1902)*; Ion *(Owen, Oxford, 1939)*; Iphigénie à Aulis *(Headlam, Cambridge, 1912)*; Iphigénie en Tauride *(Platnauer, Oxford, 1939)*; Médée *(Page, Oxford, 1938)*; Oreste *(Wedd, Cambridge, 1895, 1907)*; Phéniciennes *(A. C. Pearson, Cambridge, 1909, J. U. Powell, Londres, 1911)*; Rhésos *(W. H. Porter, Cambridge, 1929)*; Suppliantes *(T. Nicklin, Oxford, 1936)*; Troyennes *(R. J. Tyrrell, Londres, 1916)*.

Parmi les ouvrages récents, j'ai une dette particulière envers H. D. F. Kitto, Greek Tragedy, *Londres, et E. R. Dodds,* The Greeks and the Irrational, *Univ. of California, 1951;* Euripides the Irrationalist *(Classical Review, t. XLIII, 1929); J. Jackson,* Marginalia Scaenica, *Londres, 1955.*

ARGUMENT LÉGENDAIRE

I. Troie

Euripide désigne les Troyens comme des Barbares, c'est-à-dire des étrangers, ce qu'Homère ne fait jamais. La Troie de la légende et de l'épopée ne diffère en rien d'une cité grecque.

1. — Son roi Laomédon avait deux fils, Ganymède qui fut enlevé par Zeus, Tithonos que l'Aurore épousa après avoir obtenu pour lui l'immortalité, mais oublié d'y joindre une jeunesse éternelle. À la prière de Laomédon, Apollon et Posidon vinrent bâtir les remparts de Troie. Comme le roi leur refusait le salaire promis, ils envoyèrent contre le pays un monstre marin auquel Laomédon fut obligé d'exposer sa fille Hésione. Héraclès la délivra, Laomédon s'étant engagé à lui donner les chevaux immortels reçus de Zeus en compensation du rapt de Gany-

mède. Mais Laomédon refusa de s'exécuter. Héraclès réunit les
héros de la Grèce, son meilleur lieutenant Iolaos, Télamon roi
de Salamine, Pélée fils d'Éaque roi d'Égine, etc., et, avec eux,
prit la ville, mais l'épargna et donna le sceptre à Priam, fils de
Laomédon.

2. — Parmi les nombreux enfants de Priam et d'Hécube
sont Hector et les jumeaux Cassandre et Hélénos, tous deux
doués du pouvoir divinatoire. Hécube était enceinte quand elle
rêva qu'elle accouchait d'une torche. Elle mit au monde un fils
nommé Alexandros que Cassandre conseilla de tuer, car il serait
la perte de la cité. Les parents ne purent s'y résoudre et l'envoyèrent parmi les bergers de l'Ida, qui le nommaient Pâris.
Plus tard, il reprit à Troie son rang et son nom d'Alexandros.

Héra, Athéna et Aphrodite vinrent demander à Pâris qui
était la plus belle. Il donna le prix à Aphrodite, qui lui promettait en récompense la plus belle des Grecques. Il vint à Sparte
enlever l'épouse du roi Ménélas, Hélène fille de Zeus et de Léda,
celle-ci épouse de Tyndare. Zeus avait approché Léda sous la
forme d'un cygne.

3. — À la demande de Ménélas, toute la Grèce s'arma pour
recouvrer Hélène. Malgré le courage d'Hector, Troie fut prise après
un siège de dix ans, Priam et ses fils tués, Hécube, ses filles et ses brus
envoyés en captivité. Cassandre échut à Agamemnon, Andromaque à Néoptolème fils d'Achille, Hécube à Ulysse roi d'Ithaque.

Andromaque, Hécube, Troyennes, Rhésos, Cyclope.

II. Thèbes

1. — Zeus sous la forme d'un taureau enleva Europe fille
d'Agénor roi de Tyr, lequel descendait de l'Argienne Io. Agénor
envoya ses fils à la recherche de leur sœur. L'un d'eux, Cadmos,
reçut à Delphes le conseil de suivre une vache et d'établir une
ville à l'endroit où elle se coucherait. C'est ainsi qu'il fonda
Thèbes.

En quête d'eau pour les sacrifices, il affronta et tua le Dragon
fils d'Arès qui gardait les sources. Athéna lui conseilla de semer
en terre les dents du Dragon. Il en sortit des hommes armés qui
se mirent à se battre et s'entretuèrent presque tous. Des survivants naquit une race fière et belliqueuse, les Spartes, les semés.

Cadmos épousa Harmonie fille d'Arès. Une de leurs filles,
Sémélé, conçut de Zeus Dionysos. Incitée par Héra jalouse, elle

demanda à Zeus de se révéler à elle et elle mourut foudroyée. Zeus retira l'enfant du ventre de la morte et l'enferma dans sa propre cuisse jusqu'au jour fixé pour la naissance.

2. — Laïos, descendant de Cadmos, épousa Jocaste, de la race des Spartes. L'oracle leur interdit d'avoir une descendance, car elle causerait la perte de Thèbes. Œdipe naquit cependant. Ses parents l'exposèrent sur le Cithéron, puis un berger le transporta à Corinthe où le roi l'éleva comme son fils. Plus tard, il tua sans le connaître son père Laïos, vainquit la Sphinx qui dévastait Thèbes et reçut en récompense la main de Jocaste. Lorsqu'ils surent la vérité, Jocaste se pendit, Œdipe se creva les yeux et partit en exil avec sa fille Antigone.

3. — Son fils Étéocle se déclara roi de Thèbes; Polynice s'enfuit à Argos chez Adraste et y réunit une armée, celle des Sept Chefs, qui tenta de prendre Thèbes. Elle fut repoussée et les Sept périrent. Étéocle et Polynice s'entre-tuèrent. Créon frère de Jocaste prit le pouvoir. Malgré l'interdiction de Créon, Antigone enterra son frère Polynice.

Bacchantes, Phéniciennes, Suppliantes.

III. Argolide

1. — Argos se disait pélasge, *c'est-à-dire peuplée par les plus anciens de tous les Grecs. Son roi Inachos eut pour fille Io qui, aimée de Zeus, fut changée en vache pour tromper la poursuite d'Héra. Après une longue errance, elle vint en Égypte. D'elle descendent Agénor roi de Tyr et les deux frères Égyptos et Danaos. Les cinquante filles de Danaos, poursuivies par leurs cousins, revinrent en Argolide leur pays d'origine, et, à l'exception d'une seule, tuèrent leurs maris la nuit même de leurs noces.*

2. — De la lignée de Danaos était Danaé, que Zeus rendit mère de Persée, lequel délivra Andromède, tua la Gorgone et fonda Mycènes, dont les Cyclopes bâtirent les murs. Électryon fils de Persée perdit ses huit fils dans une guerre contre les Taphiens. Sa fille Alcmène, mariée à Amphitryon, ne s'accorda à lui qu'après qu'il eut vengé ses frères. Zeta amoureux d'elle l'approcha sous l'apparence d'Amphitryon.

Zeus prononça alors un serment imprudent, promettant l'autorité suprême au descendant de Persée qui naîtrait ce jour-là. Il pensait au fils qu'Alcmène était sur le point de lui donner. Mais Héra retarda l'accouchement d'Alcmène, et Héraclès naquit peu après son cousin Eurysthée, autre Perséide. Lié par son serment, Zeus dut permettre à Eurysthée d'imposer les Travaux à Héraclès, puis, celui-ci étant mort, Eurysthée persécuta encore ses enfants.

3. — *Adraste, roi d'Argos, maria une de ses filles à Polynice dont il épousa la cause. Il réunit les Sept Chefs, parmi lesquels était le devin Amphiaraos, qui déconseilla l'expédition et partit contre son gré. Ils furent défaits au siège de Thèbes.*

4. — *Le prince lydien Tantale, fils de Zeus, était aimé des dieux qui mangeaient volontiers à sa table. Pour les éprouver, il leur présenta les chairs de son fils Pélops. Les dieux punirent Tantale et rendirent la vie à Pélops, qui vint à Élis. Le roi Œnomaos avait promis la main de sa fille Hippodamie à celui qui le vaincrait à la course des chars, les vaincus étant mis à mort. Pélops corrompit Myrtilos fils d'Hermès et cocher d'Œnomaos ; il fut vainqueur grâce à lui, après quoi il le jeta dans la mer, pour le punir d'avoir porté la main sur Hippodamie.*

Pélops devint roi de toute la péninsule, son fils Atrée régnant à Mycènes, Thyeste à Argos. Un bélier à la toison d'or, signe de richesse et de domination, naquit dans les étables d'Atrée. Aéropé, femme d'Atrée séduite par son beau-frère Thyeste, donna l'agneau d'or à celui-ci. Atrée pour se venger jeta Aéropé dans la mer et fit manger à Thyeste les chairs de ses enfants. Seul le plus jeune, Égisthe, échappa au massacre. D'horreur, le Soleil, qui jusque-là allait d'occident en orient, renversa son cours.

Les fils d'Atrée épousèrent les filles de Tyndare et de Léda. Ménélas et Hélène régnaient à Sparte, Agamemnon et Clytemnestre à Mycènes. Quand Pâris eut enlevé Hélène, les Atrides réunirent contre Troie une armée qui fut arrêtée à Aulis par des vents contraires. Pour obtenir une navigation favorable, Agamemnon sacrifia à Artémis sa fille Iphigénie. Pendant l'absence d'Agamemnon, Égisthe devint l'amant de Clytemnestre. Ils tuèrent le roi à son retour, ainsi que sa captive Cassandre, ramenée par lui du sac de Troie.

Sept ans après, Oreste fils d'Agamemnon, élevé en Phocide par Strophios père de Pylade, revint à Argos et, aidé de sa sœur Électre, tua Égisthe et Clytemnestre, ce qui lui valut d'être poursuivi par les Érinyes*.

* Mycènes, bâtie dans la montagne, et Argos, dans la plaine, sont deux villes bien différentes. Malgré cela, leurs noms, dans les tragédies, sont interchangeables.

1 : Phéniciennes.

2 : Héraclès, Héraclides, Alceste.

3 : Suppliantes, Électre, *les deux* Iphigénie, Hélène, Oreste.

IV. Athènes

1. — Comme leurs rois Cranaos et Cécrops, les Athéniens se disaient nés du sol. Héphaistos désira Athéna et la poursuivit ; elle se déroba. Le sperme du dieu coula sur la terre. Il en sortit un être mi-homme mi-serpent qu'Athéna adopta, nomma Érichthonios et confia à la fille de Cécrops, Aglaure, enfermé dans une cassette qu'il était interdit d'ouvrir. Aglaure et ses sœurs enfreignirent la défense et, frappées de folie, se jetèrent du haut de l'Acropole.

Un successeur de Cécrops, Érechthée fils de Pandion, en guerre avec Éleusis, reçut un oracle qui lui promettait la victoire s'il immolait ses filles, ce qu'il fit. Seule survécut Créuse, qui d'Apollon conçut Ion, fondateur de l'Ionie. Posidon engloutit Érechthée en fendant la terre de son trident.

2. — Un de ses successeurs, Égée, consulta l'oracle de Delphes sur sa stérilité. Au retour, il passa par Corinthe où Médée lui promit une postérité s'il lui donnait asile. Il revint en Attique par Trézène, où le roi Pitthée l'enivra et le fit coucher avec sa fille Æthra, aimée de Posidon. Elle devint mère de Thésée, dit à la fois fils d'Égée et fils de Posidon.

3. — Thésée réalisa la confédération des bourgs de l'Attique et y établit un régime démocratique. Il purgea le pays de ses monstres et de ses brigands, prit part à plusieurs travaux d'Héraclès, notamment à la descente aux Enfers. Une Amazone lui donna un fils, Hippolyte, élevé à Trézène par Pitthée son aïeul. De la Crétoise Phèdre, fille de Minos, il eut deux fils, Démophon et Acamas, qui lui succédèrent et prirent part à la guerre de Troie.

1 : Ion.

2 : Médée.

3 : Hippolyte, Héraclès, Héraclides, Suppliantes.

MARIE DELCOURT-CURVERS

LE CYCLOPE

Tout en devinant ce que l'apparition de la tragédie eut de miraculeux, les Grecs ont tenté d'expliquer le miracle en le fractionnant. Il y eut d'abord, disent-ils, des dithyrambes improvisés en l'honneur de Dionysos; ils comportaient des parties opposées, première promesse d'un dialogue. Ce dithyrambe archaïque, qui traitait des épisodes courts sur le mode plaisant, semble avoir été joué par des acteurs à demi travestis en boucs, afin de ressembler aux compagnons mythiques du dieu. C'était un drame (c'est-à-dire une action) satyrique. Parallèlement à lui, les poètes commençaient de mettre en scène des aventures héroïques, exposées sur un mode de plus en plus grave. Ainsi, en ce mystérieux VIᵉ siècle dont nous savons si peu de chose, la tragédie serait née en contrepoint du drame satyrique et après lui. Cette généalogie littéraire reste extrêmement obscure.

Tout ce qu'on peut dire, c'est que le drame satyrique prit tôt une forme accomplie, car le poète Pratinas, qui passait pour le maître du genre, fleurissait vers 500, quand Eschyle n'avait encore que vingt-cinq ans. Tandis que la tragédie en vint peu à peu à prendre tous ses sujets dans la légende héroïque, il resta dans une large mesure consacré à Dionysos. À l'époque où des œuvres connues éclairent pour nous l'histoire du théâtre, c'est-à-dire au début du Vᵉ siècle, il n'apparaît plus comme une forme d'art autonome, mais subordonné à la tragédie. Les poètes présentent au choix de l'archonte une tétralogie, trois tragédies et un jeu satyrique, lequel est joué en dernier lieu, comme pour remettre l'esprit en équilibre après des émotions trop violentes. Un critique ancien le définit une tragédie qui plaisante, ce qui signifie que les mêmes événements ont un côté terrible et un côté bouffon, ambivalence sur laquelle le génie grec a réfléchi avec une particulière complaisance.

Le chœur est composé de satyres, génies agrestes qui ont la face camuse, les oreilles pointues et la salacité des boucs. Les acteurs qui les représentent portent une ceinture de peau de chèvre; une queue y est fixée ainsi qu'un phallus en cuir rouge auquel ils

*font, au cours de la pièce, d'amicales allusions. Les Satyres
n'avaient primitivement aucun lien avec Dionysos et ils étaient
différents des Silènes, autres démons mi-hommes mi-chevaux.
Mais ces êtres hybrides ont fini par échanger leurs caractères, du
moins au théâtre. Comme d'autre part un Silène, disait-on,
avait été le père nourricier de Dionysos, Euripide les réunit en
une seule bande joyeuse, celle des serviteurs de Bacchus, parmi
lesquels Silène fait figure de père. Comme le dieu ne pouvait
paraître en scène (car dans ce cas c'est lui qui aurait occupé tout
le champ), Euripide imagine qu'il a été enlevé par des pirates
tyrrhéniens, et c'est en prenant la mer à sa recherche que Silène
avec ses fils ont été jetés par la tempête au pied de l'Etna, où le
Cyclope a fait d'eux ses esclaves.*

*L'épisode d'Ulysse vainqueur de l'ogre a tenté plus d'un poète
dramatique, avant et après Euripide. Ni Bacchus ni les satyres
ne figurent dans le conte homérique, mais le vin et l'ivresse y
sont en bonne place, ce qui incitait tout naturellement à donner
à l'action le halo d'une escorte dionysiaque. Le Polyphème
homérique vit parmi d'autres cyclopes, qui l'interrogent après
son aveuglement, à quoi il répond qu'il a été victime de Personne. Celui d'Euripide n'a pour société que Silène et ses
garçons; autant dire qu'il est seul, car dès le premier mot Ulysse
a partie liée avec les serviteurs de Dionysos. La victoire du Grec
en est plus facile. La méprise finale, sur le mot Personne, n'a
plus rien de tragique : simple quiproquo dont les satyres
s'amusent. L'inquiétude, dans un drame satyrique, ne doit pas
se prolonger comme dans un récit épique.*

*Celui de l'Odyssée place toute l'aventure à l'intérieur de la
caverne. Le géant s'y enferme avec ses victimes en bloquant l'ouverture par un rocher que lui seul est assez fort pour déplacer.
Après qu'il a dévoré plusieurs Grecs, Ulysse l'enivre, l'aveugle et,
une fois que Polyphème a écarté la pierre, fait sortir ses hommes
cramponnés au ventre des béliers. Cela fait un conte bien lié,
tout entier axé sur le problème de la porte. Le théâtre ne pouvait
enclore la pièce dans une grotte. L'Ulysse d'Euripide circule
librement entre l'antre de l'ogre et la prairie où les satyres-bergers mènent leur danse. Une fois le Cyclope assommé par le vin,
les Grecs pourraient se sauver à leur aise et s'embarquer avec
leur escorte de chèvre-pieds. Ils seront loin avant que le géant
soit réveillé. L'aveuglement est donc inutile. Mais en supprimant la porte bloquée, Euripide renonçait déjà à la ruse des
béliers. L'image du tison ardent tournant dans l'œil unique*

comme la mèche d'une tarière s'imposait si fortement qu'il
fallait la garder, fût-ce aux dépens de la stricte vraisemblance.
Ulysse n'agit plus pour sauver sa vie mais, ainsi qu'il le dit bien
haut, pour assurer la fuite des Satyres et pour punir le monstre.

Le tison tournoyant est une de ces images fabuleuses dont la
fortune s'explique par des correspondances complexes et souvent
secrètes. On y a depuis longtemps reconnu l'équivalent du
procédé qui servit jadis à faire du feu : un pieu aiguisé de bois
dur et mis à virer rapidement dans une gaine de bois tendre. Le
symbolisme était si clair qu'on nommait bois mâle le premier,
bois femelle le second. Les Grecs avaient une raison de plus d'y
être sensibles, car ils pensaient que l'œil émet une lumière qui
lui est propre, croyance qui affleure dans plusieurs passages du
texte. Le procédé a beau être converti en un acte agressif et
meurtrier, il reste l'union d'un feu avec un feu. Euripide a
perçu et rendu cette signification sous-jacente : témoin le « chant
de fête » par lequel les satyres invitent Polyphème, au moment
où il tombe dans le piège, à entrer comme pour une cérémonie
nuptiale dans la grotte où l'attend une tendre fiancée. Ceux qui
ont reconnu les frontières communes de l'érotisme et du sadisme
s'étonneront peu de la rencontre.

Rien n'indique que le Cyclope soit la plus ancienne des
œuvres conservées d'Euripide. Celui-ci y emploie trois acteurs
simultanément, et avec une aisance qu'il n'atteignit pas avant
la fin de sa maturité, ce qui incite à considérer la pièce comme
bien postérieure à Alceste. Les éditeurs la mettent volontiers en
tête du recueil parce qu'elle est seule à représenter pour nous un
genre qu'Euripide a traité sans prédilection. En effet, sur
92 drames qu'il écrivit, il n'y avait, disent ses biographes, que
8 drames satyriques. S'il avait composé des tétralogies régulières,
le total aurait dû se diviser en 69 tragédies et 23 drames satyriques. La répartition tétralogique était donc moins rigoureuse
que les théoriciens anciens ne le donnent à penser ; et du reste
nous savons qu'Alceste, tragédie à dénouement heureux, tenait
la place d'un jeu satyrique. En fait, la « tragédie qui plaisante »
ne correspondait guère au génie d'Euripide. On ne trouve dans
le Cyclope ni la fantaisie aérienne des Limiers, ni ce sens du
plein air qui allège toute l'œuvre de Sophocle.

En revanche, l'œuvre a une densité psychologique à quoi les
contes populaires ne nous ont pas habitués. Témoin la profession

de foi où Polyphème déclare son mépris pour toute transcen-
dance à un Ulysse réduit au rôle de suppliant et obligé par
conséquent d'outrer quelque peu son respect à l'égard des dieux.
Nulle part la célèbre dialectique euripidéenne n'apparaît aussi
plaisante que dans cette scène d'une robuste drôlerie. C'est ail-
leurs cependant que je chercherai de ces rapides indications où
un poète révèle qu'il n'ignore rien des mouvements de l'incons-
cient. Quand Polyphème surprend Silène à vendre ses provi-
sions, le vieux brigand, pour se couvrir, accuse Ulysse, décrivant
minutieusement les supplices que le Grec réservait au Cyclope
avant d'aller le vendre comme esclave « pour manœuvrer des
pierres et pour tourner la meule ».

> ... Ils devaient te lier à un carcan, puis te faucher
>   ton œil unique et tes boyaux, de vive force,
>   et te peler soigneusement le dos à coups de fouet...

    Ce que Silène prête à Ulysse c'est son propre désir toujours
caressé, toujours irréalisable, et il se délecte comme un enfant à
en énoncer chaque article. Son mensonge, qui met Ulysse en
péril, serait une très mauvaise action dans le plan de la réalité.
Mais un rêve ne compte pas. Le poète le sait, et Ulysse aussi, qui
ne reproche même pas sa traîtrise à Silène et continue de le
traiter en allié.
    D'autre part, l'inconscience féroce des satyres en dit long sur
l'exigence psychologique qui a fait du drame satyrique le clau-
sule de trois tragédies. Ils délirent de joie quand Ulysse leur
annonce le plan du tison ; ils réclament comme un honneur de
pouvoir prendre leur part du danger. Mais au moment critique
les voilà tous devenus boiteux, et Ulysse n'a plus qu'à se débar-
rasser des poltrons en les faisant chanter pour rythmer la besogne.
Quand le Cyclope aveugle sort de la grotte, ils l'égarent joyeuse-
ment parmi les rochers, pour que les Grecs encore tremblants
puissent se faufiler au-dehors. Voilà remplacé l'épisode des
béliers : ils ne subsistent qu'en une image fugitive, dans la pre-
mière chanson des satyres-bergers. Et ceux-ci, dans le triomphe
final, couvrent de sarcasmes leur maître d'hier, vaincu par Personne. *La peur, de même, chasse Silène d'un camp à l'autre. Le*
drame satyrique est un retour à l'enfance. Ulysse aveugle le
Cyclope pour le punir et le mot qu'il emploie signifie à la fois
châtiment *ou* vengeance. *Il n'y a rien de tel dans* l'Odyssée,

mais presque tous les contes populaires se dénouent dans la même ambivalence.

Comment la scène attique a-t-elle pu représenter une grotte dans une solitude, où des satyres envahissent l'orchestre en admonestant un bélier, une brebis indociles ? Si le poète suggère la chose à l'imagination, n'est-ce pas justement parce qu'il ne pouvait la montrer aux yeux et que du reste il s'en souciait médiocrement ? S'il insiste tant sur l'énormité de l'ogre, de son appétit et de son mobilier, c'est aussi pour combler l'écart entre un acteur de taille normale et le rôle fabuleux du géant.

Le Cyclope

PERSONNAGES

SILÈNE
ULYSSE
LE CYCLOPE POLYPHÈME
Chœur de Satyres.

La scène représente l'entrée d'une grotte.
Silène en sort, tenant à la main un râteau.

PROLOGUE

SILÈNE

Ah Bromios[1]! que de fatigues je te dois,
depuis le temps que j'étais jeune et plein de forces!
Et tout d'abord Héra te frappa de folie
et tu te sauvas loin des Nymphes qui t'avaient nourri sur la
    montagne.
Vint la lutte avec les Géants fils de la Terre[2]:
J'étais là, à ta droite, mon bouclier au long de ta jambe.
Encélade! en plein dans sa targe d'osier j'ai planté ma
    lance,
et je l'ai tué[3]. Çà, voyons, l'ai-je vu ou rêvé?
Vu, par Zeus, puisque j'ai montré le butin à Bacchus.
Tout cela, qu'est-ce au prix de ce qui me reste à souffrir?
Héra déchaîne contre toi un peuple
de pillards tyrrhéniens, pour qu'ils aillent te vendre au
    loin.
Mais moi, aussitôt averti, je prends la mer avec mes
    garçons
et nous voilà à ta recherche. J'étais en haut de la poupe,
à la direction, gouvernant le navire à deux bancs,
mes fils assis aux avirons, et la mer grise
blanchissait sous les coups des rames. Nous te cherchions,
    seigneur!
Déjà nous approchions du cap Malée
quand le vent d'est nous prit de flanc
et nous jeta ici, sur ce roc de l'Etna
où vivent les enfants du dieu des mers, les Cyclopes.
Ils n'ont qu'un œil; chacun a sa grotte isolée; ce sont des
    ogres.
Ils nous ont pris et l'un d'entre eux nous tient chez lui
comme esclaves. Celui que nous servons, on le nomme
Polyphème. Finis les évohés, les bacchanales!
Il faut conduire au pré le bétail d'un sauvage.

Mes enfants là-bas, au bout des collines,
me gardent le jeune troupeau, jeune comme eux, ma foi.
Et moi je reste ici, à lui remplir ses abreuvoirs
au commandement, à balayer le logis,
à servir au Cyclope maudit sa révoltante nourriture.
L'ordre, aujourd'hui,
c'est de prendre ce râteau de fer et de tenir la maison propre.
Ainsi mon maître le Cyclope sera reçu à son retour,
lui avec ses brebis, dans une grotte nette !

> *(On entend des rumeurs mêlées de chants.)*

Mais quoi ? mes garçons déjà ramènent leurs ouailles ?
Que signifie cela ? Est-ce le moment de scander les danses
comme au jour où vous escortiez Bacchus
en rangs joyeux, vers la demeure d'Althaia[1],
vous déhanchant au son des lyres ?

> *Les satyres bondissent dans l'orchestre et chantent.*

PARODOS

STROPHE

Race[1] de noble bélier,
race de noble brebis,
par où veux-tu gagner les rocs ?
Voici bien à l'abri du vent
un pacage où l'herbe est épaisse.
L'eau vive emplit les auges
ici près de la grotte où bêlent tes agneaux[2].
    Ohé, ohé, viens paître ici,
    la pente où brille la rosée.
    Ohé, ohé, bélier cornu,
    faut-il te jeter des cailloux ?
    Rentrons, rentrons, roi du troupeau[3] ?
    chef de bercail pour un Cyclope aux champs.

ANTISTROPHE

Détends, brebis, ta lourde mamelle,
laisses-y téter tes agneaux.
Restés seuls dans la bergerie
ils ont dormi au long du jour
et leurs bêlements te rappellent.
Viens les rejoindre dans l'enclos[4]
et quitte le vert pâturage
pour la creuse caverne abritée sous l'Etna.

ÉPODE

Il est loin, Bromios, ils sont loin, les chœurs,
les Bacchantes porteuses de thyrses,
le battement des tambourins

au bord des sources jaillissantes,
le frais jaillissement du vin !
Fini d'aller au mont Nysa avec les Nymphes
chanter Iacchos, Iacchos en cherchant Aphrodite !
Je la poursuivais, plus vite qu'un oiseau,
avec les Bacchantes aux pieds blancs.
Ô bien-aimé, ô cher Bacchus, où t'en vas-tu sans moi,
secouant ta crinière blonde ?
Et moi, qui fus de ton escorte,
me voici valet d'un Cyclope,
un monstre qui n'a qu'un seul œil.
Esclave je cours où il me dit d'aller,
la misérable peau de bouc nouée autour des reins,
privé de ton amitié.

PREMIER ÉPISODE

SILÈNE

Silence, les enfants, dites aux serviteurs
de rentrer le troupeau à l'abri du rocher.

LE CORYPHÉE

Allez, vous autres. Pourquoi donc, mon père, nous presser
   ainsi ?

SILÈNE

Je vois à la rive un navire grec
et des maîtres de rame avec leur capitaine
qui montent tous vers notre grotte, et leurs épaules
sont chargées de paniers vides. C'est des vivres qu'ils
   cherchent.
Ils ont aussi des cruches. Ah ! les malheureux voyageurs !
D'où peuvent-ils venir ? Il ne faut pas connaître
le seigneur Polyphème pour choisir ce toit d'infortune,
y vouloir entrer, et dans les cyclopéennes mâchoires
broyeuses de chair humaine se jeter pour sa perte !
Vous, tenez-vous en paix, et apprenons d'abord
d'où ces gens sont venus au pays sicilien de l'Etna.

Ulysse suivi de ses compagnons entre par la gauche.

ULYSSE

Pourriez-vous, étrangers, nous montrer une source
pour notre grande soif, et dire qui voudra
vendre des vivres à des marins fort affamés ?
Mais quoi ? Serions-nous au pays où Bromios est roi ?
Des satyres près d'une grotte ? Toute une assemblée !
Salut à tous, à toi d'abord, toi le plus vieux.

SILÈNE

Seigneur, salut. Mais quelle est ta patrie et qui es-tu ?

ULYSSE

Ulysse, roi d'Ithaque et des gens de Céphallénie.

SILÈNE

Connu, connu. Crécelle, sang rusé de Sisyphe[1].

ULYSSE

Moi en personne. Garde les injures pour toi.

SILÈNE

D'où partit ton bateau pour échouer ici ?

ULYSSE

D'Ilion, s'il te plaît, et des travaux troyens.

SILÈNE

Tu ne connaissais pas la route du retour ?

ULYSSE

Si, mais des vents furieux m'ont emporté bien malgré
      moi.

SILÈNE

Je vois, je vois, ta malchance est sœur de la mienne.

ULYSSE

Toi aussi fus ici jeté contre ton gré ?

SILÈNE

Je donnais la chasse aux brigands ravisseurs de Bacchus.

ULYSSE

Quel est donc ce pays et quelles gens l'habitent ?

SILÈNE

Ce mont, l'Etna, est le plus haut de la Sicile.

ULYSSE

Où trouve-t-on des murs, des remparts de cités ?

SILÈNE

Nulle part. Sur ces rocs, point d'humains, étranger.

ULYSSE

Mais qui occupe cette terre ? des bêtes fauves ?

SILÈNE

La tribu des Cyclopes. Ils ont des antres pour maisons.

ULYSSE

Ont-ils un chef ? ou le peuple a-t-il le pouvoir ?

SILÈNE

Des nomades ! Nul ne commande et nul n'obéit.

ULYSSE

Mais ils sèment du blé ? ou de quoi vivent-ils ?

SILÈNE

De fromage et de lait, de viande de mouton.

ULYSSE

Ils ont la boisson de Bacchus, le jus des grappes ?

SILÈNE

Ils en ignorent tout, et nul ne danse en ce pays.

ULYSSE

Sont-ils bons pour les étrangers, et pieux envers les hôtes?

SILÈNE

Rien ne vaut, disent-ils, la chair d'un étranger.

ULYSSE

Que me dis-tu? Ils mangent de la chair humaine?

SILÈNE

Nul n'est venu ici qu'ils ne l'aient dévoré.

ULYSSE

Mais ton Cyclope, où donc est-il? Là dans la grotte?

SILÈNE

Il est parti, avec ses chiens, chasser du côté de l'Etna.

ULYSSE

Connais-tu un moyen de nous tirer d'ici[1]?

SILÈNE

Aucun, mais il n'est rien que pour toi je ne fasse.

ULYSSE

Vends-nous du pain; nous en manquons.

SILÈNE

Point de pain, je l'ai dit. Rien, sinon de la viande.

ULYSSE

Excellent à manger. Vrai remède à la faim.

SILÈNE

J'ai aussi du fromage et du bon lait de vache.

ULYSSE

Faites-les voir. Commerce honnête exige le grand jour.

SILÈNE

Et en retour, dis-moi, combien d'or donnes-tu?

ULYSSE

D'or, point. La liqueur de Bacchus.

SILÈNE

Ah la douce parole! Depuis si longtemps qu'on en est privé!

ULYSSE

Oui, du vin, que je tiens de Maron, le fils du dieu.

SILÈNE

Maron que j'ai porté tout petit dans mes bras?

ULYSSE

Le fils de Bacchus, pour tout dire en un mot.

SILÈNE

Le vin est sous ton banc dans le bateau, ou l'as-tu avec toi?

ULYSSE

Tu vois cette outre, vieux? Il est dedans[1].

SILÈNE

Que ça? Même pas de quoi me remplir les joues!

ULYSSE

Ouais. Plus on en prend et plus l'outre en contient.

SILÈNE

Ô source admirable, ma foi, et faite pour me plaire !

ULYSSE

Veux-tu d'abord tâter de ce vin pur ?

SILÈNE

Parfait. La dégustation décide l'acheteur.

> *Silène veut boire à l'outre ; Ulysse l'en empêche.*

ULYSSE

Pardon ! Mon outre justement remorque cette tasse.

SILÈNE

Verse de haut, que le glouglou me reste dans l'oreille après
que j'aurai bu [1].

ULYSSE

Voilà.

SILÈNE

Délices ! Quel beau bouquet !

ULYSSE

Tu l'as vu, le bouquet ?

SILÈNE

Non, par Zeus, mais je le respire.

ULYSSE, *consentant enfin à le laisser boire.*

Eh bien goûte et loue autrement qu'en paroles.

SILÈNE

Tradéri ! Ce Bacchus-là me convie à la danse. Tralala !

ULYSSE

Il t'a joliment sonné dans le gosier, pas vrai ?

SILÈNE

Il coule dans mes veines jusqu'au bout de mes ongles.

ULYSSE

Pour achever le compte, tu recevras de la monnaie.

SILÈNE

Défais le col de l'outre et c'est assez. L'argent, je t'en tiens
    quitte.

ULYSSE

Amenez-moi donc vos fromages et les petits de vos
    brebis.

SILÈNE

Compte sur moi ! Des maîtres je n'ai cure !
Vider un pot, un seul, voilà ma folle envie
que je veux bien payer de tous les troupeaux des
    Cyclopes,
puis sauter dans la mer du rocher de Leucade,
une fois enivré et délesté de tout souci.
Est fou, bien sûr, qui se refuse aux délices du vin,
quand on peut dresser haut celui que je tiens là,
palper un sein, caresser des deux mains une prairie
    offerte !
L'on danse et l'on oublie ses maux.

Une telle liqueur, c'est moi qui me refuserais à la baiser[1],
dût en pleurer, de son œil unique, le Cyclope imbécile?

LE CORYPHÉE

Ulysse, écoute. On peut te dire un mot?

ULYSSE

Certes. Vous êtes des amis parlant à un ami.

LE CORYPHÉE

Vous avez donc pris Troie et capturé Hélène?

ULYSSE

Bien sûr, et mis à sac le palais de Priam.

LE CORYPHÉE

Une fois la fillette prise, j'imagine,
chacun de vous l'aura secouée à son tour,
puisque tout son plaisir est de changer d'époux.
La traîtresse! Un beau pantalon tout brodé,
et qui pend comme un sac sur les jambes,
un carcan d'or autour du cou : à cette vue
elle perd la tête, et Ménélas, un si bon petit homme,
elle le plante là! Nulle part la race des femmes
n'aurait dû apparaître, sinon pour mon usage personnel.

SILÈNE, *sortant de la grotte.*

Voilà pour vous les provisions des pâtres,
Seigneur Ulysse, les petits des bêlantes mères,
et du fromage en quantité.
Prenez le tout, détalez au plus vite
en me laissant la liqueur d'évohé.

(Regardant vers la droite.)

Malheur, le Cyclope revient. Qu'allons-nous faire?

ULYSSE

Mais nous sommes perdus, vieux père. Où pouvons-nous
    fuir?

SILÈNE

Dans la grotte, où vous pourrez lui échapper.

ULYSSE

Dangereux conseil : se jeter dans la nasse.

SILÈNE

Pas si dangereux. La roche est pleine de refuges.

ULYSSE

Eh bien non ! Les pierres de Troie se mettraient à crier
si je fuyais devant un homme seul, quand dix mille
Phrygiens m'ont si souvent trouvé debout, le bouclier au
    bras.
S'il faut périr, j'entends mourir avec courage,
ou vivre pour sauver notre passé de gloire.

> *Entre le Cyclope. Les satyres courent à sa rencontre*
> *pour qu'il ne voie pas aussitôt ce qui se passe près de*
> *la grotte.*

LE CYCLOPE

Et quoi ? on fait la noce ici[1] ? assez dansé !
Est-ce une bacchanale ? Dionysos est loin
avec ses castagnettes de bronze et ses tambours battants !
Comment vont dans la grotte mes agneaux nouveau-nés ?
Sont-ils au pis, sous le ventre des mères ?
Les claies d'osier doivent déborder de fromages frais.
Eh bien, vous ne répondez pas ? Ce gourdin va tantôt
tirer des cris de l'un de vous. Mais cessez donc de contem-
    pler la terre !

> *Les satyres, tous ensemble, lèvent la tête.*

LE CORYPHÉE

Voilà. Tête renversée, face à Zeus lui-même,
pour observer les astres et l'étoile Orion.

LE CYCLOPE

Le déjeuner est préparé comme il le faut?

LE CORYPHÉE

Fin prêt. Que ton gosier veuille être bien dispos.

LE CYCLOPE

Les pots sont-ils remplis de lait?

LE CORYPHÉE

Tu peux en boire, si tu veux, toute une jarre.

LE CYCLOPE

Lait de brebis, ou lait de vache, ou tous les deux ensemble?

LE CORYPHÉE

Celui que tu voudras, mais ne m'avale pas.

LE CYCLOPE

Pas de danger. Vous me danseriez dans le ventre
à me tuer par vos gambades.
    Mais quoi? qui sont tous ces gens-là près des étables?
Des brigands, des pillards ont débarqué sur cette côte?
Et voilà mes agneaux qu'on m'a tirés de mes cavernes,
et ligotés de brins d'osier,
et des paniers pleins de fromages, et puis le vieux,
sa tête chauve tout enflée de coups!

SILÈNE

Aïe, aïe, j'en ai la fièvre. On m'a rossé, pauvre de moi.

LE CYCLOPE

Qui? qui s'est fait les poings sur ton crâne, vieil homme?

SILÈNE

Ceux-là, Cyclope, parce que je les empêchais de te voler tes
    biens.

LE CYCLOPE

Ils ne savaient donc pas que je suis dieu et fils de dieu?

SILÈNE

Je le leur répétais, mais eux enlevaient tout.
Et le fromage, ils le mangeaient, malgré mes cris,
et ils emmenaient les agneaux. Toi, ils devaient te lier
à un carcan long de trois aunes, oui, puis te faucher
ton œil unique et tes boyaux, de vive force[1],
et te peler soigneusement le dos à coups de fouet,
te garrotter et te charger sur les bancs
du navire et s'en aller te vendre quelque part
pour manœuvrer des pierres ou pour tourner la meule.

LE CYCLOPE

Ah, c'est ainsi? Toi, cours,
va aiguiser mes épées, mes tranchets, entasser fagots sur
    fagots,
allumer un grand feu. Égorgés sur-le-champ
ils vont emplir ma chère panse,
et je prendrai brûlants les morceaux sur la braise.
Le sacrificateur sera le seul convive.
Les restes sortiront cuits à point du chaudron.
Car je suis rassasié des viandes montagnardes.
Assez de festins de lions et de cerfs.
Voilà des mois que je n'ai plus mangé de chair humaine.

SILÈNE

Eh oui, mon maître! Il faut du changement.
La nouveauté est agréable, et du temps s'est passé
depuis que sont venus ici nos derniers voyageurs.

ULYSSE

Cyclope, écoute maintenant les étrangers. À leur tour de
    parler.

Nous voulions acheter des vivres.
C'est pour cela que nous sommes venus du bateau vers ta
    grotte.
Ces moutons-là, il nous les a vendus
en échange d'un pot de vin que je lui ai versé.
Tout s'est passé de gré à gré, sans nulle violence.
Rien de sensé dans ce qu'il te raconte,
pris la main dans le sac à vendre ton bien en cachette.

SILÈNE

Moi? que la peste t'étouffe.

ULYSSE

Oui, si c'est moi qui mens.

SILÈNE

Par Posidon qui t'engendra, Cyclope,
par le grand Triton, par Nérée,
par Calypso et par les Néréides
par les vagues sacrées et par la race entière des poissons,
j'en fais serment, mon beau Cyclope, mon cher petit
    Cyclope,
mon maître mignon, non jamais, jamais,
l'idée ne m'est venue de céder à des inconnus
ce qui était à toi. Si je mens, périssent misérables
mes enfants que voilà, qui sont tout mon amour.

LE CORYPHÉE

Fais des vœux pour ton compte. De mes yeux je t'ai vu
conclure le marché. Et si c'est moi qui mens,
que mon père en périsse. Mais ne fais pas de mal à nos hôtes.

LE CYCLOPE

Mensonges. Silène a toute ma confiance,
et je le crois plus juste encore que Rhadamanthe.
Mais je veux bien faire une enquête. D'où vient votre
    bateau?
Quel est votre pays? Quelle ville, étrangers, a nourri votre
    enfance?

ULYSSE

Nous sommes gens d'Ithaque, mais nous venons de
    Troie
que nous avons détruite. Et puis les vents marins
nous ont poussés, Cyclope, vers ce tien rivage.

LE CYCLOPE

C'est vous qui pour venger le rapt de la perfide Hélène
êtes allés jusqu'aux bords du Scamandre?

ULYSSE

Nous-mêmes. Lourde tâche, menée par nous à bonne fin.

LE CYCLOPE

Honteuse expédition! Pour une seule femme
armer toute une flotte, partir pour la Phrygie!

ULYSSE

Un dieu l'avait voulu! N'accuse aucun mortel.
Pour nous, ô noble fils du dieu des mers,
nous t'implorons en te parlant langage d'hommes libres.
Des gens qui sont venus en amis vers ton antre,
tu n'auras pas le cœur de les tuer,
de mettre sous ta dent cette pâture impie!
C'est grâce à nous, seigneur, que ton père
a gardé ses temples intacts jusqu'au fond de la Grèce.
On n'a pas violé le havre sacré du Ténare,
ni la retraite escarpée de Malée,
ni le roc d'Athéna, le Sounion au socle d'argent,
ni les refuges de Géreste. Ce qui est grec
nous n'avons pas la honte d'en avoir rien livré aux Phry-
    giens[1].
Cela te touche aussi: grecque est la terre qui t'abrite,
ici sous l'Etna, cette roche source de feu.
   Si tu rejettes mes raisons, reste la loi dictée aux hommes
de faire accueil aux suppliants que la mer a ruinés,
de leur donner cadeaux et vêtements,

et non pas de les embrocher comme viande de bœuf
pour t'en remplir le gosier et la panse.
C'est assez que le sol de Priam ait mis notre Grèce en
　　　veuvage,
tant il a bu de sang et tant les lances ont fauché,
tant de femmes sont privées de mari,
tant de vieilles et de vieux tout chenus sont privés de leur
　　　fils.
Ceux qui ont échappé, si tu les fais griller en un affreux
　　　festin,
où ira-t-on chercher asile ? Cyclope, écoute-moi,
impose un frein à tes mâchoires, choisis de respecter
ce qui est respectable. Certains bénéfices infâmes peuvent se
　　　payer cher.

SILÈNE

J'ai un conseil à te donner. De la viande d'Ulysse
garde-toi bien de rien laisser. Si tu mords seulement à sa
　　　langue
tu deviendras du coup plein d'esprit et disert, mon Cyclope.

LE CYCLOPE

Petit bout d'homme, le sage n'a qu'un dieu et c'est ce qu'il
　　　possède.
Le reste, vanité et beaux discours.
Les caps marins où mon père a ses temples
que veux-tu qu'il m'en chaille ? À quoi bon ces prétextes ?
Zeus et sa foudre ne me font pas trembler.
Zeus même, en tant que dieu, est-il plus fort que moi ?
Je n'en sais rien.
Au surplus, je m'en moque, et je vais te dire pourquoi.
Quand de là-haut il répand une averse
j'ai dans ce roc un bon abri au sec.
Je fais rôtir un veau, un morceau de gibier,
et je me traite bien, étendu sur le dos,
le ventre rafraîchi d'une cruche de lait, tandis que ma
　　　chemise
gronde de mon tonnerre à moi, rival du tonnerre de
　　　Zeus.
Quand le Borée de Thrace nous envoie de la neige,
je m'enroule dans des toisons de fauves

et je fais flamber un bon feu. La neige, je m'en moque.
La terre est bien forcée, qu'elle le veuille ou non,
de faire pousser l'herbe où mes bêtes s'engraissent.
Ensuite, je les offre en sacrifice, non aux dieux, à moi-même,
à la plus grande des divinités, ma panse que voici.
Boire à sa soif, manger à sa faim au jour la journée,
voilà le Zeus de l'homme de bon sens,
et ne se faire aucun tourment. Ceux qui ont établi les lois
pour en orner la vie des hommes
qu'ils aillent à la male heure. Moi je me donnerai du bon
     temps
jusqu'au bout. Et c'est pourquoi je m'en vais te manger.
Pour n'avoir cependant rien à me reprocher, tu auras tes
     présents :
du feu, cette eau que dispense mon père, et enfin le chau-
     dron
où tu seras si bien, à bouillir découpé sur le feu.
Mais entrez donc et en l'honneur du dieu de la caverne,
tous debout autour de l'autel, régalez-moi.

Il pousse les Grecs dans la grotte.

ULYSSE

Hélas ! j'ai survécu aux misères de Troie,
aux périls de la mer, et voici le récif où j'échoue,
un caprice d'impie, un cœur inabordable.
Ô Pallas, ô ma reine, fille de Zeus, déesse,
c'est maintenant qu'il faut m'aider. Jamais sous Ilion
l'épreuve et le danger ne furent plus pressants.
Et toi, dans le séjour des brillantes étoiles,
Zeus protecteur de l'hospitalité, vois ma détresse.
Sinon c'est vainement que l'on t'appelle Zeus. Tu es néant.

Il entre dans la grotte, suivi de Silène.

PREMIER STASIMON

STROPHE

De ton large gosier, Cyclope,
dilate l'ouverture. Tu les tiens tout prêts,
bouillis et rôtis, brûlants sur la braise,
bons à croquer, bons à ronger,
bons à découper, eux tes visiteurs.
Étends sous toi l'épaisse peau de chèvre.

Mais rien pour moi de ce festin!
Pour toi seul fais le plein et leste la chaloupe.
Je n'ai rien à voir avec ce foyer,
je n'ai rien à voir dans ce sacrifice
dont ne voudrait aucun autel.
La victime est un hôte, le prêtre est l'ogre de l'Etna.

ANTISTROPHE

Féroce, impie, qui sacrifie
hôtes venus en suppliants à son foyer,
qui les fait bouillir, qui les fait rôtir,
les donne à couper, les donne à ronger
à ses dents maudites,
brûlants au sortir de la braise.

Mais rien pour moi de ce festin!
Pour toi seul fais le plein et leste la chaloupe.
Je n'ai rien à voir avec ce foyer,
je n'ai rien à voir dans ce sacrifice
dont ne voudrait aucun autel.
La victime est un hôte, le prêtre est l'ogre de l'Etna.

SECOND ÉPISODE

Ulysse sort de la caverne, portant l'outre de vin.

ULYSSE

Ô Zeus, qu'ai-je dû voir dans cette grotte ?
Incroyables horreurs, comme en racontent les récits, mais
    devenus réalité !

LE CORYPHÉE

Ulysse, que dis-tu ? Il a dîné
de tes compagnons, tes amis, l'affreux Cyclope ?

ULYSSE

De deux d'entre eux, après avoir examiné,
soupesé à deux mains lesquels étaient les mieux en chair et
    les plus gras.

LE CORYPHÉE

Infortuné ! Comment cela s'est-il passé ?

ULYSSE

Quand nous fûmes entrés dans la maison de roche
il fit d'abord un feu. D'un chêne immense
les branches entassées sur le large foyer
auraient chargé trois chariots.
Et puis, de rameaux de sapin étendus sur le sol,
il se dressa un lit à côté de la flamme.
Les vaches traites et le lait pur versé
dans un seau qui tient bien dix cruches,
il mit à sa portée une écuelle de bois de lierre,
large de trois coudées et profonde à peu près de quatre,
puis un chaudron de bronze qu'il mit bouillir au feu
et des broches prises dans un tronc d'épine
dégrossi à la serpe, la pointe aiguisée à la flamme,

des vases pareils à ceux qui servent aux sacrifices[1].
Quand tout fut prêt, cet ennemi des dieux,
ce cuisinier d'enfer saisit ensemble ceux qu'il avait choisis,
égorgea l'un selon les règles sur le béant bassin de bronze,
empoigna le second par le tendon de la cheville,
le lança sur la pointe acérée d'une roche,
fit jaillir la cervelle ; puis son couteau furieux se déchaîna
sur les chairs qu'il grilla au feu
et les membres qu'il mit bouillir dans le chaudron.
Moi, malheureux, les yeux remplis de larmes,
je ne quittais pas le Cyclope et je le servais.
Les autres, comme des oiseaux effrayés,
s'étaient blottis, le sang figé, dans les trous de la grotte.
     Repu enfin de la chair de mes compagnons,
il s'abattit par terre, haletant et soufflant.
Un dieu alors vint m'inspirer. Je remplis un pichet
du bon vin de Maron et le lui tends à boire
en disant : « Cyclope, ô fils du dieu des mers,
voici ce que la Grèce a su tirer des grappes,
un breuvage divin, le fleuron de Bacchus. »
Et lui, gorgé de sa honteuse nourriture,
il le prend, le saisit, le vide d'un seul trait
et main levée en fait l'éloge : « Ah ! mon hôte très cher,
je te dois là fameux breuvage après fameux festin. »
En le voyant si gai, je lui verse double rasade, sachant fort
          bien
que le vin allait l'assommer, le livrer à notre vengeance.
Le voilà aux chansons, et je verse et je verse,
échauffant ses entrailles aux feux de la liqueur.
Il chante. Autour de lui pleurent mes compagnons.
Il braille et la caverne fait écho. Alors j'ai pu sortir
sans bruit, bien résolu à me sauver avec tous ceux qui le
          voudront.
Allons, décidez-vous. Oui ou non voulez-vous
fuir un barbare et revenir vers les maisons
où vit Dionysos entouré des naïades ?
Ton père, dans la grotte, approuve le projet,
mais il n'est bon à rien qu'à profiter du vin ;
pris à la coupe comme un oiseau à la glu,
il bat des ailes. Toi cependant, car enfin tu es jeune,
accepte ton salut avec le mien, va retrouver

ton ami de toujours, Dionysos, qui est tout le contraire du
    Cyclope.

LE CORYPHÉE

Puissions-nous voir ce jour, très cher,
délivrés du Cyclope maudit,
car voilà trop longtemps que notre siphon bien-aimé
est tenu en veuvage. Mais nous n'avons aucun moyen de
    fuir[1] ?

ULYSSE

Écoute le plan que j'ai fait pour punir
la malfaisante bête et te faire évader.

LE CORYPHÉE

Parle. La cithare d'Asie aurait le son moins doux
que ces mots : le Cyclope est mort.

ULYSSE

Il veut aller faire bombance avec ses frères
les Cyclopes, tant le breuvage de Bacchus l'a mis de belle
    humeur.

LE CORYPHÉE

J'ai compris : tu le surprends, isolé dans un bois
et tu le tues, voilà ton idée, ou bien tu le jettes du haut d'un
    rocher.

ULYSSE

Du tout, du tout. C'est un piège que je prépare.

LE CORYPHÉE

En quoi consiste-t-il ? Tu es malin, on le sait de longtemps.

ULYSSE

Je veux le détourner de son projet de fête en lui disant
que la liqueur n'est pas pour les autres Cyclopes,
mais qu'il doit rester seul à en jouir.
Puis il s'endormira, assommé par Bacchus.

Or, il y a dans la maison un grand tronc d'olivier
dont je dégrossirai le bout avec mon coutelas
avant de le porter au feu. Quand je le verrai calciné,
je le prendrai brûlant pour le planter en plein
dans l'œil unique, dont la vision sera éteinte par la flamme.
Comme celui qui charpente un bateau
manœuvre la tarière avec ses deux courroies,
et la mèche en virant creuse son trou,
ainsi je ferai tourner le tison dans l'œil
du Cyclope, dans son œil porte-lumière, et j'assécherai sa
     prunelle.

LE CORYPHÉE

Hourrah, hourrah ! tes inventions me rendent fou de joie.

ULYSSE

Après cela, toi et les tiens, le vieux aussi
embarqués dans le ventre creux de mon navire noir,
rames battantes, je vous emmène loin d'ici.

LE CORYPHÉE

Me sera-t-il permis, comme pour un rite divin,
de mettre aussi ma main au tison aveuglant ?
Car je voudrais prendre ma part de ce travail.

ULYSSE

Bien sûr, le tison est de taille, et tous devront s'y mettre.

LE CORYPHÉE

Je veux bien soulever le poids de cent chariots
si l'œil du Cyclope maudit est écrasé comme un guêpier[1].

ULYSSE

Silence, maintenant. Le plan est bien compris.
Quand j'aurai donné le signal, obéissez aux ordres supé-
     rieurs.
Je ne suis pas un homme à laisser mes amis

enfermés là-dedans pour me sauver tout seul.
Et cependant je le pourrais, puisque je suis sorti de la
    caverne.
Mais il serait injuste d'abandonner les miens
qui sont venus jusqu'ici avec moi, et d'échapper sans eux.

*Ulysse rentre dans la grotte et en ressort bientôt
après en soutenant le Cyclope ivre.*

LE CORYPHÉE

Allons, allons, qui sera le premier, et qui à la seconde place?
Tous bien en rang, et tenez fermement le manche du tison,
prêts à l'enfoncer dans l'œil unique du Cyclope,
pour en extirper la brillante lumière.

(On chante dans la grotte.)

Silence, silence, vous voyez, il est ivre.
Sa musique déchire l'oreille.
Le rustre chante faux, il pleurera bientôt.
Le voilà qui sort de la grotte.
Apprenons-lui, au malappris, comment on fait la fête,
tant qu'il n'est pas aveugle encore.

SECOND STASIMON

STROPHE I

(La moitié du chœur chante pendant que l'autre
danse.)

Heureux qui chante l'évohé,
ayant bu aux sources des grappes,
épanoui pour la bombance,
le bras d'un ami sous son bras,
et sur les coussins s'offre à lui
la fleur d'une charmante courtisane.
Ses cheveux sont brillants de parfums
et il s'écrie : « Qui va m'ouvrir la porte ? »

STROPHE II

LE CYCLOPE

Pan, pan, je suis tout plein de vin
brillant de la vigueur de ce festin,
comme un bateau au ventre plein
me voici chargé jusqu'au ras du pont.
Plaisante cargaison[1], printanière saison.
Partons pour la fête, allons vers mes frères.
Mon hôte, mon ami, mets l'outre ici de mon côté.

STROPHE III

(Chantée par l'autre demi-chœur, pendant que
le premier danse.)

Un beau regard en son bel œil
le chéri sort de sa maison.

Nous sommes entourés d'amour,
pour toi brûlent les torches
et la tendre épousée t'attend[1]
là-bas dans l'ombre et la fraîcheur
et toutes les fleurs, toutes les couleurs
vont bientôt couronner ta tête.

TROISIÈME ÉPISODE

ULYSSE

Cyclope, écoute-moi, car je connais comme personne
ce Bacchus que je t'ai donné à boire.

LE CYCLOPE

Quel dieu dit-on qu'est ce Bacchus ?

ULYSSE

Le plus puissant quand il s'agit de la joie des humains.

LE CYCLOPE

En tout cas je le rote avec bien du plaisir.

ULYSSE

C'est conforme à son caractère. Il ne fait que du bien.

LE CYCLOPE

Comment un dieu peut-il se plaire à loger dans une outre ?

ULYSSE

Où qu'on le mette il est content.

LE CYCLOPE

Les dieux ne doivent pas souffrir qu'on les enferme dans des
peaux.

ULYSSE

Et qu'importe s'il te délecte ! Le cuir te gêne-t-il ?

LE CYCLOPE

Je déteste cette outre et j'aime la liqueur.

ULYSSE

Reste donc ici, bois et sois heureux, Cyclope.

LE CYCLOPE

Ne dois-je pas donner de ce vin à mes frères ?

ULYSSE

En le gardant pour toi tu accrois ton prestige.

LE CYCLOPE

Mais en le partageant je me fais bienfaiteur.

ULYSSE

Avec l'orgie viennent les coups, les rixes, les injures.

LE CYCLOPE

Je suis ivre, bien sûr, mais qui oserait me toucher ?

ULYSSE

Mon bon, qui a bu fait bien de rester au gîte.

LE CYCLOPE

Qui a bu est bien sot de ne pas aller à la fête.

ULYSSE

Un sage pris de vin demeure en sa maison.

LE CYCLOPE

Qu'en penses-tu, Silène, es-tu du même avis ?

SILÈNE

Hé oui ! Qu'as-tu besoin de compagnons de beuverie ?

LE CYCLOPE

Voyez, la terre porte un duvet d'herbe en fleur.

SILÈNE

Et qu'il est doux de boire au grand feu du soleil.
Couche-toi là, le flanc contre le sol.

LE CYCLOPE

Holà, pourquoi mets-tu le seau derrière moi ?

SILÈNE

De peur qu'on le prenne en passant[1].

LE CYCLOPE

Du tout, tu veux y tâter en cachette, et me voler. Mets-le
	entre nous deux.
Mais toi, mon hôte, dis-moi, comment t'appelle-t-on ?

ULYSSE

On m'appelle Personne. De quel bienfait aurai-je à te louer ?

LE CYCLOPE

Je mangerai d'abord tous tes amis et toi en dernier lieu.

ULYSSE

Belle faveur, en vérité, que tu accordes à ton hôte, Cyclope.

LE CYCLOPE, *à Silène.*

Holà toi, que fais-tu ? Tu bois mon vin sans crier gare !

SILÈNE

Mais non, c'est lui qui m'a baisé, tant il me trouve beau.

LE CYCLOPE

Gare aux coups si tu baises le vin, car il ne t'aime pas !

SILÈNE

Quelle erreur ! Il me dit que je suis son mignon.

LE CYCLOPE

Verse et remplis ma tasse. Eh bien, obéis donc !

SILÈNE

A-t-on bien fait le mélange ? Je dois m'en assurer.

LE CYCLOPE

Tu vas tout gâter. Donne-le-moi tel quel.

SILÈNE

Non par Zeus, pas avant de t'avoir vu te couronner,
et d'avoir tâté une goutte encore[1].

LE CYCLOPE

Cet échanson est malhonnête.

SILÈNE

Non, mais ce vin et délicieux.
Si tu veux qu'on te donne à boire, il faut moucher ton
          nez[2].

LE CYCLOPE

Vois, ma bouche est bien nette, et ma moustache aussi.

SILÈNE

Arrondis ton coude avec grâce et puis vide la coupe,
comme tu vois que je bois, que j'ai bu.

LE CYCLOPE

Mais dis donc, que fais-tu?

SILÈNE

J'ai avalé d'un trait, fort agréablement.

LE CYCLOPE, *lui arrachant la tasse, à Ulysse.*

Mon hôte, charge-toi d'être mon échanson.

ULYSSE

Oui, ma main est experte à tout ce qui est vigne.

LE CYCLOPE

Eh bien, verse donc!

ULYSSE

Je verse, mais tais-toi un instant.

LE CYCLOPE

Un conseil difficile à suivre quand on a beaucoup bu!

ULYSSE

Voici : tu prends, tu bois et tu ne laisses rien.
Tu aspires : le vin et toi vous expirez en même temps.

LE CYCLOPE

Corbleu, que le bois de la vigne est donc un docte bois.

ULYSSE

Si tu en prends beaucoup, après avoir beaucoup mangé,
arrosant une panse déjà bien abreuvée, tu tomberas dans le
    sommeil.
Mais laisses-en une seule goutte, et Bacchus te desséchera.

LE CYCLOPE, *boit encore.*

Iou, iou, que j'ai de peine à me ressaisir ! La volupté était
    trop forte.
Le ciel devant moi se balance, avec la terre confondu.
Je contemple le trône de Zeus, l'entière majesté des dieux.

(Les satyres l'agacent.)

Je ne veux pas vous embrasser. Les Grâces sont là, qui
    veulent me séduire.
Un Ganymède me suffit.

(Il enlace Silène.)

C'est avec lui que je dormirai
le plus agréablement, oui, Grâces, sachez-le. J'ai bien plus de
    plaisir
avec les petits garçons qu'avec les filles.

SILÈNE

C'est donc moi le Ganymède aimé de Zeus, Cyclope ?

LE CYCLOPE

Lui-même, et je t'arrache au peuple des Troyens[1].

SILÈNE

Mes enfants, au secours, je vais subir d'affreuses violences.

LE CYCLOPE

Quoi ? tu critiques ton amant et tu fais le fier, parce qu'il a
    bu ?

SILÈNE

Misère ! Je vais voir sans tarder l'amer effet du vin.

Le Cyclope entraîne Silène dans la grotte.

ULYSSE

Enfants de Bacchus, noble descendance,
notre homme est dans la grotte. Un lourd sommeil l'attend.
Il va bientôt, de son affreux gosier, vomir la chair qu'il a
        mangée.
Le tison prêt à l'intérieur exhale sa fumée.
Le plan se déroule. Il ne reste plus rien qu'à brûler l'œil
du Cyclope. À toi de te conduire en homme.

LE CORYPHÉE

Nous aurons un cœur de roc et de fer.
Mais rentre au logis, pour que notre père
n'ait pas d'outrages à subir. Ici nous nous tenons prêts à
        t'aider.

ULYSSE

Héphaistos, seigneur de l'Etna, vois ce méchant établi dans
        ton voisinage.
Brûle la lumière de son œil et t'en débarrasse d'un coup.
Et toi, fils de la sombre Nuit, Sommeil,
tombe de tout ton poids sur cette brute impie.
Après les glorieux travaux troyens
ne laissez pas Ulysse avec ses matelots
être la proie d'un homme qui n'a souci des dieux ni des
        mortels.
Ou bien il faut tenir le hasard pour un dieu,
votre pouvoir pour moindre que le sien.

                                        Il entre dans la caverne.

TROISIÈME STASIMON

LE CHŒUR

La tenaille saisit la nuque, elle serre
le cou de celui qui mange ses hôtes. Le feu bientôt
va dévorer le lieu où était la lumière.
Déjà le tison calciné,
puissant rameau, se cache sous la cendre.
En avant, Maron, à notre aide.
Au géant délirant qu'on arrache son œil
et qu'il ait bu pour son malheur.
Mais moi c'est Bromios enguirlandé de lierre
que je regrette et que je veux revoir
dès que j'aurai quitté le désert du Cyclope.
Seulement, y arriverai-je ?

ULYSSE, *sortant de la grotte.*

Paix, animaux que vous êtes ! Silence, par les dieux.
Un verrou sur la bouche ! Je défends qu'on respire,
qu'on cligne de l'œil ou qu'on crache,
— sinon le monstre va se réveiller — avant
que l'œil cyclopéen soit détruit par le feu.

LE CORYPHÉE

Nous nous tairons, le souffle tenu dans les joues.

ULYSSE

Et maintenant, venez prendre à deux bras le tison.
Entrez. Le feu l'a mis à point.

LE CORYPHÉE

Ne dois-tu pas marquer les rangs ? qui en première ligne
devra saisir le pieux brûlé, arracher par le feu

la lumière au Cyclope, pour que nous ayons part à l'aven-
    ture.

LE CHEF D'UN DEMI-CHŒUR, *reculant.*

Nous sommes ici trop loin de l'entrée.
Comment pourrions-nous pousser le tison ?

LE CHEF DE L'AUTRE DEMI-CHŒUR

Et nous, tout à coup, nous voici boiteux.

PREMIER DEMI-CHŒUR

Et nous tout de même. J'étais là planté,
je me suis luxé les deux pieds d'un coup, je ne sais com-
    ment.

ULYSSE

Luxé les pieds, en restant immobiles ?

SECOND DEMI-CHŒUR, *se frottant les yeux.*

Oui, oui, et nos yeux
se sont remplis de cendre et de poussière, venant je ne sais
    d'où.

ULYSSE

Les lâches alliés dont on ne peut rien faire !

LE CORYPHÉE

Vois notre dos, vois notre échine : nous en avons pitié.
Je ne tiens pas à cracher mes dents sous les coups : est-ce là
    être lâche ?
Mais je connais une chanson d'Orphée. C'est un charme
    infaillible
pour que le tison s'en aille de lui-même
se planter en plein milieu du front
brûler l'œil unique du Fils de la Terre.

ULYSSE

Depuis longtemps je connaissais ton caractère.
Je le vois à plein maintenant. Mes gens à moi
sont les seuls sur qui je puisse compter. Si ton bras est sans
    force,
alors du moins commande la manœuvre,
rythme les ordres et encourage-nous.

LE CORYPHÉE

Entendu. Nous courrons le danger, mais par personne inter-
    posée[1]
Et s'il suffit de nos appels, le Cyclope sera aveuglé.

Eho, eho, poussez bravement,
faites vite, vite, grillez le sourcil
du fauve qui mange ses hôtes!
Eho, eho, enfumez, consumez,
grillez le berger de l'Etna.
Gire et déchire, mais prends bien garde
qu'exaspéré par la douleur
il ne frappe en aveugle.

Hurlements dans la grotte.

EXODOS

LE CYCLOPE

Malheur, la flamme de mon œil n'est plus qu'un charbon
  noir!

LE CORYPHÉE

Bravo pour ce péan, Cyclope. Chante-le-moi.

LE CYCLOPE

Malheur, malheur! Comme ils m'ont outragé, assassiné!
Mais n'espérez pas fuir de cette grotte
en vous moquant de moi, vil néant que vous êtes. Le seuil est
  escarpé,
et me voici debout à le barrer de mes deux bras.

> *Il apparaît devant la grotte.*

LE CORYPHÉE

Qu'as-tu donc à crier, Cyclope?

LE CYCLOPE

Je suis un homme mort.

LE CORYPHÉE

C'est vrai, tu es bien laid à voir.

LE CYCLOPE

Et je suis surtout bien à plaindre.

LE CORYPHÉE

Tu étais ivre et tu as chu en plein dans les charbons?

LE CYCLOPE

Personne m'a perdu.

LE CORYPHÉE

Donc nul ne t'a lésé.

LE CYCLOPE

Personne a crevé ma paupière.

LE CORYPHÉE

Tu n'es donc pas aveugle.

LE CYCLOPE

Puisses-tu l'être autant que moi.

LE CORYPHÉE

Comment le serais-tu, si Personne ne t'a aveuglé ?

LE CYCLOPE

Tu te moques de moi. Où est Personne ?

LE CORYPHÉE

Nulle part, Cyclope.

LE CYCLOPE

C'est l'étranger, entends-tu bien, qui m'a perdu,
l'infâme, en me noyant dans ce breuvage qu'il m'a donné.

LE CORYPHÉE

Redoutable est le vin ; c'est un rude adversaire.

LE CYCLOPE

Au nom des dieux, dis-moi s'ils ont fui, ou s'ils se cachent
      là-dedans.

LE CORYPHÉE

Ils sont tapis sous un surplomb, dans le plus grand silence.

LE CYCLOPE

De quel côté ?

LE CORYPHÉE

À ta main droite.

LE CYCLOPE

Où ?

LE CORYPHÉE

Tout contre le roc. Les tiens-tu ?

LE CYCLOPE

De mal en pis. Je me suis heurté et cassé la tête.

LE CORYPHÉE

Ils sont en train de t'échapper.

LE CYCLOPE

Par ici ? Tu as dit par ici ?

LE CORYPHÉE

Mais non, c'est par là que j'ai dit.

LE CYCLOPE

De quel côté ?

LE CORYPHÉE

Fais le tour, là-bas, sur la gauche.

LE CYCLOPE

Hélas, on se moque de moi. Vous me raillez dans mon
   malheur.

LE CORYPHÉE

Je ne me moque plus. Personne est devant toi.

LE CYCLOPE

Le misérable, enfin ! où donc es-tu ?

ULYSSE

À l'abri de tes mains. Je tiens sous bonne garde la personne
   d'Ulysse.

LE CYCLOPE

Qu'as-tu dit ? Tu as changé de nom. Celui-là est nouveau.

ULYSSE

Ainsi mon père m'a nommé : Ulysse.
Tu devais expier ton repas sacrilège.
Ce serait beau d'avoir incendié Troie
et de laisser tuer mes gens sans te punir !

LE CYCLOPE

Hélas, voici que s'accomplit un vieil oracle.
Je serais aveuglé par ta main, disait-il,
à ton retour de Troie. Mais pour toi, en échange,
voici le châtiment qu'il te promet :
tu seras longtemps ballotté sur les mers.

ULYSSE

Reste dans ton malheur ; je te l'ai assuré.

Moi je cours à la rive où mon bateau attend
que je le lance sur la mer sicilienne
en direction de ma patrie.

LE CYCLOPE

Ce n'est pas encore fait. Vois ce roc que j'arrache :
je t'en écraserai avec ton équipage.
Je cours sur la falaise. Qu'importe que je sois aveugle.
Ma grotte a deux issues. Je sors par là.

Il rentre dans la grotte.

LE CORYPHÉE

Et nous, devenus matelots sur le bateau d'Ulysse,
toujours nous servirons Dionysos.

ALCESTE

L'histoire du prince thessalien Admète, qui échappa à la mort parce que sa femme Alceste accepta de partir à sa place, fut représentée aux Athéniens au printemps de 438. C'était la dernière pièce d'une tétralogie qui fut classée seconde, le premier prix ayant été attribué à Sophocle.

Dans l'ensemble présenté d'abord aux archontes, puis aux spectateurs, la tragédie d'Alceste occupe donc une place qui, revenait normalement à un drame satyrique. Les critiques anciens justifient la substitution en disant que « le drame se termine dans le bonheur et dans la joie, contrairement à l'usage tragique ». Si la mission du drame satyrique était de remettre en place les esprits ébranlés par les émotions violentes, c'était peut-être une étrange idée d'avoir clos la série par une œuvre dont le sujet unique est la mort, où les mots qui définissent et concernent la mort tombent de vers en vers, et d'un bout à l'autre, comme des gouttes de pluie. Mais une lumière irréelle éclaire l'image, lui enlève son pouvoir obsédant et laisse libre jeu à des pensées allégées. Une fois Admète sauvé et, de surcroît, Alceste ressuscitée, on ne conçoit même plus qu'ils doivent un jour franchir tout de même la porte si heureusement évitée. D'autres tragédies partent d'une donnée ou se terminent par une intervention merveilleuse. Aucune ne nous dépayse comme celle-ci. Et c'est peut-être en cela qu'elle répond aux exigences secrètes de la « tragédie qui plaisante ».

Elle est faite tout entière de sujets de contes et qui ne sont nullement propres à la Grèce et qui s'ordonnent en deux groupes, ceux de l'hôte masqué et de la mort trompée.

Un dieu arrive déguisé chez un mortel, éprouve son hospitalité et lui accorde un bienfait en gage de reconnaissance. Le dieu ici est d'abord Apollon. Zeus l'a condamné à servir comme valet chez le roi Admète dont Apollon, en signe de gratitude, fait multiplier les troupeaux. Puis, comme Admète est destiné à mourir jeune, le berger divin obtient pour lui la faculté de se faire remplacer auprès des dieux d'en bas. Vient ensuite

Héraclès, qui entre dans le drame avec son identité véritable, mais sans ses attributs, car les valets ne le reconnaissent pas et le prennent pour un bandit de grand chemin. En ramenant Alceste, il paiera la générosité de son hôte du plus grand des miracles ; et lorsqu'il apparaît tenant à la main une femme muette et voilée qu'Admète commence par repousser, c'est encore une variation sur le thème du visiteur mystérieux.

Celui de la Mort trompée *apparaît* ici coloré, ennobli par celui de l'amour victorieux de la mort. La Thessalie, pays d'Admète, connaissait l'histoire de Laodamie, si désespérée d'avoir perdu son mari Protésilaos que les dieux permirent à celui-ci de venir animer pour une nuit la statue que la jeune veuve tenait embrassée dans son lit, après quoi elle put le rejoindre aux Enfers. Admète, dans son deuil, se souvient de Laodamie et aussi d'Orphée : ainsi une corde ébranlée laisse percevoir des harmoniques. Le thème fondamental apparaît explicitement avec plusieurs valeurs, sous plusieurs éclairages. Quand Apollon a joué les Parques, obtenant d'elles qu'elles se contentent d'un substitut, Euripide ne dit pas comment il les a dupées, mais ses auditeurs le savaient fort bien : il les avait enivrées. Mais pourquoi Apollon était-il chez Admète ? Pour avoir tué les Cyclopes, artisans de la foudre, à laquelle il devait la mort de son fils Asclépios, autre vainqueur de la Mort, qui rendait vie à des trépassés. C'est même cette entreprise sur les droits les plus hauts qui avait excité contre lui la colère de Zeus. Victorieuse, grâce à Zeus, d'Asclépios, la Mort ne laisse qu'un succès partiel à Apollon champion d'Admète puisque celui-ci est obligé de lui livrer une âme pour racheter la sienne. Quant à Héraclès, il obtient la libération d'Alceste non par ruse, comme Apollon, non par science, comme Asclépios, mais de haute lutte. Enfin, le nom d'Orphée traverse fugitivement le décor légendaire, suggérant une autre méthode encore, celle des incantations. Comme Apollon, comme Laodamie, Orphée ne réussit qu'à demi. Le triomphe d'Héraclès sera-t-il plus complet ? Il ramène au palais une ressuscitée enfermée dans ses voiles et dans son silence. Admète osera-t-il jamais la reprendre tout à fait dans ses bras ? Le conte de la Mort trompée se continue par la tragédie de la Mort inéluctable. On réfléchit à cette ambivalence en se souvenant qu'Admète signifie Indomptable et que c'est précisément un des noms de la Mort, si bien qu'on peut imaginer, dans un passé infiniment reculé, un être unique dédoublé plus tard en deux antagonistes : un homme menacé, un pouvoir menaçant.

Ce pouvoir, Thanatos, *porte un nom masculin en grec comme dans les langues germaniques. Que les langues latines l'aient imaginé féminin est embarrassant pour les traducteurs.*

Thanatos règne sur la pièce. C'est une Mort presque abstraite, détachée de la souffrance, de la maladie et qui consiste simplement à cesser d'exister. Les poètes grecs ont raconté de plus d'une façon le Märchen *du sacrifice d'Alceste. Dans une tradition ancienne, une divinité ombrageuse, au moment du mariage, était offensée par quelque manque d'égard et exigeait une victime, sur quoi la jeune femme acceptait de prendre la place de son mari. Euripide montre deux conjoints attachés l'un à l'autre et qui ont des enfants, ce qui charge de significations nouvelles le sacrifice d'Alceste. Au surplus, il a laissé dans l'ombre les causes, les acheminements et toute chronologie. Une longue menace a pesé sur le ménage, mais rien ne dit quand ni comment elle a commencé. La Mort créancière tarde avant de saisir le gage, on n'en sait pas plus. Cela suffit à faire commencer la pièce dans une atmosphère d'angoissante menace.*

En plaçant la substitution longtemps après le mariage, Euripide se donnait une difficulté d'un autre ordre. Un Admète fils unique du roi Phérès et privé de toute descendance aurait eu non seulement le droit mais encore le devoir d'accepter le sacrifice de sa femme, la continuité du genos *comptant infiniment plus que les sentiments des individus. Mais dans la tragédie Admète a un fils, la succession est assurée, et si le jeune roi se cherche un remplaçant c'est parce qu'il aime la vie avec un égoïsme assez fort pour annuler toute autre considération.*

Voilà le réalisme réintroduit dans le Märchen, *et avec une surprenante crudité. Admète a sollicité son père Phérès de mourir à sa place, Phérès a refusé et, bien loin d'en avoir du remords, se félicite de sa sagesse, jugeant Alceste admirable et fort sotte. Quand son fils lui fait des reproches, il les rétorque vertement. C'est un personnage de haute comédie, parent du Félix de* Polyeucte. *Admète est plus nuancé.*

Il apparaît d'abord paré d'une charmante et puérile inconscience, parlant à la mourante comme si elle succombait à quelque accident, à une défaillance naturelle où lui-même n'aurait eu aucune responsabilité. Avec une insistance un peu agaçante il l'adjure de ne pas l'abandonner. Lorsqu'il insulte la lâcheté paternelle, comment ne s'avise-t-il pas que sa diatribe peut être retournée contre lui et va l'être en effet ? Mais il vient à peine de rejeter injurieusement les arguments de son père qu'on le sent pénétré par eux et rongé jusqu'au fond de l'âme. *Après avoir laissé triompher son amour primordial de la vie, il mesure ce que le gain lui coûte et il s'aperçoit que sa femme lui manquera beaucoup.* L'image belle et significative qui revient sans cesse comme pour contrepeser celle de la mort est celle de la maison, *la noble maison royale généreusement ouverte aux étrangers, prolongée de prairies où Apollon garda les troupeaux tandis que sa flûte envoyait les bêtes s'unir et multiplier.* Un couplet d'Admète rappelle douloureusement le jour où lui et Alceste, récemment unis, entrèrent dans la demeure. *L'équivalence de la* femme *et de la* maison *est ici traitée poétiquement, au niveau même où elle émerge de l'inconscient.* Des indications très fines montrent l'extrême sensibilité d'Euripide au symbole. Admète, rentrant de l'inhumation, est appelé vers l'abri de la maison, et regrette qu'on ne l'ait pas laissé descendre au creux de la fosse funèbre : *images du retour à la femme morte.*

Dans cette pièce qui raconte comment un mari provoqua, puis accepta le sacrifice d'une épouse, toute la tendresse est du côté d'Admète. À côté de lui, Alceste paraît froide, bien plus occupée des enfants qu'elle laisse que du mari pour qui elle meurt. Au surplus, on la devine édifiée sur la faiblesse et la légèreté d'Admète et, lorsqu'elle demande promesse sur promesse, son insistance est celle d'une femme secrètement déçue. Aucun sacrifice coûteux n'est possible sans l'adjuvant de l'orgueil. Euripide le savait fort bien et il a fait orgueilleuses celles de ses héroïnes qui offrent leur vie. L'orgueil d'Alceste s'exprime un peu naïvement pour notre goût, non sans quelque pédantisme. Mais sa sécheresse se comprend et je dirais presque qu'on lui en sait gré. Des effusions eussent été indiscrètes. Son sacrifice l'a épuisée. Elle a tout donné et n'a plus de paroles. Elle apparaît touchante dans son souci pour ses enfants et surtout l'image que donnent d'elle ses serviteurs. À eux elle n'a rien immolé de son être ; il lui reste de quoi leur offrir des générosités mineures et exquises. Leur reconnaissance, leur amour, leur regret achèvent l'image de la Maison, symbole complet de la Maîtresse.

Un moderne imagine, après la pièce, passé les trois jours que la ressuscitée doit donner au silence, un dialogue entre les deux époux. Et il parvient difficilement à se le figurer plein de ce bonheur, *de cette* joie *que le commentateur ancien voit à la fin à la pièce.* Le champ reste là ouvert où pourrait s'exercer la malignité des dieux *qu'Héraclès, en quittant son ami, souhaite détourner. Mais c'est là un jeu de l'esprit. Une tragédie grecque est close quand le coryphée a prononcé la pieuse banalité qui la termine. Au surplus, il faut se garder de prendre le mot bonheur dans un sens que les Grecs n'auraient pas compris. Dans le cas présent, il signifie, au profit de deux mortels, la victoire de deux puissances favorables, Apollon, Héraclès, sur les Parques, sur Thanatos, toujours affectés du signe négatif et colorés par les ténèbres de l'inconscient.*

Alceste

PERSONNAGES

APOLLON
THANATOS (la Mort)
UNE SERVANTE
ALCESTE, épouse d'Admète.
ADMÈTE, roi de Phères.
EUMÉLOS, leur fils.
HÉRACLÈS
PHÉRÈS, père d'Admète.
UN SERVITEUR
Chœur de vieillards.

*La scène représente le palais d'Admète,
d'où sort Apollon, un arc à la main.*

PROLOGUE

APOLLON

Adieu, maison d'Admète, où je dus supporter
de manger parmi les valets, moi un dieu !
Zeus en fut cause. Il avait abattu mon fils
Asclépios, d'un trait ardent en plein cœur.
Dans ma colère alors contre les artisans du feu divin
j'ai tué les Cyclopes, et mon père m'imposa de servir
chez un mortel, pour expier ce coup de force.
C'est ainsi que je vins dans ce pays
mener au pré les bestiaux de mon hôte,
et j'ai jusqu'à ce jour préservé sa maison.
Juste moi-même, j'ai rencontré un juste
dans le fils de Phérès. Il devait mourir et je l'ai sauvé,
ayant su abuser les Parques et obtenir de ces déesses
un délai pour Admète, qui échapperait au trépas imminent,
s'il offrait à sa place un autre mort aux dieux d'en bas.
Il a mis à l'épreuve tous les siens tour à tour,
jusqu'à son père et à la vieille mère qui lui donna le jour,
sans découvrir personne, sinon sa femme, qui voulût
mourir pour lui et dire adieu à la lumière.
En ce moment il est là dans la chambre et la tient dans ses
            bras,
expirante, car c'est aujourd'hui même
qu'elle doit s'exiler de la vie.
Et moi, pour éviter un contact qui me souillerait,
je quitte ce foyer qui m'est cher entre tous[1].
Déjà Thanatos est là qui s'approche,
le ministre des morts. Il vient emmener sa victime
vers le séjour d'Hadès. Lui qui jamais n'est en retard
a guetté pour venir l'heure fixée pour elle.

> *Thanatos apparaît, vêtu de noir, une épée à la main.*

THANATOS

Holà, holà que fais-tu là ? près du palais pourquoi rôder,
Phoibos ? Contre toute justice
tu veux confisquer, tu veux abolir
les privilèges des dieux infernaux.
Ce n'est pas assez d'avoir empêché Admète de mourir,
d'avoir leurré les Parques par ton artifice ?
Je te retrouve, l'arc à la main, prêt à défendre
celle qui a libéré son mari en acceptant de mourir à sa place,
la fille de Pélias.

APOLLON

Rassure-toi. Je compte uniquement sur le bon droit et la
    raison.

THANATOS

Si tu crois ta cause si bonne, pourquoi cet arc ?

APOLLON

Je le porte avec moi comme je fais toujours.

THANATOS

Et tu soutiens cette maison injustement, comme toujours.

APOLLON

C'est que je souffre du malheur d'un homme qui m'est cher.

THANATOS

Et tu entends encore me ravir un second mort ?

APOLLON

T'ai-je de force enlevé le premier ?

THANATOS

Comment alors est-il sur terre et non dessous ?

APOLLON

Il t'a donné sa femme en échange, celle que tu viens prendre.

THANATOS

Et que je vais conduire au domaine infernal.

APOLLON

Prends-la et puis va-t'en. Je ne pense pas te convaincre.

THANATOS

De quoi? de frapper qui m'est désigné? Mais c'est mon office.

APOLLON

Non. De différer un coup qui viendra tôt ou tard.

THANATOS

Je saisis ton calcul et vois ce que tu veux.

APOLLON

Y a-t-il un moyen qu'Alceste arrive à la vieillesse?

THANATOS

Aucun. J'ai moi aussi mon apanage auquel je tiens.

APOLLON

Elle n'a qu'une vie. Tu n'en prendras pas davantage.

THANATOS

Un jeune mort m'apporte un prestige plus grand.

APOLLON

Si elle meurt âgée, on lui fera de riches funérailles.

THANATOS

Bon argument, Phoibos, que tu apportes là aux riches.

APOLLON

Qu'est-ce à dire ? Es-tu donc si subtil et qu'on n'en ait rien
   su ?

THANATOS

Tous ceux qui ont du bien pourraient racheter ceux qu'ils
   aiment.

APOLLON

Tu es bien résolu à me refuser cette grâce ?

THANATOS

Bien résolu. Et tu connais mon caractère.

APOLLON

Oui, haï de la race humaine, haï des dieux.

THANATOS

Tu ne saurais avoir toujours plus que ton dû.

APOLLON

Mais toi, tout cruel que tu es, tu devras bien fléchir.
Un héros va venir au palais de Phérès,
chargé par Eurysthée de ramener un attelage
des pays de la Thrace où l'hiver est si dur.
Reçu en hôte ici au foyer d'Admète,
il saura te forcer à relâcher Alceste,
et nous n'aurons nul gré à t'en savoir.
Tu me céderas tout de même et moi je pourrai t'exécrer.

Apollon sort.

THANATOS

Parle toujours. Tu n'y gagneras rien.
Alceste descendra dans la maison d'Hadès.
C'est le moment d'approcher d'elle et que mon épée la
    consacre.
Car il est dévoué aux dieux de dessous terre,
celui dont elle a tranché les cheveux[1].

Thanatos entre dans le palais.

PARODOS

*Le chœur, composé de quinze citoyens de Phères,
entre dans l'orchestre.*

LE CORYPHÉE

Quel silence autour de cette demeure! Tout est muet.
Pourquoi?
Aucun familier qui puisse me dire si la reine est morte,
s'il faut porter son deuil,
ou si vivante encore elle voit la lumière,
Alceste, fille de Pélias,
qui s'est révélée à nous tous
comme la meilleure des femmes.

STROPHE I

CHŒUR

   Entend-on pleurer?
*Entend-on là dans la demeure les mains qui frappent les
         poitrines?*
Entend-on gémir, comme si tout était fini?
Aucun serviteur n'est là sur le seuil.
Si le flot du malheur peut être suspendu,
Apollon Péan, ah! révèle-toi.

DEMI-CHŒUR

On ne se tairait pas ainsi si la reine avait succombé.

DEMI-CHŒUR

Elle a cessé d'être...

DEMI-CHŒUR

Non, elle n'a point quitté la maison.

DEMI-CHŒUR

Qu'en sais-tu? Moi j'ignore. D'où vient ton assurance?

DEMI-CHŒUR

Comment Admète aurait-il laissé partir seul
Le corps d'une épouse si magnanime.

ANTISTROPHE I

CHŒUR

Je ne vois pas près de l'entrée
l'eau vive des libations, ainsi que c'est l'usage
aux portes des morts. Au seuil, pas de cheveux coupés
en offrande de deuil.
On n'entend pas les jeunes femmes
se frapper les mains.

DEMI-CHŒUR

Voici venu le jour où son sort doit se décider.

DEMI-CHŒUR

Que veux-tu dire?

DEMI-CHŒUR

Que c'est l'heure pour elle d'aller sous la terre.

DEMI-CHŒUR

Tu poins mon âme, tu poins mon cœur.

DEMI-CHŒUR

Quand des gens de bien vont périr
une fidélité ancienne
fait un devoir de porter leur deuil.

STROPHE II

LE CHŒUR

Ce n'est pas en dépêchant un navire
vers la Lycie ou l'aride séjour d'Ammon[1]
qu'on sauverait la vie de cette infortunée.
Son destin est au bord de l'abîme.
Parmi tous les autels des dieux
auquel m'approcher
pour offrir des victimes?

ANTISTROPHE II

Seul le fils d'Apollon, Asclépios,
s'il voyait la lumière encore,
l'aurait pu ramener du séjour ténébreux,
des portes de l'Hadès, car il ressuscita des morts
jusqu'au jour où le dard de feu,
le trait de Zeus vint le frapper.
Quel espoir me reste à présent
de la voir renaître à la vie?

PREMIER ÉPISODE

LE CORYPHÉE

Tous les rites ont été accomplis par le roi.
Les dieux ont vu le sang couler sur les autels,
Le mal est sans remède.
Mais voici que sort du palais une des femmes de la reine,
tout en larmes. Qu'a-t-elle à nous apprendre ?

(La servante arrive sur le théâtre.)

Que tu sois dans le deuil lorsque tes maîtres souffrent,
je le comprends. Parle-nous cependant.
Nous voudrions savoir si ta maîtresse vit encore.

LA SERVANTE

Dis-la vivante ou dis-la morte, tout aussi bien.

LE CORYPHÉE

Et comment à la fois être mort et vivant ?

LA SERVANTE

Elle est déjà défaillante, expirante.

LE CORYPHÉE

Ô malheureux époux, privé de quelle épouse !

LA SERVANTE

Le maître ne connaîtra son malheur qu'après l'avoir subi.

LE CORYPHÉE

N'y a-t-il plus d'espoir de sauver cette vie ?

LA SERVANTE

Le jour fatal est là qui nous l'arrache.

LE CORYPHÉE

Tout est-il préparé pour elle comme il le faut ?

LA SERVANTE

Oui, la parure est prête où son mari l'inhumera.

LE CORYPHÉE

Qu'elle sache bien qu'elle meurt avec gloire,
la meilleure des femmes qui sont sous le soleil, et de beau-
    coup.

LA SERVANTE

La meilleure, oui certes, qui le contestera ?
Que devrait être celle qui la surpasserait ?
Comment mieux témoigner son respect envers son époux
qu'en s'offrant à mourir pour lui ?
Cela, tout le pays le sait.
Mais ce qu'elle accomplit dans la maison, entends-le et
    admire.
   Lorsqu'elle eut senti son heure venue,
elle baigna d'eau fluviale son corps blanc
et sortit d'un coffre de cèdre
vêtements et joyaux pour dignement s'en revêtir.
Puis debout au foyer elle fit sa prière :
« Maîtresse[1], puisque je vais aller sous terre
et que je me prosterne ici pour la dernière fois, je te
    demande
de veiller sur mes orphelins, de donner à mon fils
une épouse fidèle, à ma fille un époux de haut rang.
Qu'il leur soit épargné de mourir comme leur mère
bien avant l'heure, mais qu'ils vivent heureux
sur le sol de leurs pères, jusqu'au bout de leur âge. »
De chaque autel dressé dans le palais d'Admète
elle approcha avec une prière et un bouquet
de brins qu'elle détachait d'un rameau de myrte,

sans une larme, sans une plainte, sans que l'approche de la
    fin
altérât la beauté de son teint.
    Mais quand elle entra dans sa chambre, elle alla tomber
        sur son lit
et se mit à pleurer, disant :
« Ô lit où j'ai dénoué ma ceinture
et donné ma virginité à celui pour qui je meurs aujourd'hui,
adieu, je ne t'en veux pas. Tu n'as perdu
que moi seule. C'est pour n'avoir voulu trahir ni toi ni mon
    mari
que je meurs. Et tu seras le bien d'une autre femme
qui n'aura pas plus de vertus, mais peut-être plus de
    bonheur. »
À genoux, elle l'embrasse et le trempe
d'un orage de larmes.
Quand enfin elle se fut apaisée en pleurant,
elle se releva, la tête ployée, s'arrachant à sa couche,
pour revenir, quitter la chambre et y rentrer
en se jetant de nouveau sur son lit.
Les enfants, suspendus aux robes de leur mère,
pleuraient. Elle les prenait dans ses bras,
les caressait l'un après l'autre en un dernier adieu.
Tous les serviteurs pleuraient dans la maison,
déplorant le sort de leur dame. Elle tendait la main
à chacun à son tour. Il n'y en eut point de si humble
qu'il ne reçût d'elle un salut et ne pût le lui rendre.
Vois quels chagrins habitent la maison d'Admète.
S'il était mort, tout serait accompli. Il et sauvé
au prix d'une douleur qu'un jour il devra peser à son juste
    poids[1].

                        LE CORYPHÉE

Admète sans doute gémit d'un tel deuil,
condamné à perdre une si noble femme ?

                        LA SERVANTE

Il pleure, oui, la serre dans ses bras,
la supplie de ne point l'abandonner. Le plus vain
des souhaits ! Elle s'éteint et le mal la consume.
Elle défaille, fardeau inerte au bras qui la soutient.

Elle respire encore faiblement
et souhaite revoir les rayons du soleil, pour la dernière fois.
Je vais aller leur annoncer votre présence.
Tous ne sont pas si attachés aux rois
qu'ils leur restent fidèles jusque dans le malheur.
Mais toi, tu es un vieil ami des maîtres.

Elle rentre dans le palais.

PREMIER STASIMON

STROPHE

DEMI-CHŒUR

Ô Zeus, quelle issue à ces maux
Comment délivrer nos rois
du sort qui les opprime ?

DEMI-CHŒUR

Qui verrons-nous sortir ?
Faut-il couper ma chevelure
et déjà revêtir les sombres vêtements du deuil ?

DEMI-CHŒUR

Tout n'est que trop clair, mes amis, oui trop clair.
Et cependant prions les dieux ;
leur puissance est toujours la plus grande.

LE CHŒUR

Seigneur Péan,
découvre un remède au malheur d'Admète,
trouve un expédient. Une première fois
tu es intervenu[1]. Aujourd'hui encore
donne la rançon. Libère. Écarte la mort,
arrête Hadès, le meurtrier.

ANTISTROPHE

DEMI-CHŒUR

Malheur ! quelle épreuve pour toi,
fils de Phérès, d'être privé de ton épouse.

DEMI-CHŒUR

Un pareil malheur vaut qu'on s'ouvre la gorge,
que l'on passe à son cou
le nœud d'un lacet suspendu.

DEMI-CHŒUR

Tu l'aimais plus que tout au monde,
et tu vas la voir expirer
aujourd'hui même et devant toi.

> Sortent du palais Admète soutenant Alceste et les enfants. Des serviteurs placent un lit sur la scène.

LE CHŒUR

Voyez, voyez, elle sort du palais, son mari avec elle.
Viens, ô Thessalie, gémir, pleurer sur elle,
car le mal consume la femme admirable
et va la livrer sous terre à Hadès.

SECOND ÉPISODE

LE CORYPHÉE

Le mariage apporte bien plus de peines que de joies.
J'en ai eu bien des preuves.
J'assiste aujourd'hui au malheur du roi,
privé de la meilleure des compagnes.
Ce qui lui restera n'est plus digne du nom de vie.

ALCESTE

Soleil, lumière du jour
remous aériens des rapides nuées…

ADMÈTE

Il nous voit, toi et moi, malheureux l'un et l'autre,
n'ayant rien fait aux dieux qui mérite ta mort.

ALCESTE

Ô mon pays, abri de ma maison,
mon lit de fiancée, là-bas, à Iolcos…

ADMÈTE

Ressaisis-toi, infortunée, ne m'abandonne pas !
Implore la pitié des dieux puissants.

ALCESTE

Je la vois sur le lac, je la vois, la barque à deux rames,
et le passeur des morts, la main sur la perche.
Il m'appelle, il crie : « Que tardes-tu ?
Mais hâte-toi donc ! C'est toi que j'attends. »
Vois-tu comme il me presse, impétueusement.

ADMÈTE

Hélas, qu'elle est pour moi cruelle, la traversée
que tu annonces. Infortunée, quel tourment est le nôtre !

ALCESTE

Il m'entraîne, il m'entraîne ! — ne le vois-tu pas —
vers le séjour des morts.
Sous ses noirs sourcils son regard est sombre
Il a des ailes. Mais c'est Hadès !
Que veux-tu faire ? Lâche-moi !
Quelle route, malheureuse, ai-je à marcher ?

ADMÈTE

Digne de faire pleurer les tiens,
moi surtout et nos enfants, qui partagent mon deuil.

ALCESTE

Laissez-moi, laissez-moi enfin.
Couchez-moi, mes genoux sont sans force.
Hadès est près de moi.
La nuit ténébreuse rampe sur mes yeux.
Mes enfants, mes enfants, vous n'avez plus de mère.
Adieu, que le jour à tous deux vous soit doux.

ADMÈTE

Hélas, parole de douleur,
plus mortelle pour moi que la mort elle-même !
Au nom des dieux, refuse de m'abandonner.
Au nom de ces enfants qui seront orphelins,
redresse-toi, courage. Toi morte, ah ! c'en est fait de moi.
En toi est ma vie, en toi est ma mort.
Car je vénère ton amour.

ALCESTE

Tu vois, Admète, en quel état je suis.
Avant de mourir je veux que tu saches mes derniers
      désirs.

Je t'ai respecté au point de donner ma propre vie
pour te garder la lumière du jour.
Je meurs pour toi lorsque j'aurais pu te survivre,
choisir parmi les Thessaliens le mari que j'aurais voulu,
rester en souveraine dans cette opulente maison.
Mais séparée de toi j'ai refusé de vivre
avec mes enfants orphelins, et j'ai compté pour rien
le bonheur que j'avais d'être jeune et vivante.
Tes père et mère cependant t'avaient renoncé
quand leur âge était tel que dignement ils auraient pu mourir
et dignement sauver leur fils, honorable trépas.
Tu étais leur unique enfant.
Ils ne pouvaient, toi mort, en avoir d'autres.
Et moi je vivrais avec toi la fin de nos années.
Tu n'aurais pas à rester seul, veuf et affligé avec des orphelins
     à élever.
Mais puisqu'un dieu voulut qu'il en fût de la sorte,
soit. À toi pourtant de m'accorder en retour une grâce,
celle que je vais demander, non pas égale,
puisque rien n'est plus précieux que la vie,
mais juste, tu en conviendras. Car nos enfants, tu les aimes
autant que moi, car tu es un bon père.
Souffre donc que dans ma maison[1] ils demeurent les maîtres,
et ne prends pas une autre femme qui leur serait une
     marâtre,
qui ne me vaudrait pas et, dans sa jalousie,
pourrait porter la main sur ceux qui sont nés de nous deux.
Ne le fais pas, c'est moi qui t'en supplie.
Une marâtre arrive, hostile aux enfants qui sont nés
avant sa venue, et sa douceur est celle de la vipère.
Un fils sans doute a dans son père un ferme bouclier.
Mais-toi, ma fille, qui préservera, ainsi qu'il se doit, ton ado-
     lescence ?
Que sera pour toi l'épouse de ton père ?
Qu'elle n'aille pas, de ses calomnies,
ruiner ta vie d'épouse en la fleur de ton âge !
Car ta mère ne sera pas là pour te donner en mariage,
ni pour t'encourager quand naîtront tes enfants, ma fille,
à l'heure où rien n'est plus doux qu'une mère.
Oui, il me faut mourir, et ce n'est pas demain,
ce n'est pas dans deux jours que m'attend le malheur[2].

Il est là et je compte déjà parmi ceux qui n'existent plus.
Adieu. Soyez heureux. Et soyez fiers, toi, mon mari,
d'avoir choisi une femme excellente,
vous, mes enfants, d'être issus d'une bonne mère.

LE CORYPHÉE

N'en doute pas. Sans hésiter je réponds en son nom :
Admète fera ce que tu désires, car il sait son devoir.

ADMÈTE

Il en sera ainsi, et tu n'as rien à redouter.
Vivante tu fus mienne et dans la mort tu restes mon
     épouse.
Ce nom est pour toi seule. Jamais à ta place
nulle Thessalienne n'abordera en fiancée l'homme qui te
     parle,
quelque noble que soit son père, et si belle qu'elle puisse
     être.
J'ai les enfants que je voulais. Qu'ils vivent pour ma joie ;
     c'est ce que je demande
aux dieux. Tu n'as pas assez vécu pour la nôtre.
Je porterai ton deuil, non pas une année seulement,
mais tout le temps que je vivrai, ma femme,
n'ayant que haine pour ma mère et haine
pour mon père. L'amour était dans leur bouche, non dans
     leurs actes.
Mais toi, au prix du bien inestimable,
tu as sauvé ma vie. N'ai-je pas raison de pleurer,
privé d'une telle compagne ?
J'interdirai les fêtes, les banquets,
les couronnes, les chants qui peuplaient ma demeure.
Plus jamais je ne toucherai de la lyre,
et je n'aurai le cœur assez léger pour chanter aux accents de
     la flûte libyenne.
Tu emportes avec toi toute la joie que j'avais à vivre.
L'habile main des artisans fera de ton corps une image que
     j'étendrai sur notre lit,
pour me coucher à son côté, l'entourer de mes bras,
l'appeler de ton nom, et j'aurai l'illusion d'étreindre
ma chère femme et de la posséder encore.
Froide consolation, je le sais. Mais le fardeau

qui pèse sur mon cœur en sera allégé. Dans mes rêves
tu passeras pour ma joie. Ceux que l'on aime,
il est doux de les voir la nuit, ne fût-ce qu'un instant.
Si j'avais la voix et le chant d'Orphée,
que je puisse enchanter Perséphone ou Hadès
et t'arracher aux enfers,
je descendrais, et le chien de Pluton
ni le passeur Charon incliné sur sa rame
ne pourraient m'arrêter. Je te ramènerais vivante à la lumière.
Attends du moins là-bas le moment de ma mort
et prépare la chambre où nous serons ensemble.
Dans un même cercueil de cèdre,
je veux que nos enfants m'étendent, mon flanc le long du
    tien.
Que jamais dans la mort je ne sois séparé de toi, mon unique
    fidèle.

LE CORYPHÉE

Compte sur moi comme sur un ami
pour porter son deuil avec toi : elle en est digne.

ALCESTE

Mes enfants, vous avez entendu votre père,
sa promesse de n'épouser nulle autre femme,
présence pénible pour vous, outrageante pour moi.

ADMÈTE

Je le déclare encore, et je tiendrai parole.

ALCESTE

À cette condition, reçois ces enfants de ma main.

ADMÈTE

Je les reçois, chers présents d'une chère main.

ALCESTE

Sois pour eux la mère que j'aurais été.

ADMÈTE

Il le faut bien, puisqu'ils ne t'auront plus.

ALCESTE

Mes enfants, j'ai l'âge de vivre, et je m'en vais sous terre!

ADMÈTE

Hélas, abandonné de toi que vais-je devenir?

ALCESTE

Le temps te guérira. Un mort n'est qu'un néant.

ADMÈTE

Emmène-moi, au nom des dieux, dans les enfers.

ALCESTE

C'est bien assez que je meure pour toi.

ADMÈTE

Ô destinée, quelle compagne tu m'enlèves!

ALCESTE

L'ombre m'entoure et pèse sur mes yeux.

ADMÈTE

Je meurs, Alceste, si tu m'abandonnes.

ALCESTE

Ah! sache-le, tout est fini pour moi.

ADMÈTE

Redresse ton visage, n'abandonne pas tes enfants.

ALCESTE

Je le fais malgré moi. Enfants, soyez heureux.

ADMÈTE

Regarde-les, regarde.

ALCESTE

J'ai cessé d'être.

ADMÈTE

Ah! que fais-tu? Tu m'abandonnes?

ALCESTE

Adieu.

ADMÈTE

Je meurs, infortuné.

LE CORYPHÉE

Elle s'en est allée; l'épouse d'Admète n'est plus.

L'ENFANT EUMÉLOS

Malheur à moi! maman sous la terre est partie.
Ah! père! elle n'est plus sous le soleil.
Elle m'abandonne et me laisse orphelin.
Vois ses paupières et ses mains qui retombent.
Écoute, mère, réponds-moi, car je te prie,
penché sur la face, moi ton petit oiseau[1].

ADMÈTE

Elle ne t'entend plus, elle ne te voit plus. Sur moi,
sur vous deux, un malheur accablant est tombé.

EUMÉLOS

Père, je suis si jeune et je prends seul la route,
privé de ma mère chérie. Ah! que je souffre,

et toi, petite sœur, que tu souffres avec moi !
Bien court, bien court, mon père,
fut le bonheur en ton mariage.
Sans elle tu iras jusqu'au terme de la vieillesse.
Elle est morte trop tôt. Toi partie, ô mère, la maison périt.

LE CORYPHÉE

Admète, il faut supporter cette épreuve.
Tu n'es ni le premier ni le dernier
qui ait perdu une épouse excellente. Et souviens-toi aussi
que tous il nous faudra mourir.

ADMÈTE

Oui, je le sais, et de loin j'ai vu le malheur
qui volait vers nous. La longue attente m'a rongé.
    J'ai maintenant à diriger les funérailles.
Assistez-y. En attendant, faites sonner le chant funèbre
pour l'implacable dieu d'en bas.
    Tous les Thessaliens auxquels je commande
porteront avec moi le deuil de mon épouse,
la tête rasée, en vêtements noirs.
Vous qui attelez des quadriges ou qui harnachez des chevaux
        de selle,
tranchez au fer la crinière au ras du cou.
Que la flûte et la lyre se taisent dans la ville,
jusqu'à ce qu'ait passé le cours de douze lunes.
Jamais je n'ensevelirai une personne qui m'ait été plus chère,
qui ait mieux mérité de moi. Il n'est que juste
que je l'honore, la seule qui ait consenti à mourir à ma place.

*Admète et les enfants rentrent dans le palais, où
l'on transporte aussi le corps.*

DEUXIÈME STASIMON

STROPHE I

LE CHŒUR

Adieu, fille de Pélias,
reçois bon accueil aux demeures d'en bas,
aux maisons sans soleil où tu vas habiter.
Qu'Hadès, le dieu aux cheveux noirs, te reconnaisse,
que le vieux convoyeur des morts,
accroupi à la barre, à l'aviron,
sache que c'est la plus excellente des femmes
qu'il prend dans sa barque à deux rames
pour lui faire passer l'Achéron.

ANTISTROPHE I

Souvent les serviteurs des Muses
vont prendre pour toi la lyre à sept cordes
qu'Hermès sur la montagne fit d'une tortue.
Sparte te chantera sans lyre quand le cycle de l'an
ramène le mont Carnéios et que la lune au ciel
plane toute la nuit.
Athènes aussi te chantera, ville heureuse et brillante,
si belle et si riche est la source
que ta mort va ouvrir aux poètes.

STROPHE II

Que ne puis-je loin du séjour d'Hadès
te ramener à la lumière,
prendre l'aviron qui bat les vagues infernales,
avec toi repasser le Cocyte !

Toi seule, ô femme unique, as trouvé le courage
de sauver au prix de la tienne la vie de ton mari.
Que légère te soit la terre qui va tomber sur toi.
Si ton époux se choisissait un autre lit,
sache-le, avec tes enfants,
je le prendrais en aversion.

ANTISTROPHE II

Sa mère a refusé, quand il fallait sauver son fils
de laisser la terre recouvrir son corps,
et le vieux père a fait même réponse.
L'enfant de leur propre chair, malgré leurs cheveux blancs,
ils n'ont pas eu assez de cœur pour le sauver,
quand toi, dans ta neuve jeunesse, tu acceptas l'échange.
Tu pris sa place et tu t'en es allée.
Que semblable union et femme aussi fidèle
soit aussi mon lot, trop rare partage :
mes jours avec les siens
couleraient sans une ombre.

Héraclès entre par la gauche.

TROISIÈME ÉPISODE

HÉRACLÈS

Citoyens, qui habitez dans ces quartiers de Phères,
Admète est-il chez lui et puis-je l'y trouver ?

LE CORYPHÉE

Le fils de Phérès est chez lui, Héraclès,
mais dis-nous, que viens-tu chercher
en terre thessalienne et dans notre ville de Phères.

HÉRACLÈS

J'accomplis un travail pour Eurysthée roi de Tirynthe.

LE CORYPHÉE

Où t'envoie-t-il ? à quel lointain voyage condamné ?

HÉRACLÈS

Je dois enlever au Thrace Diomède les quatre chevaux de
son char.

LE CORYPHÉE

C'est impossible. Sais-tu quelle hospitalité t'attend chez lui ?

HÉRACLÈS

Nullement. Jamais encore je n'ai poussé jusqu'à la Thrace.

LE CORYPHÉE

Pour avoir les chevaux, il faut d'abord combattre le maître.

HÉRACLÈS

Peut-être bien, mais je ne puis me soustraire aux Travaux.

LE CORYPHÉE

L'un de vous deux y laissera sa vie.

HÉRACLÈS

Ce n'est pas la première fois que je lutterai de la sorte.

LE CORYPHÉE

Si tu restes vainqueur, quel avantage en auras-tu?

HÉRACLÈS

J'irai conduire les chevaux au seigneur de Tirynthe.

LE CORYPHÉE

Mettre le mors à leurs mâchoires n'est pas aisé.

HÉRACLÈS

Pourquoi? leurs naseaux soufflent-ils le feu?

LE CORYPHÉE

Non, mais d'un coup de dents ils vous dépècent un homme.

HÉRACLÈS

Ainsi se nourrissent les fauves, non les chevaux!

LE CORYPHÉE

Tu pourras voir leurs râteliers souillés de sang.

HÉRACLÈS

Celui qui les élève, quelle est son ascendance?

LE CORYPHÉE

Il se dit fils d'Arès, maître de l'écu d'or de Thrace.

HÉRACLÈS

Épreuve bien conforme à mon destin,
celle que tu décris, toujours rigide à me pousser au plus
        abrupt,
s'il me faut engager la lutte avec les fils d'Arès,
Lycaon d'abord, puis Cycnos[1], et en troisième lieu
ce Thrace et ses chevaux à vaincre coup sur coup.
Mais l'homme n'est pas né qui pourra voir le fils
        d'Alcmène
trembler devant le bras d'un ennemi.

                         Paraît Admète en tenue de deuil.

LE CORYPHÉE

Je vois le roi de ce pays, Admète, qui sort du palais.

ADMÈTE

Salut, fils de Zeus, descendant de Persée. Sois heureux.

HÉRACLÈS

Sois heureux, toi aussi, Admète roi de Thessalie.

ADMÈTE

Je voudrais l'être… Je sais ton amitié pour moi.

HÉRACLÈS

Pourquoi es-tu rasé ainsi que pour un deuil ?

ADMÈTE

Je dois aujourd'hui même ensevelir un mort.

HÉRACLÈS

Qu'un dieu de tout mal préserve tes enfants.

ADMÈTE

Mes enfants sont chez moi, bien vivants.

HÉRACLÈS

Ton père était d'âge à mourir, si c'est lui qui partit.

ADMÈTE

Il vit, ma mère également, ô Héraclès.

HÉRACLÈS

Ce n'est pas ta femme, Alceste, qui est morte?

ADMÈTE

Je puis tenir à son sujet double langage.

HÉRACLÈS

Parles-tu d'elle comme expirée ou comme encore vivante[1]?

ADMÈTE

Elle est, elle n'est plus, et cause ma souffrance.

HÉRACLÈS

Cela ne m'apprend rien. Tu parles par énigmes.

ADMÈTE

Mais tu sais le destin qui lui est réservé?

HÉRACLÈS

Je sais. Elle s'est soumise à mourir pour toi.

ADMÈTE

Que reste-t-il de vie à qui s'est engagé de la sorte ?

HÉRACLÈS

Il est trop tôt pour la pleurer. Attends que l'heure vienne.

ADMÈTE

Le condamné est déjà mort. Le mort n'est déjà plus.

HÉRACLÈS

Être et ne pas être passent cependant pour bien différents.

ADMÈTE

Tu juges ainsi, Héraclès, et moi tout autrement.

HÉRACLÈS

Mais qui donc pleures-tu ? Le mort était de tes amis ?

ADMÈTE

Une femme, et nous venons de parler d'elle.

HÉRACLÈS

Une étrangère ou bien une parente à toi ?

ADMÈTE

Une étrangère, mais alliée à ma maison.

HÉRACLÈS

Et comment se fait-il qu'elle mourut chez toi ?

ADMÈTE

C'est qu'elle avait perdu son père, et je recueillis l'orpheline.

HÉRACLÈS

C'est dommage.
J'aurais aimé, Admète, ne pas te trouver dans le deuil.

ADMÈTE

Tu as un dessein que tu ne dis pas. Lequel?

HÉRACLÈS

Je vais aller ailleurs demander l'hospitalité.

ADMÈTE

Ah! seigneur, tu n'y penses pas. Ne m'inflige pas cette
peine.

HÉRACLÈS

Un hôte qui survient est importun aux affligés.

ADMÈTE

Les morts sont morts. Entre dans la maison.

HÉRACLÈS

Il est honteux de festoyer chez des amis qui pleurent.

ADMÈTE

L'hôtellerie est séparée de la maison. Je t'y ferai conduire.

HÉRACLÈS

Renvoie-moi, et je te dirai mille grâces.

ADMÈTE

Il n'est pas question que tu ailles au foyer d'un autre.

(À un esclave.)

Toi, conduis-le. Va lui ouvrir l'appartement des visiteurs,
qui donne sur la campagne. Charge ceux qui en ont le
    soin
de mettre à sa disposition abondance de vivres. Puis
fermez bien les portes de la cour[1]. Il ne faut pas que ceux qui
    mangent
entendent pleurer, et rien ne doit gêner nos hôtes.

Héraclès et le serviteur entrent dans le palais.

LE CORYPHÉE

Admète, que fais-tu? Dans le grand malheur qui t'accable
tu as le cœur à l'hospitalité? Mais c'est de la folie?

ADMÈTE

Et si de ma maison et de ma ville j'avais écarté
celui qui souhaitait être reçu, m'en approuverais-tu davan-
    tage?
Sûrement non. Mon malheur n'en serait pas moindre
et moi j'aurais manqué à mon devoir envers les hôtes.
À tous mes maux j'aurais ajouté un reproche.
Les étrangers, aurait-on dit, sont mal reçus chez moi,
quand moi-même toujours je trouve le meilleur accueil
chez Héraclès, s'il m'arrive d'aller dans l'aride pays
    d'Argos.

LE CORYPHÉE

Et pourquoi lui cacher l'infortune présente
alors qu'il survient en ami, tu le dis à l'instant?

ADMÈTE

Jamais il n'aurait consenti à passer notre seuil
s'il avait connu mon malheur, et si peu que ce fût.

Plus d'un, je le sais, me trouvera fou d'agir de la sorte
et me blâmera. Mais la maison qui est la mienne,
jamais ne s'est fermée aux hôtes et ne leur a refusé des
　　　égards.

Admète rentre dans le palais.

TROISIÈME STASIMON

STROPHE I

LE CHŒUR

Maison accueillante et toujours ouverte d'un maître
    généreux,
c'est toi qu'Apollon, le dieu de Pythô, le dieu de la lyre,
a choisie pour demeure.
Il a bien voulu servir en berger dans tes pâturages,
et sur la pente des collines
il prenait la flûte, sifflait à l'aumaille des airs nuptiaux.

ANTISTROPHE I

Venaient alors paître avec eux, laissant les vallons de
    l'Othrys,
charmés par le chant, les bêtes des bois, les lynx tachetés,
aux sons de ta lyre, Phoibos,
le faon au pelage moiré
se risque à quitter les sapins épais et leur ombre haute,
pour venir danser, de son pied léger, sur cet air joyeux.

STROPHE II

Voilà pourquoi nul prince en ses étables,
ne voit autant que lui pulluler ses troupeaux[1].
Son beau domaine au bord du lac Bolbé aux belles eaux,
ses champs labourés et ses longues plaines,
de ce côté où le Soleil arrête ses chevaux,
laissant le ciel noir derrière eux,
vont jusqu'au pays des Molosses,
et, vers l'Égée,
jusque-là où le Pélion tombe à pic dans la mer.
Là règne Admète.

ANTISTROPHE II

Et maintenant il a ouvert la salle
devant son hôte, malgré ses yeux en pleurs,
quand le corps de sa femme chérie
n'a pas encore quitté la maison.
Un noble cœur est porté au scrupule
et va toujours au-delà du devoir.
L'homme de bien détient toute sagesse,
je l'en admire.
Qui honore les dieux connaîtra le bonheur,
tel est mon ferme espoir.

Admète sort du palais, conduisant le convoi funèbre.

QUATRIÈME ÉPISODE

ADMÈTE

Gens de Phères, dont la présence atteste l'amitié,
voici le corps. Tous les honneurs lui ont été rendus. Les ser-
        viteurs
l'ont pris sur leurs épaules pour le porter vers le tombeau,
        vers le bûcher[1].
À vous de saluer selon le rite
la morte qui s'en va pour son dernier voyage.

> *On voit venir de droite Phérès suivi de serviteurs
> portant des offrandes.*

LE CORYPHÉE

Mais je vois là ton père, qui vient de son pas de vieillard.
Ceux qui l'escortent sont chargés à pleins bras
d'ornements pour ta femme, offrandes funéraires.

PHÉRÈS

Mon fils, je suis venu prendre ma part de ton malheur.
Une excellente femme, nul n'y contredira, et sage,
celle que tu as perdue. Mais ce sont des coups
qu'il faut supporter, même s'ils s'acharnent sur nous[2].
Reçois ces ornements ; qu'ils aillent sous la terre.
Je les donne. Car il faut honorer la dépouille
de celle qui est morte pour te laisser, mon fils, en vie,
celle à qui je dois de ne pas rester sans enfant, à user,
privé de toi, mes vieilles années dans le deuil.
Elle a rehaussé le renom de la totalité des femmes
par l'acte de son généreux courage.

> *(Il tend la main vers le lit funèbre.)*

Ô toi qui as sauvé mon fils, qui nous as redressés[3]

alors que nous tombions, salut ! Même au séjour d'Hadès,
que tout soit bien pour toi. Je vous le dis : si c'est pour
    former un tel couple
on fait bien de se marier. Autrement ce n'est pas la peine.

ADMÈTE

Je ne t'ai pas prié de venir à ces funérailles,
et je ne te tiens point, sache-le, parmi ceux dont la présence
    m'est chère.
Tes offrandes, jamais je ne voudrais en revêtir la morte !
Sa toilette funèbre ne demande rien qui vienne de toi.
Quand devais-tu compatir à mon sort ? C'est quand j'allais
    périr.
Mais alors tu t'es dérobé, tu as laissé mourir un autre,
un être jeune, toi un vieillard, puis tu viendras gémir sur son
    cadavre[1].
Tu ne m'as donc pas vraiment engendré,
ni celle non plus qui dit m'avoir donné le jour et qu'on
nomme ma mère ! Né de quelque esclave
je fus, un enfant supposé, mis au sein de ta femme !
L'épreuve t'a montré tel que tu es vraiment,
et je ne puis me regarder comme un fils né de toi.
Ou faut-il que tu sois un prodige de lâcheté
pour n'avoir eu le vœu ni le courage
de mourir au lieu de ton fils ! Vous avez laissé faire
cette femme étrangère qui fut pour moi une mère
et un père aussi[2], oui, elle seule.
Pourtant elle était belle, la couronne que tu méritais
en mourant à ma place, et bref le temps qui reste devant toi.
Alceste comme moi eût accompli son âge
et ne m'aurait pas laissé seul à pleurer mon malheur.
    Tu le sais bien, toutes les joies qu'un homme peut
        attendre
tu les as eues. Dès ta jeunesse tu fus roi.
Je suis né de toi pour te succéder ;
tu ne mourais pas sans postérité,
laissant un domaine orphelin au pillage des étrangers.
Pourtant tu ne peux dire que je manquais d'égards
pour ton grand âge, quand tu m'as livré à la mort,
moi qui te témoignais le respect le plus grand. Voilà la grati-
    tude

dont vous m'avez payé, ma mère et toi !
Allons, ne perds pas plus de temps, engendre des enfants
qui te nourriront quand tu seras vieux, qui, lorsque tu
　　　　mourras,
pareront ton cadavre et dresseront ton dernier lit.
Ma main refusera de t'inhumer[1],
puisque de ton fait je suis mort. Je vois le jour grâce à un
　　　　autre
qui m'a sauvé, méritant seul mon devoir filial,
d'amour et d'assistance.
　　　À en croire les vieilles gens, ils appellent la mort,
leur âge les accable, ils ont vécu trop longtemps.
Ce sont des mots ! Dès que la mort approche, nul ne veut
　　　　plus
s'en aller, et l'âge a cessé d'être lourd.

LE CORYPHÉE

Restez-en là. Le malheur présent vous accable assez.
Jeune homme, tu parles à ton père. Cesse de l'irriter[2].

PHÉRÈS

Que t'imagines-tu, mon fils ? Avoir devant toi un Lydien,
　　　un Phrygien,
quelque esclave payé de ton argent et bon pour tes insultes ?
Tu oublies que je suis Thessalien, né de père thessalien,
enfant légitime et homme libre.
Tu pousses l'outrage trop loin et les mots insolents
que tu me lances m'ont blessé. Tu n'en seras pas quitte à si
　　　bon compte.
Je t'ai engendré et nourri pour que tu sois un jour le maître
　　　du domaine
mais rien ne me fait un devoir de mourir pour toi.
Les pères obligés de mourir pour leurs fils ?
Ni mes aïeux ni mon pays ne m'ont transmis semblable
　　　loi.
Heureux ou malheureux, ton destin ne concerne
que toi. Ce qui te revenait de moi, tu le possèdes,
régnant déjà sur un peuple nombreux,
et plus vastes seront les terres que je te laisserai.
Je les ai reçues de mon père.

Où vois-tu que je t'aie fait tort? De quoi t'ai-je frustré?
Tu n'as pas à mourir pour moi, mais moi pour toi pas
    davantage.
Tu es heureux de voir le jour. Penses-tu que ton père en
    jouisse moins?
C'est que je compte qu'il est long, le temps à passer sous la
    terre,
et bien courte la vie, si douce cependant.
Quant à toi, en toute impudeur, tu t'es débattu pour ne pas
    mourir
et te voilà vivant, dépassant ton terme fatal,
au prix de cette morte. Après cela, tu parles de ma lâcheté,
toi le lâche des lâches, vaincu par une femme
qui s'est offerte pour te sauver, le beau garçon!
Pour ne jamais mourir, excellent moyen que le tien:
inciter chaque fois l'épouse du moment
à se livrer pour toi. Et puis tu viens insulter ceux des
    tiens
qui se dérobent, alors que le lâche c'est toi.
Silence! Sache que si tu tiens à la vie
chacun tient à la sienne. Et si tu continues
tes attaques, tu entendras une riposte où tout sera bien
    mérité.

LE CORYPHÉE

On n'en a que trop dit.
Cesse, seigneur, d'insulter ton fils.

ADMÈTE

Non, parle, puisque j'ai parlé[1]. Si la vérité blesse tes oreilles
il ne fallait pas te mal conduire à mon égard.

PHÉRÈS

La pire faute aurait été de mourir à ta place.

ADMÈTE

Mourir, est-ce la même chose pour un être jeune et pour un
    vieillard?

PHÉRÈS

Chacun n'a qu'une vie, et ne peut compter sur une autre.

ADMÈTE

Eh bien, puisses-tu donc vivre plus vieux que Zeus lui-même[1].

PHÉRÈS

Quoi, tu maudis ton père, qui ne t'a fait nul mal ?

ADMÈTE

Ah ! j'ai appris quel est ton appétit de vivre.

PHÉRÈS

Et le tien ? Ce cadavre-là ne s'en va-t-il pas à ta place ?

ADMÈTE

En témoignant de ta lâcheté, misérable.

PHÉRÈS

Je ne suis en rien cause de sa mort. Diras-tu le contraire ?

ADMÈTE

Attends qu'un jour tu aies besoin de moi !

PHÉRÈS

Fais la cour à toutes les femmes ! qu'il y en ait cent à mourir pour toi !

ADMÈTE

La honte est pour toi seul, qui n'eus pas ce courage.

PHÉRÈS

C'est qu'on la chérit, la lumière du dieu que voilà.

ADMÈTE

Lâche est ton cœur, et tu ne comptes plus parmi les
hommes.

PHÉRÈS

Tu es déçu. Tu pensais, en riant, enterrer ton vieux père.

ADMÈTE

Tu mourras tout de même, et décrié de tous.

PHÉRÈS

Le mal que l'on dira de moi après ma mort, que peut-il bien
me faire ?

ADMÈTE

Ah dieux, que la vieillesse est pleine d'impudence !

PHÉRÈS

Alceste ne fut pas impudente : tu trouvas en elle une folle.

ADMÈTE

Ah ! va-t'en ! laisse-moi l'enterrer en paix.

PHÉRÈS

Je pars. Tu l'enseveliras, oui, toi, son meurtrier.
Mais non sans devoir rendre des comptes à ses parents.
Acaste n'est plus un homme
s'il renonce à venger sur toi le sang de sa sœur.

Phérès et son train sortent par la droite.

ADMÈTE

Va-t'en à la malheure, et toi et ta compagne !
avec un fils vivant, vieillissez sans enfants, ainsi que vous le
    méritez.
Désormais vous n'habiterez plus sous mon toit.
Si je pouvais publiquement répudier
ton foyer paternel, je le répudierais[1].
    Quant à nous, car il faut achever la tâche présente,
allons porter le corps sur le bûcher.

LE CORYPHÉE

Ô patiente et courageuse, ô généreuse et excellente,
adieu ! Qu'Hermès infernal te soit bienveillant,
qu'Hadès aussi t'accueille. S'il est là-bas
un privilège pour les bons, que tu en aies ta part,
assise auprès de Perséphone.

> *Admète et le convoi, suivis du chœur, sortent par la*
> *droite. Un serviteur sort de la maison.*

LE SERVITEUR

Que d'étrangers j'ai vus, venant de toute la terre,
arriver au palais d'Admète, et je leur présentais les plats.
Mais celui qui est là, jamais à ce foyer je n'en reçus de
    pire.
Et d'abord, voyant le maître dans le deuil,
il entre, il a le cœur de franchir la porte.
Ensuite, au lieu de recevoir avec décence
ce que nous pouvons lui offrir, puisqu'il connaît notre
    malheur,
si nous tardons à le servir, il exige que l'on se presse.
Il prend à deux mains une coupe de bois de lierre
et avale tout pur le jus né de la grappe noire.
Bientôt le feu du vin l'envahit et l'échauffe.
Couronné de rameaux de myrte, il se met à brailler.
Deux airs bien différents résonnaient aux oreilles.
Lui chantait sans aucun égard pour le malheur d'Admète
et nous, les serviteurs, nous pleurions sur notre maîtresse,

mais en cachant nos larmes au visiteur,
car tel était l'ordre d'Admète.
Si bien que me voici à régaler dans la maison
un hôte, quelque voleur, quelque brigand,
tandis qu'elle a quitté la demeure sans que j'aie pu la
     suivre,
ni la saluer de ma main, la dame que je pleure,
elle qui pour moi et pour tous les autres
fut une vraie mère. C'est mille châtiments qu'elle nous
     épargna
en apaisant les colères de son mari. Cet étranger, je le déteste
ainsi qu'il le mérite, lui qui vient troubler notre peine.

Héraclès, couronne en tête, sort du palais.

HÉRACLÈS

Hé! l'homme, que veut dire cet air solennel et morose?
Le serviteur n'a pas à faire grise mine aux invités,
mais à les accueillir de façon à leur plaire.
Or toi, voyant venir ici un ami de ton maître,
tu prends une figure hostile, tu fronces les sourcils
pour le recevoir, tout occupé d'un deuil qui ne te touche
     pas.
Viens près de moi, que je te rende un peu plus sage.
La condition humaine, sais-tu bien ce que c'est?
Sans doute, non. D'où l'aurais-tu appris? Écoute donc.
Tous les hommes sont redevables à la mort,
et il n'en est aucun qui sache seulement
si demain il vivra encore.
Le hasard va, personne ne sait où :
pas de science pour l'enseigner, pas d'art pour le saisir.
Tu as bien entendu, bien retenu ce que je dis?
Eh bien, tiens-toi en joie, enivre-toi et vis le jour présent,
le seul qui soit à toi. Inscris le reste au compte du destin.
Honore la déesse à qui nous devons nos plus grandes
     joies,
Cypris : elle nous veut du bien.
Envoie promener le surplus et fais ce que je dis,
si tu estimes que j'ai raison.
Et j'ai raison. Chasse donc cet excès de chagrin,

ne pense plus aux coups du sort, bois avec nous,
sur la tête mets-toi des couronnes. Je te promets
que le va-et-vient de la coupe aux lèvres
te conduira ailleurs qu'à l'humeur noire et au souci.
Nous sommes des mortels, nous devons penser en mortels.
Pour les gens solennels, pour les sourcils froncés,
tous tant qu'ils sont, tu peux m'en croire,
la vie n'est pas une vraie vie, c'est une longue misère.

LE SERVITEUR

Nous savons tout cela, mais ce qui nous arrive
ne s'accommode pas de fête et de gaîté.

HÉRACLÈS

La femme qui est morte était une étrangère, pas de deuil
excessif, les maîtres sont vivants.

LE SERVITEUR

Quoi, vivants ? ne sais-tu pas le grand malheur ?

HÉRACLÈS

Non, à moins que ton maître m'ait trompé.

LE SERVITEUR

Il est hospitalier jusqu'au-delà des bornes.

HÉRACLÈS

Quoi ? pour la mort d'un étranger, je devais retrancher mon
plaisir ?

LE SERVITEUR, *amer.*

Ah oui, vraiment, elle était étrangère, tout à fait étrangère[1].

HÉRACLÈS

Il m'aurait donc caché un malheur accompli ?

LE SERVITEUR

Tiens-toi en joie. À nous de partager les peines de nos
maîtres.

HÉRACLÈS

D'un deuil lointain tu ne parlerais pas ainsi.

LE SERVITEUR

Autrement, j'aurais eu plaisir à te voir festoyer.

HÉRACLÈS

Mais mon hôte, en ce cas, m'a traité bien bizarrement.

LE SERVITEUR

Tu arrivais mal à propos pour être accueilli parmi nous.

HÉRACLÈS

Qui est parti? un des enfants ou le vieux père?

LE SERVITEUR

La femme d'Admète n'est plus, étranger.

HÉRACLÈS

Que dis-tu là? Et c'est dans cet état que vous m'avez reçu?

LE SERVITEUR

Il aurait eu scrupule à t'éloigner de sa maison.

HÉRACLÈS

Ah malheureux Admète! quelle compagne as-tu perdue!

LE SERVITEUR

C'en est fait de nous tous, et non pas d'elle seulement.

HÉRACLÈS

J'y ai pensé, à voir ses yeux remplis de larmes,
sa tête rasée, son visage. Mais je l'ai cru
quand il m'a dit qu'il inhumait un étranger.
C'est bien à contrecœur que j'ai passé ce seuil,
que j'ai bu sous le toit de cet hôte excellent,
alors qu'il était dans la peine. Et me voici encore à festoyer,
la tête chargée de couronnes.

(Il les arrache.)

Mais c'est ta faute! N'avoir rien dit
quand un tel malheur accablait la maison!
Où cependant l'enterre-t-on? Où dois-je aller pour la
trouver?

LE SERVITEUR

Au bord de la route qui va tout droit à Larissa,
dès le faubourg dépassé, tu verras un tombeau de pierre
polie.

HÉRACLÈS

Ô mon cœur éprouvé par tant de travaux, ô mon bras,
à vous de montrer à présent quel fils Alcmène,
fille d'Électryon roi de Tirynthe, a donné à Zeus.
Car il me faut sauver celle qui vient de trépasser
et la ramener dans cette demeure,
Alceste, afin qu'Admète reçoive ce bienfait.
J'irai. Là viendra le Seigneur des morts, le Noir-Vêtu,
Thanatos, je le guetterai. J'ai chance de le découvrir
buvant, près du tombeau, au sang des victimes.
Si je puis alors bondir de mon embuscade,
m'abattre sur lui, l'étreindre à deux bras,
alors nul être au monde ne me l'arrachera,
les flancs meurtris, qu'il ne m'ait rendu cette femme.
Mais si là je manquais le gibier, s'il ne vient pas
vers l'offrande de sang, j'irai vers ceux d'en bas,
Perséphone et Hadès, vers leurs demeures sans soleil,
la leur redemander. J'ai bon espoir de ramener sur terre
Alceste, pour la remettre aux bras de son mari,
de cet hôte qui m'accueillit, au lieu de m'éconduire, dans le
malheur qui le frappait,

et qui dissimula sa grandeur d'âme, par déférence à mon
    égard.
Où trouver hospitalité plus généreuse
en Thessalie, ou bien ailleurs en Grèce ? Eh bien, il ne pourra
    pas dire
qu'il a noblement obligé un vilain.

> *Le serviteur rentre dans le palais, Héraclès sort,*
> *tandis que rentrent Admète et le chœur*[1].

ADMÈTE

Hélas, tristes approches, tristes aspects de ma demeure
    veuve !
douleur, douleur sur moi !
Où aller, où rester ? que dire et que taire ? que ne puis-je
    mourir ?
Ma mère m'enfanta pour le malheur.
Heureux les trépassés ! Mon cœur s'en va vers eux,
vers leurs maisons où je voudrais être.
Je n'ai plus de joie à voir la lumière,
à sentir le sol sous mes pieds,
si précieux est l'otage que Thanatos m'a pris,
pour aller le livrer à l'Hadès.

STROPHE I

LE CHŒUR

Ne reste pas là, entre à l'abri de la maison.

ADMÈTE

Hélas !

LE CHŒUR

Ton mal mérite des sanglots

ADMÈTE

Hélas !

LE CHŒUR

Ton cœur se déchire, je le sais, mais…

ADMÈTE

Hélas !

LE CHŒUR

La morte sous terre n'en est point aidée.

ADMÈTE

Ô infortune !

LE CHŒUR

Ne plus jamais voir, en face de soi,
le visage aimé, quelle douleur !

ADMÈTE

Tu rouvres ma blessure.
Pour un mari, quelle souffrance pire
que de perdre une femme fidèle ?
Mieux aurait valu ne jamais l'épouser,
ne jamais avec elle habiter ce palais.
Bienheureux ceux qui n'ont ni femmes ni enfants !
Leur être est simple et souffrir pour lui seul
est une peine supportable.
Mais voir la maladie de ses enfants, son lit nuptial
dévasté par la mort, c'est trop,
alors qu'on peut rester sans descendance et sans compagne,
la vie entière.

ANTISTROPHE I

LE CHŒUR

Le sort vient vers toi, un rude adversaire.

ADMÈTE

Hélas !

LE CHŒUR

Tu ne veux pas modérer ta douleur…

ADMÈTE

Hélas!

LE CHŒUR

Lourde à porter, et cependant…

ADMÈTE

Hélas!

LE CHŒUR

Il le faut. D'autres avant toi…

ADMÈTE

Ô infortune!

LE CHŒUR

Ont perdu leur compagne. Le destin à sa guise
nous courbe tous, l'un après l'autre.

ADMÈTE

Ô longs regrets,
ô longs chagrins pour les êtres aimés
descendus sous la terre!
Que m'as-tu retenu de me jeter au creux
de la fosse funèbre? À côté d'elle,
de cette femme insigne, j'aurais reposé dans la mort.
Au lieu d'une seule âme, Hadès en aurait deux,
très fidèles l'une à l'autre. Ensemble elles passeraient
le lac infernal.

STROPHE II

LE CHŒUR

J'avais un parent
qui vit mourir dans sa maison
un fils, un fils unique, digne de tous ses regrets.

Avec mesure cependant
il supporta le grand malheur,
tout privé qu'il était d'enfants,
tout incliné qu'il fût déjà
vers la saison des cheveux blancs,
avancé dans son âge.

ADMÈTE

Ô murs de ma belle demeure, comment rentrer ici ?
Comment y vivre désormais
que le destin a retourné son cours ?
Tout a changé de face.
Il y eut un jour où flambaient les torches de pins,
où l'on criait hyménée ; je franchissais l'entrée,
dans ma main la main de ma chère épouse,
escortés par les vœux d'un cortège joyeux
pour moi, pour celle qui n'est plus,
jeunes époux tous deux de haut lignage,
félicités d'avoir uni leurs vies.
Au chant d'hyménée répond le chant funèbre,
aux vêtements blancs les vêtements noirs,
pour me reconduire à mon lit désert.

ANTISTROPHE II

LE CHŒUR

Tu étais heureux,
tu ignorais tout du malheur,
quand il tomba sur toi. Encore as-tu sauvé ta vie.
Ta compagne t'a laissé seul,
alors que tu la chérissais.
Qu'est-il là que l'on ne connaisse ?
La mort a dénoué le lien
entre bien des époux[1].

ADMÈTE

Croyez-m'en, mes amis, malgré les apparences,
mon sort est pire que le sien.
Aucune douleur ne peut plus l'atteindre ;

en gloire elle a mis fin à tous ses maux ;
et moi, dont le destin était de ne pas vivre, j'ai esquivé le
     coup fatal
pour traîner une vie pénible : voilà ce qu'enfin je comprends.
Comment trouver la force d'entrer dans la maison,
qui aborder ? être abordé par qui
en salut d'heureuse rentrée ? Où aller ?
Le désert des chambres va me repousser,
quand je verrai vide le lit de ma femme,
les sièges qui étaient les siens, le sol partout
plein de poussière, quand les enfants à mes genoux
viendront tomber en réclamant leur mère, et les autres
gémir d'avoir perdu une si bonne dame.
Telle me sera la maison, où je devrai cependant m'enfermer,
     exclu
des noces des Thessaliens, des assemblées
fréquentées par les femmes. Comment supporter
la vue de ses compagnes ?
Et ceux qui ne m'aiment pas vont aller répétant :
« Le voilà dans sa honte, lui qui n'ayant pas le cœur de
     mourir
livra en son lieu, dans sa lâcheté, celle qu'il avait épousée,
et ainsi évita l'Hadès. Et il croit être un homme !
Il en veut à ses père et mère, quand lui-même fit un refus
     identique. »
Ce renom-là va s'ajouter à mon malheur.
Que puis-je gagner, mes amis, à vivre de la sorte,
et décrié et malheureux ?

QUATRIÈME STASIMON

STROPHE I

LE CHŒUR

J'ai vécu avec les Muses,
j'ai pris l'essor vers les régions célestes,
j'ai médité et j'ai trouvé ceci :
la Nécessité l'emporte sur tout,
rien ne prévaut contre elle,
ni les tablettes thraces où s'inscrit la parole d'Orphée,
ni les remèdes que Phoibos donna aux Asclépiades
pour guérir les pauvres humains.

ANTISTROPHE I

Elle seule n'a pas d'autels,
pas de statues que l'on puisse approcher.
Elle n'entend pas la voix des sacrifices.
Épargne-moi, ô Vénérable, demain comme aujourd'hui.
Car ce que Zeus décide d'un signe de son front
c'est avec toi qu'il l'accomplit.
Tu fais plier jusqu'au fer des Chalybes, et ton âpre vouloir
n'écoute aucun scrupule.

STROPHE II

Or, de ses mains que l'on n'évite pas
la déesse t'a pris, Admète, et te tient enchaîné.
Résigne-toi. Penses-tu par tes larmes
ramener les morts des Enfers ?
Même les dieux ont vu leurs fils
pâlir dans les ténèbres de la mort.

Alceste nous fut chère, étant parmi nous,
et morte nous l'aimons toujours.
Tu avais uni à ton lit
la plus généreuse des femmes

ANTISTROPHE II

   Il ne faut pas que son tombeau
soit un tertre semblable à ceux des autres morts.
Qu'il soit honoré à l'égal des dieux,
objet de respect pour les voyageurs.
En montant le raide sentier
ceux-ci diront d'elle :
« Elle a jadis offert sa vie,
aujourd'hui elle est bienheureuse.
Salut, auguste, sois-nous propice. »
C'est ainsi qu'à elle on s'adressera.

Héraclès revient par la gauche en tenant par la main une femme voilée.

EXODOS

Mais vois, Admète, c'est le fils d'Alcmène
qui revient, semble-t-il, vers ton foyer.

HÉRACLÈS

Devant un ami, il faut, Admète, parler en homme libre,
sans garder dans le cœur des reproches
qu'on ne dit pas. En me trouvant mêlé à ton malheur,
mon amitié avait le droit d'être mise à l'épreuve.
Tu m'as caché que le corps exposé
fût celui de ta propre femme, et tu m'as hébergé.
Sur quoi je me suis couronné et j'ai versé aux dieux
plus d'une libation, dans une maison désolée.
Et je t'en blâme, oui je t'en blâme,
sans vouloir pour cela accroître ton chagrin.
Sache à présent pourquoi je reviens en ces lieux.
    La femme que tu vois, prends-la et me la garde
tant que je sois de retour avec les chevaux thraces,
quand j'aurai tué le roi des Bistones.
S'il m'échoit ce qu'aux dieux ne plaise, car je souhaite
    revenir,
je te la donnerai pour te servir en ta maison.
    Ce n'est pas sans effort que j'ai pu la saisir.
J'ai rencontré des gens qui annonçaient des jeux
ouverts à tout le monde, belle émulation pour les athlètes.
C'est de là que je la ramène. Elle est le prix de ma victoire.
Les vainqueurs des épreuves légères pouvaient gagner
des chevaux. Ceux des épreuves plus marquantes,
pugilat et lutte, des têtes de bétail.
Une femme venait ensuite. J'étais là ;
j'aurais trouvé honteux de manquer ce prix glorieux.
Maintenant, je te le répète, à toi d'avoir soin d'elle.

Je l'ai gagnée honnêtement et par prouesse.
Peut-être un jour viendra où tu m'en rendras grâce.

ADMÈTE

Ce n'est pas faute de respect ni d'amitié
que je t'avais caché le sort infortuné d'Alceste.
Mais ç'aurait été mettre regret sur chagrin
si tu avais pris le chemin de la maison d'un autre.
C'était assez pour moi d'un malheur à pleurer.
   Quant à la femme que voilà, je t'adjure, seigneur, s'il se
      peut,
de la confier en garde à l'un ou l'autre Thessalien
qui ait été moins éprouvé que moi. Tu as à Phères
bien des hôtes. Ne me remets pas mon malheur en
      mémoire.
Si je devais la voir chez moi, je ne pourrais tenir mes larmes.
N'ajoute pas à ma souffrance, je suis bien assez accablé.
Et puis, en quel endroit de la maison loger une jeune
      femme?
Car son costume la dit jeune ainsi que sa parure.
Sous le même toit que les hommes?
Comment la préserver, allant et venant parmi les garçons?
Le sang jeune, Héraclès, n'est pas aisé à contenir.
Je parle là, crois-moi, selon ton intérêt.
Ou bien, pour la garder, la faire entrer dans la chambre
      d'Alceste?
Comment pourrais-je la mener vers le lit de la morte?
Je crains un double blâme : celui du peuple
qui me reprochera de renier ma bienfaitrice
pour aller tomber dans le lit d'une autre;
et puis la morte aussi, que je me dois de vénérer,
a droit à mes plus grands égards.
   Toi, femme, cependant,
qui que tu sois, sache bien que tu as d'Alceste
le port et la taille et que d'aspect tu lui ressembles.
Ô douleur! Par les dieux, emmène-la bien loin,
ne triomphe pas d'un vaincu.
En la voyant, je crois revoir ma femme. De mes yeux
les sources se sont rouvertes. Ô malheureux que je suis,
voici seulement que je goûte l'amertume de mon regret!

LE CORYPHÉE

Je ne songe à louer ton sort,
mais on doit accepter ce que les dieux envoient, et tu le dois
     aussi[1].

HÉRACLÈS

Que n'ai-je eu le pouvoir d'aller aux maisons infernales
et d'en ramener ta femme à la lumière,
te marquant ainsi ma faveur.

ADMÈTE

Je sais, tu l'aurais fait. Mais ce vœu est bien inutile !
On ne ramène pas les morts à la lumière.

HÉRACLÈS

N'exagère pas ta souffrance. Supporte avec modération.

ADMÈTE

Il coûte moins de conseiller que d'endurer.

HÉRACLÈS

Et que gagneras-tu à vouloir te plaindre toujours ?

ADMÈTE

Je le sais, mais n'en puis réprimer le désir.

HÉRACLÈS

L'amour qu'on donne aux morts ne rapporte rien, que des
     larmes.

ADMÈTE

Il me détruit, et plus que je ne puis le dire.

HÉRACLÈS

Tu perds une femme excellente, qui dira le contraire ?

ADMÈTE

Et plus jamais je ne pourrai trouver nul plaisir à la vie.

HÉRACLÈS

Le temps calmera ta souffrance, toute vive aujourd'hui.

ADMÈTE

Le temps, oui, si le temps c'est la mort.

HÉRACLÈS

Une femme te guérira, et les désirs nés d'une autre union[1].

ADMÈTE

Tais-toi! Qu'oses-tu dire? Toi, me parler ainsi!

HÉRACLÈS

Quoi? plus jamais de femme, et garder ton lit en veuvage?

ADMÈTE

Nulle avec moi n'y dormira plus désormais.

HÉRACLÈS

Mais t'imagines-tu servir ainsi la morte?

ADMÈTE

Où qu'elle soit, c'est mon devoir de l'honorer.

HÉRACLÈS

Je dois bien t'approuver, mais on te dira fou.

ADMÈTE

Jamais tu ne me donneras le salut du nouveau marié[2].

HÉRACLÈS

Je m'incline devant ton fidèle amour.

ADMÈTE

Plutôt mourir que de la trahir, même morte.

HÉRACLÈS

Reçois donc cette femme dans ta noble demeure.

ADMÈTE

Non, non, je t'en supplie, par Zeus qui t'engendra!

HÉRACLÈS

Je te préviens : si tu dis non, tu pourrais bien t'en repentir.

ADMÈTE

Mais si j'accepte, mon cœur en sera rongé de remords.

HÉRACLÈS

Obéis-moi. En me faisant plaisir, tu te marques peut-être un point.

ADMÈTE

Ah! pourquoi faut-il que tu aies gagné ce prix?

HÉRACLÈS

L'ami doit avoir part à la victoire de l'ami.

ADMÈTE

Bien dit, mais que cette femme s'en aille.

HÉRACLÈS

Elle s'en ira s'il le faut. Mais le faut-il? À toi d'en juger.

ADMÈTE

Il le faut, sauf si mon refus t'irrite contre moi.

HÉRACLÈS

Il m'irritera. Je sais pourquoi je veux ce que je veux.

ADMÈTE

Dans ce cas je t'obéirai, avec un profond déplaisir.

HÉRACLÈS

Viendra le jour où tu m'approuveras. Laisse-toi faire.

ADMÈTE, *aux serviteurs.*

Vous autres, puisqu'il le faut, faites-la entrer.

HÉRACLÈS

Je n'entends pas la confier à des esclaves.

ADMÈTE

À toi dans ce cas, s'il te plaît, de la conduire à l'intérieur.

HÉRACLÈS

Du tout. C'est dans tes mains que je veux la remettre.

ADMÈTE

Je me refuse à la toucher. Ma maison lui est grande ouverte.

HÉRACLÈS

À toi seul je la confierai. À ta main droite.

ADMÈTE

Seigneur, c'est contraint, c'est forcé par toi que je m'y
résous.

HÉRACLÈS

Courage. Tends la main et touche l'inconnue.

ADMÈTE, *tendant la main en détournant la tête.*

Je la tends, tu le vois, comme Persée coupant la tête de
    Gorgone.

HÉRACLÈS

Tiens-tu sa main?

ADMÈTE

Oui, je la tiens.

HÉRACLÈS, *dévoilant Alceste.*

Tiens-la et la garde bien. Le fils de Zeus,
tu le reconnaîtras bientôt, fut un hôte reconnaissant.
Regarde-la en face. N'a-t-elle pas quelque ressemblance
avec Alceste? Reviens donc du chagrin au bonheur.

ADMÈTE

Ô dieux! que dire? Miracle inespéré!
Est-ce bien ma femme que mes yeux contemplent,
ou bien une trompeuse joie dont un dieu m'étourdit?

HÉRACLÈS

Que vas-tu penser? Celle que tu vois est bien ton épouse.

ADMÈTE

Prends garde! Si c'était un fantôme envoyé des enfers!

HÉRACLÈS

Non, tu n'as pas transformé ton hôte en nécromant.

ADMÈTE

Ainsi donc, ma femme que j'ai mise au tombeau, c'est
    elle?

HÉRACLÈS

C'est elle. Tu ne peux y croire, je le comprends bien.

ADMÈTE

Puis-je la toucher, lui parler comme à une vivante ?

HÉRACLÈS

Parle-lui : tous tes vœux sont réalisés.

ADMÈTE

Ma femme bien-aimée, ton visage et ton corps
sont à moi de nouveau, contre toute espérance.

HÉRACLÈS

À toi. Que la malignité des dieux n'en prenne point ombrage.

ADMÈTE

Ô noble fils du très haut Zeus,
sois toujours heureux, et que le père qui t'engendra
te protège et te garde. Tu vins : ce fut assez pour nous relever
    tous.
Mais dis-moi : comment l'as-tu d'en bas ramenée jusqu'au
    jour ?

HÉRACLÈS

J'ai livré bataille à ce dieu qui l'avait en tutelle.

ADMÈTE

Tu t'es mesuré avec Thanatos, dis-tu ? En quel endroit ?

HÉRACLÈS

Caché près du tombeau, j'ai bondi, je l'ai ceinturé.

ADMÈTE

Mais pourquoi reste-t-elle immobile et muette ?

HÉRACLÈS

Il ne t'est point permis d'entendre sa parole
avant que sa consécration aux dieux d'en bas
ait été effacée, et que trois fois se soit levé le jour.
Reconduis-la chez vous. Et toi, Admète, reste toujours
fidèle à la justice, respectueux des droits de l'hospitalité.
Adieu. Pour moi, cette tâche m'appelle
que pour Eurysthée je dois accomplir. Je pars.

ADMÈTE

Reste parmi nous. Assieds-toi à notre foyer.

HÉRACLÈS

Une autre fois, plus tard. Aujourd'hui je dois me hâter.

Héraclès s'éloigne par la gauche.

ADMÈTE

Que le bonheur soit avec toi. Et reviens-nous vainqueur.
    Aux citoyens et aux quatre quartiers je fais savoir
qu'on instruise des chœurs en signe de réjouissance,
que sur les autels, parmi les prières, fume la chair des bœufs.
Aujourd'hui commence une vie meilleure
après nos épreuves finies. Je suis heureux. J'ose le dire.

Il rentre dans le palais avec Alceste.

LE CORYPHÉE

Les choses divines ont bien des aspects.
Souvent les dieux accomplissent ce qu'on n'attendait pas.
Ce qu'on attendait demeure inachevé.
À l'inattendu les dieux livrent passage.
Ainsi se clôt cette aventure.

MÉDÉE

Médée fut jouée au printemps de 431. *Les Athéniens y enten-
dirent louer leur ville parce qu'elle n'avait jamais été conquise,
ce qui n'était pas exact, car Xerxès l'avait ravagée en 480 ; mais
le raz de marée de l'invasion perse s'était aussitôt retiré. Les
dieux n'aiment point qu'on se vante. Quelques mois après la
représentation l'armée spartiate débarqua en Attique et dévasta
toute la campagne. La guerre du Péloponnèse était commencée
et Euripide devait mourir avant d'en avoir vu la fin.*

La tragédie d'Alceste est bâtie sur la mythopée la plus simple,
éclairée et enrichie par quelques thèmes parallèles. Dans Médée
une ample légende étalée sur le temps et l'espace apparaît
réfractée dans le dernier moment d'une seule expérience.

Jason était fils d'Éson roi d'Iolcos sur la côte de Thessalie ; au
pied du Pélion, Éson avait été dépossédé par son frère Pélias qui,
pour se débarrasser également de Jason, l'envoya conquérir la
Toison d'or. Elle se trouvait en Colchide, tout au fond de la
mer Noire, gardée par un dragon qui ne dormait jamais. Jason
mit les bûcherons à l'œuvre dans les forêts du Pélion, construisit
le navire Argo et mit à la rame tous les héros de la Grèce. On
passa les sombres Symplégades, ces roches qui s'inclinaient l'une
vers l'autre pour écraser les navigateurs, et l'on parvint en Colchide chez le roi Aiétès, frère de la magicienne Circé. Comme
Pélias, Aiétès imposa à Jason des épreuves préliminaires dont il
espérait bien ne pas le voir sortir vivant : mettre sous le joug des
taureaux au souffle de feu, semer dans le champ d'Arès des dents
de serpent d'où naîtraient aussitôt des hommes armés. Grâce à
Médée, fille d'Aiétès, éprise d'amour pour Jason, les Argonautes
triomphèrent et finirent par conquérir la Toison, mais durent
fuir devant l'hostilité du roi. Au moment du départ, comme ils
étaient menacés par Apsyrtos fils d'Aiétès, Médée, qui partait
avec eux, tua son propre frère. Rentrés en Thessalie, comme
Pélias refusait toujours de rendre son royaume à Jason, Médée
persuada ses filles de le rajeunir par un moyen dont elle avait le
secret et qu'elle expérimenta devant eux sur un bélier lequel,

*dépecé et bouilli, redevint un bel agneau. Mais Pélias ne sortit
pas vivant de la cuve magique. Le meurtre obligea Jason et
Médée à fuir Iolcos. Ils vinrent s'établir à Corinthe. Voilà ce
qu'on racontait en Grèce, avant même que l'Odyssée eût été
écrite, avec d'innombrables variantes, car jamais un poète n'a
repris un récit sans y changer quelque chose.*

Or, à l'époque historique, Corinthe gardait des souvenirs du
séjour des bannis. Jason avait réussi à se faire aimer de la fille
du roi Créon, délaissant Médée qui usa de son art pour faire
périr et Créon et sa fille. Après quoi elle avait fui à Athènes chez
le roi Égée, laissant Jason seul et désespéré.

Ce qui concerne leurs enfants est infiniment plus confus et
plus mystérieux. Un culte leur était consacré dans le sanctuaire
de Héra : chaque année, sept jeunes gens et sept jeunes filles des
premières familles, la tête rasée, vêtus de deuil se succédaient
dans une sorte de service expiatoire, qui comportait des sacrifices
et des lamentations. L'origine réelle du rite est inconnue.
Comme les Grecs se résignaient mal à des ignorances de ce genre,
ils y virent l'expiation d'un meurtre, celui des enfants de Médée.
On disait généralement qu'ils avaient été tués par les Corinthiens mais que, pour se disculper, ceux-ci avaient accusé Médée
elle-même. D'après d'autres récits, elle avait voulu rendre ses
enfants immortels et s'y était mal prise, ou encore Jason, la sur-
prenant, avait contrarié l'efficacité du rite magique auquel elle
était occupée.

Voilà ce que trouve Euripide. D'une part l'ample épopée des
Argonautes, d'autre part des traditions diverses qui font de
Médée une meurtrière. Le personnage de celle-ci le hantait
depuis longtemps. En 455, il avait raconté comment les Péliades,
trompés par elle, avaient tué leur propre père. Vingt-quatre ans
plus tard il fit de sa légende une de ses plus belles tragédies.

Tout le pittoresque de l'Argonautique est par lui ramené à
quelques images : les arbres qui tombent dans le creux de la forêt
thessalienne pour devenir le plus fameux de tous les navires, les
roches couleur de nuit qui séparent la mer grecque de l'univers
barbare. Les seuls faits évoqués sont ceux qui montrent Médée
criminelle par amour, trahissant son père et son foyer, tuant son
frère, tuant Pélias, s'excluant elle-même de sa Colchide natale

par la vertu des services qu'elle a rendus à Jason. Puis il la quitte pour épouser la fille du roi, seul mariage légitime aux yeux des Grecs qui n'autorisent pas leurs citoyens à épouser régulièrement une étrangère. Elle, qui le savait, avait obtenu de Jason, avant de partir, les serments les plus solennels et les plus inutiles. L'âpreté de sa rancune vient d'un amour désespéré, fraîchement converti en haine et aussi, d'une culpabilité qui l'accable depuis que son complice a cessé d'en être solidaire.

C'est certainement Euripide qui a imaginé de faire du meurtre des enfants un acte délibéré de Médée, audacieuse innovation, car ailleurs (Folie d'Héraclès, Bacchantes) l'infanticide a toujours l'excuse de l'égarement envoyé par un dieu. Médée tue en pleine lucidité, après des vertiges et des hésitations que les philologues ont prétendu atténuer en raturant le texte. Ils se sont demandé : pourquoi agit-elle ? Et la réponse : pour faire souffrir Jason, leur a paru, à juste titre, insuffisante. Les raisons qui déterminent Médée, comme celles qui retiennent Hamlet, sont en partie inconscientes, ce qui donne aux actes, vus de l'extérieur, l'aspect de l'immotivé. Une lecture attentive les laisse discerner.

Au début de la tragédie, Médée se lamente dans le palais, ce qui est bien la chose du monde le plus contraire à son caractère. Créon vient lui apprendre qu'elle et les enfants sont bannis, acte d'hostilité qui la sauve, en la rendant à l'activité qui est son climat naturel. Pendant sa période d'accablement, elle a refusé de voir ses enfants, que les domestiques sont obligés de tenir à l'écart. Jason a été pour elle un amant passionnément aimé. Avec une inconsciente cruauté, les Grecs employaient le même mot pour nommer le lit et l'épouse. Il revient sans cesse ici, pour désigner avec une sommaire précision ce qui la fait souffrir. Quand Jason, ironiquement, y insiste, elle relève la tête, refusant de rougir de sa robuste sensualité, fière d'avoir su faire du plaisir un élément de sa fidélité et de sa confiance. Si la vue de ses fils lui fait détourner la tête, c'est qu'ils représentent pour elle ce qui a mérité tous les sacrifices, le lit dont elle est exclue. Pour Alceste, les enfants sont une réalité affranchie d'Admète et qui compte plus que lui, car elle est la maison où ils devront poursuivre sa tâche royale. Jamais Médée, qui est le lit, ne pourra revoir les siens sans revivre, saignante blessure, la seconde où l'amour de Jason les mit en elle. Dans sa résolution entre le désir informulé de détruire ce qui incarne son union avec l'homme qui l'a trahie, de rompre avec un passé démenti.

Mais un autre motif est indiqué, au moins en filigrane. Pour
suivre Jason, elle a offensé son père et trahi sa patrie qu'elle
nomme toujours avec lui, comme à défaut d'une mère. Elle a
tué son jeune frère. Si elle tue ses enfants, c'est aussi pour se
punir elle-même ; et ses remords se taisent à partir du moment
où la décision est prise. C'est que la punition est dès lors résolue,
c'est-à-dire, pour une femme de ce caractère, déjà réalisée :
ayant expié, elle est délivrée de ce qui la torturait. Le thème de
la culpabilité reparaît après le dernier crime, mais dans la
bouche de Jason qui reproche en bloc à Médée ce qu'elle vient de
faire en haine de lui et (ainsi que fait Othello au moment de
tuer Desdémone) ce qu'elle fit par amour pour lui autrefois.

D'autre part, elle dit à plusieurs reprises qu'elle se refuse à
laisser ses enfants derrière elle en proie aux outrages de ses
ennemis. Souvenir, certes, des vieilles traditions qui imputaient
le crime aux Corinthiens, mais il n'y a là nulle disparate. Une
Médée légendaire faisait périr ses enfants par excès de sollicitude. Cette mère inquiète et maladroite a donné quelque chose
à la terrible héroïne d'Euripide. Médée a pour ses petits un
amour tendre et charnel. Quand elle apprend que Jason a
obtenu leur grâce, elle est prise d'un tremblement, car il est trop
tard ; les conséquences de son attentat ne sont plus révocables et
si elle ne règle pas leur sort ils seront exécutés par les Corinthiens.
Elle prononce alors le seul mot de toute la pièce qui soit celui
d'une mère ordinaire, d'une Alceste : « Va, dit-elle au pédagogue, prépare pour eux ce qu'il leur faut pour chaque jour », et
c'est d'une ironie terrible, car déjà ils n'ont plus besoin de rien.
C'est à ce moment aussi qu'elle se juge et se condamne. Ces hésitations, ces contradictions sont des formes atténuées de cette folie
que les Grecs ont toujours associée au meurtre familial. Héraclès
et Agavé tuent leurs enfants dans un accès d'égarement ; Oreste
devient fou après avoir tué sa mère. Médée au rebours semble
par le crime retrouver son équilibre, mais c'est qu'il la punit du
crime plus ancien, du fratricide qui avait secrètement ébranlé sa
raison jusque dans ses racines.

Il serait trop facile de marquer au cours de l'action certaines
de ces inconséquences qu'un lecteur seul a le loisir de déceler. Le
poète connaissait des traditions d'après lesquelles Médée avait
séjourné à Athènes chez le roi Égée. L'auditeur n'a pas le temps
de se demander pourquoi Égée passe par Corinthe à point

nommé, ni comment une fois assurée de trouver une retraite en
Attique elle ne s'inquiète pas de savoir par quel moyen elle s'y
rendra. Le char du Soleil qui l'emporte au dernier moment la
restitue au monde fabuleux auquel Euripide l'avait arrachée
pour une heure. C'est tout autre chose cependant qu'une
machine bonne à clore une pièce. Un bélier à toison rousse gardé
par un dragon l'a livrée aux ténèbres de l'inconscient. Elle en
sort par une vengeance atroce qui la châtie elle-même la toute
première. Elle n'a pas fini de souffrir, elle le sait, elle le dit.
Mais le char lumineux l'emporte vers une vie libérée où les tourments qui l'étouffaient depuis son départ de Colchide cessent de
la poursuivre.

Les figures qui l'entourent lui servent surtout de repoussoir.
Le héros Jason, si haut chanté par Pindare, n'est ici qu'un
égoïste vaniteux. Quand on lui dit, après la mort du roi et de la
princesse, que Médée vient d'accomplir un acte plus atroce
encore, il a ce cri du cœur :

Est-ce à moi maintenant qu'elle en a ?

Les autres sont sommairement et vigoureusement tracés :
Créon faible, sentimental et grossier dans la mesure même où il
se sait vulnérable ; Égée, un sot, mais un galant homme, fort
étonné qu'on exige de lui un serment alors qu'il a donné sa
parole ; la princesse, qui ne paraît pas et n'a même pas un nom ;
mais on n'oublie pas cette petite fille frivole, flattée d'avoir été
choisie par un bellâtre à qui elle voudrait faire oublier son
passé.

Quant au chœur, le poète avait à rendre admissible l'invraisemblance centrale de la pièce, que ces Corinthiennes se font
complices de l'étrangère contre leur roi et sa fille. Un des mots-
clefs de la tragédie est celui de la nourrice dans le prologue :
« Elle s'est fait aimer de ceux qui l'ont chez eux reçue. » Toutes
ces femmes éprouvent leur solidarité dans la conscience de leur
misère commune. C'est pourquoi le long couplet de Médée à son
entrée en scène, refroidi au début par de confuses banalités,
prend bientôt la valeur d'un cri de désespoir. De tous les poètes
grecs, Euripide est le seul qui ait dépassé la misogynie populaire
et osé dire atroce la condition des femmes. Celle-ci apparaît
dans toute son absurdité en Médée, partagée entre une sensua-

*lité exigeante qui devrait faire d'elle une esclave soumise, et un
caractère auquel les vertus patientes sont étrangères. Au moment
même où elle vient de les répudier avec mépris elle dit à sa nourrice : « Je compte sur toi, tu es une femme aussi. » Toute une vie
écartelée tient dans ce pathétique appel.*

Médée

PERSONNAGES

LA NOURRICE de Médée.
LE PÉDAGOGUE
LES ENFANTS de Médée.
MÉDÉE
CRÉON, roi de Corinthe.
JASON
ÉGÉE, roi d'Athènes.
UN SERVITEUR de Jason.
Chœur de femmes corinthiennes.

La scène représente à Corinthe la maison de Médée,
d'où sort la nourrice.

PROLOGUE

Non jamais le navire Argo n'aurait dû parvenir en Colchide
forçant au vol la passe couleur de nuit des Symplégades !
Jamais dans les creux du Pélion, le pin abattu n'aurait dû
    tomber
pour mettre la rame aux mains des héros
que Pélias chargeait de rapporter la Toison d'or !
Leur flotte n'aurait pas ramené ma maîtresse Médée,
le cœur étourdi d'amour pour Jason, jusqu'aux tours
    d'Iolcos.
Pour avoir incité les filles de Pélias au meurtre de leur père,
elle ne devrait pas habiter aujourd'hui ce pays de Corinthe,
avec Jason et ses enfants, où l'exilée s'est fait aimer
de ceux qui l'ont chez eux reçue.
Elle était en ce temps en plein accord avec Jason,
et le salut est assuré
lorsque femme et mari vivent en harmonie.
    Mais voici que tout se tourne contre elle, atteinte en son
    bien le plus cher.
Oui, trahissant et ses enfants et ma maîtresse,
pour coucher dans un lit royal,
Jason a épousé la fille de Créon, le roi de ce pays.
Médée, l'infortunée et l'outragée,
invoque à grands cris les serments, la sainteté des mains
    unies,
prend à témoin la foi jurée et montre aux dieux
comment Jason la récompense.
Elle reste étendue, refusant de manger, toute livrée à la
    douleur,
et consumée par d'éternelles larmes,
depuis le jour où elle apprit qu'elle était rejetée.

Les yeux baissés obstinément, la face contre terre,
pas plus qu'un roc, qu'une vague marine,
elle n'entend ceux qui voudraient la consoler.
Ou si parfois elle détourne son cou blanc,
c'est pour se parler à soi-même, pleurer son père aimé,
son pays, sa maison, tout ce qu'elle a trahi
pour suivre un homme qui l'a prise en dédain à présent.
L'infortunée, l'épreuve lui a fait
mesurer ce que vaut une patrie perdue.
La vue de ses enfants l'irrite, bien loin de l'apaiser.
Et moi je crains ce qu'elle peut préparer en secret.
Son cœur est violent et ne supporte rien.
Je la connais bien et je la redoute.
Elle est terrible. Et qui s'en prend à elle
aura fort à faire avant de chanter victoire.
    Mais voici les enfants qui rentrent du gymnase,
inconscients du malheur de leur mère.
Le cœur des petits n'est pas fait pour souffrir.

> *Le pédagogue entre par la droite avec les deux*
> *garçons.*

LE PÉDAGOGUE

Toi qui depuis longtemps sers la maison de ma maîtresse,
que fais-tu là, seule devant la porte,
debout, à te ressasser tes chagrins ?
Et comment Médée consent-elle à rester seule sans toi ?

LA NOURRICE

Vieux compagnon des enfants de Jason,
des esclaves fidèles ressentent les épreuves de leurs maîtres
et leur cœur en est obsédé.
J'en suis venue à un tel excès de chagrin
que le désir m'a prise de sortir ici, pour dire à la terre et au
    ciel
ce qui arrive à ma maîtresse.

LE PÉDAGOGUE

L'infortunée n'a pas encore mis fin à ses gémissements ?

LA NOURRICE

Que t'imagines-tu ? Le mal n'en est qu'à son début.

LE PÉDAGOGUE

Pauvre folle — s'il m'est permis de parler ainsi de mes
    maîtres —
qui ne sait rien de ce qui la menace encore !

LA NOURRICE

Et qu'y a-t-il, mon vieil ami ? de grâce, explique-toi.

LE PÉDAGOGUE

Rien. Je regrette même ce que je viens de dire.

LA NOURRICE

Je t'en supplie, ne cache rien à ta compagne d'esclavage,
et je puis, si tu veux, promettre de me taire.

LE PÉDAGOGUE

J'ai entendu dire à quelqu'un (sans paraître écouter
je m'approchais de ceux qui jouent aux dés, là où les plus
    vieux de la ville
vont s'asseoir en rond autour de la sainte fontaine de Priène)
que ces enfants allaient être chassés du pays de Corinthe
avec leur mère, par le roi Créon.
Est-ce vrai ? Je l'ignore, et je voudrais qu'il n'en fût rien.

LA NOURRICE

Pour être en différend avec leur mère,
Jason va-t-il souffrir que ses fils soient ainsi traités ?

LE PÉDAGOGUE

Une ancienne union le cède à la nouvelle,
et le roi n'a nulle raison de nous aimer.

LA NOURRICE

Ah ! je meurs s'il me faut annoncer une nouvelle épreuve
quand les premières amertumes ne sont pas encore
    épuisées.

LE PÉDAGOGUE

C'est pourquoi je te prie (car il n'est pas temps
d'avertir la maîtresse) de te tenir bien tranquille et muette.

LA NOURRICE

Entendez-vous, enfants, comment votre père vous traite ?
Périsse… non, je n'ai rien dit, car il est mon maître.
Le voilà cependant convaincu de trahison envers les siens.

LE PÉDAGOGUE

Et qui n'en fait autant ? Pour apprendre cette vérité
que chacun s'aime mieux qu'il n'aime son prochain,
attendais-tu que Jason sacrifie ses fils à sa nouvelle épouse ?

LA NOURRICE

Entrez, enfants, dans la maison, tout ira bien.
Toi, tiens-les à l'écart autant qu'il est possible,
et qu'ils n'approchent pas leur mère en sa colère.
Déjà je l'ai vue qui jetait sur eux des regards farouches,
comme quelqu'un qui médite un dessein secret.
Sa fureur, je le sais, ne va pas s'apaiser avant d'avoir frappé
    une victime.
Ah ! que ce soit du moins un de nos ennemis !

MÉDÉE, *à l'intérieur de la maison.*

Ah malheureuse, je souffre trop !
Hélas ! que ne puis-je mourir !

LA NOURRICE

Vous voyez bien, mes chers petits,
voilà réveillée sa douleur, sa colère.

Dépêchez-vous d'entrer dans la maison.
Évitez bien qu'elle vous voie,
évitez bien d'aller la saluer. Gardez-vous.
Farouche est l'humeur, terrible la nature
de ce cœur intraitable.
Allez, maintenant, rentrez bien vite.

> *(Les enfants rentrent avec le pédagogue.)*

Sa plainte monte comme un nuage
d'où l'orage en fureur va sortir.
Jusqu'où va pouvoir se porter
cette âme superbe, implacable,
maintenant que l'affront l'a mordue?

MÉDÉE, *à l'intérieur.*

J'ai reçu, malheureuse, j'ai reçu le coup,
et j'ai de quoi gémir. Enfants maudits
d'une mère qui n'est plus rien que haine,
puissiez-vous périr avec votre père
et toute la maison s'écrouler!

LA NOURRICE

Misère, misère de moi!
Comment peux-tu compter aux fils la faute de leur père?
Pourquoi les hais-tu? Mes pauvres
enfants, je tremble que vous n'ayez à souffrir.
Les exigences des tyrans font peur.
Ils n'ont guère appris à fléchir, mais seulement à commander.
Comment sauraient-ils dominer leurs colères?
Mieux vaut s'accoutumer à vivre parmi des égaux.
Loin des grandeurs, puissé-je en paix vieillir!
Le seul nom du juste milieu porte en soi son éloge,
et dans la vie il se révèle ce qu'il y a de mieux pour tous.
Car les dépassements n'amènent rien de bon.
Quand un dieu en colère s'en prend à un foyer,
la grandeur rend la chute plus profonde.

> *Le chœur des femmes de Corinthe entre dans l'orchestre.*

PARODOS

LE CHŒUR

J'ai entendu la voix, j'ai entendu le cri
de l'infortunée Colchidienne, que rien ne peut apaiser.
Parle-nous, bonne vieille.
Sa plainte me parvient de sa porte à la mienne[1].
Je compatis aux souffrances de ce foyer,
qui m'est devenu cher.

LA NOURRICE

La maison n'est plus. Tout est déjà défait.
Lui est pris par le lit royal,
elle dépérit dans sa chambre,
sans laisser ceux qui l'aiment lui réchauffer le cœur.

MÉDÉE, *à l'intérieur.*

Ô douleur !
que la foudre du ciel me traverse la tête !
À quoi bon vivre encore ?
Las, las, que la mort me délivre
d'une vie qui m'est odieuse.

STROPHE

Entends-tu, ô Zeus ? Entendez-vous, Terre et Lumière,
quel appel a lancé la malheureuse épouse ?
Ton avide désir du lit perdu te rend-il folle
au point de te faire appeler la mort[2] *?*
C'est un vœu à ne pas prononcer.
Si ton mari honore une autre femme, refrène ta colère ?
Zeus prendra ta vengeance en sa main.
Ne te consume pas à pleurer ton époux.

MÉDÉE

Justice auguste, sainte Artémis[1],
voyez ce que je souffre après les grands serments
qui m'avaient attaché celui que je maudis !
Je voudrais de mes yeux le voir avec sa jeune femme
écrasés sous leur demeure détruite.
Quelle injure ils osent me faire, et tout imméritée !
Ô mon père, ô patrie dont je me suis dépossédée
honteusement, après avoir tué mon propre frère !

LA NOURRICE

Vous entendez ce qu'elle dit, qui elle invoque :
Thémis qui accomplit les malédictions,
et Zeus qui inscrit, on le sait, tout serment dans ses
    comptes.
Il faudra plus qu'une faible vengeance
pour que ma maîtresse renonce à sa colère.

ANTISTROPHE

LE CHŒUR

Comment obtenir qu'elle vienne vers nous
écouter ce que nous voulons lui dire ?
La fureur dont son cœur est lourd, sa volonté hostile
se détendraient peut-être.
Que jamais mes amis ne doutent de mon zèle.
Va vers elle et l'amène ici, devant la maison.
Dis-lui notre amitié, et hâte-toi
avant qu'elle s'en prenne à ceux qui sont à l'intérieur,
car son désespoir se déchaîne.

LA NOURRICE

Je ferai ce que tu me dis, mais je crains
de ne pouvoir convaincre ma maîtresse.
J'y tâcherai, pour te faire plaisir.
Pourtant, de quel regard elle repousse les servantes,
si l'on se risque à l'approcher avec un mot !

Une lionne quand ses petits viennent de naître !
     On dit sages les hommes d'autrefois.
On se tromperait moins en les disant fort sots.
Ils ont su trouver des chants pour les fêtes,
pour les banquets, pour les festins,
musique qui orne la vie.
Mais pour un chagrin qui vous met en enfer,
traînant derrière soi les morts et les revers affreux
qui sont la ruine des maisons,
nul n'a su découvrir les mélodies et les concerts
qui puissent l'apaiser.
Voilà cependant où l'on gagnerait
à prendre le chant pour remède.
Devant des banquets bien servis, à quoi bon élever le ton ?
Ce qu'on a devant soi, une table abondante,
suffit bien à vous mettre en joie.

> *Elle entre dans la maison.*

ÉPODE

LE CHŒUR

J'ai entendu le cri sanglotant, gémissant,
l'appel aigu de sa pitoyable douleur
contre l'indigne époux qui a trahi son lit.
Sous le coup de l'injure elle invoque les dieux,
elle atteste la fille de Zeus,
Thémis garante des serments,
qui la décida à fuir dans la nuit vers la lointaine Grèce,
sur la mer ténébreuse, jusqu'à la passe âpre à franchir,
la clef de l'océan illimité.

> *Médée sort de la maison avec la nourrice.*

PREMIER ÉPISODE

MÉDÉE

Femmes de Corinthe, je sors de chez moi
pour que vous n'ayez pas de reproche à me faire.
Il y a, je le sais, beaucoup de gens hautains : qu'ils vivent à
    l'écart
ou qu'ils s'étalent en public. D'autres sont toute discrétion
mais on les blâme en les taxant de nonchalance.
Il faut dire que l'équité ne saurait éclairer les yeux
lorsque avant même d'avoir sondé le cœur d'un homme
on le déteste à première vue, sans en avoir reçu d'offense.
L'étranger d'autre part doit se rallier franchement au pays où
    il vit.
Et je n'approuve pas le citoyen à l'humeur insolente
qui blesse les siens en dédaignant de les comprendre.
Sur moi tombe aujourd'hui un coup inattendu
qui me brise et m'anéantit et qui m'enlève
toute joie à vivre. J'appelle la mort, mes amies.
Celui qui était tout pour moi, je ne le sais que trop,
s'est révélé le plus traître des hommes, et c'est mon mari.
    De tout ce qui respire et qui a conscience
il n'est rien qui soit plus à plaindre que nous, les femmes.
D'abord nous devons faire enchère
et nous acheter un mari, qui sera maître de notre corps,
malheur plus onéreux que le prix qui le paie.
Car notre plus grand risque est là : l'acquis est-il bon ou
    mauvais ?
Se séparer de son mari, c'est se déshonorer,
et le refuser est interdit aux femmes.
Entrant dans un monde inconnu, dans de nouvelles lois,
dont la maison natale n'a rien pu lui apprendre,
une fille doit deviner l'art d'en user avec son compagnon de
    lit.
Si elle y parvient à grand'peine,
s'il accepte la vie commune en portant de bon cœur le joug
    avec elle,
elle vivra digne d'envie. Sinon, la mort est préférable.

Car un homme, quand son foyer lui donne la nausée,
n'a qu'à s'en aller, pour dissiper son ennui,
vers un ami ou quelqu'un de son âge.
Nous ne pouvons tourner les yeux que vers un être
    unique.
Et puis l'on dit que nous menons dans nos maisons
une vie sans danger, tandis qu'eux vont se battre !
Mauvaise raison : j'aimerais mieux monter trois fois en
    ligne
que mettre au monde un seul enfant !
    Mais à vrai dire, tout cela compte moins pour toi que
    pour moi.
Tu es ici dans ta patrie, dans la maison de ton père,
ayant les plaisirs de la vie, des amis qui t'entourent.
Je suis seule, exilée, bonne à être insultée
par un mari qui m'a conquise en pays étranger.
Je n'ai mère, ni frère, ni parent,
qui me donne un refuge en ce présent naufrage.
Voici la seule grâce que de toi je voudrais obtenir :
s'il s'offre à mon esprit quelque moyen, quelque artifice
pour punir mon mari du mal qu'il me fait,
garde-moi le silence. Une femme s'effraie de tout,
lâche à la lutte et à la vue du fer ;
mais qu'on touche à son droit, à son lit,
elle ira plus loin que personne en son audace meurtrière.

LE CORYPHÉE

Je te le promets. Tu as le droit de te venger de ton mari,
Médée, et je comprends que tu accuses le destin.
Mais voici Créon, le roi de ce pays,
qui vient nous annoncer des décisions nouvelles.

    Créon entre par la droite avec des gardes.

CRÉON

Toi la triste figure, toi l'épouse en fureur,
Médée, voici ma décision : tu quittes ce pays,
tu pars pour l'exil avec tes deux enfants.
Et qu'on se dépêche, car je me suis chargé moi-même

de faire exécuter mon ordre, et je ne rentrerai chez moi
qu'après t'avoir jetée par-delà les frontières.

MÉDÉE

Ah malheureuse, je suis perdue, perdue !
Mes ennemis sont là, toutes voiles dehors,
et moi je ne vois pas un port où je puisse abriter ma
     détresse.
J'oserai cependant, tout abaissée que je suis,
te questionner, Créon. Pour quel motif me chasses-tu ?

CRÉON

J'ai peur de toi — à quoi bon alléguer des prétextes ? —
peur que tu ne fasses à ma fille un mal irréparable.
Bien des raisons font que je te redoute.
Tu es savante, habile aux arts néfastes.
Tu souffres de coucher, privée de ton mari, dans le lit
     conjugal.
Et puis, des rumeurs me reviennent. Tu menaces
le beau-père, le gendre et la fiancée
de quelque coup, lequel je veux parer à temps.
Mieux vaut pour moi, Médée, que tu me haïsses aujour-
     d'hui,
que de me laisser attendrir, et de verser plus tard des larmes
     fort amères.

MÉDÉE

Ce n'est pas la première fois, Créon,
que j'ai grandement à souffrir du renom qu'on m'a fait.
Jamais un homme de bon sens
ne devrait faire élever ses enfants dans un savoir qui passe
     l'ordinaire.
On leur reprochera d'abord de vivre sans rien faire,
puis ils vont s'attirer la jalousie du monde.
Apporte au vulgaire ignorant des pensées neuves et
     savantes,
ils ne diront pas que tu es un sage, mais que tu es un
     inutile.

Ceux d'autre part qui sont convaincus d'en connaître long,
si le peuple estime que tu les dépasses,
en prendront offense. Tel est le sort qui m'est échu.
Étant habile, je suis jalousée par les uns,
aux autres à scandale. Et cependant, ma science est peu de
    chose.
Quoi qu'il en soit, tu me redoutes, tu crains de ma part
    quelque éclat.
Mais suis-je en état — ne tremble donc pas devant moi,
    Créon —
de faire du mal à des hommes qui sont des rois ?
Et toi, après tout, quel tort m'as-tu fait ? Tu as donné ta
    fille
à qui tu as voulu. C'est mon mari, lui seul,
que je déteste. Toi tu as agi sagement, je pense.
Même à présent, je t'accorde tous les bonheurs.
Mariez-vous, soyez heureux. Mais en ce pays
laissez-moi vivre. Malgré l'injure que j'ai reçue,
je me tairai, cédant à de plus forts que moi.

CRÉON

Ce que tu dis caresse l'oreille, mais dans ton cœur
je redoute fort que tu ne prépares des projets funestes,
si bien que je me fie à toi moins que jamais.
Car une femme en colère — un homme aussi du reste —
est plus facile à surveiller qu'un malin qui se tait.
Non, non, pars au plus tôt, pas de discours.
La décision est prise : nul de tes artifices
ne te fera rester chez nous alors que tu nous veux du mal.

MÉDÉE

Je t'en supplie, par tes genoux et par la jeune épouse.

CRÉON

C'est perdre tes paroles. Tu ne saurais me fléchir.

MÉDÉE

Tu vas donc me chasser, et sans égard pour ma prière ?

CRÉON

C'est que je ne vais pas te préférer à ma maison.

MÉDÉE

Ô ma patrie, comme à présent je pense à toi, trop tard!

CRÉON

Ma patrie, après mes enfants, je n'ai rien de plus cher.

MÉDÉE

Hélas! Qu'apportent les amours, sinon de la souffrance?

CRÉON

Selon, je pense, ce qu'en décide la fortune.

MÉDÉE

Ah! Zeus, sache au moment du coup connaître le coupable.

CRÉON

Tu es folle. Va-t'en. Délivre-moi de ce tourment.

MÉDÉE

Aux tourments où je suis, il ne faut plus rien ajouter.

CRÉON

Encore un instant, et mes gens t'expulsent de force.

MÉDÉE

Non, pas cela! Créon, écoute ma requête…

CRÉON

Femme, tu veux une bagarre, je le vois.

MÉDÉE

Nous partirons. Ce n'est pas sur ce point que porte ma
    prière.

CRÉON

Alors, pourquoi résistes-tu au lieu de disparaître ?

MÉDÉE

Permets-moi de rester un jour encore, un seul,
pour décider du lieu de notre exil,
pour trouver ce qu'il faut à mes fils, puisque leur père
ne daigne pas s'occuper d'eux.
Ah ! Prends-les en pitié ! Toi aussi tu es père,
ce qui doit t'inciter à quelque bienveillance.
Ce n'est pas pour moi que je crains l'exil,
c'est sur eux que je pleure et sur leur infortune.

CRÉON

Mon cœur n'est en rien celui d'un tyran.
J'ai souvent eu pitié, j'en ai souvent pâti.
Je vois bien que j'ai tort à présent d'y céder,
et cependant, femme, tu seras exaucée. Mais, que je te l'an-
    nonce :
si le jour de demain, en levant son flambeau,
vous trouve encore, toi et tes fils, à l'intérieur de nos fron-
    tières,
tu mourras. Ma parole est dite et se vérifiera.
Oui, si tu dois rester, reste un jour, un seul jour,
tu n'auras pas le temps pour ce que je redoute.

Il part par la droite avec sa suite.

LE CORYPHÉE

Pauvre femme, quelle est ta détresse !
Où penses-tu aller ? trouver quelle hospitalité ?
Est-il une maison, un pays qui veuille te sauver ?
Dans quels remous de malheurs sans issue
un dieu, Médée, a engagé ta route !

MÉDÉE

Tout m'accable, et de toutes parts, qui dira le contraire ?
Mais que tout soit déjà réglé, n'en croyez rien.
Il est encore des combats en réserve pour les nouveaux
     mariés,
et de rudes épreuves pour qui les a unis.
Ce Créon, penses-tu que je l'aurais flatté
si ce n'avait été pour le succès de mes projets ?
Sinon, lui eussé-je parlé ? ma main eût-elle touché la
     sienne ?
Non certes ! Et lui est assez sot,
alors qu'il pouvait ruiner mes desseins
en me chassant d'ici, pour m'accorder un jour de grâce !
En un jour, trois de ceux que je hais deviendront par moi des
     cadavres,
le père, la fille et le mari, le mien.
    J'ai bien des moyens pour les mettre à mort
et je ne sais auquel m'arrêter, mes amies.
Vais-je incendier la maison nuptiale
ou leur percer le cœur d'un couteau aiguisé
en entrant à la dérobée dans la chambre où leur lit les
     attend ?
Mais je me heurte à un obstacle : que je sois prise
à passer le seuil, à dresser mon piège,
on me tuera et c'est eux qui triompheront.
Mieux vaut la voie qui m'est ouverte,
l'art où je suis le plus habile, et que le poison les saisisse.
    Bien,
les voilà morts. Mais après ? quelle cité me recevra ?
quel hôte acceptera de me donner son pays pour asile,
une maison où ma personne soit en sûreté ?
Je n'ai rien de tel. Mieux vaut attendre encore un peu.
Si j'aperçois un sûr rempart,
j'irai au meurtre aidée de ruse et de silence.
Mais si le sort m'accule et me refuse toute issue,
alors, et fallût-il mourir, je prendrai le couteau
et je les tuerai tous les deux, en employant la force ouverte
Par la Dame que je vénère
entre tous les dieux et que j'ai prise pour alliée,
Hécate qui habite au plus secret de mon foyer,
nul d'entre eux ne rira pour m'avoir torturée.

Amères et lugubres, les noces que je leur prépare!

Amère leur alliance, amer pour eux l'exil qu'ils pensent
    m'infliger!

Va donc, Médée, n'épargne rien de ton savoir

pour servir ton plan et ta ruse.

Vers l'ouvrage terrible avance-toi. Le moment de l'audace
    est venu.

Tu vois comme on te traite. Est-ce à toi à servir de jouet

aux noces de Jason avec la lignée du bandit Sisyphe[1],

toi la fille d'un noble père et descendante du Soleil?

Ce qu'il faut savoir tu le sais. De plus, si la nature nous a
    faites,

nous les femmes, sans aptitudes pour le bien,

nous sommes très savantes artisanes du mal.

PREMIER STASIMON

STROPHE I

LE CHŒUR

Les fleuves sacrés remontent vers leur source.
L'ordre du monde est renversé ainsi que la justice.
La perfidie règne parmi les hommes
et les serments prêtés au nom des dieux sont sans valeur.
Par un retour en ma faveur
la renommée illustrera ma destinée.
L'honneur revient à la race des femmes.
C'est fini de les décrier.

ANTISTROPHE I

Les Muses cesseront de répéter les vieux refrains
qui célébraient ma perfidie.
Ce n'est pas à notre pensée que Phoibos dieu des chants
inspira la divine harmonie de la lyre.
Sinon j'aurais opposé hymne à hymne
et accusé les mâles. En son long cours le temps
donne à gloser sur eux comme sur nous.

STROPHE II

Toi, Médée, tu as fui la maison paternelle,
tu t'es embarquée, le cœur en démence,
tu as dépassé les roches jumelles qui ferment la mer.
Et te voici sur la terre étrangère,
dépossédée du lit où ton mari t'a laissée seule,
ô malheureuse! Exilée à présent
tu es chassée honteusement.

ANTISTROPHE II

Il s'en est allé, le respect des serments.
La pudeur n'est plus. De la grande Hellade
elle s'est envolée, elle est partie au ciel.
Toi tu n'as plus la maison de ton père,
infortunée, pour y trouver asile.
Contre ton lit prévaut une autre femme
qui va régner sur la demeure.

Jason entre par la droite.

SECOND ÉPISODE

JASON

Ce n'est pas d'aujourd'hui que je le constate :
on ne saurait aider ceux qui s'obstinent dans la violence.
Tu pouvais demeurer dans ce pays et sous ce toit
si tu te prêtais sans humeur aux décrets des plus forts,
et maintenant t'en voilà exilée pour des discours de folle.
Ce que tu dis, je ne m'en soucie pas, et tu peux répéter
partout
que Jason est le pire des hommes.
Mais après tes propos contre nos souverains,
estime-toi heureuse d'en être quitte pour l'exil.
Quant à moi, chaque fois, j'ai fait ce que j'ai pu
pour dissiper la colère royale, car je voulais t'assurer ce
séjour.
Mais toi, loin d'apaiser ta frénésie, tu es sans cesse
à insulter nos maîtres et c'est pourquoi tu vas être bannie.
Malgré cela pourtant, dans mon refus de renier les miens,
je viens vers toi, poussé par le souci que m'inspire ton sort.
Je ne veux pas te voir partir dans le besoin, et qu'avec les
enfants
vous soyez sans ressources. L'exil entraîne
bien des maux à sa suite. Toi tu peux me haïr,
je ne saurais jamais te vouloir aucun mal.

MÉDÉE

Ô le dernier des pleutres ! Car la suprême lâcheté
que j'aie à dénoncer en toi, c'est bien d'être venu ici.
Te voilà devant moi, toi mon plus mortel ennemi,
celui des dieux aussi, de tout le genre humain.
Vilipender les siens et puis venir les regarder en face,
cela n'exige audace ni bravoure,
mais seulement de l'impudence, source pour tous des plus
grands vices.

Tu as d'ailleurs fort bien fait de venir.
Pour moi, te dire mon mépris soulagera mon cœur,
et tu pourras entendre de quoi blesser le tien ?
    Il me faut commencer par le commencement.
Je t'ai sauvé, ainsi que le savent les Grecs
qui s'embarquèrent avec toi sur le navire Argo.
On t'envoyait pour mettre sous le joug
les taureaux qui soufflent le feu et semer ensuite le champ de
        la mort[1].

    Un serpent dont les yeux ne se fermaient jamais,
dans ses anneaux lovés gardait la Toison d'or.
Je l'ai tué et j'ai tenu haut devant toi le flambeau du salut.
Et puis, c'est moi encore qui ai trahi mon père et ma maison
pour venir jusqu'au Pélion, à Iolcos ta patrie,
avec toi, amoureuse, insensée…
Là j'ai frappé Pélias de la mort la plus douloureuse,
par la main de ses propres filles, ne te laissant plus rien à
        craindre.
Et après en avoir tant accepté de moi, ô le plus vil des
        hommes,
tu me trahis, tu te choisis un autre lit,
quand des enfants étaient sortis de nous ! Tu n'en aurais pas
        eu,
on pourrait t'excuser d'avoir recherché l'autre femme.
Oubliés, tes serments que j'ai crus ! Et je ne comprends pas
si tu crois détrônés ces dieux par qui tu as juré,
ou le monde régi par des règles nouvelles,
car tu es bien conscient de ton parjure à mon égard.
    Ah ! ma main droite, combien fois tu l'as saisie
ah ! mes genoux, que ce fourbe embrassait
avec des paroles creuses ! Ah ! mes espoirs déçus !

                                        (Un silence.)

    Assez. Comme un ami je veux te consulter.
Quel bienfait, à vrai dire, puis-je attendre de toi ?
Qu'importe ? Mes questions révéleront ton infamie.
    Où maintenant pourrais-je aller ? au foyer paternel,
que j'ai trahi ainsi que ma patrie pour partir avec toi ?
chez les filles de Pélias, infortunées ?
Le bel accueil qu'elles me feront
à leur foyer, elles dont j'ai tué le père !

Car voilà où j'en suis : j'ai dressé contre moi
ceux de ma maison à qui j'étais chère. Et, pour l'amour de
     toi,
ceux que j'aurais dû bien traiter, je leur ai fait la guerre.
En récompense tu faisais de moi
la plus heureuse entre les femmes de la Grèce.
Admirable en effet
l'époux que j'ai là, et fidèle ! Ah, malheureuse que je suis !
Si maintenant je pars pour l'exil, expulsée,
sans un ami, abandonnée avec mes fils abandonnés,
oui, ce sera un beau décri autour du nouveau marié,
quand on verra mendier sur les routes ses enfants et la femme
     qui le sauva.
    Ô Zeus, pourquoi as-tu donné aux hommes
le signe sûr à quoi l'on reconnaît l'or de mauvais aloi,
tandis que nul indice ne marque la personne de l'homme à
     l'âme déloyale ?

LE CORYPHÉE

Redoutable colère, malaisée à calmer,
celle qui met aux prises ceux qui furent unis.

JASON

Il me faudra je pense être bon orateur,
et comme un habile pilote
plier ma voile à temps si je veux échapper
à ta furieuse éloquence. Femme,
tu fais sonner trop haut ce que tu fis pour moi.
C'est à Cypris, selon toute apparence, que ma navigation
doit son salut, à nul autre dieu ni mortel…
Tu es fine et tu me comprends, mais il te déplairait
d'avouer que l'amour t'a contrainte,
que tu n'as pu parer ses flèches et que c'est là
pourquoi tu m'as sauvé.
Mais je veux bien n'y pas regarder de trop près.
Pour quelque raison que ce soit, tu m'as aidé et bien aidé.
Qu'as-tu reçu pourtant pour prix de mon salut ?
Plus à coup sûr que tu n'avais donné, et je m'explique.
Tu habites la Grèce, et non plus en terre barbare.
Tu connais la justice. Tu as appris
à vivre sous des lois et non plus au gré de la violence.

Nul Grec n'ignore plus combien tu es savante.
Tu as trouvé la gloire. Si tu étais restée là-bas
en ces confins du monde, on ne parlerait pas de toi.
Avoir de l'or plein ma maison ou chanter mieux qu'Orphée
quel plaisir en aurais-je, si nul n'en devait rien savoir ?
Voilà ce que j'ai à te dire concernant mes travaux.
Je n'en parlerais pas si tu ne m'avais provoqué.
Quant à l'union royale dont tu me fais grief,
c'est là précisément, je vais te le prouver, ce qui atteste ma
        sagesse,
ensuite ma prudence, enfin quel grand ami je suis
pour toi et pour mes fils.

(Mouvement furieux de Médée.)

Sois calme, je t'en prie.
Venant ici en émigré, en quittant Iolcos
et traînant avec moi mille embarras inextricables,
pouvais-je trouver plus heureuse aubaine
qu'une princesse à épouser, moi un banni ?
Tu t'en es piquée, croyant que je t'avais prise en dégoût.
Ah ! ce n'est pas l'amour qui me pousse vers l'autre,
ni l'ambition d'avoir beaucoup d'enfants.
Ceux qui sont nés me suffisent : qu'ai-je à leur reprocher ?
Mais je voulais, et rien ne compte davantage, nous faire vivre
        dignement
sans devoir nous priver, car je sais
combien la pauvreté met les amis en fuite.
Je voulais élever mes fils comme il convient à ma naissance.
En donnant des frères aux enfants nés de toi,
Je les mettais au même rang, je faisais de ma race un fais-
        ceau
et je vivais heureux. Pourquoi te faudrait-il à toi d'autres
        enfants ?
Mais moi je veux faire servir au bonheur de ceux qui existent
ceux qui naîtront ensuite. N'est-ce pas bien raisonné ?
Tu le reconnaîtrais, si le souci du lit ne t'irritait.
Vous autres femmes, vous finissez par estimer
que tout va bien si seulement vos nuits sont assurées.
Qu'un accident vienne les compromettre,
le parti le plus profitable et le plus éclatant

vous devient guerre déclarée. Ah ! si les mortels
pouvaient procréer autrement, sans qu'il y eût de femmes !
ainsi tous les ennuis nous seraient épargnés.

LE CORYPHÉE

Jason, tu as habilement présenté ton discours,
pourtant, à mon avis, et dussé-je te décevoir,
tu fais un acte injuste en délaissant ta femme.

MÉDÉE

Que de choses je vois tout au rebours des autres gens !
À mes yeux le méchant qui a le talent de bien dire
mérite plus qu'un autre qu'on le punisse.
Sûr de pouvoir bien habiller ce qu'il a fait de mal
il ose les plus mauvais coups. Mais son savoir ne va pas
     loin.
Toi non plus, ne viens pas devant moi faire belle figure
et parade d'éloquence. Un seul mot te mettra par terre.
Puisque tu n'agissais point par traîtrise, il fallait demander
     mon accord
pour ce mariage, et non le conclure à l'insu des tiens.

JASON

Ah oui ! Tu aurais joliment servi mon projet
si j'avais parlé mariage ! toi qui, devant le fait,
ne peux prendre sur toi de dominer ton cœur jaloux.

MÉDÉE

Ce n'est pas cela qui te retenait. Mais lié à une Barbare
tu voyais devant toi une vieillesse sans honneur[1].

JASON

Sois sûre de ce que j'affirme : ce n'est point pour la femme
que je me suis uni ainsi que je l'ai fait à la maison royale,
mais, je l'ai dit, pour te sauver,
et pour donner à mes enfants
des frères qui seront des rois, remparts de ma maison.

MÉDÉE

Loin de moi un bonheur qui dégrade,
une prospérité qui blesserait mon cœur!

JASON

Sache changer de ton, revenir à plus de sagesse,
ne pas voir le mal dans ce qui est bien,
ni ton malheur dans ce qui te sert.

MÉDÉE

Insulte-moi. Car tu sais où te réfugier.
Moi je suis seule et suis bannie.

JASON

C'est que tu l'as voulu. N'accuse que toi-même.

MÉDÉE

Comment? Ai-je pris femme, moi? T'ai-je trahi?

JASON

Tu as maudit nos rois en termes sacrilèges.

MÉDÉE

Oui, et je suis pour ta maison malédiction vivante.

JASON

Si tu le prends ainsi, à quoi bon discuter davantage?
Cependant, sache-le, si pour les enfants et si pour ton
   départ
je puis t'aider de mes ressources,
tu n'as qu'un mot à dire, je donnerai sans lésiner,
j'avertirai mes hôtes[1], qui te recevront bien.
Il faudrait être folle, femme, pour repousser ces offres.
Mets fin à ta colère, ce sera tout profit pour toi.

MÉDÉE

Tes hôtes, je n'irai pas me présenter à eux,
je ne recevrai rien. Garde tes cadeaux.
Ce que donne un vilain n'apporte rien de bon.

JASON

Les dieux du moins me soient témoins
que tout mon désir est de vous aider, toi et les enfants.
Mais les bienfaits te déplaisent. Ton arrogance
rebute la bonne volonté et ton malheur en est accru.

MÉDÉE

Va-t'en. À désirer ta jeune femme
tu trouves long le temps que tu passes loin d'elle.
Va te conduire en mari. Bientôt peut-être, et qu'un dieu
        m'entende,
l'étreinte sera telle que tu reprendras ta parole.

Jason sort par la droite.

SECOND STASIMON

STROPHE I

LE CHŒUR

Un amour qui fond sur un cœur surpris n'apporte avec
    soi
ni honneur ni vertu.
Mais que Cypris t'aborde avec mesure,
nulle divinité n'aura charme plus grand.
Veuille donc, ô déesse,
ne pas lancer de ton arc d'or sur moi
la flèche qu'on n'évite pas,
trempée au poison du désir.

ANTISTROPHE I

M'aime la Pudeur, le plus beau présent que nous font
    les dieux.
Cypris, ne me sois pas trop redoutable.
N'étourdis pas mon cœur
de désir pour un autre lit,
source d'envie, de colère et querelle.
Fais respecter les lits qu'on ne dispute pas
et que ton regard pénétrant
soit entre nous un arbitre suprême.

STROPHE II

Ô terre des aïeux, ô ma maison !
qu'il me soit épargné de perdre ma patrie
pour traverser la dure épreuve
de la misère et de l'adversité.
Que la mort, oui la mort
vienne avant le jour de l'exil.

Nul malheur n'est plus grand
que d'être loin du sol natal.

ANTISTROPHE II

Nos yeux t'ont vue, nous en pouvons juger.
Étrangère sans cité,
aucun des tiens n'est avec toi
pour compatir à tes souffrances.
Périsse dans la solitude
celui qui n'a pas su honorer sa famille
en lui ouvrant l'accès d'un cœur sincère.
Jamais mon amitié ne lui sera donnée.

Égée en costume de voyageur entre par la gauche.

TROISIÈME ÉPISODE

ÉGÉE

Médée, salut à toi. Est-il plus beau prélude
pour faire accueil à un ami ?

MÉDÉE

Salut à toi aussi, fils du sage Pandion,
Égée. D'où nous viens-tu pour aborder ici ?

ÉGÉE

Du sanctuaire vénérable de Phoibos.

MÉDÉE

Et pourquoi allais-tu vers l'ombilic oraculaire ?

ÉGÉE

Lui demander comment faire souche d'enfants.

MÉDÉE

Quoi donc ? tu as passé toute ta vie sans en avoir ?

ÉGÉE

Oui, je ne sais quel dieu a décidé de m'en priver.

MÉDÉE

Mais as-tu une femme, ou si tu vis tout seul ?

ÉGÉE

Je me suis plié aux lois du mariage.

MÉDÉE

Et que t'a dit Phoibos concernant ta postérité ?

ÉGÉE

Des paroles qui dépassent l'entendement humain.

MÉDÉE

Cet oracle du dieu, m'est-il permis de le connaître ?

ÉGÉE

Oui certes, d'autant plus qu'il requiert un esprit subtil.

MÉDÉE

Que dit-il ? redis-le si tu en as le droit.

ÉGÉE

De ne pas délier le pied qui sort de l'outre[1].

MÉDÉE

Avant d'avoir fait quoi ? d'être arrivé dans quel pays ?

ÉGÉE

Avant d'être rentré dans mes foyers.

MÉDÉE

Que venais-tu chercher en débarquant ici ?

ÉGÉE

Tu sais qui est Pitthée, qui règne sur Trézènes ?

MÉDÉE

Oui, le fils de Pélops, qui a renom d'être très pieux.

ÉGÉE

Je veux lui faire part de cet oracle.

MÉDÉE

Tu as raison. Il est très sage et savant interprète.

ÉGÉE

Et pour moi le plus cher de tous mes alliés.

MÉDÉE

Sois donc heureux. Que tes désirs se réalisent.

ÉGÉE

Mais toi, pourquoi ces yeux, ce visage flétris ?

MÉDÉE

J'ai pour époux, Égée, l'homme le plus infâme.

ÉGÉE

Qu'y a-t-il ? Explique-toi et dis-moi tes griefs.

MÉDÉE

Jason me traite indignement, moi qui n'ai nul tort envers lui.

ÉGÉE

Qu'a-t-il fait ? Parle plus clairement.

MÉDÉE

Il met à ma place une femme qui gouvernera la maison[1].

ÉGÉE

Il a osé faire cela, un acte aussi honteux ?

MÉDÉE

Sache qu'il me compte pour rien après m'avoir aimée.

ÉGÉE

Est-il épris d'une autre, ou fatigué de toi?

MÉDÉE

Si amoureux qu'il en viole la foi jurée aux siens.

ÉGÉE

Laisse-le donc, s'il est le traître que tu dis.

MÉDÉE

Son grand amour, c'est son désir d'entrer dans la maison d'un roi.

ÉGÉE

Mais quel roi lui donne sa fille? Achève ton récit.

MÉDÉE

Créon, qui règne ici au pays de Corinthe.

ÉGÉE

Je comprends à présent ton chagrin, pauvre femme.

MÉDÉE

J'ai tout perdu, et de surcroît je suis chassée de ce pays.

ÉGÉE

Par qui? C'est un nouveau malheur que tu m'annonces là.

MÉDÉE

Créon me bannit du pays de Corinthe.

ÉGÉE

Et Jason laisse faire ? Cela non plus je ne l'approuve pas.

MÉDÉE

Il dit que non, mais préfère se résigner.
   Entends-moi, je t'adjure en touchant ton menton,
embrassant tes genoux, car me voici ta suppliante,
pitié, pitié pour moi, infortunée.
Ne souffre pas que dans l'exil je reste à l'abandon,
accueille-moi dans ton pays, dans ta maison, à ton foyer,
et qu'ainsi par les dieux ton vœu se réalise
d'avoir des descendants, et puisses-tu mourir dans la prospé-
         rité.
Tu ne sais pas sur quelle aubaine tu es ici tombé.
Je mettrai fin à ta stérilité.
Je te ferai engendrer des enfants. Tels sont les philtres que je
         connais.

ÉGÉE

Plusieurs raisons m'engagent à t'accorder cette grâce.
C'est tout d'abord à cause des dieux,
ensuite des enfants dont tu me promets la naissance,
car toutes mes pensées vont de ce côté-là.
Voici le parti que je prends. Si tu viens à Athènes
je ferai tout pour t'assurer sécurité selon mon droit de sou-
         verain.
Je te promets cela, mais rien de plus, Médée.
Je n'entends pas t'emmener avec moi loin d'ici.
Mais si par tes moyens tu arrives chez moi
je t'y donnerai plein asile et ne te livrerai à qui que ce soit.
À toi de t'évader seule d'ici,
car je ne veux pas que mes hôtes aient aucun reproche à me
         faire.

MÉDÉE

Il en sera ainsi. Que tu veuilles à présent confirmer tes pro-
         messes
et je n'aurai qu'à me louer de toi.

ÉGÉE

Tu n'aurais pas confiance en moi ? De quoi t'inquiètes-tu ?

MÉDÉE

J'ai confiance. Mais la maison de Pélias m'est ennemie
tout autant que Créon. S'ils viennent me saisir,
et que tu sois lié par des serments, tu ne me laisseras pas
    emmener.
Mais si tu promets simplement, sans prendre les dieux à
    témoin,
tu pourrais bien ne voir en eux que des amis et céder aux
    sommations.
Car moi je suis sans force,
quand eux ont la richesse et un palais royal.

ÉGÉE

Tu tiens là, femme, un langage bien prévoyant.
Mais s'il te plaît qu'il en soit ainsi, je ne m'y refuserai pas.
Car pour moi le parti le plus sûr est d'avoir
une raison à produire à tes ennemis,
et ta cause en sera plus forte. Nomme les dieux de mon
    serment.

MÉDÉE

Jure par le sol de la Terre, par le Soleil, le père de mon père,
et puis par tous les dieux ensemble.

ÉGÉE

De faire ou bien de ne pas faire quelle chose. Dicte.

MÉDÉE

Que jamais de toi-même tu ne me banniras de ton pays,
et si l'un de mes ennemis voulait m'en arracher,
tu ne consentiras vivant à me livrer.

ÉGÉE

Je jure par la Terre, par l'éclat brillant du Soleil,
par les dieux réunis, d'observer tout ce que je viens d'en-
    tendre.

MÉDÉE

C'est bien. Si le serment n'était pas observé, qu'en devrais-tu
    souffrir ?

ÉGÉE

Le châtiment qui punit les impies.

MÉDÉE

Pars et sois heureux. Tout va bien.
Tu me verras bientôt arriver dans ta ville,
ayant accompli ce que je dois faire et obtenu ce que je veux.

Égée s'éloigne par la gauche.

LE CORYPHÉE

Que le fils de Maïa, le compagnon divin,
te ramène chez toi. Que le désir se réalise
dont la pensée t'obsède. Un homme généreux,
Égée, s'est en toi révélé à nous.

MÉDÉE

Ô Zeus, ô Justice de Zeus, lumière du Soleil,
pour moi, mes amies, s'apprête déjà la belle victoire.
Je suis sur le chemin et je vois le moment
où mes ennemis subiront leur peine.
Sur un point je restais en détresse : Égée dans mes plans
    apparut
comme le havre où j'attacherai mon bateau,
une fois dans la ville et l'acropole de Pallas.
Mes projets maintenant il me faut vous les dire
tout au long. Écoutez-moi, car chaque mot est grave :
    Je vais envoyer à Jason un de mes serviteurs
en le priant de revenir me voir.
Il viendra. Je lui dirai des paroles flatteuses,
que sa volonté est la mienne, qu'il a eu grand'raison [1]
de me trahir pour épouser une princesse,
décision utile, honnête et sage.
Mais je demanderai que mes enfants demeurent,
non que je songe à les laisser en pays ennemi

en butte aux affronts de la haine ;
ce n'est là qu'une ruse pour tuer la fille du roi.
Oui, je les enverrai présenter des cadeaux
à l'épousée, afin que l'exil leur soit épargné.
C'est un voile léger, un bandeau d'or tressé.
Qu'elle les prenne pour s'en parer et les mette au contact de
    sa peau,
vilainement elle mourra et avec elle qui voudra la toucher.
Telle est la vertu des poisons dont mes présents seront
    trempés.

(Un temps.)

    Ici pourtant je dois faire silence
ne pouvant que pleurer sur l'ouvrage qui reste
à faire de mes propres mains. Je tuerai les enfants,
mes enfants. Nul ne pourra les sauver.
Et quand j'aurai détruit toute la maison de Jason
je partirai, poursuivie par mon crime envers mes bien-aimés
ayant osé l'acte le plus impie.
Mes ennemis, rire de moi ? Jamais je ne le souffrirai !
Tout est bien décidé. Que me sert-il de vivre ? Je n'ai plus ni
    patrie
ni demeure ni recours dans mon infortune.
Mon grand péché, je l'ai commis le jour où j'ai quitté
la maison paternelle, me fiant aux paroles d'un Grec,
le même qui, les dieux aidant, va me payer sa peine.
Les enfants nés de moi, jamais il ne les reverra
vivants, après ce jour. Et ce n'est pas sa jeune femme
qui lui en donnera d'autres, elle vouée
à une male mort, œuvre de mes poisons.
Et que nul ne s'avise de me dire chétive, ou débile,
ou résignée ! Tout au rebours :
lourde à mes ennemis, et secourable à ceux que j'aime !
Car il faut être tel pour vivre une vie glorieuse.

LE CORYPHÉE

Puisque tu nous fais part de ton projet
et que je veux t'aider, mais servir cependant
les lois reçues de tous, je dois te détourner d'un tel dessein.

MÉDÉE

Je n'en saurais changer, mais je puis excuser ton conseil :
tu n'es pas maltraitée ainsi que je le suis.

LE CORYPHÉE

Tu oserais, ô femme, tuer ce qui est né de toi ?

MÉDÉE

Rien ne mordrait plus durement le cœur de mon mari.

LE CORYPHÉE

Rien ne ferait de toi femme plus malheureuse.

MÉDÉE

Tout est dit. D'ici à l'acte les paroles sont vaines.

(À la nourrice.)

Nourrice, va et ramène Jason.
Ce qui requiert de la fidélité fut toujours ton office.
Ne laisse rien savoir de mes décisions
si tu veux servir ta maîtresse, si de plus tu es femme.

La nourrice sort vers la droite.

TROISIÈME STASIMON

STROPHE I

LE CHŒUR

*Descendants d'Érechthée, heureux depuis la nuit des
    temps,*
fils des dieux bienheureux, issus d'une terre sacrée
toujours inviolée, nourris du pain
d'une illustre sagesse, vous avancez légèrement
dans l'éclat de l'air le plus pur.
C'est là, dit-on, que jadis
les neuf Muses vinrent de Piérie
pour ensemble élever la blonde Harmonie.

ANTISTROPHE I

Près des flots du Céphise au beau cours[1]
on dit que Cypris vient puiser, pour souffler sur tout le pays
des brises parfumées, des vents modérés.
Mêlant sans cesse à ses cheveux des guirlandes de roses,
des fleurs odorantes, elle répand tout autour d'elle
ceux des Amours qui accompagnent la Sagesse,
auxiliaires de toute vertu.

STROPHE II

Comment la cité des saintes rivières,
la terre accueillante à ceux qu'elle aime,
admettra-t-elle la mère meurtrière,
l'impie dont chacun fuira le contact[2] *?*
Imagine la plaie sur le corps des enfants,
imagine le meurtre que tu veux assumer.

Non, par tes genoux, de tout notre cœur nous t'en sup-
*   plions,*
ne tue pas tes enfants.

ANTISTROPHE II

D'où viendrait telle audace en ton âme, en ta main
que tu puisses frapper d'un affreux attentat
le cœur de tes propres enfants?
Pourras-tu, les yeux dans leurs yeux,
rester sans larme et dans le meurtre t'obstiner?
Quand tes fils à genoux te prieront
tu ne garderas pas un cœur si résolu
que leur sang te trempe la main.

Jason arrive par la droite.

QUATRIÈME ÉPISODE

JASON

Je viens à ta requête, car malgré ton hostilité
je ne veux pas te décevoir, prêt à entendre
ce qu'à présent, Médée, tu souhaites de moi.

MÉDÉE

Jason, je t'en conjure, tout ce que je t'ai dit,
veuille m'en excuser. Ma colère, il te faut la souffrir
en échange de tout le bien qui reste entre nous accompli.
Pour moi je me suis raisonnée,
et je me suis fait des reproches. « Pourquoi donc, pauvre folle,
me dresser contre ceux qui décident si bien ?
Je me rends odieuse aux maîtres du pays,
à mon mari, qui n'a en vue rien que nos intérêts,
quand il épouse une princesse et veut donner des frères
à mes enfants. Il est grand temps que je dépose
ma rancœur. De quoi puis-je me plaindre quand les dieux
    font si bien les choses ?
J'ai des enfants, je dois me souvenir
que nous sommes bannis de Thessalie et dépourvus d'amis. »
À raisonner ainsi, j'ai mesuré mon imprudence,
la vanité de mon ressentiment.
À présent donc j'approuve ta conduite, je vois quelle sagesse
te fait nouer pour nous cette alliance nouvelle. Insensée que
    j'étais,
quand j'aurais dû entrer dans tes desseins,
t'aider à les réaliser, orner le lit
et prendre du plaisir à te parer ta fiancée !
Mais je ne suis que ce que je suis, une femme.
Je ne veux pas dire du mal de nous.
Mais toi, devais-tu imiter mes erreurs,
répondre à une enfant comme un enfant ?
Je reconnais ma faute. J'ai eu tort

et j'ai pris maintenant un parti bien meilleur.
    Enfants, enfants, venez dehors,

                                            (on les amène)

accourez, embrassez, saluez votre père
avec moi et oubliez, ainsi que votre mère,
ce qui fit se haïr ceux qui devaient s'aimer.
Entre nous la paix est conclue, la colère oubliée.
Prenez donc sa main droite. Hélas! ressouvenir
d'un douloureux secret!
Ô mes petits, ai-je encore si longtemps à vous voir
vivants, tendant vers moi vos bras chéris? Malheureuse,
que je suis prompte aux larmes et pleine de terreurs!
Quand avec votre père enfin je rétablis l'entente,
mes yeux attendris débordent de pleurs.

LE CORYPHÉE

Des miens aussi jaillit un flot de larmes.
Ah! si le progrès du malheur pouvait être arrêté!

JASON

Femme, je loue ta conduite présente et je m'abstiens de
        blâmer le passé.
Il est naturel à tout votre sexe
d'en vouloir au mari qui prend une seconde épouse.
Mais un heureux revirement a fait changer ton cœur.
Enfin! tu reconnais enfin le parti qui doit l'emporter!
C'est te conduire là en femme de bon sens.
    Mes enfants, votre père a sagement pensé à vous.
Ses soins, les dieux aidant, ont assuré votre avenir.
Je compte bien qu'ici même à Corinthe
un jour avec vos frères vous vous tiendrez au premier rang.
Vous n'avez donc plus qu'à grandir. Le reste est affaire
à votre père, à quelque dieu propice.
Je voudrais déjà vous voir élevés, des jeunes hommes
capables avec moi de dominer mes ennemis.
    Mais toi, là, toi, pourquoi de tes yeux ces pleurs jaillis-
        sants?
pourquoi détourner ta joue pâle
et recevoir sans joie ce que je viens de dire?

MÉDÉE

Rien, rien, je ne pensais qu'à ces enfants.

JASON

Rassure-toi. Je saurai fort bien tout régler pour eux.

MÉDÉE

J'obéirai. Je ne veux pas douter de ta parole,
mais une femme est faible et inclinée aux pleurs.

JASON

Pourquoi sur eux te désoler avec excès?

MÉDÉE

Je les ai mis au monde. Quand tu leur as souhaité belle vie
j'ai frémi en me demandant si ce vœu serait exaucé.
   Quant au sujet dont je voulais t'entretenir,
je t'en ai dit une partie. Je n'oublie pas le reste.
Puisque les rois ont décidé de me bannir
— et pour moi il vaut mieux, je le reconnais bien,
que je sois loin, afin de ne gêner ni toi ni eux,
car on me croit hostile à leur maison —
je vais prendre à l'instant le chemin du départ.
Mais les enfants! Afin qu'ils soient élevés de ta main,
implore de Créon qu'il renonce à les exiler.

JASON

Je ne sais si je le fléchirai. Il faut en tout cas le tenter.

MÉDÉE

Mais tu as ta femme. Dis-lui donc d'obtenir de son père
qu'il laisse tes fils demeurer avec toi.

JASON

Elle à coup sûr, je me fais fort de la persuader.

MÉDÉE

Oui, n'est-ce pas ? c'est une femme comme toutes les autres.
Mais je veux moi aussi t'aider en cette affaire.
Je lui enverrai des présents dont la beauté dépasse
tout ce qu'ont vu les hommes d'aujourd'hui, j'en suis bien
        sûre.
C'est un voile léger, un bandeau d'or tressé.
Les enfants vont les lui porter. Qu'on se dépêche,
qu'une servante apporte la parure !
Mais c'est mille bonheurs qui attendent ta femme !
Partager le lit du héros que tu es,
posséder les joyaux dont jadis le Soleil,
mon aïeul, fit le don à ses descendants !
    Prenez dans vos bras, mes enfants, la corbeille dotale,
allez la présenter à la princesse, à la bienheureuse épousée.
Emportez tout cela. Elle va recevoir des cadeaux à ne pas
        mépriser.

JASON

Mais toi, folle, pourquoi veux-tu t'en dessaisir ?
Crois-tu que l'on manque de robe en la maison royale,
qu'on manque d'or ? Garde bien tout cela, ne donne rien.
Si ma femme fait de moi quelque cas,
c'est moi qui compterai pour elle, je le sais, plutôt que des
        joyaux.

MÉDÉE

Ne viens pas me parler ainsi. Les présents, ce dit-on, flé-
        chissent jusqu'aux dieux,
et l'or dans le cœur des mortels l'emportera sur cent dis-
        cours.
Le destin est de son côté. C'est elle qu'un dieu favorise.
Elle est jeune, elle est reine. Et moi, pour racheter l'exil de
        mes enfants,
je donnerais ma vie et non pas seulement de l'or.
    Allez donc, mes enfants, entrez au somptueux palais.
La jeune épouse de votre père, celle de qui je suis l'esclave[1],
implorez-la, qu'elle vous sauve de l'exil,
et d'abord donnez-lui la parure. Ce qui surtout importe
c'est qu'elle la reçoive de ses propres mains.

Ne vous attardez pas. Le vœu de votre mère
venez m'annoncer qu'on l'exauce.

*Jason sort par la droite avec les enfants et le péda-
gogue.*

QUATRIÈME STASIMON

STROPHE I

LE CHŒUR

Plus d'espoir maintenant, plus d'espoir
pour la vie des enfants
engagés au chemin de la mort.
La jeune femme va recevoir le bandeau d'or.
Infortunée, c'est recevoir la mort.
Sur ses cheveux blonds elle va poser de ses propres mains
les joyaux de l'enfer.

ANTISTROPHE I

Leur beauté, leur éclat surhumain
vont la persuader
de prendre robe et couronne d'or,
de s'en vêtir, infortunée, déjà parée
pour ses noces avec la mort.
Voilà le filet, le piège fatal, elle y va tomber
et ne saura s'en dégager.

STROPHE II

Et toi, le malheureux qui trahis ta compagne
pour gagner l'alliance des rois,
tu conduis en aveugle tes enfants à leur perte,
ta jeune épouse à la plus affreuse agonie.
Infortuné, tu ne vois pas
où le destin t'entraîne.

ANTISTROPHE II

Je déplore aussi ta souffrance, pauvre mère,
toi qui vas tuer tes enfants
dans ton regret du lit qu'au mépris des serments,
pour la maison d'une autre femme,
ton époux abandonne.

Le pédagogue revient par la droite avec les enfants.

CINQUIÈME ÉPISODE

LE PÉDAGOGUE

Voici tes fils, maîtresse. On leur fait grâce de l'exil.
La princesse ravie a reçu tes présents à deux mains.
La paix là-bas est faite à leur profit.
Mais quoi ? Te voilà effondrée quand tout va bien pour toi !
Pourquoi détourner ton visage et sans joie accueillir mes
    paroles ?

MÉDÉE

Hélas !

LE PÉDAGOGUE

Quelle étrange réponse à ce que je t'annonce !

MÉDÉE

Hélas et toujours hélas !

LE PÉDAGOGUE

Sans le savoir, t'aurais-je fait part d'un malheur ?
Ma bonne nouvelle, serait-ce une méprise ?

MÉDÉE

Tu as dit ce que tu as dit et ce n'est pas toi que je blâmerai.

LE PÉDAGOGUE

Alors, pourquoi ce front courbé et ces larmes qui coulent ?

MÉDÉE

Je ne puis l'empêcher, vieil homme. Ce sont les dieux
qui ont tout fait, et moi, mal inspirée.

LE PÉDAGOGUE

Courage. Ici est le port où tes fils un jour te ramèneront.

MÉDÉE

C'est moi d'abord, la misérable, qui en conduirai d'autres
    vers d'autres ports[1].

LE PÉDAGOGUE

Des mères avant toi furent séparées de leurs fils.
Les mortels doivent bien se résigner aux coups du sort.

MÉDÉE

Ainsi ferai-je. Rentre à présent
et prépare aux enfants ce qu'il leur faut pour chaque jour.

(Le pédagogue rentre dans la maison.)

Ô mes enfants, mes enfants, une cité vous attend à pré-
    sent,
une maison où me laissant à mon malheur
vous allez habiter pour toujours, privés de votre mère,
et moi je vais partir pour la terre étrangère, exilée,
avant d'avoir été par vous heureuse et d'avoir vu votre
    bonheur,
de vous avoir mariés, d'avoir paré votre lit nuptial,
d'avoir tenu levée la torche de vos noces,
perdue, ah! condamnée par mon sauvage orgueil.
À quoi me sert, ô mes petits, de vous avoir nourris,
d'avoir peiné, d'avoir souffert, de m'être usée,
de m'être déchirée dans les douleurs en vous mettant au
    monde?
Ah! je le jure, pauvre de moi, j'avais en vous tous mes
    espoirs.
Vous deviez nourrir ma vieillesse,
morte m'ensevelir dignement de vos mains,
c'est ce que tous les hommes souhaitent. Effacée à présent
cette douce pensée! Privée de vous
je vais traîner ma vie dans la misère et la souffrance.

Et vous, plus jamais vos chers yeux ne verront votre mère.
Vous aurez émigré dans une autre existence.
Ô douleur ! Enfants, que me regardez-vous ainsi ?
que me souriez-vous pour la dernière fois ?
Que dois-je faire ? Le cœur me manque, mes amies,
lorsque je vois les yeux brillants de mes enfants.
Ah ! je ne pourrai pas !… Adieu mes desseins de naguère.
Je prendrai mes enfants avec moi dans ma fuite.
Atteindre leur père en les frappant, à quoi bon,
si c'est pour m'infliger une double souffrance ?
Je ne le ferai pas. Mes desseins, adieu.
   Mais quoi, me résigner à être celle dont on rit,
abandonnant mes ennemis à leur impunité ?
Non, il faut aller de l'avant. Honte à ma lâcheté
qui fait entrer dans mon esprit ces pensées de faiblesse.
Allez, enfants, dans la maison.

                    (Ils s'écartent sans quitter la scène.)

   Que celui qui n'a pas le droit d'assister à mes sacrifices
prenne garde et s'écarte[1]. Car ma main ne faiblira pas.
   Non, mon cœur, non pas toi, tu n'iras pas jusque-là !
Laisse ces enfants, criminel, épargne-les,
Ils vivront là-bas avec moi et pour te rendre heureux[2].
   Mais quoi ? Par les démons vengeurs envoyés de l'Hadès
je ne puis pas livrer mes fils
pour que mes ennemis à leur gré les outragent.
Puisque à tout prix il faut qu'ils meurent,
c'est moi qui vais les tuer, moi qui leur ai donné la vie.
Tout est accompli. Trop tard pour un revirement.
Déjà la couronne est posée, le voile revêt la princesse,
et la dévote, je le sais.
À moi de suivre le chemin du suprême malheur,
d'en ouvrir à mes fils un plus funeste encore.
Je veux leur dire adieu.

                    (Les enfants se rapprochent.)

   Mes enfants,
donnez votre main droite, que votre mère l'embrasse.
Ô main chérie, bouche chérie,
ô beauté, ô noblesse des traits de mes enfants.
Soyez heureux. Mais ce sera ailleurs, votre bonheur ici

votre père l'a rendu impossible. Contact délicieux,
tendre peau, douce respiration de mes enfants…
Rentrez, rentrez, je ne puis plus soutenir votre vue.

(Les enfants entrent dans la maison.)

Je suis vaincue, c'est trop de malheurs.
Je sais devant quel crime je me trouve[1]
mais la colère emporte mes résolutions,
la colère, qui a perdu tant d'hommes.

LE CORYPHÉE

Bien souvent déjà j'ai approfondi
des propos subtils, de graves débats
plus qu'il ne sied à de simples femmes.
Nous aussi avons notre Muse,
elle nous parle de sagesse, mais non pas à nous toutes,
à une ou deux, qu'il faut chercher[2],
la plupart des autres lui sont étrangères.
Or, je dis que ceux qui ne savent pas
ce que c'est qu'avoir des enfants
l'emportent en bonheur sur ceux qui ont postérité.
Ils n'ont pas à se demander :
« Sera-ce du bien, sera-ce du mal que l'enfant apporte ? »
Où l'enfant n'est pas manque aussi plus d'une peine.
Qui voit dans sa maison fleurir ses chers petits
s'use en soucis toute sa vie.
Car il faut d'abord les élever dignement
et puis leur laisser de quoi vivre.
S'ils sont mauvais ou s'ils sont bons,
l'avenir le dira, en attendant il faut peiner.
Mais il me reste à dire
ce qui pour les mortels est le plus grand malheur.
Ils ont trouvé ressources suffisantes,
leurs enfants ont grandi, sont devenus des gens de bien.
Qu'alors un dieu le veuille, la mort vient et les prend,
emportant leurs corps à l'Hadès.
Que nous reste-t-il si les dieux
après tant de peines punissent les hommes par ce mal
     suprême
pour avoir voulu avoir des enfants ?

MÉDÉE

Voici quelque temps, mes amies, que je suis à guetter,
attendant l'issue de ce qui là-bas s'est passé.
Mais je vois venir un domestique de Jason,
tout hors d'haleine,
qui vient annoncer, on le voit, un désastre inouï.

Entre par la droite un serviteur.

LE SERVITEUR

Ô toi qui as commis cet acte atroce, abominable,
Médée, sauve-toi, sauve-toi! Char marin, char terrestre,
que tout te soit bon et serve à ta fuite.

MÉDÉE

Mais qu'arrive-t-il qui m'oblige à fuir?

LE SERVITEUR

La jeune princesse et Créon son père
viennent de mourir, tués par tes poisons.

MÉDÉE

Tu viens de prononcer la plus belle parole, et je te compte
        désormais
parmi mes bienfaiteurs et mes amis.

LE SERVITEUR

Mais que dis-tu? es-tu dans ton bon sens? Ah! tu es folle!
Tu as dévasté la maison royale
et tu exultes en l'apprenant quand il faudrait trembler.

MÉDÉE

C'est à quoi je pourrais répliquer.
Mais ne va pas trop vite, mon ami,

raconte à loisir. Comment sont-ils morts ?
Tu me donneras double joie
s'ils ont péri vilainement.

LE SERVITEUR

Ta double lignée, tes deux enfants, sont arrivés
avec leur père. Ils sont entrés dans le logis du nouveau
        couple.
Nous étions contents, car nous avions partagé ta peine,
nous les serviteurs, et nous nous disions l'un à l'autre à
        l'oreille
qu'entre Jason et toi le vieux conflit était calmé.
Nous baisions, qui la main, et qui la tête blonde
des petits. Et moi j'étais si heureux
que je les ai suivis jusqu'aux chambres des femmes.
    La dame qu'à présent nous honorons au lieu de toi,
n'ayant d'abord pas vu les deux enfants qui s'avançaient
        ensemble,
jeta sur Jason un regard brûlant,
puis se cacha les yeux et détourna son blanc visage,
trouvant odieux qu'ils fussent entrés. Ton mari
pour calmer sa colère, son humeur puérile,
lui dit : « Vas-tu cesser de faire grise mine aux miens ?
Ne sois plus fâchée, tourne-toi de nouveau vers moi.
Ce qui est cher à ton mari doit l'être à toi aussi.
Accepte ces cadeaux et, pour l'amour de moi,
demande à ton père d'épargner l'exil à ces deux enfants. »
    Dès qu'elle eut vu la parure, elle n'y put tenir.
Elle accorda à son époux tout ce qu'il demandait.
Il était à peine parti, les enfants avec lui[1],
qu'elle avait pris les beaux tissus brodés, qu'elle s'en
        revêtait,
qu'elle posait le bandeau d'or sur ses cheveux bouclés,
arrangeant sa coiffure devant un miroir brillant
et riant à la vaine image d'elle-même qu'il renvoie.
Puis elle se lève de son trône pour parcourir la chambre,
allant d'un pas dansant sur ses pieds nus,
enchantée par les beaux cadeaux. Elle se dresse sur ses pointes
pour voir sur ses talons tomber la robe.
    Mais sa vue tout à coup nous effraie.
Sa couleur change, elle tombe de côté,

elle avance, elle tremble et parvient à grand-peine
à s'asseoir sur son siège avant de choir par terre.
Une vieille servante, pensant que c'est peut-être
un accès envoyé par Pan ou par un autre dieu,
jette le cri aigu qui les conjure, quand elle lui voit à la bouche
couler une écume blanche, ses yeux se révulser,
la couleur du sang se retirer d'elle.
Son cri alors devient un long appel de deuil.
Une servante court à la maison du père,
une autre va vers le nouveau mari lui dire ce qui arrive à sa
        femme.
Le logis tout entier résonne de courses rapides.
En pressant le pas un bon coureur aurait fait
les six plèthres du stade et atteint le but[1]
quand la pauvre princesse, avec un râle affreux, sortit de sa
        torpeur
sous les assauts d'une double torture.
Le bandeau d'or posé sur sa tête,
lançait en flots prodigieux un feu dévorant,
et les voiles légers, cadeaux de tes enfants,
mordaient la chair blanche de l'infortunée.
Elle veut fuir, se lève de son siège comme une torche
        ardente,
secoue ses cheveux et sa tête, à droite, à gauche,
pour en dégager la couronne.
Mais l'or était comme soudé et la flamme
à chaque secousse montait plus haut.
Elle tombe enfin sur le sol, vaincue,
et nul n'eût pu la reconnaître, sinon son père.
On ne distinguait plus ses yeux, la forme de son front
ni de son beau visage. Du sommet de sa tête
tombaient les gouttes d'un sang mêlé de feu.
Les chairs coulaient des os comme de la résine
sous les dents invisibles du poison.
Horrible vision. Nous avions tous trop peur pour toucher
au cadavre, car son sort nous avait instruits.
    Or le malheureux père, ignorant ce qui se passait,
entre tout soudain dans la chambre et se jette sur la morte
avec un grand cri de douleur. Il étreint le corps,
il le baise en disant : « Ma pauvre enfant,
quel dieu t'a détruite aussi indignement,

laissant privé de toi un vieillard qui n'est plus qu'une tombe ?
Que je voudrais mourir avec toi, mon enfant ! »
Quand il eut bien gémi, bien pleuré,
il voulut redresser son vieux corps,
mais comme un lierre aux rameaux du laurier,
il était pris aux légers voiles. Ce fut une lutte terrible.
Lui cherchait à se mettre debout.
Elle le retenait à terre. S'il tirait plus fort
sa chair sénile cédait, se détachait des os.
Enfin il renonça et rendit l'âme, l'infortuné,
dompté par le fléau.
    Deux corps sont là gisants, la fille et le vieux père,
côte à côte, malheur digne d'être pleuré.
De ce qui te concerne, toi, j'aime mieux ne rien dire.
Il te reste à apprendre toi-même les retours du châtiment.
Qu'est-ce qu'un mortel ? Rien qu'une ombre.
Je le sais depuis bien longtemps
et je le dis sans crainte : les hommes qui paraissent sages,
qui font sonner bien haut leurs grands calculs,
ce sont ceux-là qui paieront le plus cher.
Le bonheur n'est pas fait pour nous les mortels.
La fortune a flux et reflux, favorisant celui-ci,
celui-là. Mais qui est heureux ? Personne.

Il s'éloigne.

LE CORYPHÉE

Le destin paraît en ce jour
infliger à Jason bien des maux mérités.
Et toi, malheureuse, combien nous te plaignons,
fille de Créon, qui es partie vers les portes d'Hadès,
victime de ton mariage avec lui !

MÉDÉE

Mes amies, ma décision est prise : sans perdre un instant
tuer mes enfants et fuir de ce pays.
Je n'entends pas, par mes délais, les livrer
aux coups d'une main ennemie.
De toute façon ils sont condamnés. Puisqu'il en est ainsi,
c'est moi qui vais les tuer, moi qui leur ai donné la vie.
    Arme-toi donc, mon cœur. À quoi bon hésiter

pour accomplir l'acte terrible, inéluctable ?
Allons, ma main, mon audacieuse main, prends le couteau,
allons vers la barrière qui ouvre sur la vie maudite,
ne faiblis pas, oublie que ces enfants
sont ton bien le plus cher, que tu les mis au monde.
Oublie-les pour un court instant.
Tu pleureras ensuite. Tu les tues et cependant
tu les aimes. Ah ! pauvre femme que je suis !

Elle entre dans la maison.

CINQUIÈME STASIMON

STROPHE I

LE CHŒUR

Ô Terre, ô rayons brillants du Soleil,
à vous de veiller, de veiller,
avant que la femme funeste,
sur ses fils, sur sa propre chair,
n'aille porter sa main sanglante.
De ta race d'or, Soleil, ils sont un rameau.
Je tremble à voir le sang d'un dieu
versé pour un conflit humain.
Ô Lumière née de Zeus, retiens, arrête,
chasse de la maison l'audacieuse, la sanglante Érinys
envoyée ici par les démons du mal !

ANTISTROPHE I

Voilà perdues les peines que tu pris pour tes fils,
perdu ce que tu as souffert
pour te donner cette chère lignée.
Toi qui franchis la dangereuse passe
des roches Symplégades couleur de nuit,
fallait-il, pauvre femme,
que le courroux si lourdement s'abattit sur ton cœur
en n'y laissant subsister que la haine ?
Qui du sang des siens a souillé la terre[1]
reste marqué par la souillure,
et les dieux en écho du crime
renvoient aux maisons des souffrances égales.

On entend les enfants crier dans la maison.

STROPHE II

LE CHŒUR

Tu entends le cri, le cri des enfants ?
Ô malheureuse, ô pauvre femme !

UN DES ENFANTS, *à l'intérieur.*

Que faut-il faire ? Où me sauver ? Mère me saisit !

L'AUTRE

Je ne sais pas, mon frère chéri. Nous sommes perdus.

LE CHŒUR

Faut-il entrer, les arracher à la mort ?
Oui, il le faut.

UN DES ENFANTS

Par les dieux, sauvez-nous, il est temps.

L'AUTRE

Nous allons être pris, le couteau est sur nous.

LE CHŒUR

Audacieuse, faite de roc ou bien de fer,
trancher de ta main l'épi de ton sillon !

ANTISTROPHE II

LE CHŒUR

Une femme, une seule, dans le passé
frappa, dit-on, ses chers enfants.

LE CORYPHÉE

C'est Ino, les dieux l'avaient rendue folle,
Héra l'avait chassée, elle errait sur les routes.

LE CHŒUR

L'infortunée se jeta dans la mer
pour expier leur mort impie.

LE CORYPHÉE

Du haut de la falaise elle sauta
s'unissant à eux dans la mort.

LE CHŒUR

De quoi désormais s'effrayer encore ?
Ô lit conjugal, par toi combien souffrent les femmes,
que de maux déjà tu as apportés aux mortels !

Jason arrive par la droite.

EXODOS

JASON

Femmes que je vois là, est-elle encore dans la maison, la cri-
    minelle
Médée, ou bien a-t-elle pris la fuite?
Il lui faudrait se cacher sous la terre
ou bien avoir des ailes et s'envoler en haut du ciel
pour échapper au juste châtiment qu'elle doit à nos princes.
Croit-elle pouvoir tuer des souverains
puis se sauver d'ici impunément?
Mais je suis moins en peine d'elle que de mes fils.
Ceux qu'elle a outragés sauront bien la punir,
ce sont mes enfants que je viens sauver,
craignant que les proches du roi
ne fassent retomber sur eux l'acte affreux de leur mère.

LE CORYPHÉE

Tu ne sais pas jusqu'où va ton malheur,
infortuné Jason, sinon tu ne parlerais pas ainsi.

JASON

Qu'y a-t-il? est-ce à moi maintenant qu'elle en a?

LE CORYPHÉE

Tes deux enfants sont morts, frappés par la main de leur
    mère.

JASON

Ai-je bien entendu? Dieux, que dis-tu? ah! C'en est trop.

LE CORYPHÉE

Tes enfants, ton souci, sache-le, ne sont plus.

JASON

Où les a-t-elle tués ? Dans la maison ? Dehors ?

LE CORYPHÉE

Fais ouvrir les portes. Tu verras ce qui reste d'eux.

JASON

Tirez les verrous, serviteurs, faites vite,
enlevez les chevilles, que je voie mon double malheur,
eux qui sont morts et elle que je vais punir.

> *Au-dessus de la maison apparaît dans un char
> traîné par des dragons ailés Médée ayant à côté d'elle
> les corps de ses enfants.*

MÉDÉE

À quoi bon secouer ces portes et les faire sauter,
pour découvrir deux corps et moi qui ai tout fait ?
Ne prends pas tant de peine. Si c'est moi que tu cherches,
me voici, parle. Mais jamais ta main ne me touchera.
Tu vois ce char. C'est le Soleil père de mon père
qui me le donne. Nul ennemi ne saurait m'y atteindre.

JASON

Ô maudite ! Ô la plus haïssable des femmes,
en horreur aux dieux, à moi, au genre humain,
toi qui as osé lever un couteau
contre ceux que tu mis au monde, et qui me tues en me les
        enlevant.
Quoi ? tu oses encore regarder le soleil en face,
et la terre, ayant commis, l'acte le plus abominable !
Que les dieux te détruisent ! J'ai toute ma raison à présent.
Le jour de ma folie fut celui où je t'enlevai de chez toi, de
        ton pays barbare,
pour t'amener dans une maison grecque qui devait en
        périr,

toi qui avais trahi ton père et la terre qui t'avait nourrie.
Le démon attaché à toi, les dieux l'ont lancé contre moi
　　　aussi,
à l'heure où devant ton foyer tu as tué ton frère,
avant de monter dans l'Argo à la belle proue.
　　Tels furent tes commencements. Tu fus épousée
par moi, oui par moi, tu me donnas des enfants
que tu as détruits dans ta jalousie de femme et d'amante.
Jamais il ne se fût trouvé de Grecque
pour oser ce que tu osas, toi que j'ai préférée à toutes,
épousant avec toi la haine et la ruine,
une lionne et non une femme,
plus sauvage que la Scylla du détroit tyrrhénien.
Je pourrais te lancer mille insultes,
elles ne mordraient pas sur toi, telle est ton arrogance.
Meurs donc, infâme, souillée du sang de tes enfants.
Il ne me reste plus qu'à pleurer sur mon sort.
Mon nouveau mariage, je n'en pourrai jouir.
Les enfants que j'avais engendrés, élevés,
je ne les ai plus devant moi vivants, je les ai perdus.

MÉDÉE

J'en aurais long à te répondre
si Zeus notre père ignorait
ce que j'ai fait pour toi et comment toi tu m'as traitée.
Tu n'allais pas, après m'avoir rejetée de ton lit,
passer une vie de plaisir à te moquer de moi,
ni davantage la princesse, et celui qui te la donna,
Créon, impunément, ne pouvait me chasser.
Cela dit, libre à toi de m'appeler lionne
et Scylla la Tyrrhénienne.
Je t'ai rendu, comme il se doit, coup pour coup, droit au
　　cœur.

JASON

Mais toi aussi tu souffres et mes maux sont les tiens.

MÉDÉE

Ma douleur, sache-le, n'est point perdue si elle t'empêche de
　　me bafouer.

JASON

Ô mes enfants, quelle criminelle était votre mère !

MÉDÉE

Quelle fut, mes enfants, la faute paternelle qui vous perdit !

JASON

Ce n'est pas ma main qui les fit mourir.

MÉDÉE

Non, c'est ton outrage, ta nouvelle union.

JASON

Et tu les as tués pour un lit délaissé ?

MÉDÉE

Penses-tu que pour une femme l'accident soit léger ?

JASON

Si elle est chaste, oui. Toi, tu y vois le plus grand mal du monde.

MÉDÉE

Ils ne sont plus. Ce sera ton tourment.

JASON

Ils sont vivants, cruels vengeurs attachés à ta tête.

MÉDÉE

Les dieux savent fort bien qui déchaîna le mal.

JASON

Ils savent donc quel est ton cœur et le détestent.

MÉDÉE

Hais-moi, mais en silence. Ton entretien me fait horreur.

JASON

Comme le tien à moi. Délivrons-nous donc l'un de l'autre.

MÉDÉE

Je le souhaite comme toi. Mais, de moi, qu'attends-tu ?

JASON

Rends-moi leurs corps, que je veux inhumer et pleurer.

MÉDÉE

N'y compte pas. C'est moi qui dois les enterrer et de ma
    main,
pour que nulle main ennemie ne les outrage
en profanant leur tombe. Et ce pays de Sisyphe
aura désormais à les honorer, à célébrer pour eux des rites
afin d'expier ce meurtre sacrilège.
Quant à moi je pars pour la terre d'Érechtée,
où je vivrai avec Égée le fils de Pandion.
Toi tu mourras ainsi que tu l'as mérité, misérablement,
la tête fracassée par une épave de l'Argo,
après avoir vu l'amère consécration de notre hymen[1].

JASON

Que s'acharnent sur toi l'Érinys des enfants
et la Justice qui poursuit le meurtre !

MÉDÉE

Crois-tu qu'aucun dieu puisse t'écouter,
toi qui as violé ton serment, trompé celle qui t'accueillit à
    son foyer ?

JASON

Las, las, tu es souillée du sang de tes enfants.

MÉDÉE

Rentre chez toi, va enterrer ta femme.

JASON

J'y vais, et privé de mes deux enfants.

MÉDÉE

C'est trop tôt pour te lamenter : attends la vieillesse.

JASON

Ô mes très chers petits !

MÉDÉE

Chers à leur mère, non à toi.

JASON

Et c'est pourquoi tu les as fait mourir ?

MÉDÉE

Il le fallait pour ton malheur.

JASON

Je souffre trop. Leur bouche chérie, je voudrais la baiser.

MÉDÉE

Maintenant tu leur parles, maintenant tu les aimes,
hier tu les envoyais en exil.

JASON

Au nom des dieux accorde-moi de toucher leur douce
peau.

MÉDÉE

Impossible, tu perds tes paroles.

JASON

Zeus, tu entends comment me repousse et me traite cette
    infâme
lionne, meurtrière de ses petits.
Tout ce qui me reste est de pleurer et d'invoquer les dieux,
les prenant à témoin qu'après les avoir tués
tu m'empêches de prendre dans mes bras leurs corps pour les
    ensevelir.
Me fallait-il les engendrer
pour les voir morts, frappés par toi?

Le char disparaît et l'emporte.

LE CORYPHÉE

Zeus, dans l'Olympe, ordonne bien des choses.
Souvent les dieux accomplissent ce qu'on n'attendait pas.
Ce qu'on attendait demeure inachevé.
À l'inattendu les dieux livrent passage.
Ainsi se clôt cette aventure.

HIPPOLYTE

Le héros Hippolyte, « celui qui délie ses chevaux », appartient à la fois au cycle de Posidon et à celui des Amazones. Son père Thésée était fils d'Égée roi d'Athènes et d'Æthra, fille du roi de Trézène, qui passait pour avoir été aimée de Posidon, si bien que Thésée est dit tantôt fils d'Égée et tantôt fils de Posidon sans que l'une des deux filiations paraisse incompatible avec l'autre. Une Amazone conçut de Thésée Hippolyte qui n'était qu'un bâtard ; car les Grecs n'admettaient aucun mariage légal entre un citoyen et une étrangère. Après la mort de l'Amazone, Thésée épousa Phèdre fille de Minos qui s'éprit d'Hippolyte. Celui-ci résidait à Trézène où il avait été élevé par Pitthée, le père de sa grand-mère Æthra. Au cours de sa vie mouvementée, Thésée dut passer une année d'exil dans ce bourg d'Argolide, banni d'Athènes pour avoir tué son rival Pallas et ses fils. C'est ainsi que pour leur malheur à tous deux Hippolyte et Phèdre se rencontrèrent.

Du temps d'Euripide, le héros Hippolyte avait un culte à Trézène. Les jeunes filles, à la veille de leur mariage, lui offraient une mèche de leurs cheveux. Six siècles plus tard, quand Pausanias vint à Trézène, on lui montra la maison d'Hippolyte et un stade qui portait son nom, un temple d'Aphrodite d'où Phèdre de loin le regardait s'exercer, un myrte aux feuilles lacérées qu'elle perçait de son épingle dans les accès de sa mélancolie. Ainsi à Vérone, on montre la maison de Juliette. Le folklore doit beaucoup aux poètes.

Euripide traita deux fois le sujet. Une première pièce fit scandale. Phèdre s'abandonnait à sa passion et la déclarait elle-même à son beau-fils qui, d'horreur, se voilait le visage. Ces audaces sont atténuées dans la pièce que nous lisons et qui, en avril 428, quelques mois après la mort de Périclès, obtint le premier prix. Phèdre et Hippolyte se rencontrent en scène, mais sans échanger ni un mot ni même un regard. Derrière le théâtre, la nourrice a fait la déclaration. En lui livrant son secret, Phèdre lui a en même temps donné licence d'agir, car sa résis-

tance était liée à son mutisme. Elle entend les plans confus de la
nourrice (vers 473-524) pleins de contradictions que les éditeurs ont fâcheusement effacées ; elle ne peut pas ne pas comprendre qu'Hippolyte va tout savoir, mais elle s'abandonne au
danger, laissant partir la vieille après lui avoir une dernière fois
recommandé le silence, sans paraître s'apercevoir que l'autre
s'en va sans avoir rien promis. Au point où elle en est, tout lui
paraît préférable à la tragique solitude où elle s'est trop longtemps enfermée. Seulement, cet Hippolyte dont la vue représente
pour elle le bonheur suprême, elle n'a pas prévu qu'il allait
apparaître, non pour l'accepter ou la refuser, mais pour la pié-
tiner haineusement, et avec elle toute la race maudite des
femmes à laquelle elle se sent douloureusement appartenir. En
face de ce furieux, elle est comme une évanouie qui reprend
connaissance sous les soufflets. Elle ne répond rien. Quand il est
parti, elle se redresse, jette à la vieille, de haut, des reproches
assez injustes et s'en va pour mourir. Ce n'est plus du tout l'hal-
lucinée du début, la somnambule de la seconde scène. Comme
Médée au moment où Créon vient la bannir, elle apparaît
brusquement rendue à sa nature normale. Elle a retrouvé son
énergie et sa volonté de sauver sa réputation, fût-ce au prix du
pire mensonge. Celui-ci, elle le choisira tel qu'il la venge de son
bourreau, car Hippolyte a détruit l'image qu'elle chérissait et
l'amour s'est mué en haine. Elle aura une seule fois prononcé
son nom, quand elle se sait rejetée et que ce nom commence de
perdre sur elle son pouvoir.

   Un héros d'Homère entend souvent un dieu qui lui souffle à
l'oreille. C'est en de tels moments que nous parlerions des
revanches de l'instinct. Ces forces mystérieuses ouvrent et ferment
la tragédie sous le masque d'Aphrodite, sous le masque d'Artémis. Aphrodite disparaît quand s'élève un cantique en l'honneur d'Artémis ; Artémis apparaît aux dernières mesures d'un
hymne à Cypris. Aphrodite, c'est le dirus amor qui brise ce qui
lui résiste, Artémis est aussi vindicative que sa rivale. Pour
venger Hippolyte, qu'elle aime et que les conventions olympiennes l'ont empêchée de sauver, elle promet de tuer un autre
adolescent qui est aimé d'Aphrodite. Le malheur des hommes
devrait pouvoir retomber sur les dieux, dit amèrement Hippolyte au moment où il périt victime de leur rivalité. Cypris n'a
pu lui pardonner le mépris qu'il a pour elle. La signification
d'Artémis est moins simple et plus secrète.

   Hippolyte est un bâtard qui a cruellement souffert de son

infériorité et de son abandon. Sa mère est morte. Thésée ne s'est jamais occupé de lui, l'a fait élever par Pitthée, l'aïeul maternel. Il ne l'aime pas. En lisant l'accusation de Phèdre, il n'a pas une seconde d'hésitation, pas un mot non plus qui le montre déçu dans son sentiment paternel. La condamnation est lancée avant qu'il ait seulement vu l'accusé. Il triomphe et ricane dès qu'il la sait accomplie. Cependant, son cœur n'est pas tout entier dans cette joie excessive. En lui révélant la vérité, Artémis provoque en lui un revirement où d'anciens remords ignorés s'ajoutent à celui de la dernière et irréparable erreur. Alors, pour la première fois, il prononce un vocatif. Jamais jusqu'alors il n'avait dit : mon enfant à celui qui pathétiquement lui rappelait sa qualité paternelle. Et le pardon d'Hippolyte l'instruit de ce qu'il a perdu.

Écrasé par ce père prestigieux, le mal-aimé s'est voulu aussi différent de lui que possible, poussant à l'extrême les tendances naturelles qui l'opposaient à lui. Si Euripide ne parle pas, comme fait Racine au début de Phèdre, *des conquêtes féminines de Thésée, c'est que son public n'avait nul besoin qu'on lui rappelât cette indigne moitié d'une si belle histoire : il en savait par cœur tous les épisodes. En face du séducteur, la chasteté spontanée d'Hippolyte est devenue ombrageuse, inquiète, presque agressive. Le jeune homme a réduit son entourage à quelques compagnons attachés à lui dans la mesure même où, ensemble, ils se sont retranchés de la vie courante. Son piétisme également l'oppose à son père ; celui-ci en est exaspéré et n'y veut voir qu'hypocrisie. Avec cette dévotion exaltée coïncide un orgueil douloureux : Je suis le plus vertueux des hommes, déclare-t-il à chaque instant, comme si cette affirmation pouvait rien résoudre : à son père qui l'accuse, en guise d'adieu à Trézène, dans un cri de détresse quand le char se brise, quand on le ramène mourant. Il y a un extraordinaire narcissisme dans le vœu qui lui échappe en présence de son père :*

> Ah ! Si je pouvais me trouver en face de moi-même
> pour pleurer sur ma propre souffrance !…

trait dont Euripide n'offre ailleurs aucun équivalent*. Les affirmations se multiplient à mesure que, pathétiquement, sa

---

* Racine l'a gardé, en le gauchissant un peu : *Je me suis applaudi quand je me suis connu* signifie simplement qu'il a été heureux et fier de constater — en opposition avec son père — son indifférence envers les

piété passée lui apparaît plus vaine. Elles cessent en présence d'Artémis qui le délivre en lui disant :

C'est ta noblesse d'âme qui a causé ta perte.

Voilà enfin l'acquiescement apaisant. L'orgueil d'Hippolyte s'est identifié avec l'élection de la déesse. Elle représente, assurément, le vœu de sa nature, mais aussi une limitation qu'il aurait acceptée avec moins de fierté si le voisinage de son père lui avait laissé d'autres moyens de s'affirmer. Pour compenser ce que son refus de l'amour a d'excessif, il ne cesse d'insister sur le choix réciproque qui a fait de lui le compagnon préféré de la déesse vierge. En présence d'elle, son orgueil blessé n'a qu'un sursaut, inscrit dans sa derrière parole :

Puissent tes enfants légitimes valoir ce que je vaux !

Que ce ne soit pas le cas, que Thésée soit déçu par eux, quelle revanche pour le bâtard ! On devine que celui-ci en a obscurément rêvé d'autres. Témoin ce moment étrange où, cessant pour une seconde d'être un homme dont le sport et la chasse suffisent à contenter la vigueur, il relève la tête sous les accusations et, le prenant de haut, déclare que lui, mari bafoué, aurait été plus intransigeant que son père. Tenir Phèdre dans ses bras, quelle victoire sur Thésée ! Et Phèdre est venu s'offrir. Hippolyte la repousse avec une indignation où il y a quelque chose de factice. L'explosion est trop violente ; il y perce un cri de triomphe. Ce qu'Hippolyte accable, c'est moins Phèdre que l'épouse de Thésée qui pendant un moment fut à sa disposition. Sa misogynie a le même accent et la même origine que celle des sermonnaires du Moyen Âge. La rancune qui la colore résulte du malaise inconscient que laisse un instinct méconnu, même si la méconnaissance, comme dans toute castration mystique, est devenue un titre de gloire. Crier à Thésée qu'il a tenu la Crétoise à sa merci,

---

femmes. *Le jour n'est pas plus pur que le fond de mon cœur* résume en un vers l'orgueilleuse confiance qui chez Euripide se répète à travers toute la pièce. Racine souligne le contraste entre le père et le fils, après quoi il tente vainement de l'atténuer sous un vernis de bons sentiments : Hippolyte parle de Thésée avec un respect un peu excessif, Thésée aimerait trouver son fils innocent ; c'est l'épée qui lui paraît une preuve irrécusable.

ce serait la revanche suprême, mais que le serment interdit. Hippolyte du reste ruse avec sa promesse jusqu'à dire :

Sa vertu fut intacte en dépit d'elle-même.
La mienne était sincère ; ce ne fut pas pour mon bonheur.

Thésée comprendrait s'il était moins occupé par sa colère. Aucun commentateur ne détache ce passage parce qu'ils tiennent à faire d'Hippolyte un être irréprochable. En quoi ils ne lui laissent que la moitié de sa victoire, son effort pour persuader son père sans recourir à autre chose qu'à une droiture qui s'est elle-même privée de ses armes.

Sa grandeur plus secrète est dans sa lutte constante contre son destin. Euripide ne la compose explicitement que de loyauté, de courage et de la prenante poésie du mysticisme. Ce que Thésée cherche à détruire tout d'un coup en traitant son fils de bigot, d'hypocrite et de charlatan, avec tant de morgue et de suffisance que la sympathie pour le garçon en est accrue, faisant oublier ce qu'il y a de vrai dans l'accusation. Thésée est de ceux qui ne doutent jamais de leur bon droit. Hippolyte parle comme s'il n'en doutait pas davantage, et d'autant plus haut qu'il cherche à faire taire un conflit inconscient. Phèdre seule est dès le début possédée par un drame dont elle mesure lucidement toute l'horreur et dont elle sait l'issue imminente. Elle est aussi la première à être détruite.

La Phèdre de Racine enlève son épée à Hippolyte et lui dit : « Frappe. » Le geste est symbolique et l'épée autre chose qu'un accessoire de théâtre. Tant d'audace la rapproche de celle qui scandalisa les Athéniens et dont l'image est à jamais perdue. L'héroïne du second Hippolyte, le nôtre, est une grande dame qui jusqu'au milieu de son désespoir reste soucieuse de sauver sa « gloire » (le mot grec a exactement les mêmes résonances qu'au XVIIe siècle son équivalent français) et de laisser à ses fils une réputation sans tache. Ses rêveries, moins indiscrètes cependant que celles d'Ophélie, trahissent seules la pente de ses pensées. Elle a beau être possédée par Cypris et savoir qu'elle n'échappera pas plus qu'Ariane et Pasiphaé, elle a appris à se contrôler et se contrôlera jusque dans l'acte délibéré qu'est sa mort. Elle a un mot étonnant sur l'honneur (aidôs) où l'homme se complaît et qui tantôt l'achemine au devoir, tantôt l'en détourne pour son *malheur* (v. 385). *Dans ces paroles hésitantes est incluse toute l'ambiguïté de nos rapports avec les instances supérieures auxquelles nous prétendons donner le gouvernement de notre vie. Le destin même de Phèdre y est préfiguré. Elle commettra un crime pour garder les apparences de la chose à quoi elle tient le plus, qui est la* sôphrosyné.

Si le mot requiert en français plusieurs équivalents, c'est qu'en grec déjà il avait plus d'une définition. Platon qui entreprend dans Charmide *de le cerner refuse finalement de dépasser les valeurs relatives. Est* sôphrôn *qui observe la décence imposée par son sexe, son âge et son état. Pour une femme, le* sôphronein *grec (comme du reste, en français, la* vertu*) est presque purement négatif. Il prescrit d'être fidèle au mari, même si le cœur n'y est pas. C'est par son respect du devoir que Phèdre veut vaincre Cypris. D'où l'équivoque de la phrase d'Hippolyte :*

Sa vertu fut intacte en dépit d'elle-même.
La mienne était sincère ; ce ne fut pas pour mon bonheur.

Car le sôphronein *sur lequel Phèdre garde les yeux fixés, c'est aussi l'idéal d'Hippolyte, qu'il se targue de posséder par don de nature et dans sa plénitude, jusqu'à en être comme une incarnation. Les hommes qui l'entourent, son vieux domestique, son père, le disent plutôt* semnos, *ce qui ne va pas sans morgue et raideur. Il est tout à fait significatif qu'Hippolyte caractérise la chasteté dont il est fier par un terme qui se ramène essentiellement à des notes négatives. Artémis le lui accorde aussi, comme un éloge suprême, pour marquer l'abîme entre eux deux, qui sont vierges, et Cypris. Le seul personnage qui ne le prononce jamais, c'est Thésée, qui se moque bien des convenances et de la juste mesure. Hippolyte se targuerait moins de cette vertu mineure, la seule à quoi des femmes puissent prétendre, s'il n'avait pas renoncé à l'exercice d'une pleine virilité. Au terme de sa furieuse diatribe contre les femmes il s'écrie :*

Qu'il se trouve quelqu'un pour leur enseigner la décence
ou qu'on me laisse sans arrêt me déchaîner contre elles

Ce mot, le dernier que Phèdre entendra de sa bouche, elle le reprend en quittant la scène pour aller écrire la lettre accusatrice et se pendre ensuite :

Subir sa part
de ce mal dont je souffre lui apprendra la modestie.

*Elle touche là le point sensible. Le sôphronein d'Hippolyte,
comme le sien, est une façade, qui cache chez elle les désirs dont
elle a honte, chez lui les rancœurs qu'il n'a pas su dépasser. La
Bête qui le détruit est le symbole même des forces souterraines.
C'est un Taureau, le porteur par excellence de la vigueur
sexuelle, laquelle se venge de celui qui l'a méprisée. Il sort de ce
même flot d'où naquit Cypris ; il s'approche, muet, sans même
un mouvement hostile, tuant par sa seule présence et par la
frayeur qu'il provoque. Sénèque et Racine ont retouché la Bête
et en ont fait un dragon d'opéra, tandis qu'Euripide livre
l'image inconsciente dans toute sa vérité.*

*Les modernes, ainsi que fait Racine, ont généralement consi-
déré Hippolyte comme un être «exempt de toute imperfection»,
un «exemplaire accompli d'humanité». Le jugement aurait
étonné les Grecs, pour qui la virginité n'avait pas la même
signification que pour les chrétiens. Ils devaient éprouver une
certaine gêne à entendre Hippolyte insister sur le fait que ses
amitiés masculines n'ont rien d'impur, marquer de la répulsion
pour les représentations de l'amour. Dépouillées des prestiges de
la poésie, ces pruderies de jeune moine pouvaient leur sembler
assez ridicules.*

*Cependant, même sans les résonances ajoutées par le christia-
nisme, ils devaient être sensibles au climat spirituel créé par
cette continuelle évocation de pureté, de virginité d'âme, de
respect pour le divin, de familiarité de l'être chaste avec les
dieux et avec la nature. Un homme sain et robuste va à la
chasse, dresse des chevaux, court les forêts, tout en s'entretenant
avec une déesse. La «prairie intacte» d'où Hippolyte rapporte
pour Artémis une couronne de fleurs est le symbole même de ce
mysticisme, symbole ambigu, car il est aussi celui des plaisirs
proposés par la vie naturelle qu'Hippolyte refuse d'accepter en sa
totalité. Thésée entre en scène couronné d'une autre guirlande,
un feuillage rituel venant de quelque temple. Un roi se doit
d'être pieux dans les sanctuaires fréquentés par son peuple. Les
fleurs accompagnent celui qui va mourir. Curieux entrelace-
ment d'images analogue à celui qui accompagne l'épiphanie des*

*deux déesses. Car Artémis avait bien des aspects funéraires,
qu'un Grec connaissait sans qu'on eût besoin d'en parler; et ses
flèches ne tuaient pas seulement des fauves. Elle apparaît ici
comme la noble image d'un refus qui a de la grandeur. Un
visage plus terrible se révèle dans les deux* Iphigénie, *surtout
dans la* Taurique.

Hippolyte

PERSONNAGES

APHRODITE
HIPPOLYTE
UN SERVITEUR
LES VALETS d'Hippolyte.
LA NOURRICE
PHÈDRE
UNE SERVANTE
THÉSÉE
UN AUTRE SERVITEUR d'Hippolyte.
ARTÉMIS
Chœur de femmes de Trézène.

La scène représente le palais de Trézène.
À droite et à gauche de la porte
les statues d'Aphrodite et Artémis,
chacune surmontant un autel.
Aphrodite apparaît au-dessus du palais.

PROLOGUE

APHRODITE

Célèbre parmi les mortels et non sans gloire dans les cieux
je suis la déesse Cypris.
En quelque lieu que les éclaire le soleil,
des rives de l'Euxin aux confins atlantiques,
j'honore ceux qui rendent hommage à ma puissance,
mais qui me traite avec superbe, je l'abats.
Car la race des dieux, elle aussi, prend plaisir
à recevoir l'hommage des humains.
Et de cette parole, je ferai voir tantôt la vérité.
    Le fils que l'Amazone a conçu de Thésée,
cet Hippolyte qu'a nourri le pieux Pitthée,
seul ici parmi tout le peuple de Trézène,
me déclare la dernière des déités.
Il méprise les couples et refuse l'amour.
À la sœur de Phoibos, Artémis fille de Zeus,
va son respect. Elle est pour lui la déesse suprême.
Dans la verte forêt, toujours aux côtés de la Vierge,
avec ses chiens légers il détruit les bêtes sauvages.
C'est là trop haute société pour un mortel !
Non certes que j'en prenne ombrage. Que m'importe !
Mais il m'a offensée et je l'en châtierai,
    cet Hippolyte, avant que ce jour soit fini. J'ai dès long-
        temps
dressé le piège. Ce qui me reste à faire n'est plus rien.
    Quittant un jour la maison de Pitthée
il vint pour célébrer les saints mystères
dans la ville de Pandion[1]. L'illustre épouse de son père,
Phèdre, le vit et son cœur fut saisi
d'un amour violent. Tel était mon dessein.
Avant de venir de l'Attique à Trézène,
    au flanc du rocher de Pallas, d'où le regard

s'étend jusqu'ici, elle érigea un temple de Cypris,
s'avouant du coup amoureuse. Je décidai
de m'y nommer un jour la Cypris d'Hippolyte[1].
　　Puis Thésée dut quitter le pays de Cécrops
expiant par l'exil le sang versé des Pallantides.
Avec sa femme il s'embarqua pour ce pays,
résigné à passer ici l'année de son bannissement.
Et la voici, l'infortunée, gémissante, blessée
de tous les poinçons de l'amour. Elle se meurt,
muette, et nul dans la maison ne sait quel est son mal.
Mais ainsi ne doit pas s'éteindre cet amour.
J'en instruirai Thésée. Tout viendra au grand jour.
Et ce garçon qui se rebelle contre moi
son père le tuera d'une imprécation.
Car Posidon, le seigneur de la mer, promit à Thésée, en don
　　　　gracieux,
de lui exaucer jusqu'à trois souhaits.
Pour Phèdre, elle est sans nul reproche, mais elle doit
　　　　périr.
Car de son malheur comment faire cas
s'il doit m'empêcher de tirer justice
de mes ennemis jusqu'à me sentir satisfaite ?
　　Mais je vois le fils de Thésée qui rentre après les travaux
　　　　de la chasse.
C'est Hippolyte. Je lui cède la place.
Un nombreux train de serviteurs à ses talons
va clamant des cantiques en l'honneur d'Artémis la déesse.
Il ne sait pas la porte d'Hadès grande ouverte,
et ce jour le dernier qu'il verra.

　　　　　　Elle disparaît. Entre à gauche Hippolyte avec ses
　　　　　　compagnons en costume de chasse. Il tient la couronne
　　　　　　qu'il posera sur l'autel d'Artémis.

HIPPOLYTE

Venez avec moi, venez et chantez
la céleste fille de Zeus
Artémis, notre protectrice.

LES VALETS

Auguste souveraine, divine descendance,
salut, salut vierge Artémis,
surgeon de Latone et de Zeus,
de beaucoup la plus belle des vierges,
toi qui dans le ciel immense
habites le toit du plus noble père,
le palais d'or de Zeus.
Je te salue, ô la plus belle,
la plus belle des Olympiennes,
virginale Artémis.

HIPPOLYTE

Je t'apporte, ô ma dame et maîtresse, une couronne
que j'ai tressée pour toi des fleurs d'une prairie préservée,
où nul berger n'a droit de mener son troupeau,
où la faux n'a jamais passé ;
mais l'abeille au printemps règne sur la prairie intacte
et la Pudeur l'arrose d'une eau vive.
Ceux qui sans étude et par don de nature
savent trouver juste conduite en toute chose,
eux peuvent en cueillir les fleurs, non les impies.
Chère maîtresse, accepte pour tes cheveux d'or
cette couronne que t'offre ma main pieuse.
Car seul parmi les mortels j'ai le privilège
de t'approcher, de te parler.
Si je ne vois point ton visage, du moins j'entends ta voix.
Puissé-je terminer ma vie ainsi que je l'ai commencée.

UN VIEUX SERVITEUR, *s'approchant.*

Seigneur, car c'est aux dieux qu'on doit le nom de maîtres,
voudras-tu recevoir de moi un sage avis ?

HIPPOLYTE

Certes. Le refuser serait montrer peu de sagesse.

LE SERVITEUR

Connais-tu bien la loi qui régit les humains ?

HIPPOLYTE

Non pas. Au surplus, que me veut ta question ?

LE SERVITEUR

C'est qu'on déteste l'orgueilleux trop chiche de son amitié.

HIPPOLYTE

Avec raison. Quel homme altier n'est pas haï ?

LE SERVITEUR

Mais l'affabilité, en revanche, nous plaît ?

HIPPOLYTE

Beaucoup. Elle coûte peu et rapporte gros.

LE SERVITEUR

Parmi les dieux, crois-tu qu'il en aille autrement ?

HIPPOLYTE

Non, puisque nos lois nous viennent des dieux.

LE SERVITEUR

Comment alors refuser ton salut à la déesse vénérable…

HIPPOLYTE

Quelle déesse ? Prends garde à ce que tu vas dire.

LE SERVITEUR

La voici, debout près du seuil, c'est Aphrodite.

HIPPOLYTE

Je la salue de loin, car je suis pur.

LE SERVITEUR

Elle est grande pourtant, honorée en tous lieux.

HIPPOLYTE

Chacun se choisit ses amis, parmi les dieux, parmi les
hommes.

LE SERVITEUR

Puisses-tu être sage, puisses-tu être heureux.

HIPPOLYTE

Je n'aime pas les dieux qu'on adore la nuit.

LE SERVITEUR

Il faut, mon fils, servir les dieux comme ils le veulent.

HIPPOLYTE, *se détournant brusquement.*

Allons, mes compagnons, entrez dans la maison,
préparez le repas. Il est plaisant, après la chasse,
de trouver table bien garnie. Il faudra aussi étriller
les chevaux. Je veux les atteler aux chars
quand j'aurai bien mangé, et les exercer comme il faut.
Quant à ta Cypris, je la salue bien.

Il rentre dans le palais.

LE SERVITEUR, *s'inclinant devant la statue d'Aphrodite.*

Nous qui ne voulons suivre les jeunes gens
— les modestes pensées conviennent à des esclaves[1], —
nous mettons nos prières au pied de ton image,
souveraine Cypris. Ne garde aucun ressentiment,
si la jeunesse avec son sang audacieux
s'emporte contre toi. Ce ne sont que des mots. Feins de
n'avoir rien entendu,
car les dieux se doivent d'être plus sages que les hommes.

*Il rentre dans le palais. Quinze femmes de Trézène
entrent par la droite dans l'orchestre.*

PARODOS

STROPHE I

LE CHŒUR

Il est un rocher d'où sourd une eau vive
qui vient, dit-on, de l'Océan.
On y peut puiser et remplir sa cruche
de cette eau vierge à flanc de roc.
Une amie à moi y était allée
avec des étoffes de pourpre
qu'il fallait tremper et mettre sécher
au soleil sur le dos chaud de la pierre.
C'est là que j'entendis parler de notre reine.

ANTISTROPHE I

Usée par un mal elle est étendue
à l'intérieur de son palais.
Des voiles légers sur sa tête blonde
lui donnent l'ombre désirée.
De trois jours dit-on sa bouche divine
se refuse à toucher au grain de Déméter.
Sa secrète souffrance désire
aborder au havre funeste de la mort.

STROPHE II

Jeune femme, es-tu donc possédée
de Pan ou d'Hécate, égarée
par les Corybantes sacrés
ou par la Mère des Montagnes?
Est-ce Dictynne, reine des fauves,

qui pour quelque faute te fait dépérir,
sacrifice oublié,
offrandes négligées[1] ?
Aussi aisément qu'elle va sur terre
Dictynne traverse la mer
dans l'humide remous de l'écume marine.

ANTISTROPHE II

  Ou s'agit-il de ton mari
le noble chef des Érechthides ?
Cède-t-il dans le fond du palais
au plaisir d'un lit qui se cache du tien ?
Ou bien est-ce un marin venu de Crète
vers le plus accueillant des ports,
et chargé d'apporter
un message à la reine ?
Est-ce une tristesse qui navre son cœur
et la tient enfermée dans sa chambre[2] ?

ÉPODE

  L'ordre qui régit la souffrance des femmes
les livre désarmées à des troubles funestes
quand le mal d'enfanter vient avec son délire.
Déjà cette rafale a traversé mon ventre.
Mais il est dans le ciel une déesse des naissances,
l'archère vers qui j'ai poussé mon cri,
Artémis ! Toujours à ma prière,
aidée des déesses[3], elle vient m'assister.

  Sortent du palais Phèdre, la nourrice et des servantes qui apportent un lit de repos.

PREMIER ÉPISODE

LE CORYPHÉE

Mais voici sur le seuil sa vieille nourrice
qui la soutient pour sortir du palais.
Un lourd nuage lui obscurcit le front.
Qu'est-ce — mon cœur voudrait l'entendre —
qui ravage le corps et flétrit le teint de la reine ?

LA NOURRICE

Maladies haïssables, misère des humains !
Pour toi que puis-je faire, et de quoi m'abstenir ?
Voici hors du palais ta couche de malade.
Venir ici : c'était ton unique souhait.
Mais bientôt tu voudras retourner dans ta chambre.
Car aussitôt tout te déçoit et rien n'est à ton gré.
Ce que tu possèdes ne te plaît pas ; ce qui te manque te paraît
          désirable.
Oui, qui soigne un malade souffre plus que lui.
Au lieu d'une seule misère il en a deux :
le tourment de l'esprit, la fatigue des bras.
La vie des hommes est toute souffrance,
leur peine jamais n'a de trêve.
Ce qu'il y aurait d'autre, de meilleur que la vie,
la ténèbre le vêt, des nuages le cachent.
Comme des fous nous désirons
tout ce qui brille sur la terre,
faute de rien savoir d'une existence différente,
faute de révélation sur le monde infernal,
jouet que nous sommes de vaines fables.

PHÈDRE

Soulevez-moi, soutenez ma tête,
je sens brisée l'attache de mes membres.
Ah ! soutenez, servantes, mes beaux bras !
Ce bandeau est trop lourd,
détache-le, laisse tomber sur mes épaules mes cheveux.

LA NOURRICE

Courage, ma fille, sois moins impatiente, ne t'agite pas.
Ton mal te pèsera moins si tu restes calme,
gardant une noble constance.
Et puis, souffrir est le lot de tout homme.

PHÈDRE

Comment, ah comment me trouver
près d'une source jaillissante, boire de son eau pure,
et sous les peupliers, dans l'épaisseur
de l'herbe, me coucher et dormir?

LA NOURRICE

Que dis-tu là, ma fille?
Cesse donc, en public, de prononcer
des mots qui tiennent du délire.

PHÈDRE, *debout*.

Ah! suivez-moi dans la montagne! J'irai dans la forêt
sous des pins, où la meute
se déchaîne et poursuit les biches tachetées.
Dieux! quelle joie d'exciter les chiens,
et, frôlant mes cheveux blonds, de lancer
la javeline thessalienne,
la pique acérée bien en main!

LA NOURRICE

Où vas-tu, ma fille, chercher ces fantômes?
Qu'as-tu, toi aussi, à rêver de chasse?
Pourquoi désirer l'eau des sources?
À ta portée, près du palais
est la fontaine où l'eau ruisselle.
Tu peux y boire si tu veux.

PHÈDRE

Dame Artémis, reine de Limné la Maritime
et des gymnases où piaffent les chevaux,

que je voudrais, dans tes arènes,
dompter des cavales vénètes!

LA NOURRICE

Te voilà de nouveau à parler hors de sens.
Tantôt tu t'en allais vers la montagne
brûlant du désir de chasser, puis sur un sable
lisse comme une grève, tu voudrais des chevaux!
Il faudrait des devins pour savoir quel dieu te déroute
et t'affaiblit l'esprit, ma fille.

PHÈDRE, *retombant sur son lit.*

Ah! malheureuse, qu'ai-je fait?
jusqu'où ma raison s'est-elle égarée?
J'ai déliré, un dieu m'a frappée de vertige, infortunée…
Vieille mère, remets le voile sur ma tête.
J'ai honte de ce que j'ai dit.
Cache-moi. Mes larmes coulent malgré moi.
Mes yeux ne voient plus rien que honte.
C'est pour souffrir que je reviens à la raison.
Le délire est un mal. Combien cependant je voudrais
mourir sans reprendre conscience!

LA NOURRICE

Je voile ton visage. Mon corps à moi, quand donc la mort
voudra-t-elle le recouvrir?
Une longue vie m'a beaucoup appris.
Quand un homme à un autre s'attache
ce devrait être d'un amour modéré
qui ne pénètre pas jusqu'aux moelles de l'âme.
Il faudrait que le lien des cœurs pût aisément se dénouer,
se rejeter, se resserrer.
Mais qui seul se torture pour deux,
ainsi que je le fais pour elle, il plie sous le faix.
Imposer à la vie des rigueurs inflexibles
c'est lui donner, dit-on, plus de trouble que de bonheur
et nuire plutôt à la bonne santé.
Tout excès me paraît blâmable;
j'aime mieux le conseil: «Rien de trop.»
Les sages, j'en suis sûre, penseront comme moi.

LE CORYPHÉE

Bonne vieille, fidèle nourrice de la reine,
nous voyons bien l'infortune de Phèdre,
mais sans rien comprendre à son mal.
Nous voudrions t'interroger pour le connaître.

LA NOURRICE

Mes questions ne m'ont rien appris. Elle refuse de répondre.

LE CORYPHÉE

Tu ne sais pas non plus d'où lui vient sa souffrance ?

LA NOURRICE

Pas davantage. Elle se tait obstinément.

LE CORYPHÉE

Comme elle est faible, et que son corps est ravagé !

LA NOURRICE

Quoi d'étonnant ? Voici deux jours qu'elle n'a pris nul
aliment.

LE CORYPHÉE

Les dieux ont-ils égaré sa raison ou veut-elle mourir ?

LA NOURRICE

Mourir. C'est pour quitter la vie qu'elle refuse de manger.

LE CORYPHÉE

Je m'étonne que son époux la laisse faire.

LA NOURRICE

C'est qu'elle dérobe son mal et nie être souffrante.

LE CORYPHÉE

Il saurait tout rien qu'à regarder son visage.

LA NOURRICE

Il est en voyage, absent du pays.

LE CORYPHÉE

Et tu hésites à la contraindre pour tenter de savoir
d'où lui viennent ce mal et cet égarement ?

LA NOURRICE

J'ai tout essayé et rien ne m'a servi.
N'importe ! Je ne veux point me départir de ma sollicitude.
Tu es là et tu pourras rendre témoignage
de ce que je suis pour ma maîtresse en son malheur.

(Revenant vers Phèdre.)

   Allons, enfant chérie, mes paroles passées
oublions-les, toi comme moi. Reprends plus de douceur,
détends ce front inquiet, chasse tes sombres pensées.
Ton secret, j'ai cherché autrefois à le suivre à la piste.
J'avais tort ; j'y renonce. Ce que je vais te dire te persuadera
     mieux.
Si ton mal est de ceux qu'on doit tenir secrets,
voici des femmes qui pourront avec moi t'assister.
Si c'est un accident qu'on puisse révéler aux hommes,
parle et qu'on le fasse connaître aux médecins.

(Un temps.)

   Et quoi ? Toujours ce silence. Il ne faut pas te taire, mon
     enfant,
mais me reprendre si je me trompe,
ou si j'ai raison, suivre mon conseil.
Accorde-moi rien qu'un mot, un regard. Pauvre de moi !
Ma peine, mes amies, est inutile,
et ne m'avance en rien. Pas une fois
je n'ai pu la fléchir. Comme toujours je parle à une sourde.
Mais sache encore ceci — et puis fais-toi plus farouche

que la mer — en voulant mourir tu trahis
tes fils qui seront exclus de leur patrimoine,
je te le jure par la princesse, la cavalière, l'Amazone
qui a enfanté un maître à tes enfants,
un bâtard aux aspirations de fils légitime, tu le connais, Hip-
     polyte.

PHÈDRE

Ah! dieux!

LA NOURRICE

Ceci enfin te touche!

PHÈDRE

Tu veux ma mort, nourrice! Au nom du ciel,
je t'en supplie, ne répète pas le nom de cet homme.

LA NOURRICE

Tu vois bien, tu es de bon sens et pourtant tu refuses
de sauver ta vie pour servir tes enfants.

PHÈDRE

J'aime mes enfants. Ce qui m'emporte est un tout autre
     orage.

LA NOURRICE

Tes mains, ma fille, sont pures de tout sang?

PHÈDRE

Mes mains, oui certes, mais une tache souille mon cœur.

LA NOURRICE

L'effet d'un maléfice, œuvre d'un ennemi?

PHÈDRE

Un être cher me perd, malgré moi, malgré lui.

LA NOURRICE

Thésée a-t-il quelque tort envers toi?

PHÈDRE

Puissé-je, moi, ne jamais paraître en avoir aucun envers lui!

LA NOURRICE

Quel est donc ce terrible remords qui t'exalte à mourir?

PHÈDRE

Laisse-moi à ma faute. Elle n'est pas tournée contre toi.

LA NOURRICE

Moi te laisser? jamais! quand ma vie dépend de la tienne[1].

PHÈDRE

Que me veux-tu? Tu me fais violence, suspendue à ma main.

LA NOURRICE

Et à tes genoux, que je ne lâcherai plus.

PHÈDRE

Quelle douleur pour toi, infortunée, si je parle, quelle douleur!

LA NOURRICE

Quel malheur plus grand que s'il t'arrivait... ah! qu'il n'en soit rien!... ce que j'imagine[2]?

PHÈDRE

Tu en mourras. La chose est cependant à mon honneur.

LA NOURRICE

Et tu me la caches, malgré mes prières?

PHÈDRE

C'est que je veux, de cette honte, faire quelque chose de
    noble.

LA NOURRICE

Mais parle enfin, puisque ta gloire y doit gagner.

PHÈDRE

Écarte-toi, au nom des dieux, laisse ma main.

LA NOURRICE

Non, puisque tu refuses ce que tu me dois.

PHÈDRE

Eh bien, je te l'accorde, respectant le pouvoir de ta main
    suppliante.

LA NOURRICE

Je me tairai donc. À toi de parler.

PHÈDRE

Ô ma mère, ô malheureuse, de quel amour tu as brûlé !

LA NOURRICE

Pour le taureau, ma fille, ou bien que veux-tu dire ?

PHÈDRE

Et toi, ma pauvre sœur, qui épousas Dionysos !

LA NOURRICE

Ma fille, que fais-tu ? tu outrages les tiens !

PHÈDRE

La troisième, à mon tour, je meurs infortunée.

LA NOURRICE

Quel frisson me saisit! Où vas-tu en venir?

PHÈDRE

C'est de ce passé-là, et non d'hier, que date mon malheur.

LA NOURRICE

Je ne comprends pas mieux ce que je veux savoir.

PHÈDRE

Si tu pouvais dire à ma place les mots que je dois prononcer!

LA NOURRICE

Je ne suis pas devin pour comprendre les énigmes.

PHÈDRE

Que signifie-t-on lorsqu'on dit que les hommes aiment?

LA NOURRICE

Ce qu'il existe de plus doux, mon enfant, et aussi de plus douloureux.

PHÈDRE

Je n'en aurai goûté que la douleur.

LA NOURRICE

Quoi? tu aimes, ma fille? qui aimes-tu?

PHÈDRE

Cet homme, tu le connais?... ce fils de l'Amazone...

LA NOURRICE

Parles-tu d'Hippolyte?

PHÈDRE

C'est toi qui prononces son nom.

LA NOURRICE

Grands dieux, ai-je entendu ? Coup mortel, mon enfant !
Amies, c'est plus que je ne saurais supporter
vivante. Jour exécré, odieuse lumière !
Je veux me précipiter, en finir avec la vie,
mourir. Adieu, j'ai fini d'exister.
Si les gens vertueux, malgré eux, doivent aimer
coupablement, c'est que Cypris n'est pas une déesse
mais, s'il se peut, un être plus puissant encore,
puisqu'elle a détruit Phèdre, et moi, et toute la maison.

LE CHŒUR

As-tu entendu ? ô horreur,
as-tu entendu la chose intolérable ?
La reine a parlé, a dit sa souffrance.
Que je meure, amie, avant que mon cœur
doive traverser une même épreuve.
Que je plains ta douleur !
Le pain des mortels, ce sont les souffrances.
C'en est fait de toi, tu as révélé
ton mal à la lumière.
Ce jour avant le soir, que te réserve-t-il ?
Ce qui va s'accomplir changera tout dans ce palais.
Trop clair est le terme où t'incline
le destin préparé par Cypris,
ô malheureuse enfant venue de Crète !

PHÈDRE

Femmes de Trézène, qui habitez ce vestibule
tout au bout du pays de Pélops,
souvent au hasard d'une longue nuit
je me suis demandé ce qui corrompt la vie des hommes.
Et ce n'est point, je crois, par naturelle infirmité d'esprit
qu'ils font le mal, car un sens droit est en partage
à la plupart. Il faut autrement voir les choses.

Nous distinguons parfaitement où est le bien,
mais sans nous efforcer à l'accomplir, ceux-ci par paresse,
ceux-là pour avoir élu autre chose
qui est leur plaisir. Et les plaisirs sont si nombreux !
Les longs entretiens, l'inaction, dangereuses jouissances,
et l'honneur aussi. L'honneur a deux visages. L'un est louable,
l'autre perd les maisons. Si la limite entre eux était bien
        nette,
ils ne seraient pas deux à porter même nom.
    Quand j'eus reconnu cette vérité,
aucun charme n'eût plus pu la détruire
pour me ramener au sentiment contraire.
Je dois te dire aussi comment j'y suis arrivée.
L'amour m'avait blessée et je me demandais
comment le supporter avec honneur. Pour commencer,
je décidai de taire et de cacher mon mal.
On ne peut se fier à la langue. Elle sait
donner de bons conseils aux autres,
mais chacun de nous doit à la sienne bien des blessures.
Je résolus ensuite de porter dignement ma démence
et que ma vertu pourrait la dominer.
Enfin, comme rien n'arrivait à me rendre plus forte
que Cypris, je pris le parti de mourir,
le meilleur de tous, sans conteste.
Ce qui m'honore n'a pas à demeurer caché ;
c'est si je faisais mal qu'il ne me faudrait nul témoin.
Ma passion consommée m'enlèverait l'honneur, je le savais,
et que, ce que je suis, une femme,
tous sont d'accord pour l'accabler. Malheur
à celle qui, la première, osa souiller son lit
en y faisant entrer un étranger ! De grandes maisons
nous ont donné l'exemple de ce crime.
Si des seigneurs approuvent l'inconduite,
des vilains à coup sûr la tiendront glorieuse.
Je hais aussi celles qui n'ont que pudeur à la bouche
mais qui savent cacher leurs coupables audaces.
Comment peuvent-elles, Dame Cypris née de l'écume !
regarder leur mari en face
sans trembler que la nuit leur complice
et que le toit de leur maison ne prennent voix enfin ?
Car c'est là, mes amies, ce qui me tue,

la peur que l'on me prenne un jour à déshonorer mon époux
et les fils nés de moi. C'est le front haut
et le langage franc qu'ils doivent habiter
l'illustre Athènes, sans avoir à rougir de leur mère.
Un homme est un esclave, eût-il même un cœur intrépide,
s'il est conscient de quelque tache sur son père ou sa mère.
Car on ne peut, dit-on, dominer la vie
si l'on ne se sait justement estimé.
Une heure vient toujours où les coupables se voient tels
        qu'ils sont
dans le miroir que leur présente, comme à une jeune fille,
le temps. Je voudrais ne jamais me compter parmi eux.

LE CORYPHÉE

Combien partout la vertu est belle,
que de renom elle recueille parmi les hommes !

LA NOURRICE

Ce qui t'arrive, maîtresse, m'a tout à l'heure
frappée soudain de stupeur et d'effroi,
mais j'avais tort, je le vois à présent. Presque toujours
la réflexion redresse un premier mouvement.
Qu'y a-t-il d'inouï, d'étrange en ce que tu éprouves ?
Mais rien ! La colère d'une déesse s'est abattue sur toi.
Tu aimes. Quoi d'étonnant ? C'est le lot des humains.
Et c'est pour cet amour que tu veux renoncer à la vie ?
Le beau marché pour ceux qui aiment ou bien qui aime-
        ront
si c'est la mort qui les attend[1] !
À Cypris déchaînée. on ne résiste pas.
Dès qu'on lui cède, oui, son abord est toute douceur.
En revanche qui lui oppose un cœur hautain et arrogant,
de celui-là elle s'empare et le maltraite on sait comment.
C'est qu'elle hante le ciel profond et la mer
et ses gouffres, Cypris, elle par qui tout naît,
qui va semant la vie et répand le désir
auquel nous tous sur terre nous devons d'exister.
Ceux qui possèdent les écrits des Anciens
et qui passent eux-mêmes leur temps avec les Muses
savent que Zeus pour Sémélé s'éprit d'amour,

qu'un jour la lumineuse Aurore
enleva Céphale et le mit parmi les dieux,
parce qu'elle l'aimait. Et pourtant c'est au ciel
qu'ils habitent, sans songer à fuir la société divine,
heureux, je crois, de leur défaite.
Et toi, tu ne te plierais pas ? Ton père en t'engendrant
devait poser ses conditions ou te soumettre à des dieux
différents des nôtres, si tu entendais refuser les lois com-
           munes.
Combien, dis-moi, d'hommes des plus sensés
savent leur union gâtée et font semblant de ne rien voir ?
Et que de fils coupables que leur père vient assister
dans leurs fredaines amoureuses ! La sagesse des hommes
est de fermer les yeux à ce qui les offusque.
Nous ne devons pas dans la vie vouloir trop de rigueur.
C'est à peine si un charpentier arrive à mettre droit
le toit qui couvre une maison. Tombée
en un pareil abîme, tu voudrais résister au courant ?
Crois-moi, si tu t'en tires avec moins de mal que de bien,
pour une créature humaine, c'est déjà du bonheur.
Allons, ma chère enfant, plus de tristes pensées,
de bravades non plus, car c'est une bravade
que de vouloir l'emporter sur les dieux.
Il faut te résoudre à l'amour, c'est un dieu qui l'exige,
et puisque tu aimes, par quelque moyen, donner à ton mal
           une heureuse issue.
Il est des incantations, des paroles magiques.
On découvrira bien un remède qui te guérisse.
Des hommes à coup sûr seraient lents à trouver ce qu'il faut ;
nous, femmes, nous avons nos ressources.

LE CORYPHÉE

Phèdre, ce qu'elle te dit là est ce qui peut le mieux
guérir ta souffrance présente. Mais c'est toi cependant que
      j'approuve.
Douloureux éloge et cruel à entendre
tandis qu'elle te donne de si doux conseils.

PHÈDRE

Voilà ce qui détruit les cités les mieux gouvernées
et les foyers des hommes : les trop beaux discours.

L'on doit parler, non du tout pour flatter l'oreille
mais pour dire comment arriver à la gloire.

LA NOURRICE

À quoi bon ces grands mots ? Les paroles de bienséance,
tu n'en as que faire. C'est de lui que tu as besoin, et de
      connaître ses pensées,
que je m'explique, sans tarder, avec lui, sur ton compte.
Si ta vie n'était pas en danger,
si tu étais maîtresse de ta passion, jamais,
pour la seule faveur des plaisirs de ton lit,
je ne te conduirais si loin. Mais le débat est grave.
Il faut sauver ta vie et pour cela rien ne me coûtera.

PHÈDRE

Je tremble en t'écoutant. Que ta bouche se taise
et ne prononce plus jamais ces paroles honteuses !

LA NOURRICE

Honteuses, oui, meilleures cependant pour toi que les plus
      belles.
Mieux vaut un acte qui te sauve
que le titre de gloire au nom duquel tu meurs !

PHÈDRE

Épargne-moi, au nom du ciel, ces mots flatteurs, ces mots
      infâmes.
Arrête ! Labourée jusqu'au fond de l'âme
par l'amour, si tu me fais la honte belle
je me perdrai par cela même que je fuis.

LA NOURRICE

Si tu penses ainsi, il fallait être irréprochable.
Puisque tu as failli, obéis-moi. Tu me remercieras plus tard.
J'ai là dans la maison des philtres qui apaisent
le mal d'amour, je viens de m'en ressouvenir,
sans rien qui entame l'honneur ou la raison.

Ils guériront ton mal si tu as du courage.
Mais il me faut, de celui que tu aimes,
un signe, un mot, un morceau de son vêtement
pour pouvoir réunir deux êtres en un seul.

PHÈDRE

Ton remède, faut-il s'en oindre ou bien le boire?

LA NOURRICE

Je ne sais pas. Laisse-toi guérir, mon enfant, sans chercher à
  comprendre.

PHÈDRE

J'ai peur de te trouver trop habile pour moi.

LA NOURRICE

Tu te plais à tout redouter. Que peux-tu craindre?

PHÈDRE

Que tu n'ailles découvrir quelque chose au fils de Thésée.

LA NOURRICE

Laisse faire, ma fille. J'arrangerai tout à merveille.
À toi seule, reine Cypris, déesse de la mer,
de me donner ton aide. Pour le reste, je sais
ce qu'il me suffira de dire aux miens dans la maison.

PREMIER STASIMON

STROPHE I

LE CHŒUR

Éros, Éros, tu verses goutte à goutte
le désir dans les yeux, les délices dans l'âme
sur qui va fondre ton attaque.
Ne viens jamais vers moi
avec la faute pour compagne.
Garde toujours juste mesure.
Car ni le feu ni les étoiles
n'ont un trait si brûlant que celui d'Aphrodite
quand il est décoché
par Éros fils de Zeus.

ANTISTROPHE I

En vain, bien en vain, au bord de l'Alphée[1]
ou à Pythô sous le toit de Phoibos
la Grèce entasse les bœufs immolés
tandis que nous n'avons aucun autel
pour Éros, le tyran des hommes
porte-clef de l'alcôve amoureuse
où règne Aphrodite,
Éros le ravageur qui n'apporte aux mortels
que des calamités
où qu'il veuille paraître.

STROPHE II

Cette pouliche d'Œchalie[2]
ignorait le joug et l'homme et le lit.
Du palais d'Eurytos Cypris vint l'enlever,

comme une Naïade éperdue, comme une Bacchante,
parmi le sang et l'incendie
et les cris de mort pour chants d'hyménée.
Cypris la saisit
pour la donner au fils d'Alcmène.
Quel hymen pour la malheureuse !

ANTISTROPHE II

Ô saintes murailles de Thèbes
ô bouche de Dircé, ensemble prenez voix,
car vous savez ce qu'est l'atteinte de Cypris.
Dans le tonnerre et dans la foudre
Bacchos naît pour renaître encore[1].
Vers son destin de mort
Cypris a conduit l'épousée.
Cypris l'étend au lit funèbre.
Partout on tremble en percevant son souffle.
Elle rôde comme une abeille.

SECOND ÉPISODE

PHÈDRE, *écoutant à la porte du palais.*

Femmes, silence, je suis perdue.

LE CORYPHÉE

Que se passe-t-il là, qui te fait peur ?

PHÈDRE

Silence, que je puisse distinguer les paroles.

LE CORYPHÉE

Je me tais, mais ce début m'inquiète.

PHÈDRE

Ô malheureuse, combien je souffre !

LE CORYPHÉE

Quelle voix veux-tu dire ? que signifie ton cri ?
Parle-nous. Pourquoi trembles-tu ?
Et quel bruit, comme un vent d'orage, te secoue le cœur ?

PHÈDRE

Je suis perdue, approchez de la porte
et entendez cette clameur dont tremble la maison.

LE CORYPHÉE

À toi, près du seuil, de saisir les paroles qui viennent de là.
Quel malheur arrive ? Ah parle, parle donc.

PHÈDRE

C'est le fils de la cavalière, de l'Amazone,
Hippolyte. Il insulte affreusement ma servante.

LE CORYPHÉE

J'entends bien crier, mais sans rien comprendre.
Éclaire-nous[1]. Que signifie, que signifie ce cri qui traverse
*   la porte?*

PHÈDRE

Moi j'entends bien. « Infâme entremetteuse,
qui viens vendre le lit de ton maître », c'est là ce qu'il lui dit.

LE CORYPHÉE

Tu es trahie, amie, trahie par une amie!
Qu'imaginer pour toi? Ton secret dévoilé, te voilà perdue!

PHÈDRE

Malheur! Elle me tue en disant ma misère.

LE CORYPHÉE

Par amitié, pour te guérir, fût-ce contre l'honneur.
Et maintenant, que vas-tu faire en ce mal sans issue?

PHÈDRE

Une seule me reste : mourir sans plus attendre,
mon seul salut en mon présent désastre.

> *Hippolyte et la nourrice sortent du palais. Phèdre*
> *est tout à fait à l'écart et Hippolyte ne la voit pas.*

HIPPOLYTE

Ô Terre-Mère et rayons du Soleil
qu'ai-je dû entendre, et quels mots sacrilèges?

LA NOURRICE

Tais-toi, mon fils. Peut-être on écoute tes cris.

HIPPOLYTE

Après ce que tu as osé me dire, me taire, moi !

LA NOURRICE

Tais-toi, je t'en prie, par ta belle main…

HIPPOLYTE

N'avance pas la tienne. Ne touche pas mon vêtement.

LA NOURRICE

Par tes genoux, ne me perds pas.

HIPPOLYTE

Te perdre ? Alors que tu prétends n'avoir rien dit de mal ?

LA NOURRICE

Ce que je te disais, mon fils, n'est pas fait pour toutes les
    oreilles.

HIPPOLYTE

Ce qui est bien ne peut que gagner à être connu.

LA NOURRICE

Respecte, mon fils, les dieux par qui tu as juré.

HIPPOLYTE

Ma bouche a juré, non mon cœur.

LA NOURRICE

Mon fils, que vas-tu faire ? veux-tu perdre les tiens ?

HIPPOLYTE

Les miens? Je crache[1]! Nul coupable n'est de mes gens.

LA NOURRICE

Pardonne. Faillir est humain, mon enfant.

HIPPOLYTE

Ô Zeus, qu'as-tu mis parmi nous ces êtres frelatés,
les femmes, mal qui offense la lumière?
Si tu voulais perpétuer la race humaine
il ne fallait pas la faire naître d'elles.
Nous n'avions qu'à déposer dans les temples
de l'or, de l'argent ou du bronze pesant
pour acheter des semences d'enfants, en proportion
du don offert. Ainsi dans les maisons
l'on aurait vécu libéré des femmes.
Tout au rebours nous en sommes à nous ruiner
pour faire entrer chez nous cette disgrâce.
Voici qui prouve à quel point la femme est un mal.
Le père qui l'a engendrée et nourrie lui adjoint
une dot pour l'établir ailleurs et s'en débarrasser.
L'époux qui prend dans sa maison ce parasite
s'amuse à parer la méchante idole
et se ruine en belles toilettes, le malheureux,
détruisant peu à peu le bien de la famille.
Il a le choix, ou bien s'accommoder d'une femme amère,
pour l'avantage du bienfait d'une haute alliance,
ou avoir une bonne épouse dont les parents sont gens de
     rien.
Chaque fois, le profit doit compenser l'inconvénient.
Le plus commode encore est d'installer chez soi
un soliveau que sa nullité rendra inoffensive.
Je hais celle qui a de l'esprit. Que jamais
n'entre chez moi femme aux idées trop hautes pour son
     sexe!
Car c'est chez les savantes que Cypris
fait naître le plus de perversité.
La sotte est préservée par sa simplesse de tout déborde-
     ment.

On devrait d'une femme écarter les suivantes,
et lui donner pour compagnie des animaux qui mordent
     sans parler.
Tout au rebours, que voyons-nous ? Les méchantes dans
     leurs chambres
trament leurs plans coupables que la servante exécute au
     dehors.
   C'est ce que tu as fait, tête maudite,
en m'incitant à pénétrer dans le lit interdit de mon père.
La trace de ta voix, j'irai l'effacer à la source
faisant ruisseler de l'eau dans mes oreilles. Comment m'as-tu
     cru capable de crime
moi qui me juge impur pour avoir entendu ces mots ?
C'est ma piété qui te sauve, femme, sache-le bien.
Si je n'avais été surpris et lié d'un serment sacré,
rien ne m'empêcherait de tout dire à mon père.
Et maintenant je pars, et resterai absent jusqu'au retour
de Thésée. Ma bouche gardera le silence.
Je reviendrai quand reviendra mon père, pour observer
de quel front vous le recevrez, et toi et ta maîtresse.
Ton audace à toi, je la connais, j'en ai goûté.
   Soyez maudites. Jamais je ne pourrai rassasier ma haine
contre les femmes, dût-on m'accuser de la ressasser.
C'est aussi qu'elles ne cessent de faire le mal.
Qu'il se trouve quelqu'un pour leur enseigner la décence,
ou qu'on me laisse sans arrêt me déchaîner contre elles[1].

                                   Il rentre dans le palais.

                          PHÈDRE

     Ô destin des femmes, misère et souffrance !
     Maintenant que faire, maintenant que dire
     pour rompre, terrassée que je suis,
     l'étreinte du malheur ?
     Voici venu le châtiment, ô Terre, ô Lumière.
     Où fuir mon destin ? où cacher ma honte ?
     Quel dieu ou quel homme voudrait, pour m'assister,
     se faire complice d'un crime ?
     Ma peine est sur moi qui me pèse,
     infranchissable obstacle !
     Est-il au monde femme plus malheureuse ?

LE CORYPHÉE

Hélas, hélas, oui c'en est fait. Il échoue, maîtresse,
le plan conçu par ta servante, et tout est au plus mal.

PHÈDRE

Ô détestable qui détruit ce qu'elle aime,
qu'as-tu fait de moi ? Que Zeus dont je descends
t'arrache du sol, te brûle de sa foudre.
Ne t'avais-je pas dit, car ton intention m'inquiétait,
de garder secret ce qui me laisse à présent avilie ?
Tu n'as pu te contraindre et c'est déshonorée
que j'irai à la mort. Mais assez ! Il me faut parer à d'autres
   dangers.
Lui, dans l'excès de sa colère
va me charger devant son père de la faute que tu commis,
   toi !
il va tout dire au vieux Pitthée
et de ma honte emplir le monde entier.
Périsse avec toi l'ami dont le zèle
impose à ceux qu'il aime ses affreux bienfaits !

LA NOURRICE

Maîtresse, tu as le droit de me reprocher mon erreur,
mais ta mordante douleur commande ton jugement.
Et, si tu veux bien m'écouter, j'ai de quoi me défendre.
Je t'ai nourrie et tu m'es chère. Tu souffrais.
Je cherchais un remède. J'ai trouvé ce que je ne voulais
   pas.
Si j'avais réussi, tu louerais ma sagesse,
car c'est le résultat qui donne de l'esprit.

PHÈDRE

Est-ce m'accorder juste réparation
après m'avoir blessée, que de venir t'en excuser[1] ?

LA NOURRICE

Voilà trop de discours. J'ai manqué, c'est vrai, de prudence.

Cependant, mon enfant, ton salut et encore possible.

PHÈDRE

Plus un mot. Tu ne m'as conseillé que le mal
et tu n'as travaillé qu'à mon dommage.
Je ne veux plus de toi ici. Va-t'en et ne songe
qu'à tes affaires. Je réglerai les miennes à mon honneur.

(La nourrice rentre dans le palais.)

Vous, nobles filles de Trézène,
accordez-moi une seule prière :
couvrez de votre silence ce qu'ici vous avez entendu.

LE CORYPHÉE

Je le jure par la pure Artémis fille de Zeus
jamais je ne révélerai à la lumière aucun de tes malheurs.

PHÈDRE

C'est bien. J'ai tout pesé et n'ai trouvé
qu'une seule issue à ma détresse
en laissant à mes fils une vie honorée,
autant qu'il est possible après ce coup du sort.
Je ne veux ni jeter l'infamie sur ma patrie crétoise,
ni pour sauver ma vie,
affronter sous ma charge de honte le regard de Thésée.

LE CORYPHÉE

À quoi veux-tu donc recourir ? À quel mal sans remède ?

PHÈDRE

À la mort, oui. Comment ? c'est ce que j'entends décider.

LE CORYPHÉE

Pas de parole sinistre !

PHÈDRE

Toi, ne me donne que de bons conseils !
C'est Cypris qui me perd. Pour sa joie, je quitterai la vie
aujourd'hui même, vaincue par un cruel amour.
Mais je sais quelqu'un d'autre aussi, à qui j'entends être
        funeste
par ma mort, afin qu'il apprenne à ne pas triompher
de ma misère. Subir sa part
du mal dont je souffre lui enseignera la modestie.

Elle rentre dans le palais.

SECOND STASIMON

STROPHE I

LE CHŒUR

Aux gouffres escarpés je voudrais descendre
sous terre, ou bien voler comme un oiseau.
Un dieu me mêlerait aux bandes aériennes,
je planerais sur la vague marine
qui bat la rive adriatique,
sur le fleuve Éridan.
Là, pour le deuil de Phaéthon
dans les sombres remous où le Soleil se couche
tombent goutte à goutte les larmes de ses filles,
et ces pleurs sont de l'ambre[1].

ANTISTROPHE I

Je voudrais arriver à la côte des pommes,
pays des Hespérides musiciennes
où Posidon qui gouverne la mer
n'a plus de route à montrer aux marins
car c'est là qu'il rencontre l'auguste frontière
du ciel soutenu par Atlas.
Des sources d'ambroisie coulent près de la couche[2]
où Zeus fête ses épousailles,
en la terre divine qui donne la vie
et accroît le bonheur des dieux.

STROPHE II

Barque crétoise aux ailes blanches
tu fendis les flots de la mer bruyante

pour amener ma reine ici
loin d'une maison fortunée,
vers un funeste hymen, un bonheur mensonger,
accompagnée des deux côtés d'oiseaux sinistres.
L'un venait de la Crète,
l'autre l'attendait dans l'illustre Athènes
lorsqu'à Munychie l'on fixa
les bouts tressés des câbles
pour descendre à terre.

ANTISTROPHE II

En accord avec ces mauvais présages
Aphrodite a brisé son cœur
d'une redoutable disgrâce
celle de l'amour interdit.
Sous le coup brutal Phèdre fait naufrage.
Au toit de sa chambre d'épouse
elle va suspendre un lacet
pour le lier à son cou blanc.
Répudiant la passion
dont avec horreur elle est possédée
elle voudra du moins sauver sa gloire
en se délivrant de l'amour
qui fut sa souffrance.

TROISIÈME ÉPISODE

UNE SERVANTE, *crie dans le palais.*

Accourez, vous tous qui pouvez m'entendre !
Elle s'est pendue, notre reine, la femme de Thésée !

LE CORYPHÉE

Hélas, c'en est fait. Elle n'est plus,
la dame royale, pendue à un lacet.

LA SERVANTE, *à l'intérieur.*

Hâtez-vous donc ! Vite un couteau aiguisé
pour trancher le nœud qui lui serre la gorge.

LE CORYPHÉE

Amies, que faire ? faut-il entrer dans le palais
pour délivrer la reine du lien qui l'étrangle ?

UN AUTRE CHOREUTE

À quoi bon ? N'y a-t-il pas là de jeunes suivantes ?
Trop d'empressement ne vaut jamais rien.

LA SERVANTE, *à l'intérieur.*

Redressez, allongez ce malheureux corps.
Elle a fini de garder la maison. Pour le maître, amère sur-
     prise !

LE CORYPHÉE

Je comprends, la pauvre femme est morte.
L'on étend déjà son corps sur le lit.

> *Entre par la gauche, avec une escorte, Thésée cou-
> ronné de feuillage.*

THÉSÉE

Femmes, savez-vous pourquoi l'on crie dans le palais ?
J'ai entendu l'appel lugubre des esclaves.
La maison ne me reçoit pas comme il se doit pour un
        théore[1],
salut joyeux et porte grande ouverte.
Aucun malheur n'a cependant frappé le vieux Pitthée ?
Son âge est avancé, mais j'aurais grand chagrin
s'il nous avait quittés.

LE CORYPHÉE

Ce n'est pas un vieillard que le sort vient d'atteindre,
Thésée. Un être jeune est mort pour ton malheur.

THÉSÉE

Quoi ? l'un de mes enfants me serait enlevé ?

LE CORYPHÉE

Ils vivent, mais leur mère a péri d'une mort très cruelle.

THÉSÉE

Que dis-tu ? Morte mon épouse ? et par quel accident ?

LE CORYPHÉE

Elle-même a noué le lacet pour se pendre.

THÉSÉE

Dans un accès de sa mélancolie ou que s'est-il passé ?

LE CORYPHÉE

Nous n'en savons pas davantage, car j'arrive à l'instant,
Thésée, pour pleurer avec toi ton malheur.

THÉSÉE

Mais à quoi bon cette couronne sur ma tête,
ce feuillage tressé, quand le théore est dans l'adversité?

(*Il enlève sa couronne et crie à l'intérieur.*)

Tirez les verrous des portes, serviteurs,
enlevez les barres[1], que je puisse avoir l'amère vision
de celle dont la mort me tue.

*La porte s'ouvre, l'eccyclème amène le corps de
Phèdre étendu sur un lit, entouré de serviteurs.*

LE CHŒUR

Hélas, infortunée, que je te plains!
Ta souffrance et ton désespoir vont ruiner ta maison.
Affreuse audace, sort criminel, coup brutal,
asséné par ta main pitoyable.
Qui sur ta vie a jeté le voile funèbre?

THÉSÉE

Hélas sur moi! Vois, ma cité, ce que je souffre!
Aucun malheur plus grand ne pouvait me frapper.
Ô destinée!
Que tu pèses sur moi et sur ma maison,
disgrâce imprévue lancée par un génie jaloux!
Ruine de ma vie arrêtée en son cours,
je me vois, malheureux, dans un océan de misère,
et jamais de ce flot je n'émergerai plus.
Comment deviner, de quel mot désigner,
pauvre femme, le destin qui vint t'accabler?
Comme un oiseau s'échappe de nos mains, tu as disparu.
Un seul bond, te voilà dans l'Hadès, loin de moi.
Hélas, cruelles douleurs!
Du fond de quel passé les dieux ont-ils voulu
ramener pour moi ce destin
par lequel j'expie une faute ancienne?

LE CORYPHÉE

Tu n'es pas le seul, mon seigneur, que frappe pareil deuil.
Bien d'autres, comme toi, ont perdu une noble femme.

THÉSÉE

J'aspire au tombeau, j'aspire aux ténèbres.
  Mort parmi les morts, je veux habiter dans la nuit,
puisque je suis privé de ta chère présence.
C'est moi plus que toi-même que tu viens de tuer.
  Qui donc me répondra? D'où t'est venu, ô pauvre femme,
  le coup du sort qui dicta la mort à ton cœur?
Qu'on me dise donc ce qui s'est passé. Sinon, à quoi bon
ce peuple de serviteurs sous le toit du palais?
  Que je souffre privé de toi,
  quel deuil pour la maison!
intolérable et indicible et dont je meurs.
Vide, la maison, les enfants orphelins.
  Hélas, tu nous as délaissés, délaissés, ô très chère,
  la meilleure des femmes que puissent regarder
  le feu du jour et l'éclat étoilé des nuits.

LE CHŒUR

  Que je déplore, infortuné, le désastre de ta maison[1].
  Pour ton deuil mes larmes inondent mes yeux
  et depuis longtemps je tremble
  en pensant à ce qui nous menace encore.

THÉSÉE

Mais voyez cette tablette attachée
à sa main chérie. Qu'est-ce? Veut-elle m'annoncer quelque
          nouveau malheur?
c'est plutôt son message d'épouse et de mère
où elle inscrivit son dernier souhait.
Tu n'as rien à craindre, pauvre Phèdre! Le lit de Thésée,
sa maison, nulle femme n'y entrera plus.
Mais je vois un cachet, celui de l'anneau d'or
que portait celle qui n'est plus, caresse pour mes yeux.
Il me faut dérouler le cordon du cachet,
savoir ce que veut ce message.

LE CHŒUR

Un coup alterne avec un coup, assenés par un dieu.
Pour moi la vie, après ce qui s'est accompli,
n'aura plus de valeur. Finie, hélas, la maison de nos rois[1].

LE CORYPHÉE

Ô dieu, s'il est possible, cesse de l'ébranler.
Écoute ma prière. Je vois le présage
et ainsi qu'un devin je pressens le malheur.

THÉSÉE

Ah dieux! Quelle disgrâce vient s'ajouter à l'autre,
inexprimable, insupportable! Je succombe.

LE CORYPHÉE

Qu'arrive-t-il? Dis-le-moi, si tu veux bien m'en faire part.

THÉSÉE

Elle crie, cette lettre, elle crie des forfaits. Où fuir
le malheur qui m'écrase? Je suis perdu, anéanti,
tel est le chant de perdition que fait entendre ce message.

LE CORYPHÉE

Hélas, tu as dit là un funeste prélude.

THÉSÉE

Je ne puis plus fermer la porte de ma bouche
sur ce crime mortel que j'ai peine à nommer.
Écoute, ô mon pays.
Hippolyte à mon lit osa porter sa main
brutale, sans égard pour l'œil sacré de Zeus.
Toi, Posidon mon père, qui jadis m'accordas
trois souhaits, accomplis-en un seul et détruis
mon fils. Qu'il soit puni avant la fin
de ce jour, si vraiment ta promesse était digne de foi.

Au nom des dieux, seigneur, rétracte ta prière,
tu reconnaîtras bientôt ton erreur, crois-moi.

THÉSÉE

Impossible ! Je vais de plus le bannir de l'Attique.
S'il évite un des coups, l'autre l'aura frappé.
Ou bien Posidon l'enverra aux demeures d'Hadès,
ou bien, chassé de ce pays, errant et pauvre,
il traînera sa vie sur la terre étrangère.

LE CORYPHÉE

Mais voici ton fils qui vient à propos,
c'est Hippolyte. Détends, seigneur, ta funeste colère.
Thésée, ne prends pas un parti qui perdrait ta maison.

Entre par la droite Hippolyte avec des serviteurs.
Thésée détourne la tête.

HIPPOLYTE

J'ai entendu ton cri et je suis venu, père,
en hâte. Mais la cause de ta plainte
m'échappe et c'est de toi que je voudrais l'apprendre.
   Quoi ? Qu'est ceci ? C'est ta femme que je vois
morte ! Rien ne pourrait m'étonner davantage,
elle que je quittais à l'instant, elle qui,
tout à l'heure, voyait encore la lumière.
Comment se fait-il qu'elle soit sans vie ?

(Un temps.)

Mon père, c'est à toi de me le dire. Tu te tais.
Il ne faut pas te taire dans l'adversité.
Un cœur aimant ne veut rien ignorer
et le malheur le fait s'empresser davantage.

(Un silence.)

À tes proches, à ceux qui sont plus que tes proches,
tu ferais mal, mon père, en cachant tes épreuves.

THÉSÉE, *sans le regarder.*

Hommes que tant de vains soucis font tomber dans
    l'erreur,
pourquoi enseigner des arts si divers,
inventer, découvrir sans cesse,
si c'est pour ignorer, pour négliger même toujours
l'art de rendre sage qui n'a point de bon sens ?

HIPPOLYTE

Il serait maître bien habile, celui de qui tu parles,
qui saurait obliger des fous à penser droit.
Mais l'heure n'est pas à ces subtilités, mon père.
Je crains que le malheur n'égare tes paroles.

THÉSÉE

Que n'avons-nous dans nos affections
un moyen sûr pour discerner sans faute l'ami sincère et le
    menteur ?
Tous les hommes devraient avoir deux voix,
l'une sonnerait juste, pour l'autre peu importe.
Celle qui trompe serait ainsi réfutée
par celle qui dit vrai, et l'on ne s'y méprendrait pas.

HIPPOLYTE

Mais qu'est-ce donc ? Est-ce que l'un des nôtres
m'aurait à ton oreille calomnié
m'aurait auprès de toi discrédité, tout innocent que je suis ?
Car je suis ému et troublé par tes discours étranges
qui s'égarent bien loin du bon sens.

THÉSÉE

Ah, l'esprit humain, jusqu'où ira-t-il
pour trouver la limite à son audace téméraire ?
Si elle va s'enflant de chaque âge au suivant,
si le fils toujours doit dépasser
les fautes de son père, les dieux à notre terre

devront en ajouter une autre qui puisse contenir
tous les coupables, tous les pervers.

    Regardez bien cet homme qui, né de moi,
voulut déshonorer mon lit. La preuve est là,
donnée par la morte elle-même, irréfutable,
qu'il est le plus pervers des hommes.

(Hippolyte se détourne.)

Montre, puisque déjà tu m'as souillé de ton approche,
montre ici ton visage, en face de ton père.
    Te voilà donc, un homme au-dessus du commun,
qui fréquente les dieux? Toi, vertueux? Toi, pur de tout
        péché?
Je n'irai pas, sur la foi de tes vantardises,
déraisonner jusqu'à prêter l'aveuglement aux dieux.
Continue donc à t'exhiber, à célébrer le pain que tu manges,
toi qui ne touches à rien qui ait vécu. Avec Orphée pour
        maître
donne-toi pour un initié. Vénère les obscurités des livres[1].
Tu es pris sur le fait. Les gens de cette espèce, c'est moi qui
        vous le crie,
fuyez-les, quand ils vous poursuivent de beaux discours
au service de plans infâmes.
Phèdre n'est plus. Sa mort, crois-tu, va te sauver?
Mais c'est justement ce qui te confond, misérable.
Quels serments, quels discours pourraient donc l'emporter
sur elle qui t'accuse et te permettre de te disculper?
Tu diras qu'elle te détestait, qu'un bâtard
est un ennemi-né des enfants légitimes.
Elle aurait là vendu sa vie à bien bas prix
si par haine pour toi elle avait renoncé au bien le plus pré-
        cieux.
Ou que les hommes sont exempts du délire amoureux,
que c'est le propre des femmes? Je connais, moi, des jeunes
        gens
qui sont plus vulnérables qu'elles
quand Cypris vient toucher leur cœur adolescent.
Mais leur virilité leur sert d'excuse.
D'ailleurs, pourquoi discuter avec toi,
quand ce cadavre est là, de tous les témoins le plus sûr?
Hors d'ici, sur-le-champ, pars pour l'exil.

Qu'Athènes bâtie par les dieux ne te revoie jamais,
ni les confins jusqu'où règne ma lance.
Après ce que tu m'as fait, si je te cédais,
Sinis le brigand de l'Isthme pourrait venir témoigner
que je ne l'ai pas tué, que c'est vantardise et mensonge,
et les roches de Sciron, voisines de la mer,
nieront que je sois aux méchants redoutables[1].

LE CORYPHÉE

Je me demande comment l'on peut dire heureux
aucun mortel. Les plus hautes fortunes sont ici renversées.

HIPPOLYTE

Mon père, la rage qui t'étreint le cœur
me fait trembler. Mais la cause qui admet de si beaux argu-
      ments
étalée au grand jour, ne sera plus si bonne.
Pour moi, je sais mal me défendre en public.
Avec ceux de mon âge, et peu nombreux, je serais plus
      habile.
Chacun n'a que sa part. Ceux qui charment la foule
un sage ne leur trouve aucun mérite.
Bien malgré moi, ma mauvaise fortune me force
de recourir à la parole. Je répondrai d'abord
à ta première et insidieuse attaque qui crut m'anéantir
et me laisser sans réplique. Tu vois cette lumière
et cette terre. En aucun lieu n'existe un homme
— et nie-le si tu veux — plus vertueux que moi.
Je m'entends tout d'abord à honorer les dieux,
à choisir des amis qui ne se risquent pas à l'injustice,
qui rougiraient de formuler un coupable désir
ou bien de s'acquitter par un service honteux.
Je fais grand cas de tous ceux qui m'entourent, mon père.
Absents ou près de moi, je suis pour eux le même ami.
D'une chose je suis indemne, celle où tu crois me prendre en
      faute.
Nulle femme, jusqu'à ce jour, n'a touché mon corps resté
      pur.
J'ignore les rites de l'amour, si ce n'est par ouï-dire
ou pour avoir vu des peintures, mais sans y prendre

de plaisir[1], car mon âme est vierge.
En admettant que ma vertu ne puisse te persuader
c'est dès lors à toi de montrer ce qui a pu la pervertir.
Phèdre était-elle la plus belle des femmes ?
Ou bien j'avais des vues sur ta maison
en espérant entrer au lit d'une héritière[2] ?
Mais ç'aurait été un calcul absurde, un projet de fou.
Tu diras que la royauté a des charmes. Pour les sages,
très peu, à dire vrai, à moins que le pouvoir[3]
ne détruise l'esprit aux hommes qu'il séduit.
Mon vœu à moi, c'est de triompher dans les jeux de la
　　Grèce,
y être le premier, et le second dans la cité,
avoir les meilleurs pour amis, être heureux avec eux.
Ainsi l'on peut agir sans courir de danger,
ce qui donne plus de plaisir que le pouvoir.
　　Pour ma défense tout est dit. Sur un seul point j'ai gardé
　　le silence.
Si j'avais un témoin pour attester quel je suis,
si je me défendais devant Phèdre vivante,
tu connaîtrais, à faire enquête, où fut la faute.
Je puis du moins jurer : par Zeus le gardien des serments,
et par le sol de cette terre, toucher à ton épouse,
jamais je n'en eus le désir, pas même la pensée.
Non : je veux périr obscur et sans nom,
sans patrie, sans maison, errant et banni ;
que la terre et la mer rejettent
la chair de mon cadavre, si je suis un homme coupable.
Est-ce par crainte que Phèdre a détruit sa vie ?
je l'ignore. Le droit m'est refusé d'en dire davantage.
Sa vertu fut intacte en dépit d'elle-même.
La mienne était sincère : ce ne fut pas pour mon bonheur.

LE CORYPHÉE

Ton serment doit suffire à te justifier
et ton appel aux dieux : aucune garantie n'est plus probante.

THÉSÉE

Le voyez-vous, le magicien et l'imposteur
qui pense triompher de moi par ce ton radouci
après m'avoir bafoué, moi son père !

HIPPOLYTE

C'est ta modération justement qui m'étonne, mon père.
Tu serais mon fils, si je pouvais penser que tu aies touché à
      ma femme,
je te punirais non d'exil, mais de mort.

THÉSÉE

Que c'est donc bien parler ! Non, tu ne mourras pas
si aisément, mais selon ton propre verdict.
Un rapide trépas est trop doux pour l'impie.
Chassé de ton pays natal, errant sur terre,
tu traîneras à l'étranger une existence douloureuse.

HIPPOLYTE

Ah dieux, que vas-tu faire ? Sans attendre
que le temps t'éclaire sur moi, tu me chasseras loin d'ici ?

THÉSÉE

Oui, et par-delà le Pont et les bornes d'Atlas,
si j'en avais le pouvoir, tant je te hais.

HIPPOLYTE

Ainsi donc, ni serment, ni preuve, ni l'oracle
des devins, tu n'entendras rien et me banniras sans m'avoir
      jugé ?

THÉSÉE

Cette tablette-là se passe bien des prophéties
pour t'accuser, irrécusablement. Quant aux oiseaux
qui planent sur nos têtes, je me moque de leurs présages.

HIPPOLYTE

Dieux, que n'ai-je le droit de délier mes lèvres,
moi qui meurs par respect pour vous !
Mais à quoi bon ? Je ne saurais convaincre ceux qu'il faut,
en vain je ruinerais la foi jurée.

THÉSÉE

Ah tes grands airs me font mourir !
va-t'en donc loin d'ici, au plus tôt.

HIPPOLYTE

Mais où puis-je aller ? Vers quelle demeure ?
Qui voudra m'accueillir, banni pour un tel crime ?

THÉSÉE

Quelque homme qui sera content de recevoir à son foyer
un hôte qui violera son épouse
et l'aidera à conserver son déshonneur.

HIPPOLYTE

Ah ! tu m'atteins au cœur et je pourrais pleurer !
Que j'aie l'air d'un coupable et que tu me croies tel !

THÉSÉE

C'est trop tard. Il fallait gémir, il fallait prévoir
avant que d'oser outrager la femme de ton père.

HIPPOLYTE

Si tu pouvais prendre voix, ô maison,
et témoigner si je suis criminel !

THÉSÉE

Tu crois habile de te rabattre sur des témoins muets.
Mais le fait que voilà a-t-il besoin de mots pour t'accabler ?

HIPPOLYTE

Ah ! si je pouvais me trouver en face de moi-même,
pour pleurer sur ma propre souffrance !

THÉSÉE

Oui, tu t'es exercé au culte de ta personne,

plus qu'à respecter tes parents ainsi que le doit un bon
fils.

HIPPOLYTE

Ô ma pauvre mère! douloureuse naissance!
que nul de ceux que j'aime n'ait le sort du bâtard!

THÉSÉE

Gardes, saisissez-le. N'ai-je pas dit et répété
que l'homme qui est là n'est plus qu'un étranger?

HIPPOLYTE

Malheur à qui m'aura touché!
Expulse-moi toi-même si ta colère en décide ainsi.

THÉSÉE

Je le ferai — si tu manques à m'obéir.
Je ne m'attendris pas sur ton exil.

Il rentre dans le palais.

HIPPOLYTE

Tout est réglé, je le vois bien. Pauvre de moi.
Je sais la vérité et ne puis la faire connaître.

(Il s'approche de la statue d'Artémis.)

Ma très chère déesse, fille de Léto,
compagne de mes haltes, compagne de mes chasses,
me voici donc banni de la célèbre Athènes. Ô ma cité, adieu,
adieu ô pays d'Érechthée, ô terre de Trézène,
bénie pour les plaisirs des jeunes hommes,
adieu, c'est mon dernier regard et mon dernier salut.
    Allons, jeunes gens, compagnons, mes amis d'enfance,
faites-moi vos adieux, escortez-moi jusqu'aux frontières.
Jamais vous ne verrez homme plus vertueux
quoi qu'en pense mon père.

Il sort par la gauche.

TROISIÈME STASIMON

STROPHE I

LE CHŒUR

La pensée que les dieux gouvernent le monde[1]
donne à mon cœur souffrant un puissant réconfort.
Je devine une intelligence et en elle j'espère.
Puis comparant les actes de chaque homme
avec son destin, je ne sais plus qu'attendre.
Ce ne sont que vicissitudes.
Toute vie semble le jouet
d'un éternel caprice.

ANTISTROPHE I

En me faisant ma part, que les dieux que je prie
veuillent m'accorder fortune prospère
avec un cœur que les chagrins n'entament pas,
qui juge sans raideur,
mais sache résister à tout égarement,
qui se plie à l'heure qui change
et trouve ainsi parmi les hommes
le bonheur dans la vie.

STROPHE II

Car le doute m'agite depuis que j'ai dû voir —
qui l'aurait cru? — l'astre d'Athènes,
le plus brillant qui fût en Grèce,
sous mes yeux, oui, sous mes yeux
exclu d'ici par un père en fureur.
Ô sable du rivage, ô futaie des montagnes
où il passait avec ses chiens légers

en poursuivant les fauves,
l'auguste Dictynne à côté de lui[1].

ANTISTROPHE II

Tu ne conduiras plus tes cavales vénètes
remplissant l'arène de Limné
du galop des chevaux au dressage.
La Muse qui veillait aux cordes de ta lyre
se taira au foyer de ton père.
Plus de couronne aux reposoirs de la déesse
fille de Léto, dans l'épaisseur du feuillage.
Toutes les jeunes filles te voulaient pour époux.
Ton exil met fin à leur brigue.

ÊPODE

Mais moi qui vois ton infortune
toujours je verserai des pleurs sur ton destin fauché.
Ô pauvre mère, à quoi bon avoir eu un fils ?
J'en veux aux dieux. Et vous,
Grâces qui présidez à l'entente des cœurs,
comment donc laissez-vous partir de sa patrie,
de son foyer, ce malheureux qui n'est coupable
d'aucun égarement.

Entre par la gauche un palefrenier d'Hippolyte.

QUATRIÈME ÉPISODE

LE CORYPHÉE

Mais je vois un valet d'Hippolyte
qui arrive en courant, et son visage est sombre.

LE MESSAGER

Où pourrai-je trouver le roi de ce pays,
Thésée ? Si vous le savez, femmes, dites-le.
Peut-être ici, dans ce palais ?

Thésée sort du palais.

LE CORYPHÉE

Le voici lui-même qui sort.

LE MESSAGER

Thésée, ce que j'ai à te dire a de quoi te troubler
ainsi que les citoyens qui vivent dans Athènes
et sur le territoire de Trézène.

THÉSÉE

Qu'est-ce ? Quel nouveau coup de la fortune
frappe à la fois les deux cités voisines ?

LE MESSAGER

Hippolyte est mort, ou bien peu s'en faut.
Il voit encore le jour, mais un rien pourrait l'achever.

THÉSÉE

Qui l'a tué ? S'est-il fait un ennemi
pour avoir violé une épouse, ainsi qu'il fit à celle de son
     père ?

LE MESSAGER

Son propre char l'a renversé
et l'imprécation que proféra ta bouche quand tu chargeas
      ton père,
le Seigneur de la mer, de te venger de ton fils.

THÉSÉE

Ô dieux! Posidon, je le vois, tu es vraiment mon père,
car tu as exaucé mes malédictions.
Comment a-t-il péri? Et comment la Justice
a-t-elle asséné sa massue sur celui qui m'a bafoué?

LE MESSAGER

Près du rivage baigné des flots, nous étions à étriller nos
      chevaux,
et nous pleurions, car on était venu nous dire
que nous ne verrions plus séjourner parmi nous
Hippolyte, frappé par toi d'un déplorable exil.
Lui-même nous rejoignit sur la grève
versant des pleurs qui répondaient aux nôtres.
Des amis de son âge le suivaient en foule.
Il put enfin dominer ses sanglots et dit :
« Pourquoi m'abandonner au désespoir?
Il faut bien obéir aux ordres de mon père.
Attelez les chevaux de joug à mon char,
serviteurs. Je ne suis plus ici dans mon pays. »
Tout aussitôt chacun s'empresse, rapide comme la pensée,
pour amener devant le maître ses cavales bien harnachées.
Il s'empare des rênes fixées à la rampe,
les deux pieds bien d'aplomb aux semelles du char[1].
Mais avant tout il dit aux dieux en élevant ses bras ouverts :
« Ô Zeus fais-moi mourir si je suis un coupable,
mais que mon père un jour sache son injustice,
de mon vivant ou bien après ma mort. »
Puis il prend l'aiguillon et en donne aux chevaux d'un seul
      coup. Nous les valets
à pied le long du char, nous maintenant au ras des mors,
nous allions aussi vite que le maître,

sur le chemin qui va tout droit vers Argos et vers Épidaure.
  Nous entrions déjà dans un pays désert.
Le rivage au-delà n'appartient plus à ce pays,
car c'est l'entrée du golfe Saronique.
De là parvint un bruit, comme si Zeus avait tonné sous
    terre,
puis. un profond grondement qui nous fit tressaillir.
Droites au ciel se dressent les têtes et les oreilles
des chevaux. Une folle terreur nous prend
à nous demander d'où vient ce bruit. Alors, sur la rive gron-
    dante
nous voyons un prodige, une vague dressée
jusqu'à toucher le ciel et qui cache à nos yeux
les falaises de Sciron, l'Isthme et le rocher d'Asclépios.
Puis elle s'enfle et bouillonne en écume sous le vent de la
    mer,
en progressant vers le point de la rive où était le quadrige.
Avec la grosse lame qui crève et s'abat
sort du flot un taureau, sauvage, monstrueux.
Son mugissement remplit la terre
dont l'écho répond et nous fait trembler.
Nos yeux n'en pouvaient supporter la vue.
La terreur aussitôt s'empare des chevaux.
Leur maître, depuis si longtemps habitué à les conduire,
saisit les rênes à deux mains comme un matelot qui ramène
    la rame,
et, les courroies autour des reins, pèse en arrière de tout son
    corps.
Mais les cavales mâchent les mors forgés au feu
et s'emportent, sans plus se soucier
de la main de leur conducteur, ni des rênes, ni du char bien
    ajusté.
Gardant sa direction, s'il cherche à les garder sur la piste du
    sol uni,
alors surgit devant lui et lui fait renverser sa course
le taureau, qui rend les chevaux fous de peur.
Si dans leur fureur ils se lancent parmi les rochers,
le monstre muet se glisse à leur hauteur
jusqu'à frôler la rampe du char.
Enfin l'attelage se cabre et renverse tout
en fracassant la roue contre un rocher.
Ce n'est plus qu'un amas de débris. Les rayons des roues

les chevilles d'essieu volent en éclats.
Et lui, le malheureux empêtré dans les rênes
dont il ne peut défaire les nœuds est traîné,
déchiré parmi les rochers où se heurte sa chère tête,
où son corps se brise, tandis qu'il crie d'une voix déchirante :
« Halte-là, mes cavales nourries à mes crèches,
épargnez-moi ! Ô funeste imprécation de mon père !
Qui viendra me sauver, moi le meilleur des hommes ? »
Tous nous l'aurions voulu, mais nous étions en arrière,
trop loin de lui. Enfin, dégagé de l'entrave
des lanières, je ne sais trop comment,
il tombe, n'ayant plus qu'un souffle de vie.
Les chevaux avaient disparu, avec la bête monstrueuse,
le taureau, je ne sais où, parmi les rochers.

    Je ne suis à coup sûr qu'un esclave dans ton palais, sei-
       gneur,
mais jamais je ne parviendrai à croire
que ton fils soit un mauvais homme,
quand toutes les femmes du monde iraient se pendre
et que l'on couvrît d'accusations tous les pins de l'Ida,
car c'est un noble cœur, moi je le sais.

LE CORYPHÉE

Hélas, voilà consommé un nouveau malheur.
On n'échappe pas à l'arrêt du destin.

THÉSÉE

Par haine envers celui qui a subi ce sort
je fus content de t'écouter. Mais j'ai égard
aux dieux, à lui aussi, car c'est de moi qu'il est sorti,
et je me refuse à présent à la joie comme à la pitié.

LE MESSAGER

Et maintenant ? Devons-nous l'amener ou que faut-il faire
de ce malheureux pour t'être agréable ?
Décide. Si tu en crois mon conseil
tu cesseras d'être cruel envers ton fils dans ton épreuve.

THÉSÉE

Amenez-le, que je le voie en face,
celui qui nie avoir souillé mon lit,
et que ma bouche le confonde après le châtiment des
    dieux.

Le messager sort par la gauche.

QUATRIÈME STASIMON

LE CHŒUR

Le cœur inflexible des dieux et celui des mortels
tu les mènes, Cypris, à ta guise,
avec ton fils aux ailes diaprées
qui les encercle de son vol rapide.
Planant sur la terre et sur la mer sonore
Éros enchante les cœurs affolés
par l'assaut de ses plumes dorées.
Sur les monts, dans la mer, il enchante les jeunes bêtes
et tout ce que nourrit la terre,
tout ce que voit l'œil de feu du Soleil,
et les hommes aussi. Sur tous, Cypris,
tu règnes seule en souveraine.

Artémis apparaît en haut du palais, du côté où
est sa statue. Les acteurs sont supposés ne pas la
voir.

EXODOS

ARTÉMIS

Fils du noble Égée, je t'appelle et t'invite à m'écouter,
moi, Artémis, la fille de Léto, qui te parle.
Thésée, ah malheureux, comment peux-tu te réjouir ?
Ton propre fils, tu l'as frappé d'une mort sacrilège.
Ta femme t'a menti. Tu l'as crue
sans preuve et ta ruine à présent est sûre.
Va-t'en sous terre cacher ta honte dans le Tartare,
ou envole-toi bien loin du lieu de ta misère,
car ta place n'est plus marquée parmi les gens de bien.
    Connais, Thésée, l'étendue de ton désastre.
Je ne puis, je le sais, sans plus rien réparer, que te faire souf-
          frir.
Mais je devais venir te révéler le cœur de ton fils, de ce juste,
(car il faut que sa mort soit entourée de gloire),
t'apprendre la fureur qui blessa Phèdre en la livrant, il faut le
          dire,
à un noble combat. La déesse que nous détestons,
nous qui trouvons la joie dans la virginité,
de son dard piqua Phèdre et la remplit d'amour pour lui.
De toute sa raison elle luttait pour dominer Cypris
quand sa nourrice, malgré elle, la perdit par ses artifices,
découvrant son amour à ton fils sous le sceau du serment.
Il était trop pur pour lui donner écoute,
trop pieux aussi pour violer la foi jurée, même sous tes
          insultes.
Elle alors, tremblant d'être confondue,
écrivit l'accusation qui devait perdre
ton fils : un mensonge qui parvint à te persuader.

THÉSÉE

Hélas !

ARTÉMIS

Mes paroles, Thésée, te mordent le cœur. Patience !
Ce que tu vas entendre te fera gémir davantage.

Tu savais que ton père t'accordait trois vœux infaillibles.
Tu en as détourné le premier, misérable,
contre ton propre fils, quand il pouvait frapper un ennemi.
Le dieu des mers a sagement agi
en s'acquittant envers toi, selon sa promesse.
C'est toi qui es coupable à ses yeux et aux miens,
pour n'avoir attendu ni preuves, ni avis des devins,
ni tenté une enquête, ni permis au temps qui s'écoule
de faire la lumière. Plus vite que tu n'aurais dû
tu as lancé contre ton fils la malédiction qui l'a tué.

THÉSÉE

Souveraine, je voudrais mourir.

ARTÉMIS

Grande est ta faute et cependant
toi aussi peux être pardonné.
C'est Cypris qui voulut que tout se déroulât ainsi
afin d'assouvir son ressentiment. Les dieux ont une loi
qui leur interdit à chacun de gêner le désir d'un autre ;
car nous nous laissons chaque fois le champ libre.
Sache-le bien, sans la crainte que j'ai de Zeus
jamais je n'en serais venue à ce degré de honte
de laisser mourir l'homme qui m'était le plus cher.
Quant à ta faute, ton ignorance est là d'abord pour l'excuser.
Phèdre ensuite en mourant a rendu impossibles
les échanges de paroles qui t'auraient convaincu[1].
    C'est contre toi surtout que le ravage s'est déchaîné.
Mais la peine est pour moi aussi. Les dieux souffrent de voir
    mourir
des hommes au cœur pieux. Quant aux méchants
nous les détruisons avec leurs enfants et leurs foyers.

LE CORYPHÉE

Mais le voici, le malheureux qui vient vers nous
sa jeune chair, sa tête blonde affreusement défigurées.
Ô maison éprouvée, quel double deuil la frappe,
asséné par la main des dieux.

Hippolyte apparaît à gauche, soutenu par des ser-
viteurs.

HIPPOLYTE

Ah que je souffre ! Un père injuste
m'a détruit par un vœu injuste.
C'en est fait de moi, ô douleur !
Des éclairs me traversent la tête,
et des secousses déchirent mon cerveau.
Halte ! Un moment de répit pour mon corps épuisé.
Mes méchants chevaux, nourris de ma main,
vous m'avez détruit, vous m'avez tué !
Au nom des dieux, garçons, plus de douceur,
quand vous touchez mon corps qui n'est qu'une plaie.
Qui m'a heurté, là à ma droite ?
Soulevez-moi comme il faut. Doucement, traînez en-
      semble,
le malheureux, celui qui fut maudit
par un père aveuglé. Zeus, Zeus, vois-tu en quel état je suis ?
Oui, c'est bien moi, l'austère adorateur des dieux,
celui dont la vertu dépassait tous les autres.
L'Hadès est devant moi, j'y descends.
Toutes les racines de ma vie ont été arrachées. En vain j'ai
      pris la peine
d'observer, face aux hommes, tous les devoirs de la piété.

Ah ! Ah ! La douleur de nouveau me déchire.
Laissez-moi, je souffre trop. Viens à moi, ô Mort
      guérisseuse.
Vous me tuez deux fois, vous détruisez l'infortuné.
Qu'on me donne une lance aiguisée
pour trancher le fil de ma vie
et me faire trouver le sommeil.
Ô funeste imprécation de mon père !
De parents souillés de crime, d'ancêtres oubliés
est sorti le mal qui ne me laisse aucun répit[1].
Il s'est abattu sur moi, sur l'irréprochable. Pourquoi ?
Que dire ? comment faire cesser ces cruelles souffrances ?
Ah ! que vienne la nuit qui endorme le malheureux
sous la loi sombre de la mort !

ARTÉMIS

Ah! malheureux! De quelle épreuve portes-tu le joug?
C'est la noblesse de ton cœur qui t'a perdu.

HIPPOLYTE

Qu'est-ce? Haleine d'un parfum divin! Au milieu de mes
     tortures,
pour t'avoir respirée, déjà je souffre moins.
La divine Artémis est en ces lieux!

ARTÉMIS

Oui, malheureux. C'est la déesse ta fidèle amie.

HIPPOLYTE

Et vois-tu bien, maîtresse, ce qu'il en est de moi?

ARTÉMIS

Je le vois. À mes yeux cependant sont refusées les larmes.

HIPPOLYTE

Tu n'as plus ton chasseur, tu n'as plus ton servant...

ARTÉMIS

Il est vrai, mais mon amitié te suit dans la mort.

HIPPOLYTE

Le conducteur de tes chevaux, et le gardien de tes images.

ARTÉMIS

Cypris la malfaisante a ourdi cette trame...

HIPPOLYTE

Je reconnais enfin la main divine qui me tue.

ARTÉMIS

Atteinte en son prestige, offensée par ta chasteté…

HIPPOLYTE

Tous trois elle nous a perdus, je le vois, d'un seul coup.

ARTÉMIS

C'est vrai. Ton père et toi et Phèdre la troisième.

HIPPOLYTE

J'ai donc à compatir à l'infortune de mon père.

ARTÉMIS

Les conseils d'une déesse l'ont égaré.

HIPPOLYTE

Ah! pauvre père, quel malheur t'accable!

THÉSÉE

Je meurs, mon fils. La vie pour moi n'a plus de joie.

HIPPOLYTE

Je te plains plus que moi pour ta fatale erreur.

THÉSÉE

Ah mon enfant! que ne puis-je mourir à ta place!

HIPPOLYTE

Ô don cruel de Posidon ton père!

THÉSÉE

Plût au ciel que ce vœu jamais n'eût traversé ma bouche!

HIPPOLYTE

Mais quoi ? Tu m'aurais tué de ta main, telle était ta colère.

THÉSÉE

Les dieux avaient troublé mon jugement.

HIPPOLYTE

Ah ! le malheur des hommes devrait pouvoir retomber sur
les dieux.

ARTÉMIS

Laisse-moi faire. Même dans les ténèbres sous la terre
ce n'est pas sans crier vengeance que le caprice d'Aphrodite
aura sur ta personne déchaîné sa colère
en haine de ta piété et de ta vertu.
Ma main lui réserve une riposte
qui atteindra un autre, l'homme de tous qui lui est le plus
cher[1],
et mes flèches que nul n'évite assureront notre vengeance.
Pour toi, infortuné, comme loyer de tes épreuves
je t'accorderai les plus grands honneurs dans cette ville de
Trézène.
Les jeunes filles à la veille des noces
couperont pour toi leurs cheveux, et pendant de longs
siècles
tu recevras un tribut de regrets et de larmes.
Les pensées des jeunes filles, vers toi toujours tournées,
leur inspireront des chansons. Jamais ne se perdra dans le
silence
et dans l'oubli, l'amour que Phèdre conçut pour toi.
Et maintenant, fils du vieil Égée, viens prendre
ton fils dans tes bras et tiens-le contre toi.
Tu l'as tué sans le vouloir. Comment les hommes,
si les dieux les aveuglent, pourraient-ils éviter l'erreur ?
Pour toi, Hippolyte, voici mon conseil : sois sans rancune
envers ton père,
puisque tu sais d'où vient le coup qui t'a perdu.
Adieu, il nous est interdit de regarder la mort[2].

Nos yeux seraient souillés par un dernier soupir,
et je te vois déjà près de ta fin.

                                        Elle disparaît.

HIPPOLYTE

Adieu à toi aussi, vierge bienheureuse.
Tu te détaches aisément d'une longue amitié.
Je me réconcilie avec mon père, puisque tu le désires.
Je n'ai jamais jusqu'à présent désobéi à tes conseils.
    Ah! sur mes yeux déjà descendent les ténèbres.
Père, prends-moi, soutiens mon corps…

THÉSÉE

Ah mon fils! Que fais-tu de ton malheureux père?

HIPPOLYTE

Je meurs. Je vois d'ici les portes infernales.

THÉSÉE

Mourras-tu en laissant la tache sur mon âme?

HIPPOLYTE

Non, car je te déclare affranchi de ma mort.

THÉSÉE

Ah dis-tu vrai? tu me renvoies absous du sang versé?

HIPPOLYTE

J'en atteste Artémis et son arc redoutable.

THÉSÉE

Très cher, que tu es généreux envers ton père.

HIPPOLYTE

Sois heureux, père, ah sois heureux! C'est mon souhait.

THÉSÉE

Quelle piété, quelle noblesse je pleure en toi !

HIPPOLYTE

Puisses-tu trouver tels tes enfants légitimes !

THÉSÉE

Ne m'abandonne pas, mon fils. Aie courage encore.

HIPPOLYTE

L'heure du courage est passée. Ma vie est finie, mon père.
Ramène mon manteau sur mon visage. Il en est temps.

THÉSÉE

Glorieux territoire d'Athènes, consacré à Pallas,
quel homme vous perdez. Ah malheureux que je suis !
Je veux me souvenir, Cypris, du mal que tu m'as fait.

        Il rentre dans le palais avec le train funèbre.

LE CORYPHÉE

Tous les citoyens porteront ensemble
son deuil inattendu
et bien des larmes tomberont.
Quand les grands sont éprouvés
l'on en parle longtemps.

LES HÉRACLIDES

Une tradition sans cesse enrichie prêtait à Héraclès des prouesses amoureuses toutes consacrées par des naissances d'enfants. Ceux-ci, dans les récits, restent attachés à leur mère. Comment l'imagination des poètes en vint-elle à faire de ces jeunes figures une sorte de troupe anonyme et sans mère, vouée à l'abandon par la mort du héros ? Une légende se créa bientôt autour de leurs malheurs. Leur grand-mère Alcmène, dit-on, les réunit autour d'elle à Tirynthe en Argolide. Eurysthée règne dans les villes voisines d'Argos et de Mycènes. Ses jeunes cousins chassés par lui se réfugient du côté de Trachis où leur père est mort. Le roi d'Argos parvient à les en faire expulser, et avec eux leur tuteur Iolaos, le compagnon d'armes d'Héraclès. Alors commence pour eux une pénible errance qui les amène enfin en Attique où Thésée les trouve groupés en suppliants sur l'autel de la Pitié et les reçoit en qualité d'hôtes, en leur permettant de s'établir dans la tétrapole de Marathon. Mais, le temps qu'ils grandissent, Eurysthée les juge dangereux, s'inquiète et assemble une armée qui marche contre Athènes. Il est défait par les Athéniens unis aux Héraclides, lesquels ont pour chefs Iolaos et Hyllos, le fils aîné du héros. Macarie, l'aînée des filles, est morte volontairement pour obtenir des dieux la victoire. Malgré l'échec et la mort d'Eurysthée, plusieurs générations s'écoulèrent avant que les Héraclides pussent reconquérir leur patrimoine dans le Péloponnèse. Voilà ce que l'on racontait en Attique où plusieurs villages prétendaient posséder le tombeau d'Eurysthée et notamment Pallène, entre Athènes et Marathon.

Les légendes grecques donnent d'Héraclès des images nombreuses et qui s'accordent mal entre elles ; mais dès qu'on dépasse le niveau des contes populaires, on le voit apparaître comme le type du bienfaiteur injustement éprouvé. C'est ce caractère qui commande la lente transfiguration que le mythe va subir au cours des âges pour qu'à la fin du monde antique Héraclès devienne une figure parallèle à celle de Jésus. Les Grecs de l'époque classique n'auraient pas considéré sans étonnement

*l'Héraclès sublime des stoïciens. Et pourtant c'est eux qui ont
donné l'impulsion première. L'Héraclès d'Alceste est un personnage de drame satyrique ; mais il vient à peine de boire à son
contentement que le voilà parti pour affronter la mort ; après
quoi, au lieu de profiter d'une hospitalité joyeusement offerte, il
refuse. Il doit partir, ayant d'autres monstres à combattre. Le
servage qui le lie à Eurysthée devient un service envers tous les
hommes ; l'obligation devient un devoir ; la prouesse est le don
d'un courage excellent. Rapidement esquissé dans* Alceste, *le
thème sera repris par Euripide dans* La Folie d'Héraclès, *où le
Juste souffrant fait hardiment la leçon aux dieux.*

*Les Héraclides ne traitent que le prolongement de l'histoire,
où les enfants du héros sont comme lui injustement persécutés, et
faibles par surcroît, ce qui fait qu'on les plaint tandis qu'on
l'admirait. Distinguer ce qu'Euripide a trouvé dans la tradition préexistante et les éléments dont il l'a enrichie serait difficile et assez vain. Ce qui est sûr, c'est qu'il en a dégagé une
imagerie frappante. Près d'un autel de Zeus sont Iolaos avec les
enfants. Iolaos est très vieux, les enfants sont tout jeunes. Double
invraisemblance. Contemporain d'Héraclès, Iolaos est représenté
comme s'il avait l'âge d'Alcmène. En dehors d'Hyllos et de
Macarie, qui sont des jeunes gens, les autres sont une « couvée »
pitoyable et passive. Nulle part les mères ne sont nommées ; on
dirait qu'ils sont nés d'Héraclès et de quelque sillon argien.
Cette troupe anonyme d'enfants sans mère traqués d'un lieu à
l'autre a quelque chose d'hallucinant, qui s'atténue quand s'en
détachent deux adolescents héroïques.*

*Le dur génie d'Euripide ne se complaît pas longtemps aux
émotions faciles. Un oracle a promis la victoire aux Athéniens
champions des Héraclides s'ils sacrifient une jeune fille de sang
noble. Le roi — ce n'est pas Thésée, figure trop importante, qui
eût décentré le tableau en fixant trop l'attention, mais son fils
Démophon, parfaitement inexistant — refuse de donner sa fille
ou d'imposer un devoir analogue à aucun de ses concitoyens.
Macarie accourt et s'offre. Et tous de louer son admirable
dévouement, qui, toutefois, ne relève nullement de la littérature
édifiante. L'orgueil chez Alceste durcit les forces au service de
l'amour. Il est l'élément du courage de Macarie*, l'autre étant*

---

* L'orgueil est toujours un élément du courage. Quand Iolaos se
propose comme victime, il dit : « Ce qu'avant tout veut Eurysthée, c'est
me saisir », de quoi Démophon le détrompe assez cruellement. Et

le désespoir. Depuis qu'elle est orpheline, elle erre de ville en ville, sans foyer ; la pitié l'accueille jusqu'au jour où la lâcheté la repousse. L'image qu'elle a de la vie est telle que son seul vœu en mourant est qu'il n'y ait rien au-delà.

> Puisse-t-il sous terre n'y avoir plus rien. Si c'est pour retrouver
> là aussi les chagrins, nous qui allons mourir,
> quel refuge nous restera-t-il ?

De sa bouche amère tombe cependant un vœu suprême, celui d'avoir un jour un tombeau honorable dans la patrie reconquise. Pour son compte personnel, la fille d'Héraclès n'a rien à espérer de la vie ; elle regarde cependant, par-delà le douloureux présent, vers une Argos future où ses frères régneront et où elle possédera pour toujours ce qui fut son bien unique, la mort glorieuse, libre et choisie, telle qu'elle l'a défendue contre Iolaos quand il voulait la lui voler en demandant au sort de choisir la victime. Les pensées suprêmes d'un moderne iraient au salut individuel, assuré par la foi en un ordre divin, ou bien par la conscience d'une vie accomplie, personnelle, singulière. Un Grec ne demande aucune survivance en dehors de sa cité terrestre. Il lui remet le soin de sa mémoire.

À côté de Macarie est sa grand-mère Alcmène, une de ces vieilles femmes durcies par le malheur qu'Euripide excelle à dessiner. On lui amène Eurysthée vaincu. C'est le grand moment de sa vie. Elle attend cette revanche depuis le jour où, parce qu'elle fut trop lente à enfanter Héraclès, son fils naquit dans la dépendance du cousin premier-né. Zeus, elle l'a jugé, avec le mépris taciturne des femmes euripidéennes pour les dieux qui les accablent. Qu'a-t-il fait, l'Olympien, pour aider son fils ? Enfin le destin s'est retourné et Eurysthée prisonnier est à sa merci. Elle est bien obligée de remercier son amant d'une nuit. Mais l'attente fut trop longue et l'action de grâces est sans chaleur. Quant à Eurysthée il n'a aucune pitié à attendre de son ennemie.

Or, paradoxalement, la grande figure de la pièce, c'est Eurysthée, qui n'apparaît que lorsqu'elle est à peu près terminée. Iolaos l'a décrit en termes tels qu'on s'attend à un traître de

---

Macarie a un mot révélateur : « Ce n'est pas, dit-elle, que j'aie rang de chef de famille… ». C'est à ce rang qu'elle aspire, celui que la mort seule est capable de lui donner.

*drame populaire. À tant de noirceurs, un récit de messager
ajoute même, pour la bonne règle, la lâcheté. On amène,
enchaîné, un homme silencieux et plein de dignité. Il écoute
sans un mot les insultes d'Alcmène, la discussion dont son sort est
l'enjeu. On va le tuer, atrocement, et il le sait. Vient alors une
courte déclaration où deux destinées rivales sont vues de haut
par un homme qui va mourir. C'est Héra, dit-il, qui lui a
imposé de combattre Héraclès. Il y avait tant de dieux dans
l'Olympe et ils s'entendaient si mal qu'un Grec trouvait toujours là-haut quelqu'un à qui faire endosser ses erreurs. Quand
Eurysthée accuse Héra, nous parlerions du caractère, qui est
pour chaque homme un destin plus inexorable que la Parque, et
des ténèbres de l'inconscient. C'est elles qu'Eurysthée décrit,
quand il allègue la malédiction de la violence initiale.*

> … Je me fis ingénieux inventeur de souffrances,
>   j'en ai mis quantité au monde, tenant conseil sans cesse
>   avec la nuit,
>   pour cesser d'habiter avec la peur.

*Euripide n'a peut-être rien écrit de plus beau que ce passage
où il grandit Héraclès en lui donnant sa nocturne contrepartie.*

*Les meilleurs manuscrits d'Euripide n'ont pas cette pièce qui
nous est peut-être parvenue mutilée : quelques vers cités par des
auteurs anciens n'y figurent pas. Le dénouement comporte
d'étranges contradictions : si Alcmène livre aux chiens le corps
d'Eurysthée, comment celui-ci, enterré, pourra-t-il servir de
talisman à Athènes ? D'autre part, l'œuvre est par endroits
d'une telle sécheresse que l'on a imaginé des morceaux perdus
tout entiers. Macarie cesse d'exister dès qu'elle est sortie de scène,
sinon que le narrateur du combat mentionne une « gorge
humaine » tranchée par les devins avant la bataille. Mais
quelles effusions n'auraient pas paru banales après la haute
dignité des adieux ? Une scène entre Alcmène et Macarie ?
Alcmène sort du temple pour s'enquérir de Hyllos, non de
Macarie qui l'a quittée pour venir aux nouvelles et qui s'en est
allée sans prendre congé de sa grand-mère. Cette indifférence
viole les conventions et contredit crûment la mythologie des sentiments familiaux. C'est qu'Euripide savait ce que c'est qu'une
vieille femme. Alcmène a aimé Héraclès. Quelque chose d'Héra-*

clès revit en Hyllos, l'aîné des garçons ; peut-être, globalement, dans les cadets. Le reste ne compte plus, s'il a jamais compté. Osons reconnaître là la vérité la plus courante.

Euripide a tiré Les Héraclides, *comme* Médée, *d'une légende à argument long, mais sans arriver à lui donner la même et admirable condensation. Il lui a manqué un personnage central qui eût été autre chose qu'un souffrant. Davantage, en ces très dures années de guerre, il a été obsédé par le malheur d'Athènes au point de laisser le présent réel colorer sa vision du passé légendaire.*

Héraclès est un héros argien. Mais l'histoire de ses descendants constituait la chronique fabuleuse des invasions doriennes. Un Athénien de 430 qui entendait parler des Héraclides pensait aux Spartiates et la pièce suggérait un contraste qui se résumait ainsi : « Seule la cité de Thésée a donné asile aux enfants traqués. Et aujourd'hui l'armée des rois héraclides vient envahir l'Attique. »

L'invasion spartiate fut partielle en 431 et en 430, contrariée par la peste en 429, étendue en 428 au point d'atteindre en 427 la tétrapole de Marathon où étaient fixés les grands souvenirs de l'hospitalité offerte aux proscrits. Le thème de l'« ingratitude spartiate » prenait dès lors toute son acuité. Euripide l'évoque au dénouement par la seule bouche autorisée, celle d'Eurysthée qui, pour remercier Athènes de l'avoir traité conformément aux lois de la guerre, lui promet que les descendants des Héraclides ne violeront pas impunément le lieu où il aura été enterré. Toute la pièce en est désaxée. L'homme qui personnifiait l'injustice en face d'Athènes championne du droit devient brusquement l'allié d'Athènes contre la postérité future des suppliants traqués. Le revirement déconcerte, et la projection dans un avenir lointain altère jusqu'à l'unité d'intérêt.

Je la crois postérieure à Hippolyte *où n'affleure aucun patriotisme blessé, postérieure aussi à l'invasion de Marathon et au sac de Platée, où les Spartiates commirent véritablement un crime d'ingratitude politique (Thucydide I. 71 ; III. 54) : jouée peut-être en 426 ou 425.*

Les Héraclides

PERSONNAGES

IOLAOS, ancien écuyer d'Héraclès.
COPREUS, héraut d'Eurysthée.
DÉMOPHON, roi d'Athènes.
MACARIE, fille d'Héraclès.
UN SERVITEUR
ALCMÈNE
UN ESCLAVE d'Alcmène.
EURYSTHÉE, roi d'Argos.
Chœur de vieillards athéniens.

La scène représente le temple de Zeus à Marathon.
Sur les marches de l'autel est assis Iolaos,
entouré de jeunes garçons. Ils ont déposé sur la pierre
leurs rameaux de suppliants noués de bandelettes.

PROLOGUE

IOLAOS

Ma longue vie m'a enseigné que parmi les humains
l'un se conforme à la justice dans ses rapports avec autrui,
l'autre, qui n'a de cœur que pour son intérêt,
est dans l'État un inutile, un voisin malcommode,
dévoué seulement à lui-même. Je sais cela pour l'avoir vu.
    Quant à moi l'honneur m'a guidé et j'ai servi ceux de ma
        race.
Quand je pouvais vivre en paix dans Argos, j'ai pris ma part,
comme aucun autre, à presque tous les travaux d'Héraclès,
du temps qu'il était parmi nous. À présent qu'il habite le ciel
je tiens ses enfants abrités sous mes ailes.
Je suis ici pour les sauver, quand moi-même ai besoin de
        secours.
    Dès que leur père eut disparu
Eurysthée aussitôt voulut nous mettre à mort,
mais nous avons pu fuir. Si nous n'avons plus de maison
la vie du moins est sauve. Errants et proscrits
nous émigrons d'une ville à l'autre,
car Eurysthée à tous nos maux a jugé bon d'ajouter cet
        outrage :
dès qu'il apprend où nous avons trouvé retraite,
il envoie ses hérauts nous réclamer et il obtient notre bannis-
        sement,
faisant sonner qu'Argos est une ville telle qu'on se ressent
de l'avoir pour alliée ou bien pour ennemie, et que lui-même
        a la chance avec lui.
Quand on voit en regard le peu qu'est mon secours,
ces petits qui n'ont plus de père,
le parti du plus fort l'emporte et l'on vient nous chasser.
De ces enfants je partage l'exil et les souffrances,
n'osant pas les quitter, car les gens iraient dire :

« Voyez, depuis que leur père n'est plus,
Iolaos a cessé de les protéger, quoiqu'il soit leur parent. »
Les autres cités de la Grèce nous ont ainsi exclus.
Nous voici pour finir dans ce quartier de Marathon,
en suppliants, assis à cet autel des dieux
avec l'espoir qu'ils nous protégeront. Car ces plaines, dit-on,
ont pour rois les deux fils de Thésée,
désignés par le sort parmi la lignée de Pandion.
Ils sont proches parents des enfants d'Héraclès.
C'est pourquoi nous voici aux confins de l'illustre Athènes.
Deux vieillards vont guidant la troupe des proscrits :
moi qui veille inquiet sur ces garçons,
tandis qu'à l'intérieur du temple les filles
sont réfugiées aux bras d'Alcmène,
bien en sécurité. Des vierges, des enfants, nous n'oserions
les laisser parmi la foule aux marches d'un autel.
Hyllos avec les aînés de ses frères
sont en quête d'un lieu où nous aurions asile sûr
si nous sommes forcés de repartir d'ici.

(Il voit venir le héraut.)

Mes enfants, mes enfants, par ici, tenez-vous à mes vête-
    ments.
Le voilà, il vient vers nous, le héraut d'Eurysthée, de celui
    qui nous traque,
et nous force à errer, expulsés de partout.
Malheur à toi, maudit, malheur à celui qui t'envoie !
Combien de fois leur généreux père a reçu
de la même bouche de fâcheuses nouvelles[1] !

COPREUS

Et tu crois donc avoir trouvé ici une retraite sûre ?
une cité qui se fera ton alliée ? quelle folie !
Il n'est personne au monde pour préférer
tes débiles ressources au pouvoir d'Eurysthée.
En avant ! À quoi bon te débattre ? Debout,
et partons pour Argos où tu es attendu pour être lapidé.

IOLAOS

Je refuse, car l'autel du dieu me protégera
et nous sommes ici sur une terre libre.

COPREUS

Tu veux donc que mes poings se mettent à l'ouvrage ?

IOLAOS

Je te défie d'enlever de force ces enfants et moi-même.

COPREUS, *enlevant un des enfants.*

C'est ce que tu vas voir. Mauvais prophète, du moins sur ce
  point !

IOLAOS

Moi vivant, ce ne sera pas.

Ils se battent, Iolaos tombe.

COPREUS

Debout et marche ! Quant aux enfants, que tu le veuilles ou
  non,
je les emmène au nom d'Eurysthée, de leur maître.

IOLAOS, *criant.*

Ô vous qui habitez Athènes depuis la nuit des temps.
au secours ! Nous sommes suppliants de Zeus qui protège les
  places publiques.
On nous fait violence, on profane nos bandelettes,
insulte pour la ville, outrage pour les dieux !

*Entre dans l'orchestre le chœur composé de quinze
vieux citoyens de Marathon.*

PARODOS

STROPHE

LE CORYPHÉE

Eh bien, eh bien, quel est ce cri près de l'autel ?
quel malheur va-t-il nous apprendre ?

LE CHŒUR

Ah ! voyez ce vieillard épuisé, étendu sur le sol, quelle pitié !

LE CORYPHÉE

Qui t'a jeté à terre, si déplorablement ?

IOLAOS

C'est lui, étrangers, au mépris de vos dieux
il m'arrache de force des marches de l'autel.

LE CHŒUR

*Vieux père, d'où arrives-tu parmi le peuple de la
     Tétrapole ?*
*Sûrement de la côte d'en face. Traversant la plaine marine
vous avez abordé en venant de l'Eubée.*

IOLAOS

Du tout ! Je n'ai pas traîné ma vie dans une île.
C'est de Mycènes que nous arrivons chez vous.

LE CHŒUR

Quel nom, vieux père, te donnaient les gens de Mycènes ?

IOLAOS

Héraclès, vous le savez, avait un écuyer,
Iolaos. C'est moi. Mon nom n'est pas sans gloire.

LE CHŒUR

Depuis longtemps je l'entends répéter.
Mais ces garçons, ces petits que tu tiens dans tes bras,
quel est leur père ? parle.

IOLAOS

Ce sont les enfants d'Héraclès
venus en suppliants vers toi et ta cité.

ANTISTROPHE

LE CHŒUR

Pour obtenir quoi ? être entendus dans l'assemblée ?
dis-moi, c'est là ce que vous demandez ?

IOLAOS

Que vous refusiez de nous livrer, de nous laisser
enlever de force à vos dieux, renvoyer à Argos[1].

COPREUS

Ce vœu va déplaire à tes maîtres
qui ont pouvoir sur toi et te trouvent ici.

LE CHŒUR

Il sied de respecter les suppliants des dieux, étranger,
de ne commettre aucune violence
qui les oblige à délaisser le saint asile.
L'auguste Justice n'y consentira pas.

COPREUS

À toi donc de chasser d'ici ces gens qui sont ceux d'Eurys-
    thée,
ainsi je n'aurai pas à user de ma force.

LE CHŒUR

Quand des étrangers viennent en suppliants
impie est la cité qui méprisera leur requête.

COPREUS

Mais sage la cité qui se tient hors de tout ennui,
c'est là, dans la prudence, qu'est le meilleur parti[1].

PREMIER ÉPISODE

LE CORYPHÉE

Alors c'est avec notre roi qu'il fallait t'expliquer,
avant d'user d'audace et de brutalité
pour arracher aux dieux leurs hôtes.
Ainsi le voulait le respect d'un sol libre.

COPREUS

Qui est le roi de ce pays, de cette ville ?

LE CORYPHÉE

Le successeur d'un père illustre, Démophon fils de Thésée.
C'est avec lui qu'il faudrait en débattre,
le reste est paroles perdues.
Au surplus, le voici lui-même qui arrive en hâte
avec son frère Acamas, pour savoir de quoi il s'agit.

> *Entrent par la droite le roi et son frère avec des
> gardes.*

DÉMOPHON

Puisque vous, les vieillards, vous avez devancé les plus
    jeunes,
pour accourir à la rescousse vers cet autel de Zeus,
dis-moi ce qui rassemble en ce lieu tous ces gens.

LE CORYPHÉE

Ces suppliants, seigneur, sont les fils d'Héraclès
dont les rameaux, tu le vois, environnent l'autel,
et voici Iolaos, le fidèle écuyer de leur père.

DÉMOPHON

Que leur arrive-t-il qui provoque ces cris ?

LE CORYPHÉE

On leur fait violence. Cet homme que voilà veut les arracher
    à l'autel.
Il a jeté le vieillard à genoux ; les cris nous ont appelés.
J'en pleure de pitié.

DÉMOPHON

Son vêtement est grec, sans doute, et sa façon de le porter.
Mais ces actes-là sont ceux d'un bras barbare.
À toi de t'expliquer, et tout de suite, devant moi.
De quelle cité arrives-tu ?

COPREUS

Je suis Argien, si tu veux le savoir.
Quelle raison et qui me fait venir, je ne demande qu'à le
    dire.
Le roi Eurysthée m'envoie de Mycènes
pour ramener ceux qui sont là. Je viens, étranger,
avec de nombreux titres légitimes à exposer et à faire
    valoir.
    En effet, moi, Argien, ce sont des Argiens que je réclame,
déserteurs à l'égard des lois de ma patrie
qui les ont condamnés à mort.
Nous avons le droit, habitant un État souverain,
de faire exécuter contre nos citoyens les arrêts de nos tribu-
    naux.
À bien d'autres foyers ils sont allés se présenter,
sans que nulle ville eût risqué de s'attirer sa part de repré-
    sailles.
Pour venir jusqu'ici, il faut qu'ils aient en toi
présumé quelque aveuglement, ou bien, ne sachant plus
quel parti prendre, ils auront joué le tout pour le tout.
Si tu as ton bon sens, ils ne peuvent compter
que, seul dans cette Grèce qu'ils s'en vont parcourant,
tu seras fou au point de les prendre en pitié.
    Allons, vois et compare. Tu les accueilles chez toi
ou tu nous permets de les emmener.
    Dans chaque cas, qu'y a-t-il à gagner ?

Pour nous, voici ce que nous avons à t'offrir :
la puissance argienne, la force d'Eurysthée,
qui viendront confirmer ton État.
Mais que tu cèdes à leurs discours et à leurs plaintes
et te laisses attendrir, alors l'affaire est remise
à la lance. Car nous ne quitterons pas la partie,
sache-le bien, sans donner la parole au fer.
Alors, qu'auras-tu à dire ? Pour reprendre quels champs,
pour venger quels pillages auras-tu guerre avec Argos ?
pour protéger quels alliés ? Et pour l'amour de qui
devras-tu enterrer des morts ? On te maudira
dans la ville, si pour un vieil homme,
une tombe, un néant, autant dire,
et pour ces enfants-là, tu vas tomber dans le bourbier.
Son meilleur argument serait une espérance et rien de
        plus.
Mais quel avenir vaut mon offre présente ?
Tu les vois déjà grandis et armés, et cela te grise.
Ils ne tiendront quand même pas contre les Argiens
et entre-temps on peut dix fois
vous achever. Non, crois-moi.
Sans rien donner, en me laissant prendre mon bien,
tu mets Mycènes de ton côté. Pour une fois
prends tes amis du côté le plus fort,
et non, comme vous aimez à le faire, parmi les faibles.

DÉMOPHON

Comment décider d'une cause
avant d'avoir bien entendu les deux parties ?

IOLAOS

Puisque ton pays, seigneur, m'accorde ce droit,
je vais parler, après avoir écouté l'autre,
sans que nul dès l'abord me repousse ainsi qu'on fit ail-
        leurs.
Entre nous et cet homme il n'est rien de commun.
Puisque nous sommes exclus d'Argos,
bannis par décret de notre patrie,
de quel droit viendrait-il nous réclamer comme Mycéniens,
tels que nous sommes là, chassés, expulsés ?

Étrangers, voilà notre titre.
Ou bien, pour avoir été exilé d'Argos,
doit-on s'exiler de toute la Grèce ?
Non d'Athènes, en tout cas. La peur des Argiens
ne fera pas chasser d'ici les enfants d'Héraclès.
Athènes n'est pas une Trachis, un bourg d'Achaïe, d'où sans
        juste titre,
faisant sonner le nom d'Argos, comme à présent,
tu dispersais les suppliants assis sur les autels.
S'il en doit être ainsi, s'ils te donnent raison,
je ne reconnais plus en eux la libre Athènes.
Mais je sais bien leurs sentiments et leur nature :
ils choisiront plutôt la mort. L'honneur
compte plus que la vie pour qui a le cœur haut.
    Sur Athènes en voilà assez.
On lasse à louer trop longtemps,
et souvent, je le sais, un éloge excessif m'a pesé.
Toi seigneur, en personne, tu as le devoir, que je vais t'expli-
        quer,
de les sauver, puisque tu es ici régnant.
De Pélops descend Pitthée père d'Æthra,
laquelle eut un fils qui était ton père,
Thésée. Je remonte à présent à la source des miens.
Héraclès naquit de Zeus et d'Alcmène,
de qui la mère était née de Pélops.
Tu vois là, Démophon, ce qui unit vos deux familles.
Mais sans compter la parenté, tu as
une dette envers ces enfants, celle que je vais dire.
J'ai pris jadis la mer, étant écuyer de leur père[1].
Quand nous allions avec Thésée pour conquérir le baudrier
        fatal,
et de l'Hadès, du gouffre sombre, c'est Héraclès qui ramena
ton père. Toute la Grèce en peut témoigner.
Ses enfants en retour te demandent la grâce
de ne pas les livrer, de ne pas les laisser arracher
aux autels de tes dieux et chasser du pays.
Ce serait honte pour ta personne et pour la ville
que des suppliants, des réfugiés, tes cousins — ah !
        vilenie —
regarde-les, regarde-les, soient enlevés de force.
Non, je t'en prie, en t'entourant de mes deux bras,
en touchant ton menton ; ne me refuse pas

de prendre sous ta garde les enfants d'Héraclès[1].
Montre-toi leur parent, montre-toi leur ami,
tiens-les pour tes enfants, tes frères, tes esclaves. Tout vaut
    mieux
que de tomber au pouvoir des Argiens.

LE CORYPHÉE

Quelle pitié, seigneur, d'entendre leur histoire !
Le sort tient la naissance en échec,
jamais je ne l'ai si bien vu. Nés du plus noble père
ce qu'ils souffrent est immérité.

DÉMOPHON

Par trois accès, Iolaos, votre malheur me presse[2]
et me contraint d'écouter tes paroles.
Par-dessus tout il y a Zeus : tu es assis à son autel
entouré de ta jeune nichée ;
puis la parenté et les beaux services reçus de leur père,
dette que j'ai à leur payer ;
enfin le déshonneur, auquel il faut songer surtout.
Si je livre cet autel à la brutalité d'un étranger,
je ne paraîtrai plus être le roi d'un État libre,
mais par crainte des Argiens avoir trahi des suppliants.
C'est là se mettre la corde au cou.
Ah ! que n'es-tu venu quand ta fortune était meilleure !
Tant pis ! Même ainsi ne crains rien. Personne
n'arrachera de cet autel ni toi ni les enfants.

                    (*À Copreus.*)

Toi, pars pour Argos, dis ma réponse à Eurysthée.
S'il a quelque grief contre ces étrangers
il obtiendra justice. Mais te laisser les emmener, jamais.

COPREUS

Même si j'ai des droits et si je te les prouve ?

DÉMOPHON

Quel droit permet de se saisir d'un suppliant ?

COPREUS

L'affront est donc pour moi, mais pour toi sera le dommage[1].

DÉMOPHON

Dommage, oui, si je te les livrais.

COPREUS

Renvoie-les simplement aux frontières, d'où nous saurons les emmener.

DÉMOPHON

Faut-il que tu sois sot pour te croire plus sage qu'un dieu!

COPREUS

Ton pays, je le vois, sera l'asile des criminels.

DÉMOPHON

La demeure des dieux est le rempart de tous.

COPREUS

Les Mycéniens pourraient en juger autrement.

DÉMOPHON

Ne suis-je pas seul juge en ce qui nous concerne?

COPREUS

Oui, si tu es assez prudent pour te garder de toute offense envers Mycènes.

DÉMOPHON

Jugez-vous offensés, pourvu qu'envers les dieux je reste pur.

_265-276_ Les Héraclides 319

COPREUS

Je ne souhaite pas te voir en guerre avec Argos.

DÉMOPHON

Ni moi. Mais pour ces malheureux je ne faiblirai pas.

COPREUS

Pourtant je les emmènerai. Ils sont à moi. Je les réclame.

DÉMOPHON

Ton retour en ce cas ne se fera point sans encombre.

COPREUS, *faisant le geste d'enlever un des enfants.*

Je vais le savoir car je prends le risque.

DÉMOPHON, *levant son sceptre.*

Tu t'en repentiras, et sur-le-champ, si tu les touches.

LE CORYPHÉE

Au nom des dieux, ne va pas te risquer à frapper un héraut!

DÉMOPHON

Que le héraut, alors, apprenne la décence.

LE CORYPHÉE, *à Copreus.*

Écarte-toi.

(Au roi)

Toi, seigneur, ne le touche pas.

COPREUS

Je pars. Je ne saurais livrer seul un combat.
Mais je vais revenir, et l'Arès argien avec moi,
toute une armée vêtue de bronze. Ils sont dix mille qui m'attendent,

le bouclier au bras, et le roi Eurysthée
à leur tête. À l'extrême frontière d'Alcathos[1]
il est là aux aguets pour savoir l'issue de ma démarche.
Quand il apprendra ton affront, il surgira terrible
pour toi et pour ton peuple, ton sol et ses cultures.
Que vaudrait dans Argos notre belle jeunesse
si nous ne pouvions nous venger de toi?

Il sort par la gauche.

DÉMOPHON

Cours à ta perte! Ton Argos ne me fait pas peur.
Tu n'allais pas d'ici, à ma grand'honte,
les enlever de force. La cité d'Argos
n'a rien à dicter à la mienne. Athènes est libre.

LE CORYPHÉE

C'est l'heure d'aviser avant qu'apparaisse aux frontières
　　l'armée d'Argos.
Il est impétueux, l'Arès mycénien,
et va l'être plus que jamais.
Car tous les hérauts ont pour loi
de doubler les faits pour se faire valoir.
Que crois-tu qu'il raconte au roi?
Qu'on l'a maltraité, qu'il a bien failli perdre ici la vie?

IOLAOS

Les enfants n'ont pas de plus bel apanage
que la noblesse et l'excellence de leur père,
puis de prendre une épouse en bon lieu. Mais celui qui cède
　　au désir
et s'allie aux vilains, comment l'approuver
quand pour l'amour de ses plaisirs il laisse à ses enfants
　　mauvais renom?
Une haute naissance prévaut contre le mauvais sort
qui accable les gens de rien. Voyez nous-mêmes: tombés
au tréfonds du malheur, nous avons trouvé des amis,
des parents dans ces hommes qui seuls parmi les peuples
de l'immense Grèce, se sont levés pour nous défendre.

Donnez-leur, mes enfants, donnez-leur votre main,
et vous, venez prendre la leur, rapprochez-vous les uns des
    autres.
    Nous avons fait, mes fils, l'épreuve de leur amitié.
Si jamais luit pour vous le retour au pays,
si vous rentrez dans la maison et les honneurs de votre père,
jamais contre leur sol ne levez votre lance.
Gardez mémoire de ce jour et que cette cité
vous soit chère entre toutes. Elle a droit à votre respect,
car d'un pays puissant et d'un peuple pélasge
elle a de nous sur soi détourné la colère.
Elle nous voit, mendiants et proscrits, et cependant
rien ne l'a décidée à nous livrer, à nous bannir.

(À Démophon.)

    Pour toi toute ma vie, et quand viendra mon heure de
        mourir,
je te louerai encore, mon ami. Devant Thésée je ferai ton
        éloge,
je ferai haut sonner ton nom, lui disant pour sa joie
comment tu accueillis et secourus les fils
d'Héraclès ; que, digne de ton sang, tu maintiens droite en
        Grèce
la gloire de ton père ; que, né de grande race,
tu n'as en rien dégénéré.
Rares sont tes pareils. On en trouve bien peu
qui ne soient inférieurs à leurs pères.

LE CORYPHÉE

De tous temps ce pays a aimé secourir
les détresses, pourvu que la justice les soutînt.
Et c'est pourquoi il a souffert pour ses amis
mille peines, tel ce combat que je vois imminent.

DÉMOPHON

Tu as bien dit. J'en suis sûr, vénérable, ces enfants
t'auront entendu : le service reçu restera en mémoire.
    Pour moi, j'ai maintenant les citoyens à convoquer,
à passer en revue, afin que nous soyons en force
pour recevoir l'armée des Mycéniens, et tout d'abord des
        éclaireurs

à envoyer vers eux, pour n'être point pris par surprise,
car tout Argien est prompt à l'attaque.
Je vais aussi réunir les devins et ordonner des sacrifices.
Toi, va dans le palais avec les enfants. Quittez le foyer de
      Zeus.
Même en mon absence il y a des gens
qui auront soin de vous. Prends le chemin de la maison.

IOLAOS

Je voudrais ne pas quitter cet autel. Restons ici
en suppliants, priant pour le succès d'Athènes.
Quand vous serez sortis victorieux de l'épreuve
nous irons au palais. Des dieux vont combattre pour nous
qui valent bien ceux des Argiens, seigneur.
Eux sont protégés par Héra, par l'épouse de Zeus,
et nous par Athéna. Je le déclare haut : pour réussir
il faut aussi pouvoir compter sur des dieux qui dominent.
Jamais Pallas ne souffrira d'être vaincue.

> *Démophon et son frère sortent par la droite avec
> leur escorte.*

PREMIER STASIMON

STROPHE

LE CHŒUR

Tu parles bien haut, mais qui en fait cas,
étranger vantard qui nous vient d'Argos ?
et tous tes grands mots
ne troubleront ni moi
ni Athènes la grande ville,
aux belles places à danser.
Vous avez mal fait votre compte,
toi et ton roi, le fils de Sthénélos,
qui règne sur Argos.

ANTISTROPHE

Tu entres ici dans une cité
qui vaut bien Argos. Tu trouves des gens,
de pauvres proscrits qui supplient les dieux
attachés au sol du pays,
et toi, étranger, tu voudrais par force
les en arracher ?
Le roi ne t'a pas fait céder.
Tu n'avais cependant nul titre à alléguer ?
Qui pourrait approuver une telle conduite ?
Personne de sensé.

ÉPODE

Certes la paix m'est chère,
mais sache-le, roi aux pensers méchants,
si tu attaques notre ville
tu n'obtiendras pas si facilement ce que tu espères.

Tu n'es pas le seul qui ait une épée,
qui ait une targe renforcée de bronze.
Dans ton grand amour des batailles
ne viens pas troubler du bruit de tes armes
la cité des Grâces.
Sache te contenir.

Démophon et sa suite rentrent par la droite.

SECOND ÉPISODE

IOLAOS

Qu'est-ce, mon fils, quel souci dans tes yeux ?
Au sujet de nos ennemis, quelle nouvelle ?
Hésitent-ils ou sont-ils là ? Qu'as-tu donc appris ?
Ne t'attends pas que le héraut ait menacé en vain.
Le général comblé des dons des dieux[1]
marchera, j'en suis sûr, le cœur rempli d'orgueil,
contre Athènes. Mais Zeus est là pour réprimer
les pensers trop superbes.

DÉMOPHON

L'armée d'Argos s'avance avec son chef Eurysthée.
Moi-même j'ai voulu la voir, car un homme
qui prétend posséder l'art du commandement
connaît ses adversaires avec ses yeux et non par ceux des
    éclaireurs.
Le roi n'a pas encore lâché ses troupes sur nos plaines.
Arrêté sur un roc escarpé il cherche
— c'est du moins ce que je suppose —
la voie pour s'avancer sans résistance
et planter son camp en sécurité.
De mon côté, dès à présent, toutes mesures sont bien prises.
La cité est en armes, les victimes sont préparées
pour ceux des dieux à qui l'on doit les égorger.
Par toute la ville les devins sacrifient
pour la déroute de l'ennemi et pour notre salut.
Tous ceux qui savent des oracles ont été réunis,
interrogés par moi. J'ai sondé les vieilles prophéties,
publiques et secrètes, qui sont les clefs de notre salut.
Les avis divins diffèrent entre eux
et de beaucoup, mais tous s'accordent sur un point.
Je dois immoler à Coré, fille de Déméter,
une vierge de noble race. Voilà ce qu'ils m'ordonnent.

(Un temps.)

    Tu sais combien je suis acquis à votre cause.

Mais, la fille que j'ai, je ne la tuerai pas
et je n'obligerai nul de mes citoyens
s'ils s'y refusent. Or, de bon gré, qui serait assez fou
pour se dépouiller de son bien le plus cher, ses enfants ?
En ce moment, l'on se rassemble et l'on discute
âprement, l'un disant qu'il est juste
de secourir des hôtes venus en suppliants,
l'autre m'accusant de folie. Si je persiste en mon dessein,
une guerre civile est tout près d'éclater.
À toi de voir et de trouver avec moi un moyen
pour sauver à la fois et notre sol et vous,
sans que je sois en désaccord avec les citoyens.
Je n'ai pas le pouvoir absolu des rois chez les Barbares.
Il me faut être juste pour être justement traité.

LE CORYPHÉE

Quoi donc ? Notre cité veut secourir ses hôtes
et un dieu s'y opposerait ?

IOLAOS

Ô mes enfants, nous ressemblons à des marins
qui viennent d'échapper à la furie de la tempête,
et touchent le sol de la main quand du rivage
le vent de nouveau les rejette au large.
Nous sommes ainsi chassés de cette terre
quand déjà nous étions à la rive, croyant être sauvés.
Malheur ! Pourquoi m'avoir alors charmé, cruelle
espérance, qui ne devais pas accomplir ta promesse !
On comprend le roi de se refuser
à mettre à mort les enfants de son peuple. De notre état
        présent,
qu'ai-je à lui reprocher ? S'il plaît aux dieux de m'envoyer
l'infortune où je suis, ton bienfait n'en est pas moins
        vivant.
    Ah mes enfants, pour vous que vais-je faire ?
Vers où aller ? Quel dieu n'a reçu nos rameaux ?
Quel rempart ne nous vit approcher ?
Nous allons périr, mes enfants, car nous allons être livrés.
Pour moi, s'il me faut mourir, je m'en soucierais peu,
n'était que ma mort fera la joie de mes ennemis.
C'est sur vous que je pleure et que je gémis

et sur la vieille Alcmène, la mère de votre père.
Ô malheureuse qui as trop longtemps vécu,
et moi infortuné pour avoir tant peiné en vain !
Il nous fallait donc, il fallait honteusement tomber
dans les mains de notre ennemi et finir dans le sang.
    Pourtant tu m'aideras encore. Sais-tu comment ?
Un seul espoir de les sauver me reste.
Livre-moi aux Argiens à leur place, seigneur.
Ainsi, sans te mettre en péril, ils seront épargnés,
mes enfants ! Je n'ai pas le droit de tenir à ma vie. Qu'il en
    soit ainsi fait.
Ce qu'avant tout veut Eurysthée, c'est me saisir
et pouvoir outrager le compagnon d'Hercule,
car c'est un homme grossier. Le sage doit se souhaiter
pour ennemi un sage aussi, non un brutal vulgaire,
pour garder quelque chance d'égards et de justice[1].

LE CORYPHÉE

Abstiens-toi, vieillard, d'accuser ma patrie.
Car on aurait tôt fait de dire, faussement
mais à grand'honte, que nous avons livré nos hôtes.

DÉMOPHON

Ton offre est généreuse, mais ne nous aide en rien.
Ce n'est pas pour réclamer ta personne que le roi mène ici
    son armée.
Que gagnerait donc Eurysthée à la mort d'un vieil homme ?
Non, ceux qu'il veut tuer sont devant toi.
Un ennemi prend peur quand fleurissent sur un noble
    tronc
des jouvenceaux qui n'ont pas oublié
les souffrances de leur père. Et c'est là ce qu'il veut préve-
    nir.
Si tu voyais un projet plus utile
songe à le préparer, car je suis sans ressource,
et l'ordre des oracles me laisse plein d'effroi.

            Macarie sort du temple et s'avance.

MACARIE

Étrangers, si je sors, ne me reprochez toutefois
nulle hardiesse, et c'est ce que d'abord je vous demanderai.
Car pour une femme silence et réserve
sont la parure la plus belle, et la retraite au fond de la maison.
Mais je t'ai entendu te plaindre, Iolaos,
et me voici, non que j'aie rang de chef dans la famille,
mais parce qu'il convient, dans mon constant souci
concernant mes frères surtout, que je sache, et pour eux et
     pour moi,
si en plus de nos maux passés
un nouveau tourment ne mord pas ton cœur.

IOLAOS

Voici longtemps, ma fille, que parmi les enfants
d'Héraclès, tu me parais la plus digne d'éloges.
Nous pensions bien avoir mené les nôtres à bon port[1].
Les voici de nouveau tombés dans la détresse.
Car les oracles, dit le roi, demandent
non un taureau, une génisse, mais qu'une vierge
soit égorgée à Coré, une vierge de sang noble,
si nous voulons et si la ville veut survivre.
C'est l'obstacle qui nous arrête. Le roi en effet se refuse
à livrer au couteau ni ses enfants ni ceux d'un autre,
et, sans le dire net, il me donne à entendre
que c'est à nous de découvrir quelque remède
ou bien d'aller chercher refuge ailleurs.
Il a d'abord, lui, son pays à sauver.

MACARIE

Et notre salut tient inclus dans cet oracle ?

IOLAOS

Oui, pour le reste tout va bien.

MACARIE

Cesse alors de trembler devant Argos et ses lances brandies.
Me voici qui viens libre, avant qu'on m'y invite, père,

prête à mourir et à m'offrir comme victime.
De quel front, quand la cité accepte
d'assumer pour nous ce grand risque,
pourrions-nous rejeter l'épreuve sur autrui,
et refuser notre salut pour épargner une vie ?
Nous ne le ferons pas. On pourrait se moquer
si nous ne savions que prier, gémir aux pieds des dieux,
et, lorsqu'un tel père nous a donné l'être,
qu'on dût nous trouver lâches. Qu'en penseraient les gens de
     cœur ?
Crois-tu qu'il vaudrait mieux pour moi, si la ville était prise,
ce qu'aux dieux ne plaise, tomber aux mains des ennemis
pour d'indignes outrages, moi, née d'un père illustre,
et aboutir tout de même à l'Hadès ?
Ou bien, chassée d'ici, aller à l'aventure
et rougir de honte si l'on vient à dire :
« Qu'arrivez-vous ici, suppliants chargés de rameaux,
vous qui craignez tant de mourir ? Allez-vous-en.
Vous n'êtes que des lâches que nous n'aiderons pas. »
C'est que je n'ai pas même, si mes frères périssent
et que je sois sauvée, cet espoir de bonheur
qui poussa tant de gens à trahir leurs amis.
Une fille seule et sans appui, qui voudrait l'épouser ?
avoir de moi des enfants ?
Mieux vaut mourir que de subir un sort
indigne de moi, bon pour qui n'est point
d'une souche illustre ainsi qu'est la mienne.

                                        (Elle se tourne vers le roi.)

   Conduisez-moi où mon corps doit mourir,
revêtez-le de bandelettes et préludez au sacrifice, à votre
     guise !
Et puis soyez vainqueurs ! Ma vie est à vous,
librement offerte ! Je le déclare :
je meurs pour mes frères et aussi pour moi-même.
Quelle chance pour moi, qui ne tiens pas à la vie,
la plus belle des chances : en sortir pour trouver la gloire !

LE CORYPHÉE

Ô grand cœur ! Qu'ajouter à la haute parole
d'une fille qui s'offre à mourir pour ses frères ?

qui donc pourrait parler avec plus de noblesse,
agir plus généreusement?

IOLAOS

Ah mon enfant, c'est bien de lui que tu es née,
tu as en toi l'étincelle divine
qui te vient d'Héraclès! Je suis fier
de t'entendre, tout en déplorant ton destin.
Je voudrais le régler plus équitablement. Écoute.
Toutes tes sœurs, il faut les réunir ici,
et que le sort désigne celle qui mourra pour la race.
Serait-il juste que tu périsses avant qu'il ait prononcé?

MACARIE

Mais moi je refuse une mort dont le hasard décide.
Où serait le mérite? N'ajoute rien, vieux père.
Si vous acceptez, si vous voulez de moi qui m'offre
pour vos desseins, ma vie vous appartient:
je la donne à mes frères. Mais qu'on me laisse en disposer
    selon mon gré.

IOLAOS

Admirable fille! Tout ce que tu dis
montre de plus en plus ta générosité.
Tu te surpasses en bravoure, en noblesse.
Sans te conseiller de mourir, je ne saurais t'en détourner, ô
    mon enfant,
car en mourant tu sauves tes frères.

MACARIE

C'est parler sagement. Ne crains pas que te souille
le contact de mon sang, puisque c'est librement que je
    meurs.
Viens avec moi, vieux père, je voudrais mourir dans tes bras,
et sois là pour couvrir mon corps de ma robe.
Être égorgée, ô sort affreux, je vais marcher à sa rencontre,
en digne fille du père qui est ma gloire.

IOLAOS

Je n'aurais pas la force d'assister à ta fin.

MACARIE

Alors demande au moins au roi qu'il n'y ait aucun homme,
mais des femmes, pour recevoir mon dernier souffle.

DÉMOPHON

Il en sera ainsi, ô fille infortunée,
car je me couvrirais de honte si je te refusais
tous les honneurs que réclament pour toi
ta grandeur d'âme et la justice. Tu es bien la plus courageuse
de toutes les femmes que je vis jamais.
À présent, si tu veux, à ce vieil homme,
à ces enfants, dis ton dernier adieu et puis partons.

MACARIE

Adieu, mon vieil ami, adieu, et puisses-tu former
ces enfants, pour qu'en toutes choses ils soient sages
autant que toi : Que demander de plus ?
Efforce-toi de les sauver, de tout ton cœur aimant.
Nous sommes tes enfants, tes mains nous ont nourris.
Regarde-moi. Ma saison nuptiale
je l'offre pour eux et je meurs.
Et vous, mes frères ici rassemblés,
soyez heureux ; puissiez-vous recevoir
tout le prix de mon sang répandu.
Notre vieil ami, et celle qui est là dans le temple,
Alcmène, notre vieille grand-mère, honorez-les,
ainsi que ceux qui nous ont accueillis. Si jamais les dieux
     vous accordent
la fin de vos peines et le retour au pays,
n'oubliez pas d'inhumer dignement celle qui vous sauva[1].
Les plus beaux honneurs me sont dus. Je n'ai pas lésiné
quand il s'agit de vous aider. Je suis morte pour les miens.
C'est mon trésor à moi, qui me tient lieu d'enfants,
de ma virginité offerte, si quelque sentiment subsiste sous la
     terre.

Ah ! puisse-t-il n'y avoir plus rien. Si c'est pour retrouver
là aussi les chagrins, nous qui allons mourir,
quel refuge nous restera-t-il ? Car on dit que la mort
est le plus sûr remède à tous les maux.

> *Elle sort avec Démophon par la droite, tandis que
> Iolaos lui dit :*

IOLAOS

Toi que ton grand cœur fait briller
entre toutes les femmes, sache que les plus grands honneurs
seront pour toi, vivante ou morte, sans compter.
Adieu. Je crains de dire un mot qui blesse la déesse
à qui ton corps est consacré, Coré fille de Déméter…

> *(Il chancelle.)*

Ô mes fils, c'en est fait de moi, mes genoux fléchissent
de chagrin. Soutenez-moi, appuyez-moi contre l'autel,
là, et couvrez-moi de mon manteau, enfants.
Comment voir sans douleur ces malheurs consommés ?
Et cependant l'oracle inaccompli nous enlevait la vie.
Et notre ruine était totale. Tout autour de moi est souffrance.

> *Il reste couché près de l'autel, les enfants groupés
> autour de lui.*

SECOND STASIMON

STROPHE

LE CHŒUR

Nul n'est heureux si les dieux ne le veulent
et nul sans eux n'est accablé.
Une même maison n'est pas toujours prospère ;
les caprices du sort se relaient et l'assaillent,
Aux honneurs succède une vie étroite,
puis le bonheur à la souffrance.
On ne saurait échapper au destin.
nul savoir ne peut l'écarter.
Qui l'entreprend s'inflige en vain
un éternel effort.

ANTISTROPHE

Toi donc, sans défaillir, supporte, accepte
ce qui te vient des dieux,
ne livre pas ton cœur au désespoir.
C'est avec gloire qu'elle meurt,
la pauvre enfant, pour ses frères et pour le pays
et son nom sera honoré des hommes
— la vertu marche à travers les épreuves.
Cet acte est digne de son père,
digne de sa haute naissance.
Quand tu honores la mort des héros
son cœur est avec toi.

Entre un esclave par la gauche.

TROISIÈME ÉPISODE

LE SERVITEUR

Enfants, salut. Où est le vieil Iolaos ?
Où est votre grand-mère ? Je ne les vois pas près de cet autel.

IOLAOS, *se relevant.*

Je suis ici, pour autant que je compte encore.

LE SERVITEUR

Pourquoi es-tu gisant et caches-tu tes yeux ?

IOLAOS

Un chagrin m'accable, au sujet des miens.

LE SERVITEUR

Alors redresse-toi et tiens la tête haute.

IOLAOS

Je suis très vieux et je n'ai plus de force.

LE SERVITEUR

C'est que je t'apporte une grande joie.

IOLAOS

Mais qui es-tu ? Je t'ai déjà vu, je ne sais plus où.

LE SERVITEUR

Je suis un serf d'Hyllos. Regarde-moi : ne me connais-tu
    pas ?

IOLAOS

Ô très cher, viens-tu vraiment nous sauver tous les deux ?

LE SERVITEUR

Certes, et qui plus est, tu es heureux dès à présent.

IOLAOS, *heurtant la porte du temple.*

Mère du héros, Alcmène, je t'appelle.
Sors, viens entendre de douces nouvelles.
Depuis si longtemps tu souffrais pour Hyllos
te rongeant à te demander s'il reviendrait enfin !

Alcmène sort du temple.

ALCMÈNE

Pourquoi ce toit s'est-il rempli de cris,
Iolaos ? Est-ce encore quelqu'un qui te fait violence,
un héraut venu d'Argos ? Débile
est ma force, mais, étranger, sache-le,
jamais moi vivante tu ne les emmèneras,
ou je consens qu'on cesse de me dire
la mère d'Héraclès. Si ta main touche à eux,
c'est contre deux vieillards que tu devras lutter, honte
　　　suprême.

IOLAOS

Dame, sois rassurée. Il ne vient ni d'Argos,
ni en héraut, ni pour nous menacer.

ALCMÈNE

Alors pourquoi ce cri, messager de terreur ?

IOLAOS

Pour t'appeler devant le temple et que tu le voies.

ALCMÈNE

Je ne te comprends pas. Qui est cet homme ?

IOLAOS

Il vient nous annoncer qu'Hyllos est de retour.

ALCMÈNE

Ah! salut à toi pour cette nouvelle.
Mais s'il est rentré en ces lieux
que n'est-il ici? où reste-t-il? quel accident l'empêche
d'arriver avec toi pour réjouir mon cœur?

LE SERVITEUR

Il range en bataille les troupes qu'il amène.
Mais ce sujet ne me concerne pas.

IOLAOS

Ah si! il nous concerne! C'est à moi de t'interroger.

LE SERVITEUR

Et que veux-tu savoir de ce qui s'est passé?

IOLAOS

Quelle est la force des alliés qu'il amène avec lui.

LE SERVITEUR

Elle est grande, mais je n'en puis dire le nombre.

IOLAOS

Les princes athéniens sont avertis, je suppose.

LE SERVITEUR

Certes, Hyllos a pris sa place à leur aile gauche.

IOLAOS

Quoi? l'armée déjà s'apprête au combat?

LE SERVITEUR

Et l'on a conduit à l'écart ce qu'on va immoler.

IOLAOS

À quelle distance est l'armée argienne?

LE SERVITEUR

Si près que l'on distingue nettement son chef.

IOLAOS

Et que fait Démophon? Il la range en bataille, à coup sûr?

LE SERVITEUR

Nous le pensons, mais nous n'avons pu entendre les ordres.
Il faut à présent que je parte, car je ne veux pas que ma pré-
     sence
manque à mon maître au moment d'engager le combat.

IOLAOS

Je vais avec toi, car un même désir m'anime
d'être avec les miens pour les servir ainsi que je le dois.

LE SERVITEUR

Parole d'insensé que de toi je n'attendais pas.

IOLAOS

Qu'attends-tu de moi? que je laisse seuls les miens au
     combat?

LE SERVITEUR

Mon ami, tu n'as plus ton ancienne vigueur.

IOLAOS

Quoi ? je ne saurais plus, moi aussi, viser un homme à travers
    son bouclier ?

LE SERVITEUR

Le viser, oui, mais pour tomber bien avant lui.

IOLAOS

Aucun des ennemis ne soutiendra ma vue.

LE SERVITEUR

Ce n'est pas le regard qui blesse, c'est le bras.

IOLAOS

Ils en auront du moins un de plus à combattre.

LE SERVITEUR

Faible renfort à apporter aux tiens !

IOLAOS

Ne viens pas m'arrêter, quand déjà je suis prêt à agir.

LE SERVITEUR

Agir ? tu en as bien la volonté, mais non la force.

IOLAOS

Je ne resterai pas ici, sois-en bien convaincu.

LE SERVITEUR

Et comment paraître sans armes au milieu des hoplites ?

IOLAOS

Il en est dans ce temple, prises à l'ennemi,
dont je puis faire usage. Je les restituerai
si je survis. Si je meurs, le dieu ne les réclamera pas.
Va-t'en décrocher là tout ce qu'il faut à un hoplite
et me l'apporte sur-le-champ.
Honteuse façon de garder la maison
que d'y rester en lâche quand les autres combattent.

Le serviteur entre dans le temple.

LE CORYPHÉE

Le temps n'a pas pu plier ton ardeur.
Elle reste jeune, mais ton corps n'est plus.
Tu t'efforces en vain et tu vas te nuire
pour servir bien peu notre ville.
Il faut savoir, quand on est vieux,
corriger ses erreurs et renoncer à l'impossible.
Comment donc pourrais-tu retrouver ta jeunesse?

ALCMÈNE

À quoi penses-tu? Tu es hors de sens
de me laisser seule avec mes enfants, vieil homme!

IOLAOS

Aux hommes le combat. Tu t'occuperas d'eux.

ALCMÈNE

Et si tu meurs, comment réchapperai-je?

IOLAOS

Il restera tes petits-fils pour prendre soin de toi.

ALCMÈNE

Et, ce qu'aux dieux ne plaise, si un malheur leur arrivait?

IOLAOS

Nos hôtes que voilà, ne crains rien, ne te trahiront pas.

ALCMÈNE

C'est bien tout mon espoir et le seul qui me reste.

IOLAOS

Zeus aussi, je le sais, a souci de tes peines.

ALCMÈNE

Zeus ! Je ne dirai pas un mot contre lui.
C'est à lui de savoir s'il se conduit loyalement à mon égard.

Le serviteur sort du temple, portant les armes.

LE SERVITEUR

Voici une armure complète, hâte-toi de t'en recouvrir,
car le combat va commencer et Arès ne déteste
rien tant que les traînards. Si le poids des armes t'effraie
pars sans les revêtir. Une fois en ligne
tu pourras t'en charger. D'ici là je les porterai.

IOLAOS

Très bien, mais tiens le tout à ma portée.
Mets-moi en main l'épieu de hêtre,
soutiens mon bras gauche et dirige mon pas.

LE SERVITEUR

Crois-tu qu'on tienne un hoplite à la main, comme un
     enfant ?

IOLAOS

Et le présage ? Un faux pas serait de mauvais augure.

LE SERVITEUR

Ah ! si ta force égalait ton ardeur !

IOLAOS

Va donc. Si je manquais le combat, quel regret !

LE SERVITEUR

C'est toi qui nous retardes en croyant te presser.

IOLAOS

Ne vois-tu pas comme mes pieds s'élancent ?

LE SERVITEUR

Je vois un homme qui croit courir et ne court guère.

IOLAOS

Tu ne parleras plus ainsi quand là-bas tu me verras faire.

LE SERVITEUR

Faire quoi ? Je ne demande qu'à voir des prouesses.

IOLAOS

Mon coup touchera l'homme et à travers le bouclier.

LE SERVITEUR

Oui, si nous arrivons. C'est ce premier point qui m'inquiète.

IOLAOS

Ô mon bras, tel que tu fus en ta belle saison,
je m'en souviens, quand avec Héraclès
tu saccageais Sparte, sois mon allié,
aussi robuste qu'autrefois. Quelle déroute alors

j'infligerai à Eurysthée ! Car il est lâche et ne tient pas devant
    la lance.
Quand un homme est prospère, on s'imagine à tort
que c'est un grand cœur, et que celui qui réussit
doit ses succès à son habileté.

            Ils sortent ensemble par la gauche.

TROISIÈME STASIMON

STROPHE I

LE CHŒUR

*Ô lune au ciel planant toute la nuit
rayons du dieu brillant pour tous les hommes,
portez la nouvelle, criez vers le ciel,
jusqu'au trône de Zeus,
et, vers Athéna aux yeux gris :
que pour avoir reçu des suppliants
c'est le sort même de ma patrie,
c'est le sort même de mes foyers,
que je vais devoir livrer au danger
où c'est le fer blême qui décide.*

ANTISTROPHE I

*On peut bien trembler de voir une Mycènes
ville heureuse et louée pour l'éclat de sa lance
couver du courroux contre notre terre.
Mais malheur à toi, ma cité,
si nous abandonnons nos hôtes,
si nous livrons des suppliants
quand Argos nous en vient sommer.
Zeus avec moi je ne crains rien !
Et Zeus doit cette grâce à notre cité juste.
Jamais les mortels par ma faute
ne mettront les dieux en échec.*

STROPHE II

Sainte Athéna, cette terre est ton bien
et de notre cité
tu es la mère, la reine et la gardienne.
Écartes-en ce roi ami de l'injustice
qui mène d'Argos contre nous
ses lances menaçantes.
Serait-il juste que notre noblesse
nous fît chasser de nos foyers ?

ANTISTROPHE II

En ton honneur, combien de sacrifices
sont offerts en tout temps !
Oublions-nous le jour où la lune décline
quand pour toi chante la jeunesse
avec la musique des chœurs ?
Sur l'Acropole battue des vents
sonne le cri aigu de l'imploration,
tandis que le talon des vierges
toute la nuit frappe la terre[1].

Entre par la gauche un messager, un esclave
d'Alcmène.

QUATRIÈME ÉPISODE

L'ESCLAVE

Maîtresse, je t'apporte la nouvelle
la plus courte à entendre et la plus belle à dire.
Nous sommes vainqueurs, le trophée s'élève,
fait d'armures entières conquises à l'ennemi.

ALCMÈNE

Ô très cher, ce jour t'a conduit[1]
à ta liberté, pour prix de ce message-là.
Il me reste un souci. Vas-tu m'en délivrer ?
Je tremble pour la vie de ceux qui me sont chers.

L'ESCLAVE

Ils sont vivants. Grande est leur gloire dans l'armée.

ALCMÈNE

Le vieil Iolaos est parmi eux ?

L'ESCLAVE

Certes. Les dieux lui ont donné leur plus belle faveur.

ALCMÈNE

Laquelle ? A-t-il fait quelque action d'éclat ?

L'ESCLAVE

Parti vieillard, il s'est là-bas retrouvé jeune.

ALCMÈNE

Ô merveille ! Mais c'est la victoire des nôtres
que je voudrais d'abord t'entendre raconter.

L'ESCLAVE

Un seul récit te fera connaître le tout.
Nous avions, face à face, déployé nos fronts de bataille
quand Hyllos descend de son char, se tient debout entre les
    deux armées
et dit : « Chef qui arrives d'Argos,
laissons donc ce pays en paix.
Sans faire à Mycènes aucun mal
sans la priver d'un homme, avec moi seul
accepte de combattre seul. Si tu me tues, prends et emmène
les enfants d'Héraclès. Si tu meurs, abandonne-moi
les honneurs et la maison de mon père. »
L'armée applaudit : c'est la fin de ses peines,
c'est le langage d'un cœur fier.
Mais Eurysthée est sans égards pour les soldats,
sa propre lâcheté ne le fait pas rougir. Lui, le chef,
n'ose pas affronter corps à corps la lance d'un vaillant
et se montre un couard. Et voila l'homme
qui venait asservir la race d'Héraclès !
Hyllos n'a donc plus qu'à rentrer dans le rang.
Les devins, voyant qu'on renonce
au combat singulier, immolent aussitôt la victime
et d'une gorge humaine ils font couler un sang propice.
Les soldats montent dans les chars, ou, flanc à flanc,
prennent l'abri des boucliers. Le roi des Athéniens
exhorte ses gens en homme de cœur.
« Concitoyens, il s'agit à présent pour chacun de défendre
la terre qui l'a nourri, la terre dont il est né. »
L'autre adjurait les siens de sauver l'honneur
pour Argos et Mycènes.
Vint l'appel clair de la trompette tyrrhénienne
et la bataille s'engagea.
    Imagines-tu bien le grondement des boucliers froissés,
les gémissements et les plaintes ?
D'abord le choc de la lance argienne
nous enfonça, puis ils cédèrent.
Alors, le pied bloquant le pied, le corps contre le corps,
tous tenaient bon dans le combat.
Beaucoup tombaient. Des deux côtés montaient des
    ordres.
« Holà, ceux d'Athènes ! Holà, ceux qui labourent

le sol d'Argos ! c'est pour l'honneur de la patrie. »
Enfin, à grand effort, nous mettons ceux d'Argos en
    déroute.
    C'est alors que notre vieillard, voyant Hyllos qui s'élan-
        çait,
le supplia en tendant vers lui sa main droite
de le laisser monter sur son quadrige[1].
Saisissant les rênes, il se lance à la poursuite des chevaux
d'Eurysthée. Ce qui suivit, on me l'a raconté
et je te le répète. Jusqu'ici j'ai dit ce que j'ai vu moi-même.
À Pallène, comme il dépassait le tertre auguste
de la divine Athéna, voyant Eurysthée sur son char,
il adjure Hébé et Zeus de lui rendre
pour un jour seulement sa jeunesse et la force
de tirer justice de ses ennemis. Et quel prodige il t'est donné
    d'entendre !
Deux globes de feu sur le joug des chevaux
se posèrent, noyant le char dans une nue épaisse
(et c'était ton fils, disent ceux qui savent,
avec Hébé). Et lui, émergeant des ténèbres,
fit voir la forme vigoureuse des bras de sa jeunesse.
C'était l'illustre Iolaos ! Il arrête le quadrige
d'Eurysthée auprès des roches Scironiennes,
lui met la chaîne aux mains, et avec ce butin
glorieux, il revient, ramenant le chef
qui jusqu'ici n'avait connu que le bonheur.
Un pareil sort nous dit bien haut à tous : Instruisez-vous !
N'enviez pas celui qui vous paraît heureux
avant de l'avoir vu mourir. La fortune est changeante.

LE CORYPHÉE

Ô Zeus, dieu des batailles, il m'est enfin donné
de voir le jour qui m'affranchit d'une crainte terrible.

ALCMÈNE

Ô Zeus, tu fus longtemps à reconnaître ma souffrance.
Mais j'ai grâce à te rendre pour ce qui vient de se passer.
Je doutais jusqu'ici que mon fils
fût véritablement parmi les dieux. Maintenant j'en suis
    sûre.

Vous, mes enfants, vous voici délivrés de vos peines, délivrés
  de l'infâme
Eurysthée. Vous reverrez la cité de vos pères,
vous rentrerez en possession de votre hoirie.
Vous ferez à nos dieux les sacrifices dont vous fûtes exclus
comme des étrangers, livrés à une vie errante et misérable.
  Mais dis-moi la malice cachée qui amena
Iolaos à épargner la mort à Eurysthée.
Je pense que c'est une erreur,
quand on a pris un ennemi, de ne pas exiger justice.

LE MESSAGER

Il l'a fait en l'honneur de toi, afin que, de tes yeux,
tu voies ce roi puissant remis à ta merci.
L'autre a bien résisté et l'on a dû de force
lui imposer le joug. Il se refusait,
à venir vivant devant toi et à payer sa peine.
Maintenant, dame, adieu, et n'oublie pas
ta première parole, en réponse à la mienne :
que je serai libre ! Dans de tels moments
les gens de cœur ne doivent pas promettre en vain.

Il s'éloigne.

QUATRIÈME STASIMON

STROPHE I

LE CHŒUR

*J'aime les belles danses, au son clair de la flûte
dans un festin pour Aphrodite, la déesse charmante[1].
Mais c'est aussi un grand bonheur
de voir heureux des amis longtemps maltraités.
Que de changements naissent du Destin qui accomplit tout
et de la Durée, la fille du Temps!*

ANTISTROPHE I

*Tu suis, ô ma cité, la voie de la justice
(jamais ne dois t'en écarter)
en honorant les dieux.
Fou qui te dénie la piété
quand les dieux clairement te prouvent leur faveur.
Un signe éclatant est lancé d'en haut quand un dieu
        entame
la raison des hommes injustes.*

STROPHE II

*Ton fils, Alcmène, est entré dans le ciel.
Son sort dépasse toute parole.
Il n'est pas descendu aux demeures d'Hadès,
par la flamme terrible du bûcher.
Hébé l'accueillit dans son lit désirable
de la maison dorée des dieux.
Ô Hyménée, tu as réuni pour leur gloire
ces deux enfants de Zeus.*

ANTISTROPHE II

Que de secours ici sont venus s'accorder[1] !
Au père divin, Athéna dit-on
apporta son appui.
Et la ville de la déesse
avec son peuple entier
a sauvé les enfants d'Héraclès.
Elle a contenu l'insolence
d'un cœur qui se voulait plus fort que la justice.
Loin de moi tout désir insatiable.

Eurysthée enchaîné est amené par la gauche.

EXODOS

UN SERVITEUR[1]

Maîtresse, tu le vois, mais je tiens à le dire,
voici Eurysthée que nous t'amenons,
retour inattendu et pour nous et pour lui.
Jamais il n'avait cru tomber entre tes mains,
quand partant de Mycènes avec ses vétérans,
il s'avançait, bravant dans son cœur la justice
pour saccager Athènes. Les dieux
ont voté contre lui, ils ont renversé sa fortune.
Déjà Hyllos, déjà le noble Iolaos ont érigé
l'image victorieuse de Zeus dieu des batailles.
Je suis chargé par eux de t'amener cet homme
pour réjouir ton cœur. Rien n'est plus doux à voir
qu'un ennemi tombant du bonheur au malheur.

ALCMÈNE

Ah, te voilà donc, toi ma haine! La Justice enfin t'a saisi.
Tourne d'abord les yeux vers moi
et ose regarder ton ennemi en face.
Je fus en ton pouvoir, tu es à ma merci.
Est-ce bien toi, car je ne puis le croire, qui osas infliger
à mon fils, à présent chez les dieux, tant d'outrages?
Ô misérable, quelle insulte lui as-tu épargnée?
Dans l'Hadès vivant tu l'as fait descendre.
Les hydres, les lions, il devait les tuer
sur ton ordre. Les autres machines que tu as montées
je n'en dirai rien, ce serait trop long.
    Et cependant, il t'a fallu aller plus loin dans l'impudence.
De toute la Grèce, moi et ces enfants, suppliants assis sur les
          autels des dieux
tu nous faisais chasser, des vieillards et des tout petits.
Mais tu t'es heurté à des hommes, à une cité libre
qui ne te craignait pas, et il te faut mourir vilainement,
et c'est encore tout gain pour toi. Car une seule mort
est trop peu pour venger tout le mal que tu fis.

LE CORYPHÉE

Mais tu n'as pas le droit de le tuer.

LE SERVITEUR

Alors, à quoi bon l'avoir capturé ?
Quelle loi interdit de le mettre à mort ?

LE CORYPHÉE

Les maîtres du pays ne le permettent pas.

LE SERVITEUR

Comment ? Il ne leur paraît pas glorieux qu'on tue son
    ennemi ?

LE CORYPHÉE

Non, s'ils l'ont pris vivant dans le combat.

LE SERVITEUR

Et Hyllos peut souffrir cet arrêt ?

LE CORYPHÉE

Devrait-il, je te prie, désobéir aux Athéniens ?

LE SERVITEUR

Devrait-il vivre encore, cet homme que voilà ?

LE CORYPHÉE

S'il en était ainsi, on l'aurait lésé en le laissant vivre.

LE SERVITEUR

N'est-il pas bien qu'il subisse sa peine ?

LE CORYPHÉE

Personne maintenant n'oserait le tuer.

ALCMÈNE

Si, moi, et je prétends être quelqu'un.

LE CORYPHÉE

Si tu le fais, on te blâmera grandement.

ALCMÈNE

J'aime cette cité, comment pourrais-je dire le contraire ?
Mais cet homme, à présent qu'il est tombé dans mes mains,
personne au monde ne l'en arrachera.
Après cela, m'appelle qui veut téméraire
et trop hardie pour une femme,
à son aise, mais la besogne, c'est moi qui vais la faire.

LE CORYPHÉE

Terrible et pardonnable en même temps, je le vois bien, ô
        femme
la haine qui t'anime envers cet homme.

EURYSTHÉE

Femme, ne va pas croire que je vais te flatter
ou, pour sauver ma vie, rien te dire
qui me ferait taxer de lâcheté.
Notre rivalité, ce n'est pas librement que je l'ai assumée.
Je savais que j'étais ton propre cousin[1],
du même sang que ton fils Héraclès.
Que je fusse ou non consentant, car elle était déesse,
Héra m'a infligé cette peine à subir.
Quand je fus devenu l'ennemi d'Héraclès,
connaissant le combat que j'aurais à livrer
je me fis ingénieux inventeur de souffrances.
J'en ai mis quantité au monde, tenant conseil sans cesse avec
        la nuit,
pour chasser, pour anéantir mes ennemis,
pour cesser d'habiter avec la peur.
Je savais bien qu'il n'était pas un de ceux qui font nombre,
        mais véritablement

un homme, ton fils. Mon ennemi, oui,
je n'en dirai cependant que du bien : un héros.
Lui mort, comme ses fils me détestaient et partageaient
la haine héréditaire, j'ai dû remuer jusqu'aux rochers
     mêmes,
tuer, expulser, machiner.
Il le fallait pour ma sécurité.
Toi-même, si mon sort avait été le tien,
tu ne te serais pas acharnée
sur la haineuse portée d'un lion menaçant,
tu l'aurais débonnairement laissée vivre à Argos ?
C'est ce qu'à personne tu ne feras croire !
À présent que l'on m'a épargné quand je m'offrais volontiers
     à la mort
les lois des Grecs enseignent que je rendrai impur celui qui
     me tuera.
Athènes a bien agi de me laisser la vie
mettant les dieux plus haut que sa haine envers moi.
Tu m'as accusé, tu as entendu ma réponse. Athènes désor-
     mais
devra m'appeler son noble vengeur[1].
Voilà ce qu'il en est pour moi. Je ne désire pas mourir
mais je quitterai la vie sans me plaindre.

LE CORYPHÉE

Je veux, Alcmène, te dire un conseil en deux mots.
Laisse partir cet homme, puisque tel est le décret de la ville.

ALCMÈNE

Et si je le faisais mourir sans violer vos lois ?

LE CORYPHÉE

Tout serait pour le mieux. Mais comment faire ?

ALCMÈNE

Tu vas le savoir. Après l'avoir tué
je remettrai son corps à ses amis quand ils viendront le
     demander.

Ainsi sur ce point vous serez obéis et lui m'aura donné ma
    satisfaction.

EURYSTHÉE

Tue-moi, je ne demanderai point grâce. Mais à cette cité
qui m'a laissé la vie par scrupule d'un meurtre,
je fais présent d'un vieil oracle d'Apollon
qui plus tard la servira mieux qu'il ne semble aujourd'hui.
Mort, vous m'enterrerez où l'a voulu mon destin,
près de la divine vierge de Pallène[1].
Je serai pour Athènes un ami, un sauveur, métèque couché
    sous la terre,
votre champion contre les descendants de ces enfants
le jour qu'ils reviendront en force,
traîtres au bienfait accepté. Car voilà ce qu'ils sont,
les hôtes que vous avez défendus. Et comment, le sachant,
suis-je venu ici, sans craindre l'oracle du dieu?
Je croyais Héra plus forte que tous les oracles, incapable de
    me trahir.
Ne les laissez verser ni sang ni libations sur mon tombeau.
Je leur ménage ici, en représailles, un funeste retour.
Vous aurez donc de moi double profit.
Ma mort vous servira et fera leur ruine.

ALCMÈNE

Qu'attendez-vous, puisque ainsi vous sauvez votre ville
et vos descendants[2]?
Il faut tuer cet homme après ce que vous avez entendu.
Il vous montre la voie la plus sûre.
C'est un ennemi. Il vous sert en mourant.
Esclaves, emmenez-le et donnez-le aux chiens[3]
après l'avoir tué. Toi, n'espère pas vivre
pour me chasser encore du pays de mes pères.

LE CORYPHÉE

C'est aussi mon avis. Allez, serviteurs.
En ce qui nous concerne
nos rois garderont les mains pures.

ANDROMAQUE

L'Iliade se termine avec la mort d'Hector. Des poètes émules d'Homère donnèrent plus d'une suite au récit. Ils racontèrent la fin d'Achille, tué par une flèche de Pâris dont Apollon avait conduit la main. À Scyros où il avait résidé, déguisé en fille, avant de se joindre à l'armée d'Agamemnon, Achille avait laissé un fils, Néoptolème (que l'on nommait aussi Pyrrhos), auquel les destins réservaient la gloire de prendre Troie, s'il arrivait à s'emparer de l'arc de Philoctète. Sophocle a tiré une belle tragédie de ce dernier épisode. Une fois vainqueur, Néoptolème revint régner en Phthie, dans le pays de son père (au sud-ouest de la Thessalie d'Alceste), où le père de celui-ci, Pélée, vivait toujours. Ménélas accorda au jeune héros sa fille unique, Hermione, qui auparavant avait été fiancée (et même, disait-on parfois, unie) à son cousin Oreste.

D'autre part, Troie une fois tombée, Andromaque avait été mise dans le butin du vainqueur. Au plus vaillant des guerriers grecs la plus excellente des épouses troyennes. Mais Néoptolème n'embarquait sur le navire du retour qu'une veuve désolée de qui les Grecs, par prudence, avaient tué le fils unique, ainsi que le raconte la tragédie des Troyennes. Hermione ne donna pas d'enfant à Néoptolème qui eut un fils de sa royale esclave. On nomma l'enfant Molossos, parce que la race royale du pays voisin de Molossie était censée descendre de lui.

On racontait enfin que Néoptolème avait été tué à Delphes par les habitants ou par les prêtres. On y montrait sa sépulture honorée à l'entrée du sanctuaire. Après avoir frappé le père, Apollon poursuivait le fils de sa haine.

C'est à Delphes aussi qu'Euripide dénoue le conflit qui oppose l'épouse et la concubine du jeune roi. Ce conflit, au début de la pièce, est à son paroxysme. Néoptolème est allé à Delphes offrir réparation au dieu pour lui avoir reproché la mort de son père. Ménélas, venu de Sparte tout exprès pour défendre les droits de sa fille, mettrait à mort Andromaque et l'enfant sans l'énergique intervention du vieux Pélée, qui prend la captive sous sa protection. *Ménélas déconfit s'en va, abandonnant sa fille à son désespoir, quand apparaît Oreste, à qui elle fut accordée naguère. Il l'enlève et part avec elle pour Delphes ; il y sera l'âme du complot contre Néoptolème. On ramène à Pélée le corps de son petit-fils. Mais alors la déesse Thétis à qui Pélée fut uni dans sa triomphante jeunesse apparaît dans les airs pour marier Andromaque avec Hélénos, fils de Priam, donner rang de fils légitime à l'enfant Molossos, et promettre à Pélée une immortalité bienheureuse où ils seront réunis.*

Ainsi un mince épisode romanesque rattache les unes aux autres plusieurs légendes jusque-là indépendantes. Encore faut-il dire qu'elles ne sont point entrelacées, comme dans la pièce de Racine, mais juxtaposées. Néoptolème ne paraît pas ; Oreste n'entre en scène que pour trouver Hermione abandonnée et à moitié folle de peur. Nul amour ne rapproche ces êtres que le hasard seul semble avoir rassemblés. Andromaque a la fidélité passive, résignée d'une esclave. Si Hermione souffre d'être stérile et délaissée, c'est qu'elle avait attendu autre chose du mariage : la personne du mari lui est à peu près indifférente. Oreste est mécontent que Ménélas lui ait enlevé sa fille après la lui avoir promise, non qu'il soit épris d'Hermione, mais parce qu'un parricide trouve difficilement à se marier en dehors de sa famille. Hermione se jette dans ses bras — c'est le seul refuge qui s'offre à elle — tout en réservant un acquiescement qu'en fille bien élevée elle fait dépendre du consentement paternel. Elle évite d'ailleurs toute parole qui l'engage, gardant le secret espoir d'une réconciliation avec Néoptolème.

Entre ces êtres affreusement seuls éclatent quelques cris de tendresse, qui jamais n'arrivent à former un dialogue. Andromaque pleure sur l'enfant qu'elle a conçu bien malgré elle, mais qui est tout ce qui lui reste. Pélée pleure sur le fils de son fils. Un appel est déchirant, celui d'Andromaque sur le point d'être tuée à l'époux dont le bras et la lance pourraient seuls la sauver. S'agit-il de Néoptolème, dont l'enfant va périr avec elle ? Non. Le vers s'achève : viens, ô fils de Priam. Le souvenir de ce mort domine toute la pièce. Comme Andromaque à Hector, Thétis reste fidèle à Pélée ; et c'est pourquoi l'immortalité qu'elle promet à son vieil époux, dans le domaine de Nérée où les flots se fendront pour le laisser passer, est un apaisement auquel la poésie des images donne une certaine force persuasive.

La tragédie se passe dans une région basse où ne luit point l'espoir. Euripide y a introduit le personnage de Ménélas, parce qu'Hermione livrée à ses seules forces ne pouvait mettre sa rivale en danger. La présence de Ménélas sert alors de prétexte à deux diatribes contre Sparte. La passion politique, qui a parfois possédé Euripide, ne l'a jamais bien inspiré, mais rarement aussi mal que dans ce drame, où elle lui fait prendre parti contre ses propres créatures. Cette Hermione, dont la seule raison d'être est de donner un fils à son époux et qui, de se voir stérile, en arrive à perdre la tête, pourrait être une figure assez pathétique, ne fût-ce que par contraste avec la captive, fécondée malgré elle, un peu consolée par sa seconde maternité.

Mais Euripide a voulu que les deux Spartiates fussent odieux. Ménélas est ignoble, et surtout par l'acte que le poète lui reproche le moins, qui est d'abandonner sa fille après l'avoir mise en danger (mais il fallait bien laisser libre jeu à Oreste). Et cependant, Euripide accorde à Ménélas sa minute de supériorité, si brève qu'aucun commentateur ne l'a même remarquée, quand, accablé d'insultes par Pélée, il redresse la tête et riposte : Tu me reproches d'avoir pardonné à ma femme ? Je voudrais pour toi que tu n'eusses point tué Phocos. *Pélée et Télamon étaient fils d'Éaque, roi d'Égine, lui-même fils de Zeus. Jaloux de leur demi-frère Phocos, ils l'assassinèrent par traîtrise et furent chassés par leur père. C'est ainsi que Pélée vint en Phthie où le roi le purifia et le prit pour gendre. Les auditeurs saisissaient mieux que nous la valeur de l'évocation, qui sauve momentanément l'impartialité dramatique et restitue Pélée, lui aussi, au monde du mal et de la violence.*

Le sens profond de la tragédie est inclus dans le dernier chœur et c'est une protestation de l'homme contre la cruauté des dieux. Apollon et Posidon ont construit les remparts de Troie, promettant du coup leur protection à la cité. Pourquoi l'ont-ils ensuite abandonnée ? Troie est déserte, la race de ses rois est éteinte, les autels sont en ruine. La Grèce est victorieuse. On vend sur ses marchés tout un butin de veuves, de mères séparées de leurs enfants. Mais la Grèce souffre autant que la Phrygie, livrée comme elle à la brutalité. Le même dieu qui a trahi Ilion envoie Oreste tuer sa mère, symbole d'un dérèglement qui n'épargne aucune maison. Ainsi la querelle au foyer de Néoptolème apparaît comme la dernière conséquence des ravages causés par l'injustice. Et l'injustice a été voulue par les dieux. Voilà Troie et la Grèce réconciliées, avec une équité pleine d'une douloureuse

amertume, dans leur commune misère, que représentent deux
femmes également, différemment désespérées. Le symbole se
lirait plus clairement si la distance était moins grande entre une
anecdote trop mince et un arrière-plan trop lointain. L'esprit les
raccorde malaisément, malgré de significatives antithèses, celle
par exemple que constitue la mélancolique monodie d'Andromaque au prologue, contrepesée à la fin par l'image pathétique
du foyer d'Achille désert, où un vieil homme désolé met toute
son espérance en un petit bâtard.

Euripide s'est plu à marquer le contraste entre les deux
rivales. D'un côté une femme de harem, résignée à une fidélité
sans contrepartie, au point d'offrir joyeusement son sein aux
bâtards de son cher Hector; de l'autre une princesse spartiate
qu'une éducation libre a rendue exigeante et qui souffre, étant
réduite à un rôle de génitrice, de se trouver délaissée et stérile.
L'une et l'autre, également malheureuses, se distraient de leur
mère en accusant les autres femmes. Andromaque incrimine la
cruauté d'Hermione; Hermione incrimine les amies qui l'ont
excitée contre son mari. Les mâles regardent de haut, avec
mépris, ces désespérées qui tremblent et qui intriguent, n'ou-
bliant qu'une chose, c'est que la différence entre leurs méthodes
vient de ce qu'ils ont des soldats à leurs ordres. Tout cela est la
vérité même, mais achève de désunir des éléments humains qui,
rapprochés, auraient pu donner une image plus forte de la destinée des mortels en face de l'arbitraire divin. Ce sera le cas dans
les Troyennes.

La date de la représentation est inconnue; une tradition
ancienne veut qu'elle ait eu lieu en dehors d'Athènes. Ce fut
peut-être en 424 peu après Les Héraclides (voir l'introduction
aux notes de cette pièce) et dans quelque ville de la Chalcidique,
pour la décider à entrer dans l'alliance athénienne.

Andromaque

PERSONNAGES

ANDROMAQUE
UNE SERVANTE
HERMIONE
MÉNÉLAS
MOLOSSOS, fils d'Andromaque et de Néoptolème.
PÉLÉE, grand-père de Néoptolème.
LA NOURRICE d'Hermione.
ORESTE
UN SERVITEUR de Néoptolème.
THÉTIS
Chœur de femmes de Phthie.

*La scène représente, près du palais de Néoptolème,
le temple de Thétis. Andromaque se tient
près de l'autel de la déesse.*

PROLOGUE

ANDROMAQUE

Tu étais l'ornement de la terre d'Asie, ville de Thèbes[1],
lorsque je te quittai jadis, riche de tout l'or de ma dot,
pour venir au foyer du roi Priam,
donnée à Hector en légitime mariage.
Andromaque autrefois était digne d'envie,
c'est aujourd'hui la plus malheureuse des femmes.
Car j'ai vu mourir Hector mon époux
tué par Achille, et le fils que je lui avais donné,
Astyanax, précipité du haut des remparts
quand les Grecs eurent conquis la terre troyenne.
Et moi, esclave désormais, moi dont la maison
était parmi les plus illustres, je suis venue en Grèce
dans le butin de Néoptolème, prince d'une île[2],
donnée à lui comme fleuron des dépouilles troyennes.
Me voici en Phthie et près de Pharsale,
dans cette marche où la déesse marine,
Thétis, vivait loin des mortels avec Pélée,
fuyant la compagnie des hommes. Le peuple thessalien
nomme ce lieu l'enclos de Thétis, en souvenir des noces
        divines.
Le fils d'Achille a choisi d'habiter ici,
car il laisse Pélée gouverner à Pharsale
et refuse le sceptre tant que vit son grand-père.
Et c'est ici que j'ai mis au monde un garçon,
conçu du fils d'Achille, oui, de mon maître[3].
En ce temps-là, malgré la disgrâce où j'étais plongée,
l'espoir me soutenait, si je gardais mon fils,
de trouver en lui appui et secours.
Mais depuis que mon maître, répudiant mon lit d'esclave,
a pris pour femme Hermione la Laconienne,
celle-ci me poursuit de cruelles injures,
disant que j'ai de secrets maléfices
pour la rendre stérile et déplaisante à son mari,

que je cherche à la supplanter dans la maison
en la chassant de son lit conjugal.
Je n'y suis cependant entrée d'abord qu'à contrecœur
et je m'en tiens à présent éloignée, j'en prends le grand Zeus
    à témoin,
après l'avoir partagé malgré moi !
Elle refuse de me croire et veut me tuer,
aidée par Ménélas son père,
qui est en ce moment à la maison, venu de Sparte
pour ce même dessein. Et moi, dans mon effroi,
j'ai fui vers l'autel tout voisin de Thétis
et j'y reste immobile, attendant de lui mon salut.
Car Pélée et ses descendants le vénèrent
comme le signe de leur alliance avec la Néréide.
Le seul fils qui me reste, je l'ai dérobé, envoyé
dans une maison étrangère, craignant qu'on me le tue.
Le père qui l'engendra n'est pas à mes côtés
pour me secourir, et son fils n'a pas à compter sur lui.
Il est à Delphes pour demander pardon à Loxias
de la folie qui jadis l'envoya à Pythô
exiger justice du dieu pour le meurtre d'Achille.
Il voudrait être absous de son erreur passée
et que le dieu lui soit bienveillant désormais.

                 Une servante sort du palais.

LA SERVANTE

Maîtresse, car je ne saurais te refuser ce titre,
celui qu'avec respect je te donnais dans le palais,
le tien, quand nous vivions sur la terre troyenne,
et j'étais dévouée à toi comme à Hector, tant qu'il vécut,
me voici qui viens t'apporter des nouvelles,
non sans trembler que l'un des maîtres ne l'apprenne.
Mais j'ai pitié de toi. De méchants desseins se complotent
contre toi, entre Ménélas et sa fille. Sois sur tes gardes.

ANDROMAQUE

Chère compagne de mon esclavage, l'égale à présent
de celle qui fut ta princesse et n'est plus qu'une malheu-
    reuse,
que font-ils donc ? Quels pièges tendent-ils
pour faire mourir une femme accablée ?

LA SERVANTE

C'est à ton fils, pauvre Andromaque, qu'ils préparent
la mort, lui que tu as enlevé du palais.

ANDROMAQUE

Quoi ? elle sait que je l'ai dérobé ?
Je suis perdue. Comment l'a-t-elle appris ?

LA SERVANTE

Je l'ignore. Tout ce que j'ai entendu de leur bouche
c'est que Ménélas s'en est allé à sa recherche.

ANDROMAQUE

Alors, je n'ai plus rien à espérer. Mon enfant, ils vont te tuer,
ils vont te prendre, ces deux vautours. Et celui que l'on
        nomme
ton père est toujours à Delphes et ne revient pas.

LA SERVANTE

Je ne crois pas, c'est vrai, qu'un tel malheur pourrait t'at-
        teindre
s'il était près de toi. Mais à présent nul n'est là pour te
        secourir.

ANDROMAQUE

Et Pélée ? On ne t'a pas dit qu'il pourrait venir ?

LA SERVANTE

C'est un homme vénérable, qui t'aiderait s'il était là.

ANDROMAQUE

Et combien de messages j'ai envoyés vers lui ?

LA SERVANTE

Penses-tu que les messagers aient grand souci de toi?

ANDROMAQUE

Rien ne me le fait croire. Veux-tu donc y aller toi-même de
  ma part?

LA SERVANTE

Que dirai-je au palais si je m'absente trop longtemps?

ANDROMAQUE

Tu trouveras plus d'une excuse. Tu es femme.

LA SERVANTE

C'est dangereux. Hermione est là qui monte la garde.

ANDROMAQUE

Tu vois, tu fais défaut à tes amis dans le malheur.

LA SERVANTE

Non, non. Ce n'est pas un reproche à me faire.
Je pars, et dût-il m'arriver malheur.
Que compte la vie d'une femme, d'une esclave?

Elle sort par la droite.

ANDROMAQUE

Va donc, et moi qui vis plongée
dans les plaintes, les regrets et les larmes,
je vais les faire monter jusqu'au ciel.
Une femme est ainsi faite qu'elle charme ses ennuis
en les ayant sans cesse à la bouche.
Quel sujet du reste n'ai-je pas de gémir,
sur la ville de mon père et sur Hector tué,
et sur le dur destin auquel je fus livrée
quand je tombai dans une indigne servitude?

Jamais on ne doit dire qu'un homme fut heureux
avant que d'avoir vu au moment de sa mort
comment il franchit son heure dernière pour descendre aux
    Enfers.

          (Elle chante lentement sa complainte.)

Pour la haute Troie ce fut un fléau que Pâris coucha dans
    son lit
quand il mena Hélène à la chambre des noces.
Par sa faute, ô Troie, te voilà ruinée par la lance et le feu
d'un Arès foudroyant qui amenait de Grèce
ses mille vaisseaux. Par elle périt l'époux de la triste Andro-
    maque
qu'Achille sur son char traîna autour des murs.
J'étais dans ma chambre, on vint m'entraîner jusqu'au rivage
    de la mer,
l'affreuse servitude comme un joug sur ma tête.
Mes pleurs ruisselaient, coulaient sur mes joues lorsque je
    dus quitter
et ma ville et ma chambre et mon mari dans la poussière.
Me fallait-il donc, comble de malheur, rester vivante à la
    lumière
pour servir Hermione ? Persécutée par elle
je viens entourer d'un bras suppliant cette image de la déesse
et je m'épuise en larmes comme la source du rocher.

          Entre le chœur, quinze femmes de Phthie.

PARODOS

STROPHE I

LE CHŒUR

Depuis longtemps réfugiée,
dans l'enclos de Thétis,
tu ne veux plus quitter son temple.
La Phthie est ma patrie, et l'Asie est la tienne,
et cependant je viens vers toi
pour apporter quelque remède
à tes malheurs irréparables,
dans ce conflit haineux qui te tient enfermée
avec Hermione, ô infortunée, pour un lit disputé,
celui du fils d'Achille[1].

ANTISTROPHE I

Connais ton sort et l'extrémité où tu es.
Vas-tu t'en prendre à ta maîtresse ? Toi, fille d'Ilion,
vas-tu lutter avec la fille des rois de Sparte ?
Quitte ce lieu de sacrifices,
la maison de la déesse marine.
Vainement le chagrin dévore ton corps défiguré.
Quand les maîtres commandent, à quoi bon résister ?
Ils sont forts. Ils sauront t'atteindre,
toi qui n'es plus rien.

STROPHE II

Mieux vaut quitter le beau séjour de la déesse Néréide.
Souviens-toi que tu sers sur un sol étranger,
dans une cité qui n'est pas la tienne
où tes yeux ne voient nul ami.

Ô de toutes les femmes la plus éprouvée
qui de l'hymen n'a rien connu que le malheur.

ANTISTROPHE II

Que j'eus pitié de toi quand je te vis, ô fille d'Ilion,
entrer dans le palais où vivent mes seigneurs !
Mais la peur me tient immobile.
Je ne pus que plaindre ton sort.
L'autre est l'enfant de la fille de Zeus :
qu'elle ne sache pas que je te veux du bien.

Hermione sort brusquement du palais, et
s'adresse agressivement au chœur.

PREMIER ÉPISODE

HERMIONE

Cette parure d'or qui brille sur ma tête,
mes vêtements brodés de toutes les couleurs,
ce n'est pas la maison d'Achille ou de Pélée
qui m'en a fait cadeau de bienvenue pour m'avancer vers vous.
Ils arrivent de Laconie, de mon pays de Sparte.
C'est Ménélas mon père qui me les a donnés
dans ma splendide dot. J'ai droit à parler haut.
À vous, femmes, c'est tout ce que j'avais à dire.

(À Andromaque.)

Pour toi, esclave, toi, butin de guerre,
tu prétends t'installer ici et me faire sortir
de ma maison. Ton maléfice a fait que mon mari me hait,
et tu ne veux pas que mon ventre conçoive.
Car elles sont habiles aux arts de cette sorte,
les femmes du continent. Mais j'y mettrai bon ordre.
Rien ne te sauvera, ni l'enclos de la Néréide,
ni l'autel et le temple, de la mort qui t'attend.
Et si même il était quelqu'un, homme ou dieu, qui voulût te
          sauver,
c'en est fini de tes orgueilleuses pensées.
Tu devras ramper humblement, à genoux devant moi,
balayer mon palais, le laver de ta main, goutte à goutte,
en apportant de l'eau de l'Achelous dans mes aiguières d'or,
et apprendre enfin où tu es. Il n'y a plus ici ni Hector,
ni Priam, ni son or. C'est une cité grecque.
Jusqu'où, malheureuse, as-tu pu t'égarer ?
Le fils de l'homme qui a tué ton mari,
tu oses dormir avec lui et avoir des enfants
de cet assassin. Toute la race des Barbares est ainsi faite.
Le père y couche avec la fille, le fils avec la mère,
la sœur avec le frère. Les plus proches aussi s'entretuent
sans que nulle loi l'interdise.
Ne viens pas chez nous apporter ces usages. Il n'est pas bien

qu'un seul homme tienne les rênes de deux femmes.
Qui veut dignement gouverner sa maison
devra se contenter d'un seul amour et qu'il soit légitime.

LE CORYPHÉE

Jalouse est la nature féminine
et tout lit partagé est cause de rancune.

ANDROMAQUE

La jeunesse enhardit les hommes à bien des erreurs
et, jointe à elle, l'absence de justice.
Quant à moi, j'ai bien peur que mon état d'esclave
ne m'ôte le droit de répondre, quand j'ai de si bonnes
     raisons,
ou, si je l'emporte, que la victoire me coûte cher,
les grands dans leur orgueil supportant mal
d'être redressés par la voix des humbles.
N'importe! je n'aurai pas la lâcheté de me trahir moi-
     même.
   Dis-moi donc, jeune femme, sur la foi de quelle espé-
     rance
je pourrais menacer tes droits d'épouse.
Sparte est-elle un état moins fort que la Phrygie?
et toi moins heureuse que moi? me vois-tu libre devant
     toi?
Est-ce moi qui suis jeune et dans le printemps de mon
     corps,
exaltée par mon opulence et le nombre de mes appuis,
pour prétendre te supplanter dans ce palais?
Et pourquoi? pour mettre au monde, à ta place, des enfants
qui seront des esclaves, et leur misère à la remorque de la
     mienne?
Ou bien mes fils seront admis
à régner sur la Phthie, si tu restes bréhaigne?
Je suis chère aux Grecs, n'est-il pas vrai, à cause d'Hector?
Et moi, ont-ils oublié que je fus reine en Phrygie?
   Ce n'est pas pour des drogues de moi que ton mari te
     hait,
mais la vie en commun ne t'a pas trouvée préparée.

Le vrai philtre, je vais te le dire : ce n'est pas la beauté,
ce sont nos qualités qui plaisent au compagnon de notre
    lit.
Mais toi ! dès que tu te sens piquée, la cité de Sparte
grandit et tu fais de Scyros moins que rien.
Tu es riche parmi des pauvres et Ménélas
l'emporte sur Achille. Voilà pourquoi ton mari ne t'aime
    pas.
Même mariée à un vilain, une femme a le devoir
de se résigner, sans vouloir être plus que lui.
Si tu avais épousé quelque roi de la Thrace,
où les neiges déferlent, là où un seul mari
accueille dans son lit tour à tour ses épouses,
aurais-tu fait tuer les autres ? « Insatiables de plaisir,
toutes les femmes », aurait-on dit par ta faute,
et ce serait pour notre honte. Plus fort que chez les hommes
ce mal réside en nous, mais nous devons le couvrir noble-
    ment.
    Ah mon très cher Hector, pour l'amour de toi j'ai moi-
    même
chéri ce que tu chérissais, quand d'aventure t'égarait Cypris,
et ma propre mamelle, aux petits bâtards nés de toi,
bien souvent je l'offris, pour que tu n'aies en moi nulle cause
    d'humeur.
Ainsi par ma vertu je me conciliais mon mari.
Mais toi ! qu'une seule goutte d'aérienne rosée
se pose sur ton homme, tu prends peur et ne veux le souf-
    frir.
Ta mère, jeune femme, aimait beaucoup les mâles.
Ne t'efforce pas de la surpasser. Quand la mère a péché
la fille fait sagement en ne l'imitant pas.

LE CORYPHÉE

Maîtresse, autant qu'il t'est possible de t'y plier,
crois-moi, prends un accord avec Andromaque.

HERMIONE

Qu'est-ce que ces grands mots ? Tu oses discuter
de décence, comme de ton apanage ! Et moi, n'en ai-je pas ?

ANDROMAQUE

Non certes, et tes discours viennent de le prouver.

HERMIONE

Qu'il me soit épargné de jamais penser comme toi.

ANDROMAQUE

Tu es trop jeune pour parler de ces choses honteuses.

HERMIONE

Celles que tu sais taire, pour mieux les tourner contre moi!

ANDROMAQUE

Garde donc le silence sur tes peines d'amour.

HERMIONE

Pourquoi? Pour une femme, n'est-ce pas le premier des biens?

ANDROMAQUE

Pourvu qu'elle en use avec dignité. Sinon, c'est sa honte.

HERMIONE

On ne se règle pas ici sur les lois des barbares.

ANDROMAQUE

Là-bas comme ici, ce qui est laid est aussi dégradant.

HERMIONE

Ah! que tu sais bien raisonner! Et cependant la mort t'attend.

ANDROMAQUE

Vois-tu l'image de Thétis, les yeux fixés sur toi?

HERMIONE

Pleins de haine pour ton Ilion, qui fit mourir Achille.

ANDROMAQUE

Ce n'est pas moi qui l'ai tué, c'est Hélène, ta mère!

HERMIONE

Dois-tu toujours toucher cette place où je souffre?

ANDROMAQUE

J'obéis, je me tais et garde bouche close.

HERMIONE

Réponds enfin sur l'objet qui m'amène…

ANDROMAQUE

Je réponds que tes sentiments ne sont pas ce qu'ils devraient
être.

HERMIONE

Vas-tu enfin quitter l'enclos de la déesse?

ANDROMAQUE

Oui, si j'ai la vie sauve. Sinon jamais.

HERMIONE

Eh bien, ta mort est décidée. Et je n'attendrai pas que mon
mari revienne.

ANDROMAQUE

Et moi, pour renoncer à me défendre, j'attendrai son retour.

HERMIONE

Je vais mettre le feu, sans m'inquiéter de toi.

ANDROMAQUE

Allume le bûcher. Les dieux seront témoins…

HERMIONE

… des blessures atroces dont ta chair souffrira.

ANDROMAQUE

Tue-moi. Souille l'autel de sang. La déesse te poursuivra.

HERMIONE

Ô race de barbares! arrogante, indomptable!
Tu braves donc la mort? Mais moi je sais comment
te déloger d'ici, et sans qu'on t'y oblige et sur-le-champ,
tel est l'appeau que je te réserve. Je n'en dis pas plus.
Les actes bientôt prendront la parole.
Demeure sur l'autel. Tu y serais soudée
par du plomb fondu, je t'en ferais lever
avant le retour de Néoptolème, en qui tu mets ton espé-
          rance.

> *Elle rentre dans le palais.*

ANDROMAQUE

Mon espérance, oui. Que c'est étrange!
Les dieux ont enseigné aux hommes à guérir la piqûre des
          serpents,
et, ce qui est pire que la vipère et que le feu,
une femme méchante, on n'y connaît point d'antidote,
tant pour la race humaine nous sommes un fléau.

PREMIER STASIMON

STROPHE I

LE CHŒUR

Il donnait le signal à de grandes souffrances,
le fils de Maïa et de Zeus,
quand il vint au vallon de l'Ida.
Il conduisait, char éclatant, bel attelage[1],
les trois déesses, violentes rivales,
armées pour conquérir le prix de la beauté,
vers le pasteur adolescent qui vivait solitaire
dans sa ferme, à l'écart.

ANTISTROPHE I

Au creux des feuilles, ayant baigné leurs corps brillants
dans les sources de la montagne,
elles vinrent trouver le fils du roi Priam
pour se vanter, se comparer, jalousement.
Cypris l'emporta par ses propos trompeurs[2],
musique pour l'oreille, mais mort et ruine atroce
pour la malheureuse cité des Phrygiens
et les remparts de Troie.

STROPHE II

Sans le regarder, derrière elle,
sa mère devait le lancer, ce Pâris de malheur,
au lieu de l'envoyer aux grottes de l'Ida.
Près du laurier fatidique
Cassandre cria qu'il fallait le tuer,
ruine et désastre pour la cité de Priam.

À qui ne s'est-elle adressée, qui n'a-t-elle prié,
parmi les Anciens,
de mettre à mort le nouveau-né ?

ANTISTROPHE II

Sur le cou des filles de Troie
ne serait pas tombé le joug servile.
Toi, dame, tu résiderais dans ton palais royal.
Que de travaux épargnés à la Grèce,
qui dix années durant, autour de Troie,
tinrent errants ses garçons sous les armes !
Les lits ne seraient pas si longtemps restés vides,
tant de vieillards ne seraient pas
orphelins de leurs fils.

Entre par la droite Ménélas avec des gardes
conduisant l'enfant d'Andromaque.

SECOND ÉPISODE

MÉNÉLAS

Me voici et j'amène ton fils. Tu l'avais dérobé,
caché dans une autre maison, à l'insu de ma fille.
Tu te flattais d'être sauvée par la statue de la déesse,
et lui par ceux qui le cachaient. Mais tu t'es trouvée
moins avisée, femme, que Ménélas.
Si tu te refuses à quitter ce lieu
c'est l'enfant qui sera égorgé à ta place.
À toi de voir si tu acceptes de mourir,
ou si ton fils doit expier tes fautes
envers moi et envers ma fille.

ANDROMAQUE

Apparence, ô apparence ! Combien de gens qui ne sont rien
te doivent une vie de faste et de grandeur !
Ceux dont la gloire est fondée sur la vérité
je les estime heureux. Mais la renommée qui vient du men-
    songe
n'est à mes yeux que faux-semblant et pur hasard.
C'est donc toi, conduisant la fleur de l'armée grecque,
qui pris Troie à Priam, lâche ainsi que tu l'es !
Excité par ta fille, autant dire une enfant,
toute ta fureur prend pour adversaire
une femme accablée par le sort, une esclave. Non vraiment,
tu n'étais pas un ennemi digne de Troie ;
elle méritait un autre vainqueur.
Il y a des gens qui semblent pleins de sens
et qui brillent, mais au-dedans ils sont pareils à tous les
    autres,
sinon par la richesse où est leur force unique[1].
    Çà, Ménélas, raisonnons jusqu'au bout.
Donc, je suis morte et ta fille m'a tuée.
La souillure du sang la marque pour toujours.
Devant tous, toi aussi, tu devras rendre compte

du meurtre, car ta complicité t'enchaîne.
Mais si moi j'évite la mort
vous tuerez donc mon fils. Croyez-vous que son père
prendra ce meurtre avec indifférence ?
Il faudrait qu'il fût lâche et Troie crie le contraire.
Il saura où frapper. On le verra agir en digne fils d'Achille et
      de Pélée.
Il chassera ta fille du palais. Tu la donneras
à un autre, diras-tu. C'était un mauvais mari
qu'elle a fui parce qu'elle est trop pure. Mais ce sera faux[1].
Qui voudra l'épouser ? Vas-tu la conserver chez toi, répu-
      diée,
veuve aux cheveux blanchissants ? Pauvre homme,
ne vois-tu pas sur toi quels ennuis vont s'abattre ?
De combien de rivales laisserais-tu souffrir ta fille
plutôt que de subir ce que je te prédis ?
Pour si peu, ne va pas déchaîner des malheurs,
et si nous autres femmes nous sommes un fléau,
c'est aux hommes à ne pas les imiter.
Quant à moi, si vraiment j'ai envoûté ta fille,
fait son ventre stérile, ainsi qu'elle le dit,
librement, sans contrainte, je veux quitter l'autel
où me voici tombée, et me faire juger
par ton gendre, à qui je nuis autant qu'à elle
en le frappant dans sa postérité.
Tels sont mes sentiments. Ce sont les tiens que je redoute.
Pour une femme disputée, tu as détruit aussi la malheureuse
      Troie.

LE CORYPHÉE

Une femme à un homme parle avec moins d'audace.
Toi si modeste, tu as vidé tout ton carquois.

MÉNÉLAS

Le débat est minime et indigne, dis-tu,
de la Grèce et du roi souverain que je suis.
Mais sache-le, donner à chaque instant ce qu'il exige
compte plus pour chacun que de soumettre Troie.
Il s'agit de ma fille. J'estime d'importance
qu'elle soit exclue de son lit et je me fais son allié.
Une femme a d'autres épreuves, mais elles comptent moins.

Frustrée de son époux, elle est atteinte en sa vie même.
Mon gendre a le droit de commander à mes esclaves,
et ce droit, nous l'avons, elle et moi, sur les siens.
Car des amis n'ont rien en propre quand l'amitié
est véritable, mais tout entre eux est bien commun.
Attendre que l'absent soit de retour, quand je puis redresser
l'affaire à mon profit, serait folie et lâcheté.
Lève-toi donc, quitte l'enclos de la déesse.
Si tu acceptes de mourir, l'enfant que voici échappe à son
        sort,
mais je le tue si tu refuses.
L'un de vous deux doit renoncer à la vie.

ANDROMAQUE

Hélas, quel lot cruel tu m'obliges à tirer[1] !
Si je choisis la vie, infâme ; infortunée si je ne la prends pas.
Quelle rigueur pour une cause si minime !
Écoute-moi. Pourquoi me tuer ? qu'ai-je fait ? quelle ville
ai-je trahie ? t'ai-je tué un de tes enfants ?
incendié quelle maison ? Je fus contrainte de dormir
avec mon maître. Et c'est moi que tu vas tuer
et non pas lui le responsable. Tu laisses la cause
pour ne t'en prendre qu'à ce qui l'a suivie.
Ah, c'est trop de malheurs ! Ô ma déplorable patrie,
comme je suis traitée ! Que m'a servi d'avoir un fils
si c'était pour doubler le poids de ma misère ?
    Mais à quoi bon pleurer ainsi ? Les maux présents
devraient me trouver les yeux secs, indifférente,
moi qui vis Hector égorgé, traîné aux roues d'un char,
moi qui vis Troie impitoyablement brûlée,
moi qui vins en esclave aux navires des Grecs,
traînée par les cheveux, et, à peine arrivée
en Phthie, qui fus unie aux meurtriers d'Hector !
Quelle joie puis-je avoir à vivre ? vers quoi regarder,
vers le malheur présent ou le malheur passé ?
Un enfant me restait, c'était l'œil de ma vie.
Ils vont le tuer, ils l'ont décidé.
Ma misérable vie ne vaut pas un tel prix.
En lui, s'il est sauvé, est encore un espoir,
et la honte est sur moi si je ne meurs pour lui.

                                        (Elle se lève.)

Vois, je quitte l'autel et me livre à vos mains.
Vous pouvez m'égorger, me tuer, me lier, me pendre.
Ô mon petit, moi qui t'ai mis au monde, pour t'épargner la
     mort
je descends vers l'Hadès. Si tu évites l'heure fatale
souviens-toi de ta mère, de ma fin douloureuse.
Quand tu embrasseras ton père,
serre-le en pleurant contre toi,
dis-lui ce que j'ai fait. Pour tous les hommes, je le sais,
les enfants sont la vie. Qui n'en a pas et nous méprise
évite bien des peines, mais il se loue d'une infortune.

LE CORYPHÉE

Je t'écoute et te plains. Le malheur fait pitié
à tous les hommes, et même s'il atteint des étrangers.
Ménélas, tu aurais dû amener ta fille
à s'entendre avec Andromaque, pour mettre fin à ses mal-
     heurs.

MÉNÉLAS

Saisissez-moi cette femme, gardes. Tenez-la à deux bras.
Car elle va entendre un discours qui n'est pas pour lui plaire.
Je te tiens! Pour te faire quitter le saint autel de la déesse[1]
j'ai mis en avant la vie de ton fils, t'amenant ainsi
à te livrer entre mes mains, et pour être tuée.
En ce qui te regarde, c'est résolu, sache-le bien.
Pour ton enfant, ma fille en sera juge,
qu'elle décide ou non de le faire mourir.
Allons, rentre dans la maison afin d'apprendre enfin,
toi l'esclave, à ne plus offenser des gens libres.

ANDROMAQUE

Hélas, tu me tendais un piège, et j'y suis prise!

MÉNÉLAS

Proclame-le bien haut. Je m'en fais gloire.

ANDROMAQUE

C'est donc là votre habileté, à vous sur l'Eurotas?

MÉNÉLAS

La même qu'à Troie : rendre le mal pour le mal.

ANDROMAQUE

Tu crois donc que les dieux ne sont plus les dieux, garants de
    la justice ?

MÉNÉLAS

Que la justice vienne, je l'attends. Mais toi tu vas mourir.

ANDROMAQUE

Et avec mon poussin, arraché de dessous mes ailes ?

MÉNÉLAS

Lui, non, je le donne à ma fille. Qu'elle le tue s'il lui plaît.

ANDROMAQUE

Comment alors ne pas pleurer sur toi, mon fils ?

MÉNÉLAS

Tu fais bien de ne rien attendre des chances qui lui restent.

ANDROMAQUE

Ah de tous les mortels les plus haïs du genre humain,
habitants de Sparte, conseillers de fourberies,
princes du mensonge, ravaudeurs d'artifices,
esprits retors, étrangers à toute droiture, qui ne connaissez
    que détours !
Vos succès dans la Grèce offensent la justice.
Quel crime est inconnu chez vous ? Où voit-on plus de
    meurtres,
des cupidités plus infâmes ? Toujours l'on surprend vos
    paroles
à démentir votre pensée. Malheur à vous !
Pour moi la mort n'est pas si lourde

que tu l'as cru en m'y condamnant. Je suis morte
le jour où succomba la malheureuse cité phrygienne,
où tomba mon noble mari, dont la lance souvent
te fit courir, ô lâche, depuis la plaine jusqu'à vos vaisseaux[1].
Et maintenant, contre une femme, tu fais le soldat redoutable
pour me tuer. Mais tue-moi donc ! N'attends de moi nulle
flatterie
pour toi ou pour ta fille. Car si tu es puissant à Sparte
moi je le fus à Troie. Et si je suis dans la disgrâce
n'en viens pas triompher. Tu pourrais la connaître à ton
tour.

Tous rentrent dans le palais.

SECOND STASIMON

STROPHE I

LE CHŒUR

Je ne puis approuver qu'un homme ait deux amours
et des fils de deux femmes :
conflits, chagrins, ressentiments pour les familles.
Qu'un mari sache se contenter d'un seul lit [1]
et d'un hymen unique.

ANTISTROPHE I

Dans la cité aussi deux pouvoirs souverains
accablent plus qu'un seul.
C'est fardeau sur fardeau et discordes civiles.
Lorsqu'un poème a deux auteurs, les Muses entre eux
allument la querelle.

STROPHE II

Quand les vents déchaînés emportent les marins,
deux avis à la barre et trop d'habiles rassemblés
ne vaudront pas l'unique volonté, même moins sage,
mais dont l'autorité est plénière.
C'est là qu'il faut chercher la force
des demeures et des cités.

ANTISTROPHE II

Témoin la Laconienne, la fille du chef Ménélas.
Enflammée contre sa rivale, dans sa haine jalouse

elle immole la pauvre Troyenne et son fils,
meurtre affreux en horreur et aux dieux et aux hommes.
Un jour viendra le châtiment,
viendra, princesse, le regret [1].

Andromaque et l'enfant sortent enchaînés du
palais suivis de Ménélas et de gardes.

TROISIÈME ÉPISODE

LE CORYPHÉE

Je vois s'avancer devant le palais,
leur couple uni, condamné à mort.
Pauvre femme et toi, pauvre enfant !
Ta mère fut mise au lit du vainqueur,
et pour cela tu dois mourir
innocent, pur de toute faute
envers la maison de nos rois.

ANDROMAQUE

Les mains en sang, meurtries par les cordes,
on m'envoie sous la terre.

L'ENFANT MOLOSSOS

Mère, mère, blotti sous ton aile,
j'y descends avec toi.

ANDROMAQUE

C'est la haine qui tient le couteau,
ô citoyens de la terre de Phthie !

MOLOSSOS

Viens, mon père, au secours des tiens !

ANDROMAQUE

Tu vas donc reposer, mon enfant bien-aimé,
sur la poitrine de ta mère,
deux corps morts étendus sous le sol.

MOLOSSOS

Que va-t-il m'arriver ?
Pauvre de moi, pauvre de toi, ma mère !

MÉNÉLAS

Descendez au tombeau, vous qui venez des remparts
   ennemis.
Deux décrets vous ont condamnés.
Le mien frappe Andromaque.
Ma fille Hermione a frappé ton fils.
Seul un insensé
laisse grandir de la semence d'ennemis
quand il peut, en la détruisant,
donner à sa maison toute sécurité.

ANDROMAQUE

Ô mon mari, mon cher mari,
que n'ai-je pour me protéger
ta lance et ton bras, ô fils de Priam!

MOLOSSOS

Pauvre de moi, quel cantique trouver
qui conjure la mort?

ANDROMAQUE

Approche-toi en suppliant
des genoux du maître, mon enfant.

MOLOSSOS, *s'approchant de Ménélas.*

Ami, ami, ne me fais pas mourir.

ANDROMAQUE

Mes yeux fondent en larmes.
Elles coulent de moi ainsi que d'un rocher
usé par la source à l'abri du soleil, ô malheureuse!

MOLOSSOS

Hélas, quel moyen d'écarter mon malheur?

MÉNÉLAS

Pourquoi me supplier ? Un roc en mer et le flot qui le bat
entendraient aussi bien ta prière.
Les miens seuls ont droit à mon aide.
Quelle raison aurais-je de t'aimer ?
J'ai passé des années de ma vie
à conquérir Troie et ta mère,
ta mère grâce à qui tu descends aux enfers.

LE CORYPHÉE

Mais je vois Pélée qui s'avance
hâtant vers nous sa marche de vieillard.

> *Entre par la droite Pélée, appuyé sur un jeune*
> *esclave et suivi de la servante d'Andromaque.*

PÉLÉE

Femmes, répondez-moi, et toi aussi, toi qui diriges cette
    tuerie.
Qu'est-ce ? Qu'y a-t-il ? D'où vient ce branle-bas
dans le palais ? Quel acte arbitraire préparez-vous là ?

> *(À Ménélas qui s'apprête à tuer l'enfant.)*

Arrête, Ménélas. Moins de hâte. Il faut d'abord un juge-
    ment.
Garçon, conduis-moi plus vite. J'ai bien fait, je le vois,
d'agir sans retard. Et que mon ancienne vigueur
revienne à mon appel. Jamais je n'en eus plus besoin.
Je vais d'abord, comme dans une voile,
souffler un bon vent sur cette femme que voilà.

> *(À Andromaque.)*

Dis-moi, qui t'a jugée ? qui t'a lié les mains ?
qui t'emmène avec ton enfant ?
Une brebis et son agneau sous elle, tu périssais
et je n'étais pas là ni ton maître non plus !

ANDROMAQUE

Ce sont eux, vénérable. Avec mon fils ils me conduisent
à la mort, tu le vois. Que te dire de plus ?
Mais je t'ai adressé combien d'appels pressants !
J'ai envoyé vers toi plus de cent messagers !
Le différend dans la maison, tu le connais.
C'est sa fille à lui qui l'a allumé, et c'est pourquoi je meurs.
J'étais ici à l'autel de Thétis, celle qui t'a donné
ton noble fils, celle que tu révères et honores.
Ils m'en ont arrachée, prise sans me juger,
sans attendre le retour de l'absent,
connaissant l'abandon où je me trouve avec mon fils,
mon fils innocent qu'ils veulent tuer
en même temps que moi, malheureuse ! Je t'en supplie,
tombant à tes genoux, car ma main ne saurait
toucher ton menton bien-aimé,
par les dieux, ah ! préserve-moi. Car si je dois mourir,
c'est votre honte, vénérable, autant que mon malheur.

PÉLÉE

Défaites-lui ses liens. Obéissez, ou bien il y aura des cris.
Libérez ses mains l'une à l'autre serrées.

MÉNÉLAS

Et moi je m'y oppose, moi qui suis ton égal
et qui ai plus que toi de droits sur cette femme.

PÉLÉE

Comment ? Viens-tu chez moi pour y régner ?
Il ne te suffit plus d'être le maître à Sparte ?

MÉNÉLAS

Elle est ma captive. C'est moi qui l'ai conquise à Troie.

PÉLÉE

Elle échut à mon petit-fils, pour prix de sa valeur.

MÉNÉLAS

Ce qui est à moi est à lui, ce qui est à lui est à moi.

PÉLÉE

Pour en bien user, mais non pour le mal, pour meurtre et
    violence.

MÉNÉLAS

Tu ne m'en dessaisiras pas, sache-le bien.

PÉLÉE

Un coup du bâton que voici et je te mets la tête en sang.

MÉNÉLAS

Touche-moi, ose m'approcher, afin d'apprendre à me
    connaître.

PÉLÉE

Te prends-tu pour un homme, ô pleutre fils de criminels?
Qui songe à toi quand on compte les braves?
Toi qui t'es laissé enlever ta femme par un Phrygien?
À la maison, ni serrures ni gardes et le maître est absent,
comme s'il avait au logis une épouse pudique
et c'est la pire des coquines! Mais elle le voudrait
qu'une fille de Sparte ne saurait être sage,
vivant parmi les garçons, toujours hors du foyer, cuisses
    nues, robe au vent,
à courir, à lutter en leur compagnie, spectacle intolérable!
Faut-il s'étonner ensuite
si les femmes que vous formez sont impudiques?
Demandez-le donc à Hélène, elle qui laissa son foyer
et Zeus garant de votre amour, et s'en fut avec un galant
faire la fête en terre étrangère.
Et c'est pour l'amour d'elle que toute une armée grecque
groupée à ton appel t'a suivi jusqu'à Troie!
Loin de lever la lance, il te fallait vomir
celle que tu trouvais coupable, la laisser vivre où elle était,
et la payer pour n'avoir pas à la reprendre.
Mais nul bon vent ne t'a soufflé cette idée-là.

Tu as perdu des milliers d'âmes courageuses,
laissé dans les maisons des vieilles sans enfants,
ravi leurs nobles fils à tant de pères au poil gris.
De ceux-là je suis un, hélas ! Un assassin,
le mauvais génie d'Achille, voilà ce que tu es pour moi.
Toi seul revins de Troie sans même une blessure,
en ramenant intact dans son étui splendide,
ton beau bouclier, tel que tu l'avais d'ici emporté.
Ah ! Je lui disais bien, au fiancé,
de se garder de ton alliance et de ne pas prendre chez lui
une pouliche de mauvaise mère. Ces filles pour leur dot vous
    apportent
les hontes maternelles. Avis à vous, prétendants : de bonnes
    mères prenez les filles !
  Ce n'est pas tout. Qu'as-tu osé à l'égard de ton frère
quand tu lui fis égorger sa fille — il fut assez sot pour y
    consentir —
tant tu craignais de perdre ton épouse coupable ?
Ensuite, ayant pris Troie, car je te suivrai jusque-là,
tu n'as pas tué cette femme quand tu l'avais à ta merci.
Dès que tu vis son sein, ton épée est tombée.
Tu reçus son baiser, tu la caressas, la traîtresse, la chienne,
vaincu par Cypris, lâche que tu es.
Pour finir, te voici venu au foyer de mon fils
pour le saccager, lui absent, et mettre à mort,
indignement, une malheureuse avec son enfant,
celui qui vous fera pleurer, toi et ta fille dans le palais,
et serait-il trois fois bâtard ! Car souvent, sache-le,
un sol pauvre porte la semence mieux qu'une terre épaisse
et bien des bâtards vont plus loin que des fils légitimes.
Va-t'en avec ta fille. Mieux vaut avoir pour ami et allié
un pauvre au cœur droit qu'un riche méchant. Toi, tu es un
    néant.

LE CORYPHÉE

Petites causes, grandes querelles, telle est l'œuvre de la langue.
C'est pourquoi le sage évite tout conflit avec ses proches.

MÉNÉLAS

Que viendra-t-on parler de la sagesse des vieillards ?
de ceux qui jadis passaient en Grèce pour gens de sens

quand toi, Pélée, le fils d'un père illustre,
malgré l'alliance qui nous unit, tu tiens des propos dégra-
          dants pour toi
blessants pour moi, à cause de cette femme barbare
que tu aurais dû chasser par-delà le Nil,
et par-delà le Phase, et m'appeler chaque fois à ton aide.
Car elle est de ce continent où sont tombés
tant de Grecs fauchés par la lance.
Elle a sa part de la mort de ton fils :
Pâris le meurtrier d'Achille était frère d'Hector, son époux.
Et sous un même toit tu habites avec elle,
tu consens à vivre à la même table.
Elle accouche chez toi d'enfants qui seront nos pires
          ennemis,
et tu laisses faire !
Et quand moi, pour ton bien, vieil homme, comme pour le
          mien,
je décide de la tuer, on me l'arrache des mains.
     Pourtant — c'est un sujet auquel on peut toucher sans
          honte —
si ma fille n'a pas d'enfant, mais que de l'autre
naissent des fils, cette terre de Phthie
aura-t-elle par toi des rois de souche barbare
qui commanderont à des Grecs ? L'insensé, est-ce moi,
que cette injustice révolte ? est-ce avec toi qu'est le bon
          sens ?
Et vois ceci encore : si une fille à toi
mariée à l'un des nôtres, était ainsi traitée,
le supporterais-tu sans rien dire ? Je ne le pense pas.
Pour la cause d'une étrangère, voilà comment tu injuries tes
          plus proches parents.
Ils ont pourtant des droits égaux, l'homme et la femme,
celle que son mari outrage,
celui qui a dans sa maison une épouse impudique.
Lui s'en remet pour sa défense au pouvoir de son bras.
Elle ne peut compter que sur ses parents et ses proches.
N'ai-je donc pas raison de secourir les miens ?
Tu es vieux, tu es vieux. Pour ce qui est de mon commande-
          ment,
ce que tu en diras ne peut que me servir.
Quant au malheur d'Hélène, il lui fut malgré elle imposé par
          les dieux

et tous les Grecs en ont profité grandement.
Ils ignoraient les armes, le combat.
Ils se sont formés aux vertus viriles.
Rien n'instruit mieux les hommes qu'un constant exercice.
    Et quand ma femme est venue à mes yeux,
si je retins mon bras prêt à tuer, ce fut sagesse.
Toi aussi, je crois, tu aurais mieux fait d'épargner Phocos[1].

(Mouvement furieux de Pélée.)

C'est sans colère et pour ton bien que je t'ai averti.
Si tu te fâches, c'est que ta langue intempérante
est en toi la plus forte. J'ai pour moi ce qui sert : la pré-
    voyance.

LE CORYPHÉE

Assez, arrêtez-donc, c'est le meilleur parti,
ces vains discours qui ne pourraient que vous nuire à tous
    deux.

PÉLÉE

Quel fâcheux usage règne donc en Grèce !
Quand une armée érige son trophée,
ceux qui ont peiné n'ont jamais l'honneur de l'ouvrage.
Toute la gloire est pour le général :
un seul homme après tout, qui tint sa lance haute parmi
des milliers d'autres,
qui ne fit que sa part et a tout le renom !
Dans la cité, installés aux postes d'honneur,
les chefs de haut traitent le peuple et ne sont que néant.
Les petits auraient bien plus de sagesse
mais ils sont dépourvus d'audace et de desseins.
C'est ainsi que toi et ton frère vous vous êtes enflés
du nom de Troie et de votre commandement.
Les autres ont fait le travail et c'est vous qu'on exalte.
    Mais que le Pâris de l'Ida soit un ennemi comparable à
        Pélée,
non pas ! Je te le prouverai, si, tout de suite,
tu ne vas te faire pendre loin d'ici,
avec ta fille stérile, que ce garçon né de mon sang
traînera par les cheveux à travers la maison,
la génisse bréhaigne, qui ne peut supporter
que d'autres aient des fils quand elle n'en a pas !

Quoi ? si elle est frappée dans sa fécondité,
nous faut-il pour autant rester sans descendance ?
Vous, gardes de malheur, lâchez cette femme et l'on verra
     bien
si l'on m'empêchera de délier ses mains

(*À Andromaque.*)

   Redresse-toi. C'est moi, tout tremblant que je suis,
qui vais détacher les nœuds de ces cordes.
Vois donc, couard, comment tu as meurtri ses mains !
C'est un taureau, sans doute, ou un lion à qui tu croyais
mettre les entraves ?
Ou bien tu avais peur qu'elle ne prît l'épée
pour se défendre contre toi ? Avance ici, petit, à l'abri de
mon bras,
défais avec moi les chaînes de ta mère. En Phthie, c'est
     moi
qui vais t'élever : ils auront en toi un rude adversaire.
Oui, vous avez, Spartiates, la gloire de la lance,
l'usage des combats. Pour tout le reste,
sachez-le, vous ne l'emportez sur personne.

LE CORYPHÉE

La vieillesse aime à se déchaîner ;
elle est irascible et difficile à contenir.

MÉNÉLAS

Tu accordes trop à ton goût de l'insulte.
Venu en Phthie contre mon gré
je ne veux rien y faire et rien y subir de fâcheux.
Pour le moment, car mon temps est compté,
je retourne chez moi. Tout près de Sparte
est un État, notre allié naguère,
dont la conduite à présent se révèle hostile[1].
J'ai décidé de marcher contre lui avec mon armée et de le
     soumettre.
Une fois là-bas mon plan accompli
je reviendrai. Devant mon gendre, face à face,
je dirai mes raisons et j'entendrai les siennes.
S'il punit cette femme et nous témoigne à l'avenir

des égards, il en recevra de nous tout autant.
Mais, s'il s'emporte, il me trouvera emporté.
Chacun de mes actes sera la réplique des siens.
Quant à ce que tu dis, je ne m'en soucie pas.
Ta force est celle d'une ombre. Il ne te reste que la voix.
Tu peux encore parler, mais rien de plus.

Il sort par la gauche avec ses gardes.

PÉLÉE, *à Molossos.*

Sois mon guide, petit, soutiens ici mon bras,
toi aussi, pauvre femme. Après la furieuse tempête
te voici au port, à l'abri des vents.

ANDROMAQUE

Les dieux, ah vénérable, te bénissent avec tous les tiens,
pour avoir sauvé mon fils et moi, l'infortunée !
Prends garde cependant qu'ils n'aillent s'embusquer
sur le chemin désert et ne m'enlèvent brutalement
en te voyant si vieux, et moi si faible,
et l'enfant si petit. Oui, sois prudent.
Nous avons échappé, n'allons pas nous faire reprendre.

PÉLÉE

Ne viens point parler en femme peureuse.
Marche. Qui s'en prendrait à nous ? Gare à celui
qui nous touchera. Grâce aux dieux, des cavaliers en nombre
et des hommes d'armes sont en Phthie à mes ordres.
Je suis encore droit, et non le vieillard que tu crois.
Un homme tel que lui, un regard suffira
pour le mettre en déroute, et qu'importe mon âge ?
Bien des jeunes garçons valent moins qu'un vieil homme
qui a du cœur. Sans courage, vigueur et santé ne sont rien.

Tous s'éloignent par la droite.

TROISIÈME STASIMON

STROPHE

LE CHŒUR

Ou bien ne pas venir au monde
ou naître de nobles parents, d'opulente maison !
Quand viennent les difficultés
aucun seigneur ne manque de secours.
À ceux dont les hérauts proclament les grands noms
revient tout honneur et louange.
Jusqu'à la trace des grands hommes
le temps s'abstient de l'effacer.
Eux disparus leur valeur brille encore.

ANTISTROPHE

Plutôt qu'ébranler la justice
par la force qui fait haïr,
mieux vaut se refuser une victoire décriée.
On goûte un triomphe d'une heure,
mais bientôt il se fane et fait la honte d'un foyer.
Voici la règle que je loue et que je me prescris :
ni dans ma cité ni dans mon ménage,
nul pouvoir où ne soit le droit.

ÉPODE

Ô vieillard fils d'Éaque
comment douter de tes prouesses ?
Contre les Centaures tu donnas aux Lapithes
l'appui de ta célèbre lance.
Sur le navire Argo, pour la fameuse traversée,
tu franchis le flot, l'hostile détroit de la Symplégade.

Et quand, sur la cité de Troie,
l'illustre fils de Zeus eut jeté le carnage,
tu revins avec lui jusque sur l'Eurotas
compagnon de sa gloire[1].

La nourrice d'Hermione sort du palais.

QUATRIÈME ÉPISODE

LA NOURRICE

Chères amies, comme les malheurs
s'enchaînent aujourd'hui pour nous accabler tour à tour !
Ma maîtresse — c'est d'Hermione que je parle — une fois
    que son père
l'eut laissée seule à la maison et qu'elle eut pris conscience
de l'acte qu'elle avait commis dans son dessein
de tuer Andromaque et son fils, n'a plus parlé que de mourir.
Elle craint son époux, et tremble que, pour la punir,
il ne la chasse du palais, injurieusement
ou qu'il la tue pour son attentat sacrilège.
Elle a voulu s'étrangler. À grand effort
les servantes qui la gardent l'ont préservée,
en arrachant de sa main des épées, en les écartant d'elle,
tant elle a de remords, et tant sa conduite passée
lui apparaît dans sa laideur. Et moi,
j'empêche ma maîtresse de se pendre, lutte épuisante.
Amies, entrez dans le palais, dissuadez-la de mourir.
Quand de vieux fidèles ne trouvent plus d'écoute,
de nouveaux amis savent parfois persuader.

LE CORYPHÉE

Eh oui, dans la maison j'entends les servantes
crier. C'est bien ce que tu viens de dire.
Pauvre Hermione ! On dirait qu'elle veut montrer
combien elle regrette ses excès. Elle s'élance du palais,
échappant aux mains des servantes dans son appétit de mourir.

Hermione s'élance sur la scène.

HERMIONE

Je veux m'arracher les cheveux,
mes ongles vont me déchirer,
sauvagement.

LA NOURRICE

Que vas-tu faire, mon enfant ? Défigurer ton visage ?

HERMIONE

Loin de moi, loin de mes cheveux,
s'envole l'écharpe légère !
Je n'en veux plus.

LA NOURRICE

Enfant, couvre ton sein et rattache ta robe.

HERMIONE

À quoi bon me cacher le sein ?
à quoi bon cette robe ?
Puis-je cacher ce que tous ont vu,
ce que j'ai fait à mon mari ?

LA NOURRICE

Tu as regret d'avoir tramé la mort de ta rivale ?

HERMIONE

C'est sur moi que je pleure,
sur ma haineuse audace,
sur l'acte qui me rend maudite,
maudite aux yeux des hommes.

LA NOURRICE

Faute que ton époux saura te pardonner.

HERMIONE, *à une servante.*

Pourquoi m'as-tu arraché le couteau ?
Rends-le-moi, mon amie, rends-le-moi.
Je veux m'en donner un coup droit.
Et toi, pourquoi m'enlever cette corde ?

LA NOURRICE

Puis-je t'abandonner au délire, à la mort?

HERMIONE

Ah quelle destinée!
Où trouver le feu que je cherche,
un rocher où je monte,
près de la mer, dans la forêt, sur la montagne,
pour y mourir et que les morts aient soin de moi?

LA NOURRICE

Pourquoi t'affecter à ce point? Les dieux envoient des
revers
à tous les hommes, l'un après l'autre.

HERMIONE

Tu m'as abandonnée, mon père, abandonnée,
comme un bateau sans rame échoué sur la rive,
et je suis toute seule.
Il me tuera, il me tuera. Je ne pourrai plus habiter
ce toit qui me reçut en fiancée.
De quel dieu me faut-il, suppliante, embrasser la statue?
Faut-il tomber esclave aux genoux d'une esclave?
Ah! quitter cette terre de Phthie,
m'envoler, oiseau aux ailes noires[1],
être la barque de pin qui pour son premier voyage
franchit la passe couleur de nuit!

LA NOURRICE

Mon enfant, je n'ai pu t'approuver quand tu t'abandonnais
à trop de haine contre la Troyenne,
ni maintenant dans ton excessive terreur.
Ton époux ne va pas rompre ainsi vos liens
parce qu'une Barbare l'aura instigué contre toi.
Tu n'es pas la captive qu'il a gagnée à Troie,
mais la fille d'un grand seigneur, venue
avec sa riche dot d'une cité très florissante.

Et ton père n'est pas un homme à te trahir, ma fille,
à te laisser chasser d'ici ainsi que tu le crains.
Rentre maintenant, sans te donner en spectacle
ici devant la maison, de crainte que l'on te reproche
de te laisser voir en public, mon enfant.

> *La nourrice rentre, Hermione reste sur le côté*
> *tandis qu'Oreste entre par la gauche.*

LE CORYPHÉE

Mais voici un voyageur, qui semble un étranger.
Il s'avance à grands pas vers nous.

ORESTE

Femmes, est-ce bien ici la maison du fils d'Achille et son
palais royal ?

LE CORYPHÉE

Tu l'as dit. Mais toi qui le demandes, qui es-tu ?

ORESTE

Le fils d'Agamemnon et de Clytemnestre,
Oreste. Je me rends à Dodone, à l'oracle de Zeus.
Passant en Phthie, je veux m'enquérir d'une femme,
ma parente, savoir si elle est en vie et heureuse.
C'est Hermione de Sparte. Bien éloigné du mien
est le pays où elle habite. Elle ne m'en est pas moins chère.

HERMIONE

Ah ! tu m'apparais comme au matelot un port dans la
tempête,
fils d'Agamemnon ! Par tes genoux que je touche,
aie pitié de moi pour mon destin dont tu t'enquiers.
Je suis dans la peine. Comme des rameaux suppliants
j'étends mes bras autour de tes genoux.

ORESTE

Mais quoi? qu'arrive-t-il? Est-ce une illusion ou si je vois vraiment
la reine du palais, la fille de Ménélas?

HERMIONE

C'est moi, la seule enfant que la fille de Tyndare,
Hélène, ait donnée à mon père. Ne crois pas te tromper.

ORESTE

Ô Phoibos secourable, guéris-la de ses peines!
Qu'y a-t-il? quel dieu te fait souffrir ainsi, ou quel mortel?

HERMIONE

C'est ma faute, celle aussi de l'homme à qui j'appartiens,
celle enfin de quelque dieu. Tout conspire à me perdre.

ORESTE

Une femme qui n'a pas encore eu d'enfant,
quel accident peut la frapper, sinon dans son ménage?

HERMIONE

Oui, c'est bien là qu'est ma blessure. Tu m'as amenée à l'aveu exact.

ORESTE

Ton mari te préfère une autre femme?

HERMIONE

La veuve d'Hector, sa part du butin.

ORESTE

Fâcheuse affaire, qu'un homme se partage entre deux lits.

HERMIONE

C'est ce qui nous arrive. Alors j'ai voulu me défendre.

ORESTE

En tramant contre l'autre quelque dessein de femme ?

HERMIONE

Oui, la mort pour elle et pour son bâtard.

ORESTE

Et tu les as tués, ou un hasard te les a-t-il soustraits ?

HERMIONE

Ce fut le vieux Pélée, champion des gens de rien.

ORESTE

Nul ne t'avait aidée à préparer ce meurtre ?

HERMIONE

Si fait, mon père, venu de Sparte tout exprès.

ORESTE

Et le bras d'un vieil homme a eu raison de lui ?

HERMIONE

Non, mais la honte. Il est parti, me laissant sans défense.

ORESTE

Je comprends. Tu crains ton mari après ce que tu fis.

HERMIONE

Tu l'as dit. Il me tuera. Je le mérite. Qu'aurai-je à dire ?

Ah! je t'en conjure au nom de Zeus protecteur des liens du
    sang,
conduis-moi hors de ce pays et le plus loin possible.
Ou ramène-moi chez mon père. Car je crois entendre
ces murs crier pour me chasser d'ici.
La terre de Phthie me déteste. S'il me trouve encore ici
en revenant de l'oracle d'Apollon, mon mari
me tuera pour mes infamies. Ou bien je devrai servir
cette concubine à qui je commandais naguère.
    Mais comment, dira-t-on, en es-tu arrivée à de telles
    erreurs?
De mauvaises femmes venaient me voir. Elles m'ont perdue.
Elles m'enflaient le cœur en me disant :
«Hermione, cette misérable captive, chez toi,
cette esclave, tu admettras de partager ton mari avec elle?
Par Héra souveraine, ce n'est pas chez moi
qu'elle jouirait au grand jour d'un lit qui est mon bien!»
Et moi, à écouter la voix de ces sirènes,
bavardes et rusées, avisées et méchantes,
un vent de folie m'emporta. Car enfin qu'avais-je besoin
de surveiller mon mari? Je ne manquais de rien.
J'étais dans l'opulence. Je régnais au palais.
Des enfants nés de moi auraient été fils légitimes,
et les siens des bâtards bons pour servir les miens.
Jamais, jamais, je ne saurais assez le dire,
un mari de bon sens ne doit laisser chez lui
sa femme s'entourer d'autres femmes.
Elles ne lui enseigneront rien que le mal;
l'une par intérêt, pour aider quelqu'un à séduire l'épouse,
l'autre a péché et veut qu'on partage sa faute,
beaucoup sont des libertines. Voilà pourquoi tant de maris
trouvent le mal à leur foyer. Croyez-moi :
de barres et verrous protégez-bien vos portes!
Rien de bon n'entrera chez vous avec ces visiteuses,
mais au contraire beaucoup de mal.

LE CORYPHÉE

C'est trop d'emportement contre ton sexe.
Tu as bien des excuses, mais il sied cependant aux femmes
de parer au mieux les faiblesses des femmes.

ORESTE

C'était un sage, celui qui conseilla
d'entendre toujours le pour et le contre.
Je savais la ruine de votre maison,
le conflit entre toi et la veuve d'Hector.
Je veillais, j'attendais, doutant si tu demeurerais
ou si, craignant la captive et ses représailles,
tu voudrais quitter la maison.
Je suis venu sans que tu m'aies mandé ;
mais si un mot de toi m'y incitait, et c'est le cas,
pour t'emmener d'ici. Car d'abord tu fus mienne.
Si tu vis chez Néoptolème, c'est que ton père me trahit.
Avant de partir pour attaquer Troie
il m'engagea ta main pour te promettre ensuite,
à condition que Troie fût ravagée, à celui qui te possède à
présent[1].
Quand le fils d'Achille fut ici de retour,
je pardonnai à ton père, mais j'adjurai Néoptolème
de renoncer à toi, en lui disant mon infortune
et le sort qui m'accable. À l'intérieur de ma famille
je pouvais trouver une épouse ; ailleurs ce serait difficile,
banni d'Argos pour l'exil que tu sais.
Mais lui s'emporta contre moi, me jetant à la tête
le meurtre de ma mère et les déesses aux yeux sanglants.
Et moi, brisé par les malheurs de ma maison,
malgré ma profonde souffrance je dus me résigner
et je partis à contrecœur, frustré de toi.
Mais à présent que le destin a changé de visage,
et que tu es désemparée d'être tombée dans le malheur,
je t'emmène d'ici et vais te remettre à ton père.

LE CORYPHÉE

Les liens du sang ont une étrange force
et rien dans la disgrâce ne vaut l'amitié d'un parent.

HERMIONE

Pour ce qui est de mon mariage, c'est à mon père
d'en prendre souci, car je ne puis en décider.
Mais hâte-toi de m'éloigner d'ici.

Il ne faut pas que le retour de mon mari m'y trouve encore
ou que le vieux Pélée, sachant que j'abandonne la maison,
envoie ses cavaliers à ma poursuite.

ORESTE

Ne crains rien. Un vieillard est faible. Quant au fils d'Achille,
tu n'as rien à en redouter après l'offense qu'il m'a faite.
Un piège sûr est préparé,
un filet aux mailles serrées qui l'attend pour sa perte,
tendu par cette mienne main. Je ne veux pas le décrire à
          l'avance.
Quand tout sera fini, le rocher de Delphes en pourra parler.
Si mes alliés respectent leur serment sur le sol de Pythô,
c'est moi le matricide
qui saurai lui apprendre
qu'on n'épouse pas celle qui m'est due.
Il regrettera d'avoir exigé du seigneur Phoibos
réparation pour la mort de son père.
Le repentir ne peut plus le sauver, ni la satisfaction qu'il
          offre au dieu.
Phoibos et les accusations que j'ai semées
le feront périr vilainement. Il saura ce que vaut ma haine.
Celui qu'un dieu tient pour son ennemi il le renverse ;
ses pensers orgueilleux ne durent pas longtemps.

Oreste et Hermione sortent par la gauche.

QUATRIÈME STASIMON

STROPHE I

LE CHŒUR

Sur les collines d'Ilion, Phoibos,
tu construisis de solides remparts
avec le Seigneur de la Mer,
dont l'attelage bleu de nuit fend les plaines salées.
Pourquoi donc avez-vous trahi le bel ouvrage de vos mains ?
Pourquoi l'avoir livré
au maître de la lance, à Enyalios[1] *?*
Pourquoi avoir abandonné
la malheureuse Troie ?

ANTISTROPHE I

Sur les rives alors du Simoïs
vous avez fait atteler les beaux chars,
lutter les hommes par milliers,
sanglants combats, avec la mort pour seul fleuron.
Ils ont péri, ils ont passé, les rois du sang d'Ilos.
Nul feu à Troie ne brûle plus
pour faire monter des autels vers les dieux
l'odeur des sacrifices
qui leur est agréable.

STROPHE II

L'Atride aussi est mort, atteint par le bras de sa femme.
Puis de sa vie elle a payé le meurtre.
De son fils lui vint le salaire.

L'ordre d'un dieu, oui d'un dieu, se prononça contre elle,
par la voix de l'oracle, quand l'exilé d'Argos[1],
étant monté au sanctuaire,
revint tuer, tuer sa propre mère.
Divin Phoibos, faut-il vraiment le croire?

ANTISTROPHE II

Sur les marchés des Grecs bien des femmes ont sangloté,
pleurant sur leurs pauvres enfants[2].
D'autres ont quitté leurs foyers
pour suivre ailleurs un autre compagnon de lit.
La peine cruelle a frappé ailleurs que sur ta maison[3].
Toute la Grèce souffre, souffre,
et là-bas aussi les beaux champs de Phrygie,
frappés par l'éclair d'où jaillit la mort.

Pélée rentre par la droite.

EXODOS

PÉLÉE

Femmes de Phthie, répondez-moi.
Un bruit confus vient de me parvenir.
La fille de Ménélas aurait quitté la maison
et s'en serait allée. Je ne veux pas tarder
à savoir si c'est vrai. Quand un homme est absent
les siens demeurés au logis ont à servir ses intérêts.

LE CORYPHÉE

On t'a dit vrai, Pélée. Je ferais mal
en te cachant ce que j'ai vu de déplorable.
La reine s'est enfuie du palais.

PÉLÉE

Que craignait-elle? achève donc!

LE CORYPHÉE

Son époux. Qu'il ne vînt la chasser.

PÉLÉE

Pour avoir machiné le meurtre de l'enfant?

LE CORYPHÉE

Oui, et par crainte aussi de la captive.

PÉLÉE

Elle est partie avec son père ou avec qui?

LE CORYPHÉE

Le fils d'Agamemnon est venu l'enlever.

PÉLÉE

Dans quelle intention ? voudrait-il l'épouser ?

LE CORYPHÉE

Oui, et non sans menacer la vie de ton petit-fils.

PÉLÉE

En lutte ouverte ou par embûche ?

LE CORYPHÉE

Dans le temple sacré de Loxias, aidé des habitants de
    Delphes.

PÉLÉE

Dieux ! Le péril est imminent. Qu'on aille au plus vite
au foyer de Pythô et que mes amis de là-bas sachent ce qui
    se passe,
à temps pour empêcher qu'on tue le fils d'Achille.

Un serviteur entre par la gauche.

LE SERVITEUR

Hélas, hélas, quel malheur, moi pauvre homme, je viens
    t'annoncer,
vénérable, à toi et à tous les amis du maître !

PÉLÉE

Hélas, mon cœur devine et croit déjà comprendre.

LE SERVITEUR

Il n'est plus, le fils de ton fils, sache-le, digne
Pélée. Il fut percé de coups d'épée
par les gens de Delphes et l'étranger mycénien.

Pélée chancelle.

LE CORYPHÉE

Que fais-tu, seigneur ? Ah ! ne te laisse pas tomber. Ressaisis-
toi !

PÉLÉE

Je suis perdu. Je meurs. La voix me manque. Mes genoux se
dérobent…

LE SERVITEUR

Si tu veux encore venger ton petit-fils,
sache de moi ce qui s'est passé et redresse-toi.

PÉLÉE

Ô destinée ! Au bord extrême de mon âge
de quel malheur viens-tu m'envelopper ?
Comment l'ai-je perdu, de mon unique enfant le fils unique ?
Parle. Je veux entendre ce que jamais je n'aurais dû entendre.

LE SERVITEUR

Nous étions arrivés dans le domaine illustre de Phoibos.
Et trois fois le soleil avait terminé sa course brillante.
Nous avions donné ces trois jours au plaisir de tout voir.
Cela parut suspect. On vit se rassembler
en groupes le peuple qui vit en voisin du dieu.
Le fils d'Agamemnon parcourait la cité
murmurant à l'oreille de chacun des propos malveillants.
« Vous voyez celui-là qui circule
parmi ces voûtes pleines d'or, offrandes des hommes au
dieu ?
C'est la seconde fois qu'il vient ici,
et c'est encore pour saccager le temple de Phoibos. »
La funeste rumeur gagnait toute la ville.
Les gouverneurs semblaient en conseil.
Sans attendre d'ordre, ceux qui ont la charge des trésors du
dieu
postaient des gardes sous les colonnades.
Et nous, amenant nos brebis nourries de la verdure du Parnasse,

sans rien savoir de ce qui se passait,
nous arrivions près des autels
entourés des proxènes et des prophètes du dieu.
L'un d'eux dit à mon maître : « Jeune homme
qu'allons-nous de ta part demander au dieu ?
Dans quelle intention viens-tu ? »
Il répondit : « Je fus coupable envers Phoibos.
Je lui ai jadis demandé raison du sang de mon père.
Je voudrais expier ma faute. »
C'est alors qu'on vit prévaloir le bruit répandu par Oreste
que mon maître mentait, qu'il avait d'infâmes desseins.
Néoptolème gravit les degrés du temple,
il s'approche de la salle où parle l'oracle
afin de prier Phoibos. Il est près du foyer sacré[1].
L'épée à la main, des gens sont embusqués
dans l'ombre du laurier. Le fils de Clytemnestre
animait seul tout le complot.
Debout, visible à tous, Néoptolème prie le dieu.
Eux sont couverts de leur armure, lui n'a pas même un
        bouclier.
Leurs couteaux acérés le frappent par surprise.
Il fléchit, mais fait front, n'étant pas touché en un point
        vital.
Il dégaine, décroche un bouclier pendu à un pilastre
et bondit sur l'autel, terrible à voir, ainsi armé en guerre.
Il lance un cri aux Delphiens et leur demande :
« Pour quelle raison voulez-vous ma mort ?
Je viens ici par piété. De quoi m'accusez-vous pour me
        tuer ? »
Nul dans la foule ne répondit un mot,
mais toutes les mains lançaient des pierres.
Une grêle serrée de partout l'accablait.
Il se couvrait de ses armes et parait les coups,
à gauche, à droite, avec son bouclier tendu.
Vains efforts. Tous les projectiles à la fois
flèches, javelots à courroies, broches à deux pointes,
coutelas de boucher volaient à ses pieds.
Quelle affreuse pyrrhique tu l'aurais vu danser pour éviter
les coups[2] ! Puis, comme tout autour
le cercle se fermait sans le laisser respirer,
il quitte le foyer où l'on immole les brebis,
et du même bond que son père à Troie, à pieds joints

il tombe sur eux, et comme des colombes
qui ont vu l'épervier ils se mettent à fuir.
Beaucoup tombaient en tas, blessés,
ou s'écrasaient aux étroites sorties.
Au lieu du silence sacré, une clameur impie
faisait trembler les rochers. Une éclaircie
me montre mon maître debout, rayonnant dans l'éclat de ses
    armes.
   Mais alors, du fond du tabernacle[1] partit une voix
terrible, effrayante, qui redressa la troupe
et la ramena au combat. C'est à ce moment que tomba
le fils d'Achille, le flanc percé de l'épée d'un Delphien
qui n'est son meurtrier que parmi beaucoup d'autres.
Une fois qu'il gît sur le sol, à coups de couteau et de pierres,
de loin et de près, on s'acharne encore, on défigure
tout son beau corps par des blessures de sauvages.
Quand ce fut un cadavre gisant près de l'autel
on le jeta hors de l'enclos où brûlent les victimes[2].
En hâte alors nous l'avons enlevé dans nos bras,
et te le rapportons pour que tu le pleures et gémisses sur lui,
toi, son vieux père, et que tu l'enterres dignement.
   Et c'est ainsi que le seigneur qui donne aux hommes ses
    oracles,
l'arbitre de justice pour tous et pour chacun
traita le fils d'Achille venu vers lui en pénitent.
Comme un homme au cœur faible, il a gardé dans la
    mémoire
les querelles anciennes. Est-ce là être sage ?

       Un cortège amène le corps, porté sur les épaules des
       serviteurs.

LE CORYPHÉE

Voici notre seigneur, porté sur le pavois,
qui de Delphes revient vers sa demeure.
Je plains celui qui est tombé, je te plains aussi, vénérable.
Tu reçois au palais le fils d'Achille,
le beau jeune homme, autrement que tu ne voulais.
Le destin d'un seul coup vous frappe ensemble, pareille-
    ment[3].

PÉLÉE

Ô douleur, ô douleur, que suis-je condamné à voir,
à toucher, à faire entrer dans la maison ?
Ô deuil, ô deuil, ô cité thessalienne,
la vie m'est enlevée.
Ma race est finie, plus d'enfant au foyer.
Ah que je souffre ! Je n'ai plus personne chez moi,
vers qui regarder pour trouver de la joie.

(Il s'approche du corps.)

Ô bouche chérie, ô visage, ô mains !
Les dieux auraient mieux fait de te frapper sous Troie
aux bords du Simoïs.

LE CORYPHÉE

C'est vrai, il aurait eu en mourant plus de gloire,
et tu en aurais moins souffert, ô vénérable.

PÉLÉE

Hymen qui ruine ma maison et ma cité !
Ô deuil, ô deuil, jamais, mon fils,
le nom funeste de ta femme,
cette Hermione qui fut l'Hadès pour toi[1],
— nous voulions des enfants, un foyer —
n'aurait dû s'attacher à ma descendance.
Si la foudre d'abord avait pu la détruire !
Et pour la flèche qui tua ton père,
qu'allais-tu reprocher à Phoibos le sang du héros,
toi, mortel, à un dieu ?

LE CHŒUR

Hélas, hélas, trois fois hélas, le maître est mort.
Sur le mode funèbre, je prélude pour lui aux lamentations.

PÉLÉE

Hélas, hélas, trois fois hélas, moi qui suis vieux,
et accablé de peines,
mes larmes font écho et reprennent ta plainte.

LE CORYPHÉE

La volonté d'un dieu a causé ce malheur.

PÉLÉE

Mon fils chéri, tu as laissé la maison vide,
et ton vieux père seul, privé de son enfant.

LE CORYPHÉE

La mort, vieil homme, aurait dû te frapper avant lui.

PÉLÉE

Je veux déchirer mes cheveux,
à coups de poing furieux frapper ma tête.
Ô cité, sois témoin : mes deux fils, Phoibos me les a pris !

LE CHŒUR

Que n'as-tu pas souffert, que n'as-tu pas dû voir,
ô père infortuné ! Que sera désormais ta vie ?

PÉLÉE

Sans enfant, solitaire,
dans un malheur qui n'aura pas de fin
j'épuiserai ma peine jusqu'à en mourir.

LE CORYPHÉE

C'est vainement qu'une déesse te donna la joie de son lit.

PÉLÉE

Tout s'est envolé, s'est perdu, gît à terre.
Ma fière confiance est loin.

LE CORYPHÉE

Ton pas résonne seul dans une maison vide.

PÉLÉE

Plus de cité et plus de roi.
Que se brise ce sceptre inutile!
Fille de Nérée, dans l'ombre de tes cavernes
tu me verras tomber, anéanti.

LE CORYPHÉE

Écoutez! Qu'est-ce là qui s'agite?
Je perçois quelque approche divine.
Femmes, regardez-donc!
Une déesse a traversé l'éther brillant
et vient se poser aux plaines de Phthie nourricières de
    chevaux.

> *Thétis apparaît au-dessus de l'autel où l'on a vu*
> *Andromaque.*

THÉTIS

Je n'ai pas oublié, Pélée, mes noces avec toi,
et je viens, moi, Thétis, quittant la maison de Nérée.
Le malheur t'accable à présent.
Sache le supporter avec mesure, c'est mon conseil.
Moi qui aurais dû ne devenir mère que pour le bonheur,
j'ai perdu le fils que j'avais de toi, le héros aux pieds
    rapides,
Achille, que j'avais enfanté pour être le premier des Grecs.
    Pourquoi je suis venue, je vais te le dire, écoute.
Celui que voilà mort, le fils d'Achille,
va l'inhumer au pied de l'autel pythien,
pour la honte des gens de Delphes, et que sa tombe pro-
    clame
le meurtre commis par Oreste.
Quant à la captive, je veux dire Andromaque,
elle doit demeurer au pays des Molosses
et s'unir avec Hélénos en justes noces[1].
Demeurera aussi son fils, tout ce qui reste
du sang d'Éaque. Il faut que les rois nés de lui
se succèdent en Molossie pour des règnes heureux.
Elle n'a pas surgi pour si tôt disparaître

la race issue de moi, de toi, de Troie aussi,
car les dieux veillent toujours sur Troie
bien que Pallas ait exigé qu'elle tombât.

Quant à toi, connais la faveur qui t'attend
pour avoir partagé mon lit, celui d'une déesse née d'un
  dieu.
Je t'affranchirai des misères humaines,
la mort et le déclin, et tu deviendras dieu.
Tu vivras alors aux maisons de Nérée,
pour toujours, dieu compagnon d'une déesse.
Tu sortiras des flots sans te mouiller les pieds
pour aller voir Achille, notre fils bien-aimé,
dans sa résidence de l'île,
sur la côte Blanche, à l'intérieur du Pont-Euxin[1].

Pars maintenant pour Delphes, cité bâtie des dieux,
emporte le corps que voilà et va le mettre en terre.
Puis reviens à la grotte profonde du vieux rocher
de Sépias[2]. Assieds-toi là et attends que je sorte de la mer
avec le chœur de mes cinquante Néréides
qui sera ton escorte. À ton destin
Zeus a voulu donner cet épilogue.
Cesse de pleurer ceux qui ne sont plus.
Tout homme doit mourir, telle est la loi établie par les
  dieux.

PÉLÉE

Ô souveraine, noble compagne de mes nuits,
fille de Nérée, je te salue. Ton présent est digne de toi,
digne des enfants nés de nous.
Puisque tu le veux, ô déesse, je calmerai ma douleur.
Après avoir enseveli mon fils, j'irai aux grottes du Pélion.
C'est là que dans mes bras j'ai saisi ton corps admirable.

Oui, si l'on est sensé, l'on prend femme en bon lieu,
en bon lieu l'on marie sa fille, sans se laisser tenter par
  l'hymen d'une méchante,
vous eût-elle pour dot les plus grandes richesses.
C'est le moyen d'être béni des dieux.

Tout le cortège rentre dans le palais.

LE CORYPHÉE

Les choses divines ont bien des aspects.
Souvent les dieux accomplissent ce qu'on n'attendait pas.
Ce qu'on attendait demeure inachevé.
À l'inattendu les dieux livrent passage.
Ainsi se clôt cette aventure.

HÉCUBE

Le poème épique du Sac de Troie, *d'Arctinos de Milet,
racontait que les Grecs avaient égorgé Polyxène, la plus jeune
des filles de Priam, sur le tombeau d'Achille. C'est autour de
cette image que se développe la tragédie d'Euripide.*

*Hécube a vu mourir son mari et ses fils. Les vainqueurs se
sont partagé ses filles et ses brus avec le reste du butin. Elle n'a
gardé que Polyxène, qui est encore presque une enfant. Euripide
veut de plus que Priam ait sauvé son plus jeune fils, Polydore,
confié pendant le siège au roi thrace Polymestor. Celui-ci,
sachant Troie prise et Priam mort, tue l'enfant.*

*La pièce commence comme la flotte grecque, ayant quitté
Troie en cendres, est arrêtée par les vents contraires sur les côtes
de la Chersonnèse de Thrace. L'ombre d'Achille apparaît sur
son tertre funéraire et exige qu'on lui sacrifie la vierge, moyen-
nant quoi les navires rentreront heureusement. Le sacrifice est
accompli. Au moment où la vieille Hécube reçoit le jeune corps
pour l'enterrer, une servante découvre sur la grève le cadavre de
Polydore. Devant l'excès du malheur, la mère retrouve toute son
énergie. Elle cesse de gémir, combine la plus atroce des ven-
geances, attire dans un guet-apens Polymestor et ses deux fils;
avec l'aide des autres captives, elle aveugle le roi et tue les deux
innocents.*

*La pièce fut probablement jouée en 424. Elle figure en tête
du Choix byzantin, considérée par les Anciens comme le drame
tragique par excellence. Les épreuves de la mère douloureuse
nous paraissent surtout pathétiques. Mais les Anciens avaient
raison, car l'apparition en face d'elle d'Ulysse, puis d'Agamemnon implique ces problèmes qui, par-delà les sanglots et les
plaintes, sont l'essence même du tragique euripidéen. Les deux
chefs ont un lien personnel avec la reine esclave, et une dette
envers elle. Ils la feront souffrir malgré eux, parce qu'ils sont
grecs et que les Troyens sont leurs ennemis. Leur débat intérieur
est le drame même de l'homme politique. Euripide l'a suggéré
ici plus qu'il ne l'a traité, trahissant l'extrême importance qu'il*

*lui donne par les retouches qu'il apporte à la légende afin que chaque décision ait une portée qui dépasse l'individuel. Le sacrifice de Polyxène, dans les vieux récits, répondait simplement à l'exigence d'un mort, la même qui a envoyé tant de veuves au bûcher. Il signifie ici l'heureux retour de la flotte tout entière, comme celui d'Iphigénie signifiait son heureux départ. D'autre part, l'*Iliade* raconte qu'Ulysse déguisé en mendiant vint à Troie faire une reconnaissance, et qu'Hélène le reconnut : Euripide veut qu'Hécube aussi l'ait su, et qu'elle ait épargné son plus mortel ennemi. C'est le même Ulysse qui vient emmener l'enfant condamnée. Il est conscient de l'horreur de sa mission, conscient aussi de violer le pacte qui l'unit à celle qui l'a sauvé. Mais il ne peut agir autrement qu'il ne fait. Un conflit analogue possède Agamemnon, lorsqu'il apprend que le roi thrace, par cupidité, a tué son pupille. Assassiner un hôte est un crime affreux, sur lequel Agamemnon pense comme Hécube elle-même, et d'autant plus qu'il y a entre elle et lui le lien secret de son amour pour Cassandre. Mais Polymestor est l'allié des Grecs. Et le roi des rois adopte la méthode des lâches, qui est de ne rien empêcher. Dans* Iphigénie à Aulis, *des problèmes analogues apparaîtront plus explicitement, dans un cadre plus strict dont Agamemnon occupera le centre.*

Le prologue est prononcé par le fantôme de Polydore, qui arrête le classique exposé des faits avant l'atroce vengeance exercée sur Polymestor. Ce dernier épisode, certainement inventé par Euripide, a dû faire grande impression sur le public, si légitime que toute vengeance fût à ses yeux, et englobât-elle avec le coupable toute une famille sans reproche. Le crime est raconté par Polymestor lui-même, qui sort aveuglé de la baraque et, Cyclope tragique, cherche ses bourreaux à tâtons. Les femmes, dit-il, l'ont installé, bien à son aise, au beau milieu du lit, l'ont entouré, ont écarté peu à peu les enfants, avec mille cajoleries, puis, tombant sur lui comme des incubes, l'ont écrasé de leurs corps lorsqu'il a voulu se dresser, courir au secours des petits qui criaient sous les couteaux. La scène est un cauchemar saisi à sa racine même, au point où se confondent érotisme et cruauté. Polymestor est entré seul dans le gynécée, après s'être assuré qu'il n'y avait là aucun mâle et c'était pour des noces de sang où les deux sexes semblaient avoir échangé leurs rôles. Inversement, Polyxène a été conduite seule, comme une fiancée, dans le dur univers des hommes, afin d'être unie à un mort. Le sens archaïque de la légende est probablement celui que Sénèque rend manifeste dans ses Troyennes, *où l'ombre d'Achille exige une épouse. Euripide ne l'indique que très discrètement, par le geste de la sacrifiée qui se dévoile comme une mariée. Il a voulu que l'immolation, comme celle d'Iphigénie, eût le sens d'un rachat, que le crime fût exigé par l'intérêt commun, et que le tragique résidât dans l'option imposée aux représentants de la collectivité.*

Polymestor châtié domine néanmoins tout le dénouement. Les Grecs associaient volontiers cécité physique et voyance intellectuelle. Devenu subitement une sorte de prophète, le Thrace aveuglé annonce à Hécube sa fin humiliante (elle sera transformée en chienne) et à Agamemnon, qui refuse d'y croire, quel retour l'attend à Argos. Ainsi est symbolisée l'idée, chère à Euripide, que vainqueur et vaincus sont égaux devant le désastre qu'est finalement toute victoire. L'horreur de la guerre est exprimée par le chœur, qui tend sa propre misère en toile de fond aux douleurs d'Hécube, se demandant quelles seront les routes de sa servitude, puis remontant vers le passé, vers la naissance de Pâris, source des malheurs de Troie ; enfin une captive revit le dernier soir de sa félicité, quand elle tressa ses cheveux pour s'étendre à côté de son mari déjà endormi ; le lendemain matin elle était veuve, jetée dans un bateau pour être vendue au marché. La grande plainte d'un peuple aboli s'éteint dans cet humble et douloureux murmure.

Hécube

PERSONNAGES

LE FANTÔME DE POLYDORE, fils d'Hécube.
HÉCUBE
POLYXÈNE, fille d'Hécube.
ULYSSE
LE HÉRAUT TALTHYBIOS
UNE SERVANTE
AGAMEMNON
POLYMESTOR, roi de Thrace.
Chœur de captives troyennes.

*La scène représente le camp grec en Chersonnèse.
Au milieu est la baraque d'Agamemnon,
au-dessus de laquelle apparaît
le fantôme de Polydore.*

PROLOGUE

POLYDORE

Je viens des cavernes des morts et des portes de l'ombre
où Hadès a mis sa demeure, loin du séjour des autres dieux.
Je suis Polydore. Ma mère Hécube, fille de Cisseus,
me conçut de Priam. Quand la cité des Phrygiens
menaça de tomber sous la lance des Grecs,
mon père, inquiet, me fit quitter Troie en secret
pour la maison de son hôte de Thrace, Polymestor,
qui ensemence la riche plaine de la Chersonnèse où nous
    voici,
et qui gouverne de sa lance son peuple de bons cavaliers.
Beaucoup d'or avec moi partit secrètement.
Si les murs de Troie devaient s'écrouler un jour,
mon père voulait assurer la vie de ses fils survivants.
J'étais le plus jeune de tous ; c'est pourquoi il me déroba,
mes bras d'enfant étant trop faibles pour la lance et le bou-
    clier.
L'enceinte du pays était encore debout[1],
intacts aussi les murs de la cité troyenne,
Hector mon frère l'emportait au combat.
Bien soigné par mon hôte de Thrace,
je grandissais comme un jeune arbre, pour mon malheur.
Mais Hector mourut et Troie avec lui.
Mon foyer paternel s'écroula.
Priam tomba près de l'autel bâti des dieux,
égorgé par la main sanglante du fils d'Achille.
Notre hôte aussitôt me tua sans pitié, car il en voulait à mon
    or,
et, pour le mettre en sûreté dans sa maison, il jeta mon corps
    à la mer.
Tantôt j'échoue sur un rivage, tantôt me roule le ressac.
Je suis le jouet des marées, privé de larmes et privé d'un
    tombeau.

Pour m'élancer vers ma mère chérie, vers Hécube, j'ai déserté
    mon corps,
et voici deux jours que j'erre dans le vent,
depuis l'instant où cette infortunée
est arrivée ici en Chersonnèse, venant de Troie.
Tous les Grecs, avec leurs navires, arrêtés sur ces côtes de
    Thrace,
restent dans l'attente.
Le fils de Pélée leur est apparu sur son tertre funèbre.
C'est lui, Achille, qui retient cette armée,
alors qu'elle avait la rame à la main pour rentrer au pays.
Il réclame ma sœur Polyxène,
comme la victime agréable à sa tombe, comme le prix de ses
    prouesses.
Il l'obtiendra. Ses soldats l'aiment
et ne sauraient lui refuser ce qu'il demande.
Le destin a fixé ce jour pour mener ma sœur à la mort.
Et notre mère verra les cadavres de deux de ses enfants,
le mien et celui de sa malheureuse fille.
Pour obtenir, infortuné, la sépulture,
j'apparaîtrai aux pieds d'une servante, où le flot me rejet-
    tera.
Car j'ai prié ceux qui sous terre sont puissants, et ils m'ont
    accordé
un tombeau et le retour dans les bras de ma mère.
C'est tout ce que j'ai demandé et que j'aurai.
Mais la voici, la vénérable, devant qui je vais m'écarter.
C'est elle, Hécube, qui sort de ce logis
d'Agamemnon, effrayée par mon aspect de fantôme.
Ma pauvre mère, tu n'as vécu dans les palais royaux
que pour voir le jour de la servitude, aussi misérable
que tu fus heureuse jadis. Le dieu qui voulait te perdre mit
    dans la balance
une disgrâce égale à la félicité passée.

> *Le fantôme disparaît. Hécube sort de la baraque,
> soutenue par une servante. Elle appelle les autres cap-
> tives.*

HÉCUBE

Venez, mes filles, amener la vieille devant le logis.

Conduisez, soutenez celle qui est esclave,
Troyennes, comme vous, mais qui fut votre reine.
Venez me prendre, me porter, m'aider, soutenir mon corps
  affaibli.
Et moi, appuyant ma main à la béquille de ton coude plié,
je ferai moins lents mes genoux.

> *Ô lumière de Zeus, ô ténébreuse Nuit,*
> *pourquoi ces terreurs, ces fantômes,*
> *qui m'agitent dans l'ombre? Ô Terre sacrée,*
> *mère des Songes aux ailes noires,*
> *laisse-moi conjurer le phantasme nocturne*
> *où m'apparut mon fils, alors qu'il est en Thrace sain et*
>   *sauf,*
> *et Polyxène aussi, ma fille chérie, effrayante révélation!*
>
> *Ô dieux de ce pays, sauvez mon fils,*
> *seule ancre qui reste à notre maison,*
> *puisqu'il est dans la Thrace neigeuse,*
> *protégé par notre hôte.*
>
> *Mais un malheur s'apprête!*
> *Nous, les pleureuses, nous devrons chanter avec de nou-*
>   *veaux pleurs.*
> *Jamais mon cœur ne tremble, ne frissonne,*
> *comme il fait à présent, sans pouvoir se calmer.*
>
> *Le génie inspiré d'Hélénos, le génie de Cassandre,*
> *où sont-ils, ô Troyennes, pour m'expliquer mes rêves?*
> *Ce que j'ai vu, c'est une daine tachetée,*
> *que la griffe sanglante d'un loup*
> *arrachait à mon giron, égorgeait sans pitié.*
>
> *Une autre vision m'effraie : au sommet de son tertre*
>   *funèbre*
> *m'apparut le fantôme d'Achille qui exigeait pour son*
>   *insigne part*
> *une de nos malheureuses Troyennes.*
> *De ma fille, de ma fille à moi, ô dieux,*
> *écartez ce danger, je vous prie.*

Entre le chœur, quinze femmes troyennes.

PARODOS

LE CORYPHÉE

Vers toi, Hécube, je me suis enfuie en courant,
laissant les chambres des seigneurs où les dés ont fixé mon
      servage,
esclave traînée loin d'Ilion,
gibier conquis à la lance par les Achéens.
Je ne viens pas alléger ton malheur.
Chargée d'une lourde nouvelle,
j'arrive en messagère de souffrance.
    Les Grecs ensemble réunis
ont résolu, dit-on, d'accorder à Achille
ta fille sacrifiée. Debout sur son tombeau,
tu sais qu'il était apparu, couvert de son armure d'or,
quand la flotte prête à prendre le large
tendait déjà les cordages des voiles.
Il l'arrêta par un grand cri :
«Où pensez-vous aller, Danaens, laissant ma tombe sans
      honneurs?»
La discorde alors éclate en tumulte.
Deux avis se partagent l'armée grecque assemblée.
Les uns veulent qu'on donne la victime à la tombe.
Les autres s'y refusent.
Ta cause avait pour ardent défenseur
Agamemnon, fidèle à la bacchante prophétesse, sa com-
      pagne de lit.
Mais les fils de Thésée, rejetons d'Athènes,
parlèrent tous les deux, soutenant l'un et l'autre
que le tombeau d'Achille devait recevoir sa couronne
de sang frais, et que le lit de Cassandre
ne pouvait prévaloir sur la lance d'Achille.
Les partis s'affrontaient avec une ardeur presque égale
quand l'astucieux, le roué, l'enivrant séducteur des foules,
le fils de Laërte, persuada l'armée
qu'on ne pouvait, pour épargner du sang d'esclave,
débouter le plus excellent des Grecs,
ni permettre que devant Perséphone
nul défunt eût le droit de dire

que les Danaens quittaient les champs de Troie
sans rendre grâce à ceux des leurs qui moururent pour
       eux.
    À l'instant va venir Ulysse
arracher ton agneau de ton sein,
l'enlever à tes bras affaiblis.
Cours donc aux temples, cours aux autels,
supplie Agamemnon, attache-toi à ses genoux.
Prends les dieux à témoin, ceux du ciel, ceux de dessous
       terre.
Car seules tes prières pourront encore empêcher
qu'on te prive à jamais de ta malheureuse enfant.
Qu'elles soient vaines, tu devras voir, affaissée devant le
       tombeau,
une vierge rougie de sang, celui qui coule en noir ruisseau
d'un cou fait pour les colliers d'or.

STROPHE

HÉCUBE

    Malheur à moi! À quoi bon faire entendre un cri,
un appel, une plainte?
Maudite suis-je en ma triste vieillesse,
en cette servitude
que je ne puis ni supporter ni fuir[1] *!*
Hélas, hélas, qui viendra à mon aide?
quelle famille? quelle patrie?
Mon vieux mari s'en est allé,
s'en sont allés tous mes enfants.
Par où chercher à m'évader?
Quel dieu ou quel génie viendra à mon secours?
Troyennes, ah! porteuses d'infortune,
vous me donnez le coup mortel.
Le jour que je vois m'est devenu odieux.

                     (Elle va vers la baraque.)

Mes pauvres jambes, menez-moi,
menez la vieille jusqu'à ce logis.

                     (Elle frappe à la porte.)

Mon enfant, ma fille, née
de la plus malheureuse des femmes, sors de ta chambre,
entends la voix de ta mère,
car il faut que tu saches quelle rumeur vient de m'atteindre,
qui concerne ta vie[1].

POLYXÈNE, *sort de la baraque.*

Ma mère, eh bien, ma mère, pourquoi m'appelles-tu?
Quel malheur as-tu à me dire? Tu me chasses d'ici
comme un oiseau qu'on lève en l'effrayant.

HÉCUBE

Hélas, mon enfant!

POLYXÈNE

Pourquoi cet accueil de mauvais augure? Prélude sinistre
       pour moi!

HÉCUBE

Je pleure sur ta vie.

POLYXÈNE

Explique-toi, sans dissimuler davantage.
J'ai peur, ma mère, j'ai peur. Pourquoi me plains-tu?

HÉCUBE

Ma pauvre enfant, née d'une mère infortunée!

POLYXÈNE

Qu'as-tu à m'annoncer?

HÉCUBE

Ton immolation, que les Grecs réunis
ont décidé d'accomplir au tombeau d'Achille.

POLYXÈNE

Ah, ma mère, qu'est-ce qui te fait prononcer
cette abomination ? Parle, mère, parle !

HÉCUBE

Je te répète, mon enfant, ce que je voudrais taire.
On rapporte que les Grecs ont prononcé un arrêt
qui dispose de ta chère vie.

ANTISTROPHE

POLYXÈNE

    Ô comblée de souffrance, ô très éprouvée,
dont la vie fut toute douleurs,
quelle nouvelle injure, injure inexprimable,
un dieu dans sa haine a lancée contre toi !
Ainsi je ne pourrai plus, moi ta fille pitoyable,
secourir ta pitoyable vieillesse
en notre esclavage commun ?
Ma pauvre mère, tu verras ton agneau,
comme une bête nourrie en montagne[1]
arrachée à tes bras, et, la gorge coupée,
envoyée vers l'Hadès, dans les ténèbres souterraines.
Et c'est là que je dormirai, infortunée, avec les morts !
Mais c'est à toi, ma pauvre mère,
que vont mes pleurs et ma pitié.
Ma propre vie, avilie et souillée,
ne vaut pas un regret. La mort
est ce que le destin peut m'offrir de meilleur.

PREMIER ÉPISODE

Voici Ulysse qui vient à grands pas.
Il a, Hécube, un message à te faire.

Ulysse entre par la droite.

ULYSSE

Femme, tu sais déjà, je pense, ce que l'armée a résolu.
L'arrêt qu'elle a porté, je vais cependant te le dire.
Les Grecs ont décidé que ta fille Polyxène
serait égorgée au sommet de la tombe d'Achille.
C'est moi qu'ils ont chargé de venir l'emmener d'ici
et de la leur conduire. Le fils d'Achille est désigné
pour présider au sacrifice dont il sera le prêtre.
Or, voici ce que je te demande.
Ne m'oblige pas à te l'arracher
et ne m'oppose aucune résistance.
Mesure ta faiblesse et la profondeur de ta chute.
Rester maître de soi jusque dans le malheur, c'est la sagesse.

HÉCUBE

Hélas, la voici venue, je le sens, la lutte décisive,
avec ses sanglots et ses larmes.
Si je ne suis pas morte au jour que j'aurais dû[1],
au lieu de me détruire, si Zeus me tient vivante, c'est donc
        pour que je voie
après chaque malheur en venir un plus grand.
Est-il permis à une esclave d'adresser à un homme libre,
sans intention pénible ni méchante,
une question ? Ce sera dès lors à toi de parler,
à moi d'écouter ta réponse[2].

ULYSSE

Interroge à ton gré. C'est un délai que je puis t'accorder.

HÉCUBE

Tu te souviens qu'un jour tu vins à Troie en éclaireur,
sous des haillons, méconnaissable? Des filets de sang
coulaient de tes yeux sur ta barbe.

ULYSSE

Hé oui, ce jour m'est resté gravé dans le cœur.

HÉCUBE

Qu'Hélène te reconnut et le dit à moi seule?

ULYSSE

Je me souviens du grand danger que je courus.

HÉCUBE

Et qu'humblement tu touchas mes genoux?

ULYSSE

C'est vrai. Ma main raidie ne pouvait plus lâcher ta robe.

HÉCUBE

Et moi je t'ai sauvé, je t'ai laissé partir.

ULYSSE

Si bien qu'aujourd'hui je vois la lumière.

HÉCUBE

À ce moment où c'est toi qui étais mon esclave, que m'as-tu
    dit?

ULYSSE

Tout ce qu'on peut trouver quand on veut échapper à la
    mort.

HÉCUBE

Alors, quelle infamie que ton dessein présent !
Ayant reçu de moi la grâce que tu reconnais,
loin de me la revaloir, tu me fais tout le mal que tu peux.
Ingrate engeance, vous tous qui briguez la faveur popu-
      laire !
Que jamais je n'aie rien de commun avec vous,
vous qui vous moquez bien de nuire à vos amis
pourvu que vos discours flattent la foule !
Quel beau prétexte ont-ils cru inventer
pour condamner cette enfant à la mort ?
Quel besoin les pressait de sacrifier un être humain
sur une tombe faite pour des bœufs égorgés ?
Si c'est la mort de ses meurtriers que réclame
Achille, a-t-il le droit d'assassiner ma fille ?
Jamais elle ne lui a fait aucun mal.
C'est Hélène qu'il devait exiger, et qu'on l'égorge à son
      tombeau,
car elle l'a tué en l'amenant à Troie.
S'il lui faut pour victime une captive choisie,
la plus belle de toutes, ne venez pas chez nous.
La Tyndaride l'emporte en beauté
et ses torts dépassent les nôtres.
Voilà ce que j'avais à t'opposer au nom de la justice.
Mais toi, de plus, tu as à me payer la dette que j'exige.
Écoute-moi. Tu as touché, dis-tu, ma main,
ma joue flétrie, à genoux devant moi.
Or je touche à mon tour et ta main et ta joue,
et réclame le prix de mon bienfait passé. Je t'en conjure,
n'arrache pas ma fille de mes bras.
Ne la tuez pas. Il y eut bien assez de morts !
Elle est ma joie et l'oubli de mes maux ;
elle est mon réconfort pour tant de biens perdus,
ma patrie, ma nourrice, mon bâton, mon guide sur la
      route.
Les vainqueurs ne doivent pas abuser de leur pouvoir,
ni croire, étant heureux, qu'ils le seront toujours.
Heureuse, je le fus, et j'ai cessé de l'être.
Un seul jour m'a ravi ma félicité tout entière.

(Elle lui touche le menton.)

Par ton menton, ami, respecte ma prière,

aie pitié de moi, retourne au camp des Achéens
leur rappeler que le ciel punirait le meurtre
des femmes que vous avez épargnées tout d'abord
en les arrachant des autels, quand vous les preniez en pitié.
Chez vous en Grèce, une seule loi régit les gens libres
et les esclaves, quand il s'agit du sang versé[1].
Même si ton langage les heurte, tu as assez de prestige
pour les persuader. Selon qu'il vient de gens obscurs
ou bien d'hommes en vue, un même mot n'a pas la même
    force.

LE CORYPHÉE

Personne n'aurait le cœur assez dur
pour entendre sans larmes ta haute et gémissante plainte.

ULYSSE

Hécube, laisse-toi éclairer, et ne va pas, dans ta colère,
voir de l'inimitié dans mon sage conseil.
Ta personne, à qui j'ai dû le bonheur du salut,
je suis prêt à la sauver, et ce n'est pas une vaine parole.
Mais sur mon sentiment exprimé devant tous je ne revien-
    drai pas :
Troie prise, si le premier des guerriers grecs
exige le sang de ta fille, nous devons le lui accorder.
Ce qui affaiblit trop d'États,
c'est qu'ils refusent à l'homme grand et généreux
ce qui devrait le distinguer des gens de rien.
Achille a droit à tous nos honneurs, femme.
Il est mort pour la Grèce, noblement, en héros.
Honte à nous qui tant qu'il vivait profitions de son amitié
si nous devons, maintenant qu'il est mort, n'en plus faire de
    cas.
    Et puis, que dira-t-on, s'il survient de nouveau
une armée à réunir, des ennemis à combattre ?
S'ils voient le mort privé d'honneurs
que choisiront nos gens, la lutte ou la vie sauve ?
Pour moi, tant que je vis, si peu que chaque jour
m'apporte, je m'en tiendrai satisfait.
C'est ma tombe que je tiens à voir honorée,
la terre où je serai : durable privilège !
Tu parles de ton sort pitoyable. Sache de moi
qu'il y a chez nous, souffrant autant que toi,

des vieilles femmes et des vieux hommes
et des jeunes mariées privées de leurs courageux compagnons
dont les corps sont ici gisants sous la poussière de l'Ida.
Résigne-toi. Quant à nous, si nous avons tort de penser
qu'il faille honorer les corps de nos héros, l'avenir prouvera
notre erreur.
Vous, les Barbares, à vos amis refusez ce que veut l'amitié,
votre respect à ceux qui sont morts noblement,
afin qu'ainsi la Grèce soit prospère,
et que de nos conseils vous receviez le juste prix.

LE CORYPHÉE

Être un esclave, hélas, quelle misère !
Toujours subir les avanies, et céder à la force[1] !

HÉCUBE

Mes paroles, ma fille, se perdent dans le vent,
traits impuissants que je lançais pour te sauver.
Peut-être auras-tu plus de pouvoir que ta mère :
fais-en l'essai. Comme la voix du rossignol,
prends tous les tons pour que ta vie soit épargnée,
tombe aux genoux d'Ulysse, fais-lui pitié,
tente de le fléchir — tu as un accès à son cœur,
car lui aussi a des enfants — et qu'il s'émeuve sur ton sort.

POLYXÈNE

Ulysse, je te vois qui caches sous ton manteau ta main
droite
et qui détournes ton visage pour m'empêcher de toucher ton
menton.
Rassure-toi. Tu n'as pas à craindre que je te contraigne
en invoquant le Zeus des suppliants.
Je vais te suivre, et parce qu'il le faut,
et parce que je désire la mort. Si je m'y refuse,
je me révèle une femme lâche, trop attachée à la vie.
Et quelle raison ai-je d'y tenir ? Mon père était le roi
de la Phrygie entière. Ainsi se passa mon enfance.
Puis je grandis, nourrie de beaux espoirs,

pour épouser un de ces rois qui enviaient l'honneur
de me faire entrer dans leur maison, à leur foyer.
J'étais reine, oui, moi, l'infortunée, entre les femmes de
    l'Ida.
Parmi les jeunes filles, c'était moi que tous regardaient,
égale aux déesses, sinon qu'il me faudrait mourir.
Et me voici esclave. Ce seul nom
me fait aimer la mort, tant j'y suis peu accoutumée.
Et je pourrais échoir à un maître au cœur dur
qui m'aurait achetée au prix de son argent,
moi, la sœur d'Hector et de tant de héros !
Je serais à ses ordres, et je devrais chez lui faire le pain,
balayer le logis, rester debout à la navette,
souffrant jour après jour d'être contrainte ?
Un esclave acheté n'importe où toucherait à mon lit,
Jugé jadis digne d'un roi ?
Jamais. Je rends la liberté au regard de mes yeux
en donnant Hadès pour époux à mon corps.
Conduis-moi donc, Ulysse, où tu dois m'achever,
car je ne vois autour de moi aucun indice
qui m'encourage à espérer quelque bonheur pour l'avenir.
Toi, mère, pour me retenir, ne dis rien, ne fais rien.
Sois d'accord pour me souhaiter la mort qui préviendra pour
    moi la déchéance.
Qui n'a pas appris le goût du malheur
porte le joug, sans doute, mais s'y meurtrit la nuque,
et la mort lui paraît préférable.
Qu'est-ce qu'une vie avilie ? Une longue misère.

LE CORYPHÉE

Quelle forte marque imprime aux mortels pour les distin-
    guer
une haute naissance ! Et ceux qui en sont dignes
rehaussent encore l'éclat de leur nom.

HÉCUBE

C'est noblement parler, ma fille. Mais cette noblesse
est chargée de souffrance. S'il vous faut accéder au désir
du fils de Pélée, et ainsi, Ulysse, éviter tout reproche,
épargnez ma fille

mais conduisez-moi vers le bûcher d'Achille,
frappez-moi sans merci. La mère de Pâris, c'est moi,
et le fils de Thétis est tombé sous ses flèches.

ULYSSE

Mais ce n'est pas ta vieille vie que l'ombre d'Achille
exige des Achéens. C'est Polyxène qu'il réclame.

HÉCUBE

Ah! consentez du moins à me tuer avec ma fille.
Un double breuvage de sang sera ainsi offert
à la terre ainsi qu'au mort qui en demande.

ULYSSE

La vierge mourra, ce sera assez. Nous n'y joindrons pas
        d'autre sacrifice.
Que ne pouvons-nous éviter celui-ci!

HÉCUBE

Non, je mourrai avec ma fille, il le faut.

ULYSSE

Il le faut? Que dis-tu? Nul que je sache n'a d'ordre à me
        donner.

HÉCUBE

Comme le lierre au chêne, à elle je m'attacherai.

ULYSSE

Tu ne le feras pas, si tu en crois de plus sages que toi.

HÉCUBE

Ne me demande pas de consentir à son départ.

ULYSSE

Non plus qu'à moi de m'en aller sans elle.

POLYXÈNE

Ma mère, écoute-moi. Pour toi, fils de Laërte,
ménage ce cœur maternel qui s'emporte à bon droit,
et toi, infortunée, ne t'oppose pas à la force.
Veux-tu qu'on te jette par terre, qu'on meurtrisse
ton corps vénérable en te repoussant brutalement,
que le bras d'un jeune homme, avec indécence,
m'arrache à toi ? Et c'est ce qui t'attend.
Ah ! non, ne t'y expose pas, c'est indigne de toi.
    Ô ma mère chérie, donne-moi ta main bien-aimée et
mets ta joue contre ma joue,
car voici la dernière fois
que je regarde le cercle radieux du soleil,
et tu reçois en ce moment mes dernières paroles.
Ô mère, ô toi qui m'as mise au monde, je m'en vais sous la
    terre...

HÉCUBE

Et moi, ma fille, je ne verrai le jour que pour la servitude.

POLYXÈNE

... sans connaître l'époux, le chant nuptial qui m'était
    promis.

HÉCUBE

Tu es à plaindre, mon enfant, et ma misère est grande.

POLYXÈNE

Là-bas, chez Hadès, je vais m'étendre loin de toi.

HÉCUBE

Hélas, que faire et où aller pour terminer ma vie ?

POLYXÈNE

Je vais mourir esclave, et mon père était libre...

HÉCUBE

... et moi, privée de nos cinquante enfants[1].

POLYXÈNE

Que dirai-je en ton nom à Hector, à ton époux vénérable ?

HÉCUBE

Qu'il n'est femme en ce monde plus éprouvée que moi.

POLYXÈNE, *l'embrassant.*

Ô poitrine, ô seins qui m'avez si doucement nourrie !

HÉCUBE

Ma pauvre fille, ô sort prématuré !

POLYXÈNE

Mon dernier vœu à toi, ma mère, et à Cassandre[1]…

HÉCUBE

Le bonheur est pour d'autres. Pour ta mère il n'est plus rien
de tel.

POLYXÈNE

… à celui qui est chez les cavaliers thraces, mon frère
Polydore.

HÉCUBE

S'il vit encore. J'en doute, tant le malheur me poursuit.

POLYXÈNE

Il vit, et fermera tes yeux mourants.

HÉCUBE

Je suis morte avant de mourir, d'un excès de misère.

POLYXÈNE

Ulysse, emmène-moi, mais voile-moi la tête[2]

avant même que tu m'égorges, car mon courage fond
aux plaintes de ma mère, comme le sien à mes regrets.
Ô lumière! je puis encore invoquer ton nom!
Pour jouir de toi il me reste l'instant qui me sépare
du coutelas et du bûcher d'Achille.

> *Elle part avec Ulysse vers la droite.*

HÉCUBE

Ô douleur, je succombe et mes genoux défaillent.
Ô ma fille, embrasse ta mère, tends-moi ta main,
donne... ne me laisse pas seule, sans mon enfant. Amies, je
    meurs.
  Puissé-je voir en cet état la Laconienne, la sœur des
    Dioscures,
Hélène! Ses beaux yeux, honteusement,
ont détruit le bonheur de Troie.

> *Elle se jette sur le sol et ramène sur elle son
> manteau.*

PREMIER STASIMON

STROPHE I

LE CHŒUR

Brise, brise marine,
qui conduis les vaisseaux rapides
au large, à travers l'écume,
où vas-tu transporter ma misère?
Par quel maître achetée,
dans quelle maison entrerai-je asservie?
Vais-je aborder en terre dorienne?
en Phthie, où le père des belles eaux,
l'Apidanos, dit-on, féconde les campagnes?

ANTISTROPHE I

Me conduit-elle aux îles,
la rame qui bat l'eau salée,
mener la triste vie d'une pauvre servante,
au lieu où le premier palmier, où le laurier,
tendirent leurs branches sacrées
à Léto leur amie,
natale offrande au fils de Zeus[1]?
Avec les filles de Délos irai-je célébrer
le bandeau et l'arc d'or d'Artémis la déesse?

STROPHE II

Ou bien vais-je habiter la cité de Pallas,
la déesse au beau char?
Pour son péplos teint de safran,
je broderais en couleurs éclatantes,
sur la brillante et fine toile,

ses chevaux attelés,
ou tout un peuple de Titans
couchés pour un dernier sommeil
par la double flamme du foudre de Zeus[1].

ANTISTROPHE II

Ô mes enfants, ô mes ancêtres!... Ô mon pays
conquis par la lance des Grecs,
croulant dans la fumée des incendies,
tandis que moi, sur la terre étrangère,
on me nomme une esclave.
Au lieu de toi, funeste échange,
l'Europe est mon séjour,
autant dire le lit et la chambre d'Hadès.

Talthybios entre par la droite.

SECOND ÉPISODE

TALTHYBIOS

Celle qui fut reine d'Ilion,
Hécube, où puis-je la trouver, filles de Troie ?

LE CORYPHÉE

Là devant toi, Talthybios, le dos contre la terre,
étendue. Elle a sur soi refermé son manteau.

TALTHYBIOS

Que penser, ô Zeus ? Veilles-tu sur les hommes
ou est-ce en vain qu'on t'en donne le nom ?
Est-ce faux, ce qu'on croit, qu'il existe des dieux[1] ?
Le hasard seul a-t-il les yeux ouverts sur les mortels ?
Elle était reine de Phrygie, du pays de l'or,
l'opulent Priam était son mari,
et la lance aujourd'hui a dépeuplé sa ville.
Elle-même esclave, vieille privée d'enfants, à terre
gisante, souille de poussière sa tête infortunée.
Je suis vieux et près de la mort : qu'elle me soit cependant
    accordée
avant qu'il me faille connaître semblable déchéance.
Lève-toi, pauvre femme, et redresse ton buste,
tourne vers moi ta tête blanche.

HÉCUBE, *se redressant.*

Qu'on me laisse ! Qui est là, qui ne veut me laisser en repos ?
Pourquoi, qui que tu sois, tourmenter une femme qui
    souffre ?

TALTHYBIOS

Je suis Talthybios, héraut au service des Grecs,
Agamemnon m'envoie à ta recherche, Hécube.

HÉCUBE, *debout.*

Sois le bienvenu si tu viens me dire que les Grecs décident
de m'égorger également sur le tombeau. Que je te béni-
    rais !
Vite, courons ! Vieil homme, conduis-moi !

TALTHYBIOS

Ta fille qui est morte, il faut que tu l'ensevelisses ;
c'est pourquoi je viens t'emmener, envoyé
par les deux Atrides et l'armée achéenne.

HÉCUBE

Ai-je bien entendu ? Tu ne viens pas me conduire à la
    mort,
mais pour m'annoncer un malheur ?
Ma fille, tu es morte, arrachée à ta mère !
Encore un enfant que je perds, ô douleur !
Comment l'avez-vous immolée ? Avec respect
ou comme une ennemie que l'on peut massacrer ?
Parle, vieil homme, si pénible que ton récit doive être.

TALTHYBIOS

Femme, tu le veux donc ? Je n'y gagnerai que de pleurer une
    seconde fois
sur ta pauvre enfant. En te disant sa fin
mes larmes vont couler, comme devant la tombe, quand elle
    succomba.
   L'armée grecque était là réunie tout entière
se pressant au tombeau pour assister au sacrifice.
Le fils d'Achille prit Polyxène par la main
et la fit monter au sommet du tertre. J'étais auprès de lui.
Une élite de jeunes gens nous suivaient, choisis parmi les
    Grecs,
pour retenir à deux bras ton agneau quand il bondirait.
Le fils d'Achille prend une coupe d'or toute pleine, et la tend
    levée
pour la libation à son père mort, puis me fait signe
d'ordonner le silence aux soldats rassemblés.

Et moi, debout au milieu d'eux, j'annonce :
« Achéens, silence ! Que tout le monde se taise,
plus un seul mot ! » La foule reste immobile.
Lui dit alors : « Fils de Pélée, mon père,
accepte de ma main ces libations qui apaisent
et attirent les morts. Viens boire ce sang noir et pur,
ce sang de vierge que nous t'offrons,
l'armée et moi. Sois-nous propice.
Permets-nous de lâcher la bride à nos vaisseaux.
Accorde-nous d'accomplir tous heureusement
le voyage d'Ilion vers notre patrie. »
    Toute l'armée à ces paroles éleva sa prière.
Il prit la poignée de son épée garnie d'or,
la tira du fourreau et fit signe de saisir la vierge
aux jeunes Grecs choisis pour cela dans l'armée.
Mais elle, comprenant leur dessein, leur dit :
« Grecs qui avez détruit ma patrie,
j'ai accepté de mourir. Que nul de vous ne touche
mon corps. Je présenterai ma gorge, courageusement.
Au nom des dieux, laissez-moi libre pour me frapper,
et que libre je meure. Chez les morts,
être nommée esclave, moi, une reine ? Honte sur moi ! »
    Tandis que nos gens l'acclamaient, le roi Agamemnon
dit aux jeunes gens de lâcher la vierge.
Dès le dernier mot ils avaient obéi
à l'ordre de celui dont le pouvoir est souverain.
Ayant entendu la parole du maître,
elle déchira sa robe de l'épaule au nombril,
révélant ses seins et sa poitrine de statue,
parfaitement belle ; puis, se mettant à genoux,
elle dit, avec une fermeté inouïe :
« Voici ma poitrine, jeune roi. Si tu dois la frapper, frappe.
Si c'est au cou, voici ma gorge prête. »
Lui hésitait, tant il avait regret pour cette enfant,
puis il trancha de son couteau le passage du souffle
et une source en jaillit. Jusqu'en mourant,
elle eut souci de ne tomber qu'avec décence,
cachant ce qui est interdit aux yeux des mâles.
    Quand sous le coup fatal elle eut rendu son âme,
tous les Grecs à l'envi s'empressèrent.
Les uns jetaient sur son corps, par brassées, des feuillages[1].
Les autres chargeaient le bûcher de troncs de pins.

Et celui qui n'apportait rien s'entendait blâmer par ses
 voisins.
« Tu restes là, sans cœur, et les mains vides,
sans un tissu, une parure à donner à la jeune fille ?
Vite une offrande pour honorer ce grand courage,
cette noblesse sans égale ! » Te décrire ainsi la mort de ta
 fille,
c'est voir en toi la plus glorieuse des mères,
la plus malheureuse des femmes.

LE CORYPHÉE

Terrible, la calamité qui monte et déborde sur les Priamides
et sur tout leur peuple, par le vouloir inflexible des dieux.

HÉCUBE

Ma fille, laquelle de mes peines dois-je considérer ?
Elles sont trop nombreuses. Que je m'arrête à l'une d'elles,
elle s'accroche à moi, elle en appelle une autre,
et la douleur succède à la douleur.
Ton triste sort, comment sans en gémir l'effacer de mon
 cœur ?
Et l'excès pourtant de ma peine est tempéré par ta noblesse,
telle qu'on me la décrit. Voici qui est étrange. Un sol ingrat,
que le ciel le favorise, porte de beaux épis,
tandis qu'un bon terrain, faute des apports nécessaires,
donne de mauvais fruits. Chez les mortels au contraire,
l'homme de rien n'est jamais qu'un lâche,
le grand cœur est toujours un grand cœur, sans que la circonstance
altère sa nature. Il est excellent, il le reste.
Est-ce la race ou l'éducation qui fait la différence ?
Une bonne éducation, certes, est une école de vertu.
Qui a bien suivi ses leçons possède les normes du bien,
grâce à quoi l'on connaît également le mal.
Mon esprit, c'est assez de traits lancés dans le vide…
 Talthybios, va signifier aux Grecs
qu'ils écartent la foule, que j'interdis à tous de toucher
à ma fille. Une armée si nombreuse

est une masse déchaînée, et des marins sans loi
sont plus violents que le feu. Le mal à leurs yeux est le bien.
  Toi, ma vieille servante, prends une cruche et va la remplir
      à la mer,
que je lave ma fille pour son dernier bain,
épouse sans époux, vierge privée de sa virginité.
Je veux ensuite dresser son lit funèbre, non celui qu'elle
      aurait mérité
  — où trouver ce qu'il faut? ce n'est pas possible… —
mais comme je pourrai… ai-je le choix?
Pour la parer, je quêterai chez ces captives, mes voisines de
      tente,
ce qu'à leurs nouveaux maîtres elles ont pu dérober
des dépouilles de leurs propres demeures.
  Splendeur de ma maison, félicité d'autrefois,
ô toi béni en tes enfants, si nombreux et si beaux,
Priam! et moi, leur vieille mère,
dans quel néant sommes-nous tombés, dépossédés
des raisons de notre fierté! Et puis les cœurs s'enflent d'or-
      gueil
l'un pour son riche palais, l'autre pour les honneurs qu'il a
      reçus.
Et tout cela n'est rien. Ambitions inquiètes,
bavarde gloriole, ce n'est que vanité. Le plus heureux
est celui qui arrive au soir sans dommage.

                                Elle rentre dans la baraque.

SECOND STASIMON

STROPHE

LE CHŒUR

J'étais condamnée au désastre,
j'étais vouée à la souffrance,
du premier jour où sur l'Ida
Pâris abattit des sapins,
pour s'élancer sur les vagues
vers la couche d'Hélène, la plus belle des femmes
que le soleil éclaire de ses rayons d'or.

ANTISTROPHE

Des souffrances, des servitudes
plus pesantes que les souffrances,
naissent l'une de l'autre.
La démence d'un seul fait le malheur de tous.
Sur le pays du Simoïs est tombé le désastre
avec la ruine de nos rois[1].
Le conflit est tranché (sur l'Ida un bouvier
décide entre les trois filles des dieux).

ÉPODE

Tranché par la guerre et le meurtre, et la ruine de mon
    foyer !
Près de l'Eurotas au beau cours pleure aussi la fille de
    Sparte,
assise en larmes devant sa maison.
Une vieille mère dont les fils sont morts
frappe du poing sa tête blanche,
et rougit ses ongles en déchirant ses joues.

Entre par la gauche une servante, traînant un
corps enveloppé d'un vêtement.

TROISIÈME ÉPISODE

LA SERVANTE

Femmes, où est Hécube la très infortunée,
celle qui dépasse tout homme et toute femme
par ses malheurs, couronne que nul ne lui disputera ?

LE CORYPHÉE

Qu'y a-t-il, toi l'insupportable avec tes cris sinistres ?
Héraut de catastrophes, jamais tu ne t'endors.

LA SERVANTE, *montrant le corps.*

J'amène à Hécube ce sujet de pleurs. Dans l'adversité
a-t-on des mots de bon augure plein la bouche ?

Hécube apparaît.

LE CORYPHÉE

La voici qui sort du logis, à propos pour t'entendre.

LA SERVANTE

Infortunée ! et plus encore que je ne dis !
Maîtresse, tu es morte ! Tu vois le jour encore, mais ta vie est
    finie
sans enfants, sans époux, sans patrie, totalement ruinée !

HÉCUBE

Tu ne m'apprends rien. Pourquoi m'accabler de ce que je
    sais ?

(Remarquant le corps.)

Mais comment se fait-il que tu amènes ici
le corps de Polyxène ? On m'avait dit que tous les Grecs
s'empressaient de leurs mains à lui faire un tombeau.

LA SERVANTE

Elle ignore tout. Elle en est encore à pleurer
Polyxène, sans rien appréhender de son nouveau malheur.

HÉCUBE

Ô douleur, ô douleur ! Serait-ce l'inspirée,
Cassandre la prophétesse, dont tu m'apporterais le corps ?

LA SERVANTE

Elle vit, celle que tu dis. Mais à tes pieds est un mort
que tu ne penses pas à pleurer. Regarde le cadavre que j'ai
    dénudé :
n'est-ce pas un spectacle imprévu, une espérance démentie ?

HÉCUBE

Dieux ! C'est mon fils que je vois ! Il est mort,
Polydore, qui était à l'abri chez notre hôte de Thrace,
je succombe, je meurs.

                    (*Elle chancelle, puis se redresse et chante.*)

Mon fils, ô mon fils, je prélude à un chant déchaîné,
apprenant à l'instant le désastre
dont nous frappe un mauvais génie[1].

LA SERVANTE

Tu as enfin compris, infortunée, le sort cruel de ton fils.

HÉCUBE

Je le vois, et n'y puis croire encore.
De chaque malheur en surgit un autre.
Jamais une journée sans larmes ni sanglots
pour me laisser répit.

LE CORYPHÉE

Terribles, pauvre mère, les maux que nous souffrons !

HÉCUBE

Mon enfant, né d'une mère de douleurs,
quel est le destin qui t'a emporté ?
quel accident t'a couché là ?
quelle est la main qui t'a frappé ?

LA SERVANTE

Je ne sais pas. Je l'ai trouvé sur le bord de la mer.

HÉCUBE

Rejeté par le flot sur la grève
ou bien frappé d'un coup de lance ?

LA SERVANTE

Les vagues l'ont poussé jusqu'au rivage.

HÉCUBE

Ô deuil, ô deuil, je viens de comprendre
l'image que je vis en songe.
Je me souviens de ce fantôme aux ailes noires.
C'est toi, mon fils, qu'il montrait à mes yeux,
déjà privé de la clarté de Zeus.

LE CORYPHÉE

Qui l'a tué ? Le songe te l'a-t-il révélé ? Peux-tu le dire ?

HÉCUBE

Oui, c'est mon hôte, le cavalier thrace,
chez qui son vieux père l'avait caché.

LE CORYPHÉE

Est-ce possible ? Pour garder l'or il l'a tué ?

HÉCUBE

Crime inouï, qui passe la parole et la pensée,

abominable sacrilège. Où est la justice protectrice des
hôtes ?
Maudit, comment as-tu pu dépecer,
trancher à coups de couteau
les membres de mon enfant
sans être saisi de pitié ?

LE CORYPHÉE

Infortunée, il t'a donné la palme du malheur,
le démon quel qu'il soit qui s'acharne sur toi.
Mais voici venir notre maître en personne,
Agamemnon. Silence à présent, mes amies.

Entre Agamemnon par la droite. Hécube à genoux
près du corps lui tourne le dos.

AGAMEMNON

Que tardes-tu, Hécube, à venir inhumer ta fille,
après que Talthybios m'a mandé de ta part
que nul des Grecs ne devait toucher à la vierge ?
Nous l'avons donc ainsi laissée sans y porter la main.
Mais toi tu ne te hâtes guère et j'en suis étonné.
Je viens te presser de partir. Car au camp tout est bien
terminé, s'il peut rien y avoir de bien en de telles affaires.
Mais quoi ? quel est cet homme que je vois près du logis,
étendu mort ? Un Troyen ! Les vêtements qui enveloppent
son corps n'annoncent pas un Grec.

HÉCUBE, *toujours détournée.*

Infortunée ! C'est toi que je nomme ainsi,
Hécube ! Que dois-je faire ? Tomber aux genoux
d'Agamemnon, ou souffrir en silence ?

AGAMEMNON

Pourquoi me tourner le dos, ainsi prosternée,
et gémir sans dire ce qui est arrivé ? Qui est cet homme ?

HÉCUBE

Mais s'il ne voit en moi qu'une esclave, une ennemie,
et s'il repousse ma prière, je n'aurai qu'aggravé ma souf-
　　　france!

AGAMEMNON

Je ne suis pas devin. Tant que tu te tairas,
comment saurais-je où tu veux en venir?

HÉCUBE

Je vois peut-être en lui des pensées plus hostiles
que son cœur n'en éprouve.

AGAMEMNON

Si tu veux que j'ignore tes affaires,
nous sommes d'accord, car moi je consens à n'en rien
　　　entendre.

HÉCUBE

Je ne saurais sans lui venger mon fils. Pourquoi hésiter
　　　davantage
Je dois oser, et que ce soit ou non pour réussir!

　　　　　　　　　　　　　　(Elle se jette à genoux.)

Agamemnon, je te supplie, par tes genoux,
par ton menton, et par cette main droite, que la fortune
　　　favorise!

AGAMEMNON

Que désires-tu? Être déclarée libre
pour tout le reste de ta vie? Tu l'obtiendras sans peine.

HÉCUBE

Rien de semblable. J'ai des criminels à punir. Que j'y arrive,
jusqu'à ma mort je consens à rester servante.

AGAMEMNON

Quel secours attends-tu de moi?

HÉCUBE

Non pas celui que tu crois, seigneur[1].
Tu vois là ce corps, pour lequel coulent mes larmes?

AGAMEMNON

Je vois, mais sans comprendre où tu veux en venir.

HÉCUBE

Il est sorti de moi. Je l'ai porté sous ma ceinture.

AGAMEMNON

Infortunée! Lequel de tes enfants est celui-ci?

HÉCUBE

Il n'était point parmi les Priamides restés à Troie pour y
mourir.

AGAMEMNON

Tu avais donc encore un fils outre ceux-là?

HÉCUBE

Celui que tu vois, dont en vain j'espérais du bonheur.

AGAMEMNON

Où se trouvait-il quand Troie succomba?

HÉCUBE

Son père l'avait éloigné, craignant qu'il ne fût tué.

AGAMEMNON

Loin de ses frères encore vivants, où s'en fut-il tout seul?

HÉCUBE

En cette Thrace, où je retrouve son cadavre.

AGAMEMNON

Chez l'homme qui commande en ce pays, Polymestor ?

HÉCUBE

C'est ici qu'il fut envoyé, porteur de l'or qui l'a perdu.

AGAMEMNON

Par qui a-t-il péri ? dans quelle circonstance ?

HÉCUBE

Et de quelle autre main que celle du Thrace son hôte ?

AGAMEMNON

Le misérable ! Sans doute il convoitait son or ?

HÉCUBE

Tu l'as dit : dès qu'il sut les Phrygiens vaincus.

AGAMEMNON

Où l'as-tu découvert ? qui t'a rapporté son cadavre ?

HÉCUBE

Cette femme. Elle l'a trouvé sur la grève.

AGAMEMNON

En le cherchant ? ou bien occupée d'autre chose ?

HÉCUBE

Elle puisait de l'eau pour laver Polyxène.

AGAMEMNON

L'hôte l'aura tué, semble-t-il, puis jeté à la mer ?

HÉCUBE

Livré au jeu des flots, mutilé comme tu le vois.

AGAMEMNON

Infortunée! Tes maux sont sans mesure!

HÉCUBE

Ah! je succombe, Agamemnon, rien ne m'est épargné.

AGAMEMNON

Hélas! quelle femme eut un destin plus funeste?

HÉCUBE

Il n'en est point, si ce n'est l'Infortune en personne.
  Mais pourquoi me voici tombée à tes genoux,
sache-le. Si tu crois que les dieux ratifient mon désastre,
je me résignerai. Sinon, sois mon vengeur,
punis cet homme, le plus impie des hôtes,
qui sans craindre les dieux du sol ni ceux du ciel,
a commis le plus exécrable des crimes.
Combien de fois l'ai-je fait asseoir à ma table,
accueilli mieux que nul de nos autres amis!
Ayant reçu sa juste part, accepté la tutelle,
il a tué mon fils! Et non content de le tuer, il lui a refusé
l'honneur d'un tombeau, il l'a jeté à la mer!
Oui, je suis esclave et faible sans doute,
mais les dieux sont puissants. Puissante aussi celle qui les
        gouverne,
la Loi. C'est parce qu'elle existe que nous croyons qu'il est
        des dieux,
et que nous réglons notre vie en distinguant le juste de l'in-
        juste.
Si la loi est remise en tes mains et s'y trouve ruinée,
s'il n'y a point de châtiment pour ceux qui tuent
leurs hôtes, ou qui osent piller les domaines des dieux,
l'équité disparaît de la vie des humains.
Voyant quelle honte ce serait, respecte ma prière,

aie pitié de moi. De la distance où tu es, comme un peintre,
regarde-moi, contemple ma disgrâce.
J'étais une reine autrefois ; me voici ton esclave.
J'étais bénie en mes enfants ; me voici vieille et privée d'eux,
sans patrie, abandonnée, la plus misérable des créatures…

> *(Agamemnon se détourne et fait quelques pas*
> *comme pour s'éloigner.)*

    Mais où vas-tu ? Malheur à moi, tu te dérobes !
Je n'obtiendrai rien, je le vois, pauvre Hécube !
Penser que les mortels se donnent tant de peine,
pour rechercher, pour acquérir toutes les autres sciences,
et la Persuasion, reine unique du monde,
nous ne faisons aucun effort pour en apprendre les derniers
      secrets
et fût-ce à prix d'argent, alors que par elle
un homme peut, tout à la fois, convaincre et obtenir !
    Qui parlera encore d'espérer le bonheur ?
Les enfants que j'avais ne sont plus,
et moi-même, captive, je pars vers un destin d'ignominie,
quand la fumée de ma cité en flammes s'élance encore
      devant mes yeux.
    À présent il est vain sans doute d'en appeler à Cypris,
et je le ferai cependant.
À ton côté dort ma fille Cassandre,
celle que les Phrygiens nomment la prophétesse[1].
Comment prouveras-tu, seigneur, que vos nuits te sont
      chères ?
Des étreintes d'amour que te donne son lit,
quel gré ma fille recevra-t-elle ? quel gré recevrai-je pour
      elle ?
Les dons de l'ombre, les charmes des ténèbres,
rien n'inspire aux mortels plus vive gratitude.
Il faut donc m'écouter. Tu vois cet homme mort ?
Le servir, c'est servir le frère de Cassandre.
Je n'ai plus qu'un mot à te dire.
Que ne puis-je faire parler mes bras,
mes mains, mes cheveux, mes pieds !
Par l'art de Dédale ou de quelque dieu,
qu'ensemble ils s'attachent à tes genoux,

et t'assaillent en pleurant chacun dans son langage.
Ô mon maître ! Ô très haute lumière des Grecs !
Ah ! laisse-toi toucher ! Accorde ton aide à la vieille femme
pour sa vengeance. Même si je ne suis plus rien, exauce-moi.
C'est l'acte d'un grand cœur de servir la justice,
de frapper les méchants, toujours et où qu'ils soient.

LE CORYPHÉE

On voit dans la vie bien d'étranges rencontres.
La loi de la nécessité tranche en dernier recours[1],
nous faisant des amis de nos pires ennemis,
mettant dans l'autre camp ceux qui nous étaient favorables.

AGAMEMNON

Je suis ému, Hécube, par le sort de ton fils, par ton malheur,
par l'appel de ta main suppliante.
Le respect des dieux et de la justice
me fait désirer que cet hôte impie te paie son crime.
Mais encore faut-il que je puisse te satisfaire
sans qu'il apparaisse à l'armée que c'est pour l'amour de Cas-
        sandre
que j'ai préparé la mort du roi thrace.
Car c'est là le souci qui me trouble.
L'armée voit en cet homme un allié,
dans sa victime un ennemi. Que Polydore te soit cher[2],
c'est une affaire privée où les soldats n'ont rien à voir.
Tu dois y réfléchir. Tu me vois résolu
à t'aider, prompt à te secourir,
mais je deviens toute lenteur si les Grecs doivent me blâmer.

HÉCUBE

Il n'est donc pas, hélas, un mortel qui soit libre !
L'un est esclave de ses biens, l'autre du sort ;
ou c'est la multitude ou la lettre des lois
qui les forcent d'agir contre leurs sentiments.
Puisque tu crains, que la foule t'inspire un tel respect,
c'est moi qui vais te libérer de tes alarmes.
Sans m'apporter une aide active,

accorde-moi ta connivence
quand je préparerai un châtiment
pour le meurtrier de mon fils.
Si cependant les Grecs s'agitent, s'ils veulent venir
au secours du Thrace, lorsqu'il subira ce qu'il va subir,
contiens-les, sans paraître le faire pour moi.
Quant au reste, ne crains rien, je saurai tout régler au mieux.

AGAMEMNON

Mais comment feras-tu? Vas-tu prendre un couteau dans ta
    main
de vieille femme pour tuer le Barbare?
ou comptes-tu sur des poisons, sur une aide étrangère?
quel bras t'assistera? Où trouveras-tu des amis?

HÉCUBE

Les abris que voilà cachent quantité de Troyennes.

AGAMEMNON

Tu parles des captives, du butin des Grecs?

HÉCUBE

Avec leur aide je châtierai mon assassin.

AGAMEMNON

Des femmes, comment l'emporter sur des mâles?

HÉCUBE

Le nombre est redoutable; aidé par la ruse il est invincible.

AGAMEMNON

C'est vrai, mais je fais peu de cas de la race des femmes.

HÉCUBE

Et pourquoi? Des femmes ont vaincu les fils d'Égyptos,

et dépeuplé Lemnos de tous ses mâles.
Laisse-moi faire, c'est assez parler.

(Montrant la servante.)

À cette femme, accorde sauvegarde pour traverser le camp.

(À la servante.)

Toi, va trouver l'hôte thrace et dis-lui :
« Celle qui fut reine d'Ilion,
Hécube, te demande, pour ton intérêt comme pour le sien,
de venir avec tes fils. Car il faut que ceux-ci entendent
ce qu'elle veut te dire. »

(À Agamemnon.)

Pour la victime qu'on vient d'immoler,
Polyxène, suspends, Agamemnon, ses funérailles,
afin que le frère et la sœur, ensemble en un même bûcher,
double deuil pour leur mère, soient confiés à la terre.

AGAMEMNON

Il en sera ainsi. Si l'armée pouvait
prendre la mer, je ne saurais t'accorder cette grâce.
Mais un dieu retient toujours les vents favorables.
Force nous est d'attendre, épiant le moment d'un rassurant
      départ.
Que tout aille bien. Car la sécurité de tous[1],
celle de chaque citoyen et celle de l'État, veut que le méchant
soit puni, et que l'homme de bien soit satisfait.

Il s'éloigne avec la servante.

TROISIÈME STASIMON

STROPHE I

LE CHŒUR

Ilion, ô ma patrie, tu ne compteras plus
parmi les villes inviolées.
Un nuage de Grecs s'est abattu sur toi.
De leurs lances ils t'ont fouaillée.
Sur ta tête est rasée la couronne des tours.
Toute salie par la fumée, tu fais pitié.
Ah ! que je suis à plaindre !
Plus jamais je ne marcherai
parmi tes rues.

ANTISTROPHE I

Le milieu de la nuit m'apporta le désastre,
tandis que, le repas fini,
le doux sommeil se répandait sur nos paupières.
Après les chants, les fêtes et les danses,
mon mari dormait dans la chambre,
son javelot pendu au clou.
Il n'imaginait plus que des marins en troupe
pussent fouler les rues de Troie,
cité d'Ilos.

STROPHE II

Et moi j'arrangeais mes cheveux
en les nouant dans mon bonnet,
les yeux sur un miroir d'or à la clarté sans fond,
avant d'aller m'étendre sur mon lit.

Voilà qu'une clameur monta par la ville,
un ordre résonnait dans la cité de Troie :
« Fils des Grecs, c'est l'heure,
c'est l'heure ! Saccagez la citadelle,
puis vous rentrerez au pays. »

ANTISTROPHE II

    Alors, du lit de mes amours,
j'ai sauté, vêtue d'une seule robe,
comme une fille dorienne.
J'ai prié l'auguste Artémis, mais n'ai rien obtenu.
Ô douleur ! Je vois mort devant moi mon mari !
Vers la mer je suis emportée.
La ville m'apparaît du vaisseau qui s'éloigne,
me séparant de la terre troyenne.
J'ai succombé à la souffrance.

ÉPODE

    Et j'ai maudit Hélène, la sœur des Dioscures,
avec son bouvier de l'Ida.
Ô Pâris de malheur, ton épouse m'a perdue,
m'a chassée de ma patrie.
Épouse ? non : fléau d'un dieu vengeur !
Puissent les flots lui refuser le retour au pays !
qu'elle n'atteigne pas la maison de ses pères !

    Entre par la gauche Polymestor armé, accompa-
gné de ses deux enfants, de gardes et de la servante
d'Hécube.

EXODOS

POLYMESTOR

Ô mon très cher ami Priam! et toi qui m'es très chère aussi
Hécube! je pleure en vous voyant, et toi et ta cité,
et ta fille que tu viens de perdre.
On ne peut, hélas, se fier à rien : ni la renommée,
ni la bonne fortune ne sont des garants contre les revers.
Les dieux se plaisent à tout confondre pour ainsi nous trou-
        bler,
et que le sentiment de notre incertitude
nous incite à les adorer. Mais à quoi bon
ces plaintes! En sommes-nous plus avancés?
Peut-être, Hécube, m'en veux-tu d'être resté absent.
Ne m'accuse pas. J'étais en plein cœur de la Thrace,
loin d'ici, quand tu arrivas. Dès mon retour,
et comme déjà je quittais le palais,
j'ai rencontré cette femme, ta servante.
Elle m'a dit ton message et aussitôt je suis venu.

HÉCUBE

La honte m'empêche de te regarder en face,
Polymestor, dans la détresse où je suis à présent.
Un homme qui m'a vue dans ma félicité
me fait rougir de la misère où me voici,
et je ne puis lever les yeux pour rencontrer les siens.
Ne crois pas cependant que ce soit malveillance envers toi,
Polymestor. Je puis au surplus m'excuser sur l'usage
qui interdit aux femmes de regarder un homme en face.

POLYMESTOR

Il n'y a là rien qui m'étonne. Mais qu'attends-tu de moi?
pour quelle affaire m'as-tu mandé?

HÉCUBE

Elle m'est personnelle. Je veux la traiter avec toi
et tes fils. Que tes gardes s'éloignent.
Ordonne-leur de rester à distance.

POLYMESTOR, *aux gardes.*

Retirez-vous. Je puis ici rester seul sans danger.
Tu es une amie. J'ai l'amitié également
de l'armée grecque. Il te reste à me faire savoir
comment l'homme heureux que je suis pourra rendre service
à ses amis dans l'infortune. Je suis prêt à le faire.

HÉCUBE

Et tout d'abord, dis-moi, ce fils que je t'ai confié,
d'accord avec Priam, pour que tu le gardes chez toi,
Polydore est vivant ? Je te demanderai le reste ensuite.

POLYMESTOR

Assurément. En ce qui le concerne ton bonheur est sauf.

HÉCUBE

Très cher ami, quelle bonne parole ! Celle que j'attendais de
toi !

POLYMESTOR

Et que veux-tu apprendre ensuite ?

HÉCUBE

Se souvient-il un peu de moi, sa mère ?

POLYMESTOR

Il voulait même jusqu'ici venir à la dérobée pour te voir.

HÉCUBE

Et l'or est sauf qu'il emporta de Troie?

POLYMESTOR

En sûreté dans mon palais, sous bonne garde.

HÉCUBE

Conserve-le, sans convoiter le bien d'autrui.

POLYMESTOR

Je n'y pense pas. Ce qui m'appartient me suffit.

HÉCUBE

Sais-tu ce que je veux te dire, à toi et à tes fils?

POLYMESTOR

Nullement. À toi de me l'apprendre.

HÉCUBE

Ô toi que j'aime en ce moment comme tu le mérites, il
existe…

POLYMESTOR

Quoi donc que nous devions savoir, mes fils et moi?

HÉCUBE

… d'antiques souterrains qui gardent l'or des Priamides.

POLYMESTOR

C'est là ce que tu veux faire connaître à ton fils?

HÉCUBE

Oui, par ton entremise, puisque tu es un homme religieux.

POLYMESTOR

Mes enfants, pourquoi voulais-tu leur présence?

HÉCUBE

Tu peux mourir. Mieux vaut qu'ils sachent le secret.

POLYMESTOR

Tu as raison. La précaution est sage.

HÉCUBE

Tu sais où est le temple d'Athéna Troyenne?

POLYMESTOR

C'est là qu'est le trésor? Quel indice en désigne la place?

HÉCUBE

Une pierre noire en saillie sur le sol.

POLYMESTOR

Quelle autre chose encore veux-tu me dire à ce sujet?

HÉCUBE

Que tu sauves des biens que j'ai emportés avec moi.

POLYMESTOR

Où sont-ils? sous tes vêtements? dans quelque cachette?

HÉCUBE

En sûreté, parmi le butin entassé dans ces tentes.

POLYMESTOR

Où cela? C'est ici la station des navires grecs.

HÉCUBE

Les captives aussi ont leurs demeures propres.

POLYMESTOR

S'y trouve-t-on en sûreté? loin de la présence des mâles?

HÉCUBE

Aucun Grec n'est là. Nous y sommes seules.
Entre donc, car les Grecs ont hâte de lever les ancres
pour quitter Troie enfin et pour rentrer chez eux.
Ayant reçu tout ce qui te revient, tu regagneras
avec tes enfants le séjour que tu as donné à mon fils.

> *Elle entre dans la baraque avec Polymestor et les enfants.*

LE CHŒUR

> *Tu n'as pas encore subi l'expiation, mais elle vient peut-*
>   *être.*
> *Comme un homme qui chavire en haute mer,*
> *tu vas tomber de tes plus chères espérances,*
> *pour avoir dérobé une vie[1].*
> *Qu'en même temps la justice et les dieux*
> *viennent exiger paiement d'une dette,*
> *le désastre est inévitable.*
> *L'espoir qui t'amenait va t'égarer,*
> *te mener, marqué par la mort, vers l'Hadès. Malheureux!*
> *Une main inhabile au combat va t'enlever la vie.*

POLYMESTOR, *à l'intérieur.*

Malheur à moi! On m'aveugle, on arrache à mes yeux la
   lumière.

UN CORYPHÉE

Entendez-vous, amies, le cri du Thrace?

POLYMESTOR, *de même.*

Malheur, encore un coup! Ô mes enfants, affreux massacre!

SECOND CORYPHÉE

Amies, de nouveaux meurtres s'achèvent dans les tentes.

POLYMESTOR, *de même.*

Non, vous n'échapperez pas, si rapide que soit votre fuite.
Mes coups vont fracasser le fond de ce logis.
Vois! D'une lourde main ce trait-là est parti.

LE CORYPHÉE

Faut-il tomber sur lui? C'est le moment
de venir au secours d'Hécube et des Troyennes.

Hécube sort par un des côtés de la baraque.

HÉCUBE

Cogne, donne toute ta force, fais sauter la porte!
Tu ne rendras jamais le jour à tes prunelles,
ni ne retrouveras tes fils vivants, car je les ai tués.

LE CORYPHÉE

Hé quoi? c'est toi, maîtresse, qui as abattu l'hôte thrace,
et triomphé de lui? Est-il possible que tu aies fait ce que tu
    dis?

HÉCUBE

Tu vas le voir tout à l'instant devant la porte,
aveugle, marchant à tâtons d'un pas qui trébuche,
et tu verras les corps de ses deux fils que j'ai tués
avec l'aide des braves Troyennes. De lui
j'ai obtenu justice. Il sort, tu peux le regarder.
Pour moi, il faut que je m'écarte et me tienne à l'abri
du courroux furieux de ce Thrace, rude adversaire.

*Elle se retire sur le côté. La porte de la baraque
s'ouvre. On voit les enfants égorgés. Polymestor
s'avance.*

POLYMESTOR

*Ô douleur! Où me rendre?
où me tenir? où me réfugier?
Faut-il aller à quatre pattes, comme une bête des mon-
        tagnes?
de quel côté? à la trace, par-ci, par-là, tour à tour[1]?
pour me saisir de ces Troyennes, mes meurtrières,
qui m'ont perdu.
Misérables filles, misérables Phrygiennes, ah les maudites!
elles m'échappent, blotties dans quelle retraite?
    La paupière sanglante de mes yeux,
guéris-la, Soleil, guéris-la,
en mettant ta lumière dans ma prunelle aveugle[2]!
    Silence, silence, j'entends par ici
le pas furtif des femmes.
    De quel côté faut-il m'élancer
pour me gorger de leurs chairs, de leurs os,
pour me servir le repas d'un fauve,
mutilant qui m'a mutilé,
malheureux que je suis!
Mais où et par où vais-je, abandonnant mes fils
aux bacchantes d'enfer qui vont les dépecer,
les jeter égorgés aux chiens en sanglante pâture,
les disperser dans l'inhumaine montagne!
    Où trouver une halte, un repos?
Comme un navire en mer dans la tempête,
ramène sa voile de lin, ainsi dois-je avancer,
malgré ma hâte à revenir vers la tanière
où gisent mes enfants morts[3],
que je veux protéger.*

LE CORYPHÉE

Infortuné, quel cruel traitement!
Tu as commis un crime infâme et tu l'as payé cher!

POLYMESTOR

À moi, à moi, peuple de Thrace,
porte-lances, hommes d'armes, cavaliers,
race possédée d'Arès!
À l'aide, Achéens! Atrides, à l'aide!
Je crie mon appel, au secours, par les dieux!
M'entend-on? Personne pour venir m'assister! Qu'atten-
        dez-vous?
Des femmes m'ont tué, des femmes, des captives!
On m'a sauvagement traité, affreusement mutilé!
Quel chemin prendre? et où aller?
m'envoler vers le ciel, vers la haute demeure
où Orion et Sirius font jaillir de leurs yeux de feu
des rayons enflammés[1] *?*
Ou courir au passage obscur qui débouche dans l'Hadès?
Infortuné que je suis!

LE CORYPHÉE

Qui endure des maux au-dessus de ses forces,
s'il se soustrait à une telle vie, on lui pardonne…

            Arrive, par la droite, Agamemnon.

AGAMEMNON

De grands cris m'ont fait accourir. La retentissante
Écho, fille des rocs de la montagne, clame à travers le
    camp
et y met le tumulte. Si nous n'étions pas sûrs
que les remparts de Troie sont tombés sous la lance
    grecque,
une grande panique aurait suivi ces cris.

POLYMESTOR

Ô très cher! C'est à ta voix, Agamemnon,
que je t'ai reconnu! Vois-tu comment l'on m'a traité?

AGAMEMNON

Ah! malheureux Polymestor! Qui t'a perdu?
Qui t'a aveuglé, a crevé tes prunelles?
Qui a tué tes enfants? Une terrible haine
l'animait, quel qu'il fût, contre toi et tes fils.

POLYMESTOR

C'est Hécube, aidée des captives,
qui m'a perdu. Perdu? Ce n'est pas assez dire.

AGAMEMNON

Eh quoi? C'est toi qui as fait cela, comme il t'en accuse?
C'est toi, Hécube, qui aurais eu cette incroyable audace?

POLYMESTOR

Qu'ai-je entendu? Elle est là? près de moi?
montre-moi, dis-moi où elle est, qu'à deux bras je l'étreigne
pour la mettre en pièces et faire couler son sang.

AGAMEMNON, *l'arrêtant.*

Toi, holà! À quoi penses-tu?

POLYMESTOR

Par les dieux, je t'en prie, laisse ma main furieuse
se déchaîner contre elle.

AGAMEMNON

Halte! Chasse de ton cœur le Barbare,
parle, et que je vous entende tour à tour
afin de juger avec équité si tu as mérité une semblable
    offense.

POLYMESTOR

Je m'explique. Les Priamides avaient un frère cadet,

Polydore, né d'Hécube, que son père Priam éloigna de
    Troie
et m'envoya pour être élevé dans ma demeure,
car il pressentait la ruine de la ville.
Ce fils, je l'ai tué. Mes raisons, entends-les :
tu verras que j'ai bien agi, avec sagesse et prévoyance.
J'ai craint que cet enfant, ton ennemi, s'il survivait,
ne rassemblât les restes de Troie pour la rebâtir ;
et aussi que les Grecs, sachant vivant un Priamide,
n'équipent contre la Phrygie une nouvelle armée,
épuisant dans la suite notre plaine de Thrace
par leurs pillages. Tous les voisins de Troie
souffriraient alors, seigneur, ce que nous souffrons à
    présent.
Ayant su la mort de son fils, Hécube
m'attira dans un piège, pour me révéler, disait-elle,
les trésors cachés des Priamides à Ilion,
leur or. Seul avec mes enfants, elle me fait entrer
dans la baraque, nul ne devant connaître son secret.
Je m'assieds à mon aise au milieu du lit.
En grand essaim, qui à gauche, qui à droite,
comme autour d'un ami, les jeunes Troyennes
s'installaient, et vantaient le travail des tisseuses
d'Édonie[1], en regardant mes vêtements à la lumière.
D'autres examinaient ma javeline thrace
et me dépouillaient de ma double pique.
Les jeunes mères se récriaient sur la beauté
de mes enfants, les faisaient sauter dans leurs bras, et les
    éloignaient
de leur père en se les passant l'une à l'autre.
Puis soudain, rompant cet entretien des plus paisibles,
les voilà qui tirent, je ne sais comment, des couteaux de leurs
    robes,
et qui en frappent mes enfants. D'autres, comme au combat,
ensemble saisissent mes bras, mes jambes et les main-
    tiennent.
J'aurais voulu secourir mes enfants ;
mais, si je levais la tête,
elles se cramponnaient à mes cheveux ; quand je tentais de
    dégager mes bras,
la masse des femmes m'en empêchait, infortuné !

Pour finir, suprême souffrance, elles s'en prirent, horreur! à
    mes yeux.
Leurs épingles transpercent mes pauvres prunelles,
en font couler le sang. Puis, à travers la baraque,
elles fuient et m'échappent. Je saute sur mes pieds,
et comme une bête forcée je poursuis ces chiennes meur-
    trières,
tâtant tous les coins, comme un chasseur, frappant[1],
    cognant.
    Oui, pour avoir servi tes intérêts,
tué ton ennemi, voilà ce que j'ai dû souffrir,
Agamemnon. Sans m'étendre en plus longs discours,
le mal que les Anciens ont dit des femmes,
celui qu'on en dit à présent ou qu'on en dira,
je le résume en un mot : ni la mer ni la terre
ne nourrissent de pire engeance. Chacun l'apprend à ses
    dépens.

                          LE CORYPHÉE

Modère-toi! Ton malheur ne t'autorise pas
à confondre toutes les femmes en un même mépris.
Nous sommes nombreuses, les unes, il est vrai, sont haïs-
    sables,
mais combien d'autres leur font équilibre[2]!

                             HÉCUBE

Les paroles, Agamemnon, ne devraient jamais prévaloir sur
    les faits
Celui qui agit bien devrait savoir parler.
Celui qui agit mal, ses mots devraient avoir un son fêlé,
il ne pourrait rendre éloquente son injustice.
Habiles sont ceux-là qui savent orner leurs discours,
mais leur habileté ne se soutient pas jusqu'au bout,
et l'un après l'autre on les voit finir misérablement.
    Voilà ce que j'avais, Agamemnon, à te dire avant tout.
Je me tourne vers l'autre et voici ma réplique.
C'était, dis-tu, pour épargner aux Grecs une seconde guerre,
et pour servir Agamemnon, que tu as tué mon enfant.
Mais d'abord, misérable, tu sais bien que jamais
la paix ne régnera entre Grecs et Barbares,

que c'est chose impossible! Alors, quelle faveur convoitais-
tu

pour montrer tant de zèle? l'espoir d'un mariage,

l'intérêt d'un parent te poussait? ou quel autre motif?

Ou bien c'est que les Grecs auraient chez toi ravagé les
récoltes

en débarquant une seconde fois? À qui penses-tu faire
admettre cela?

C'est l'or, reconnais donc la vérité,

qui a tué mon fils, c'est ta cupidité.

   Car enfin, réponds-moi à ceci : quand Troie était prospère,

que les murs entouraient la ville,

que Priam vivait, que les armes d'Hector étaient victo-
rieuses,

pourquoi, à ce moment, si tu voulais servir le roi,

alors que chez toi tu élevais mon fils,

ne l'as-tu pas tué? ne l'as-tu pas livré vivant aux Argiens?

Mais non, c'est quand nous eûmes cessé d'exister,

et que dans la fumée Ilion annonça que l'ennemi l'avait
domptée[1],

que tu assassinas l'hôte venu à ton foyer.

   Ce n'est pas tout. Écoute, et que ta perfidie éclate.

Si tu étais l'ami des Grecs, quel était ton devoir?

Cet or, qui de ton propre aveu appartient à mon fils, non à
toi,

il te fallait le leur offrir à l'heure de leur dénuement,

quand depuis tant d'années ils étaient loin de leur patrie.

Ta main même à présent ne peut se résoudre

à s'en dessaisir : tu es décidé à le garder chez toi.

Or mon fils, si tu l'avais élevé comme tu le devais,

si tu l'avais sauvé, tu en aurais eu belle renommée.

Car c'est l'adversité qui atteste le mieux

les sentiments des gens d'honneur. La félicité n'a que des
amis.

Si tu avais été dans le besoin et que mon fils eût connu le
bonheur,

il eût été pour toi un trésor où puiser.

Maintenant tu as tout perdu, et l'ami qu'il aurait été,

et la jouissance de l'or, et tes enfants aussi.

Pour toi, tu es ce qu'on peut voir.

Je te le dis, Agamemnon,
si tu prends son parti, tu feras vilaine figure.
Ce serait protéger un impie, un perfide,
un hôte criminel devant les dieux et devant la justice.
Et l'on dira que tu es favorable au méchant
par affinité avec lui. Tu es mon maître. Je ne puis
　　t'accabler.

LE CORYPHÉE

Comme toujours les bonnes causes
servent de thème à d'excellents discours !

AGAMEMNON

Je n'aime pas juger de torts qui ne me concernent pas.
Je le dois cependant. Car il serait honteux,
ayant assumé cette affaire, que je m'en décharge.
J'estime, sache-le, que ce n'est ni pour me servir,
ni par conséquent pour servir les Grecs, que tu assassinas ton
　　hôte,
mais pour garder son or dans ta demeure.
Et tu présentes à ton avantage ce qui a causé ta ruine.
Peut-être est-il admis chez vous qu'on peut tuer un hôte :
pour nous autres Grecs, c'est une infamie,
et te déclarer innocent c'est faire sur moi retomber le blâme,
inévitablement. Puisque tu as osé commettre ce qu'il ne
　　fallait pas,
accepte à présent de souffrir ce qui ne te plaît pas.

POLYMESTOR

Quelle pitié ! Une femme, à ce que je vois, m'a vaincu,
une esclave ! J'aurai rendu raison à des vilains.

AGAMEMNON

N'est-ce pas justice ? ayant commis de vilaines actions ?

POLYMESTOR

Ah mes pauvres enfants ! Ah mes pauvres yeux !

HÉCUBE

Tu souffres? Et moi donc! Crois-tu que je ne pleure pas
mon fils?

POLYMESTOR

Tu as la joie de m'insulter, ô criminelle!

HÉCUBE

Ne dois-je pas me réjouir? Je suis vengée de toi.

POLYMESTOR

Ta joie sera courte. La vague bientôt…

HÉCUBE

… m'emportera aux rivages de Grèce…

POLYMESTOR

t'engloutira, tombée du sommet de la hune.

HÉCUBE

Terrible saut. Et qui m'aura précipitée?

POLYMESTOR

Toi-même tu auras grimpé le long du mât.

HÉCUBE

À moins que des ailes ne me poussent au dos, comment cela
se fera-t-il?

POLYMESTOR

Tu seras devenue une chienne aux yeux rouges.

HÉCUBE

Comment sais-tu que je serai ainsi changée?

POLYMESTOR

Dionysos rend des oracles aux Thraces ; il l'a prédit.

HÉCUBE

À toi, il n'a rien annoncé de ton présent malheur ?

POLYMESTOR

S'il l'avait fait, m'aurais-tu prise ainsi dans ton piège

HÉCUBE

Devrai-je mourir sur le coup ou finir dans la servitude[1] ?

POLYMESTOR

Mourir. Ta tombe sera nommée…

HÉCUBE

D'un surnom qui dira mon aspect, j'imagine.

POLYMESTOR

La Tombe de la Pauvre Chienne, repère pour les marins.

HÉCUBE

Que m'importe, maintenant que de toi j'ai tiré vengeance ?

POLYMESTOR

Cassandre ta fille elle aussi est vouée à la mort.

HÉCUBE

Je crache ! Sur toi retombe le présage[2].

POLYMESTOR

Tuée par l'épouse d'Agamemnon, qui pour le malheur garde
le foyer.

AGAMEMNON

Loin de la Tyndaride une telle démence !

POLYMESTOR

Sur toi aussi, Agamemnon, elle lèvera haut la hache.

AGAMEMNON

Holà ! toi ! Es-tu fou ? As-tu soif de nouveaux malheurs ?

POLYMESTOR

Tue-moi si tu veux, mais un bain sanglant t'attend à Argos.

AGAMEMNON

Gardes, saisissez-le, éloignez-le d'ici !

POLYMESTOR

Mes paroles te blessent ?

AGAMEMNON

Mais faites-le donc taire !

POLYMESTOR

Bâillonnez-moi. J'ai dit ce que j'avais à dire.

AGAMEMNON

Jetez-le sur-le-champ dans une île déserte,
puisqu'il ose ainsi déchaîner sa parole insolente.

(On entraîne Polymestor ver la gauche.)

Toi, pauvre Hécube, viens enterrer tes deux morts.
Troyennes, il vous faut regagner les tentes de vos maîtres,
car je vois enfin s'élever les vents
qui nous ramèneront chez nous.
Que la traversée nous accorde un heureux retour,

et qu'à nos foyers nous retrouvions toutes choses en bon
     ordre,
libérés enfin de tant de travaux.

Agamemnon sort vers la droite.

LE CORYPHÉE

Allons vers le port et les tentes, amies,
pour nous soumettre aux travaux des esclaves.
On ne plie pas la nécessité.

LA FOLIE D'HÉRACLÈS

Héraclès occupe une place singulière parmi les héros grecs. La série de ses prouesses ne constitue pas une biographie comme celle d'Œdipe, où rien n'est réversible. Plusieurs furent traitées à la manière de contes populaires où le héros faisait figure de bouffon ou de brute. Les Trachiniennes de Sophocle montrent jusqu'où pouvaient aller ses déchaînements.

Mais un trait a orienté sa légende, au cours d'une longue évolution, vers une croissante gravité. Condamné à la lutte depuis le moment de sa naissance, Héraclès est l'être le mieux fait pour symboliser la condition humaine dans sa misère et dans son indomptable espérance. Il est le héros souffrant. D'autre part, un de ses Travaux est la conquête des pommes des Hespérides, premier gage de l'immortalité qu'il conquerra pleinement par le supplice du bûcher. Sénèque dans Hercule sur l'Œta montre un homme accédant à force de souffrance à la qualité divine. Lorsque les chrétiens ont cherché dans les mythes des pressentiments de la révélation, ils ont fait d'Héraclès une image du Christ, un Sauveur qui triomphe des puissances infernales pour accomplir la volonté du Père.

On voit commencer la transfiguration dans le plus profond des drames d'Euripide. La pièce s'ouvre à Thèbes, devant un palais vide et clos. Héraclès est descendu aux Enfers pour accomplir le plus terrible des Travaux et ramener le chien Cerbère. Personne n'espère plus qu'il revienne jamais. Un usurpateur, Lycos, s'est emparé du pouvoir : pour se l'assurer définitivement, il veut mettre à mort les trois fils du héros avec Mégara leur mère et le vieil Amphitryon. Un monde privé d'Héraclès est livré à l'arbitraire. Les vieillards thébains chantent la glorieuse litanie des Prouesses comme s'ils déposaient une couronne sur un tombeau. Puis Héraclès reparaît brusquement, tue Lycos, et prépare dans le palais un sacrifice d'actions de grâce. Tout semble rentré dans l'ordre.

C'est alors que l'égarement s'empare du héros. Pour les Grecs, une rupture des digues qui protègent la conscience, une invasion

de l'irrationnel, ne s'explique que par une foudroyante intervention des dieux. C'est Héra, l'éternelle ennemie d'Héraclès,
qui déchaîne contre lui Lyssa, la Rage. Celle-ci aveugle Héraclès. Il se croit dans la maison d'Eurysthée, face aux enfants de
son ennemi, alors que ce sont les siens qu'il tue sauvagement.

Les vieux récits savaient déjà qu'Héraclès avait eu un accès de
folie, mais ils le plaçaient dans la jeunesse du héros et racon-
taient comment il en fut guéri. Euripide le met au déclin d'une
vie, après la plus mystérieuse des Prouesses, à un moment où plus
rien n'est réparable. C'est pourquoi il a voulu que Mégara soit
tuée en essayant de protéger ses fils.

Un héros est au service du bien. Il nettoie le monde de ses
monstres, donne à tous la sécurité. Le tableau du début, qui
ressemble beaucoup, dans son incroyable lenteur, à un mauvais
rêve, montre ce que serait un univers sans Héraclès. Le méchant
Lycos n'est même pas un anti-roi ; c'est un pur néant qui se
répand en ordres et contre-ordres, qui rit sottement tandis que
ses victimes l'insultent, et dont la mort même n'a aucune réalité.
Les vieillards du chœur représentent une cité muette, terrorisée,
où Héraclès, inquiété par un mauvais présage, rentre à la
dérobée. Lui présent, Lycos supprimé, l'angoisse pourrait se dissiper. Tout au contraire elle s'alourdit. En effet, comment pour-
rait-on combattre le mal sans être gagné par lui ? En apprenant
comment les siens furent traités en son absence, Héraclès s'écrie :

Je cours renverser le palais
du nouveau tyran, couper sa tête impie,
la jeter aux chiens en pâture. Et les Thébains
qui m'ont payé d'ingratitude après tant de bienfaits !…
Je remplirai tout l'Isménos du sang des morts,
j'en rougirai les eaux limpides de Dircé !

Or, cela est une impiété. Tout homme a le droit de se venger.
Mais les éléments sont purs et l'homme se rend coupable de
démesure s'il décide de les souiller. Le visage d'Héraclès a pris
fugitivement l'expression du capitaine Achab. Cette seconde suf-
fisait à des Grecs pour comprendre que sa raison était capable de
vaciller. Lyssa, qui est chargée de l'égarer, s'y prête à contrecœur :

Que le soleil me soit témoin, je vais agir contre ma
volonté, dit-elle, désignant ce qu'il y a de plus pur dans l'univers, comme pour affirmer que les causes secondes sont toujours

innocentes. *Le mal vient de plus haut : des dieux*, dira le Grec, *de la nature*, dirons-nous.

C'est pendant les préliminaires du sacrifice, au moment où il devait se purifier du meurtre de Lycos, qu'Héraclès est pris de vertige. Il se croit à Mycènes et sa rancune trop longtemps comprimée fait explosion. Il veut tuer Eurysthée, ses enfants, son vieux père. Seule l'apparition d'Athéna l'empêche de tuer Amphitryon. Euripide a reculé devant le parricide, crime si révoltant qu'il eût jeté les autres dans l'ombre. De plus, Héraclès devait détruire son avenir, non son passé, dont Amphitryon est le symbole même. Mais l'impulsion meurtrière est si violente qu'il faut une déesse, l'antithèse de Lyssa, pour l'arrêter.

C'est ainsi qu'il anéantit ceux qu'il devait sauver, faisant exactement ce qu'il a voulu empêcher. L'ivresse du sang a possédé celui qui n'avait jamais tué sinon pour faire triompher la justice. Le mal a fait de lui son agent ; le voilà seul et désespéré, à l'heure même où il s'apprêtait à renoncer aux Travaux pour n'être plus qu'un homme semblable aux autres, assis à son foyer avec ses enfants et leur mère. Il sort lentement de la torpeur qui suit le délire, avec un cri de joie vers la lumière, cri d'espérance aussi, celui du corps qui retrouve la santé. Ajax également soupire d'aise en revenant à lui après avoir massacré des moutons et des chèvres ; puis, éclairé sur sa fallacieuse victoire, demande un refuge à la mort, qui attire aussi Héraclès, comme un acte à la fois de désespoir et de bravade envers les dieux. Il en est dissuadé par le vieil Amphitryon, dont la fidélité devrait faire honte à Zeus, qui abandonne le plus grand de ses fils ; puis, avec plus d'autorité encore, Thésée, l'homme qui n'est qu'homme, mais qui l'est excellemment, Thésée ose toucher les mains tachées de sang, enlever le manteau dont le meurtrier s'est couvert :

— Et tu as osé découvrir ma tête, que le soleil la voie ?
— Pourquoi non ? Un mortel pourrait-il rien souiller de divin ?
— Mais toi, un faible humain, évite mon contact impur.
— D'un ami contre son ami ne peut sortir aucun démon.

Nul autre drame n'accuse aussi fortement l'incapacité des dieux olympiens à représenter le dieu immanent dont l'homme entend la voix. Péguy parle du « méprisable Euripide » ; et cependant c'est en marge de la Folie d'Héraclès qu'il semble avoir écrit : « Ce qu'il y a de plus grand dans toute l'Antiquité,

*ce sont les héros. Non point que ce soit leur demi-sang de dieux
qui les avantage. Mais au contraire l'on peut dire que c'est leur
demi-sang d'hommes qui les avantage comme dieux. Ils en
retirent cette profondeur, cette gravité, cette connaissance du
destin, cette usagère expérience du sort… » « Les poètes méprisent
les dieux de ce qu'ils n'ont point la triple grandeur de l'homme,
la mort, la misère et le risque… »* (Clio, pp. 261-265.)

    *La pièce fut probablement jouée en 424 ou l'année suivante.
Le texte est d'une interprétation particulièrement difficile. On y
devine des altérations dont l'étendue ne se laisse pas préciser.*

La Folie d'Héraclès

PERSONNAGES

AMPHITRYON, ancien roi d'Argos.
MÉGARA, épouse d'Héraclès.
LYCOS, roi usurpateur de Thèbes.
HÉRACLÈS
IRIS, messagère d'Héra.
LYSSA, la Rage.
UN MESSAGER
THÉSÉE, roi d'Athènes.
Chœur de vieillards thébains.

*La scène représente, devant le palais d'Héraclès
à Thèbes, un autel de Zeus où sont assis Mégara
et ses trois enfants, avec Amphitryon.*

Qui ne connaît ce mortel qui partagea son épouse avec
      Zeus,
Amphitryon d'Argos, le fils d'Alcée,
petit-fils de Persée et père d'Héraclès ? C'est moi.
Je me suis établi en ce pays de Thèbes,
où germa du sol la moisson des Spartes.
Arès en laissa survivre quelques-uns[1]
qui peuplèrent la cité de Cadmos
des fils de leurs fils. C'est d'eux que descendait
Créon fils de Ménécée, le roi de ce pays.
De Créon naquit Mégara, que voici près de moi.
Pour elle tous les Cadméens naguère
chantèrent au son des flûtes un joyeux hyménée,
le jour où l'illustre Héraclès la conduisit dans ma maison.

    Mais Héraclès a quitté Thèbes où je demeure.
Il a quitté Mégara et les parents de la femme,
tel était son désir d'habiter dans l'enceinte d'Argos,
dans la cité cyclopéenne d'où je dus m'exiler ayant tué
Électryon. Il paya cher pour adoucir mon sort et recouvrer
      notre patrie,
quand en échange il fit promesse à Eurysthée
qu'il purgerait la terre de ses monstres !
Étaient-ce les poinçons d'Héra qui lui avaient troublé
      l'esprit,
ou bien la destinée le voulait-elle ?
Il a pu accomplir d'autres tâches ;
mais la dernière était d'aller aux gorges du Ténare,
descendre dans l'Hadès, et ramener à la lumière
le Chien aux trois corps. Nous ne le voyons pas revenir.

    Or, les Thébains connaissent un récit ancien
qui veut qu'un Lycos autrefois, le mari de Dircé,

fut souverain de la ville aux Sept Portes,
avant le règne des Seigneurs aux Chevaux blancs,
Amphion et Zéthos, les jumeaux nés de Zeus.
Et voici qu'un second Lycos, descendant du premier,
qui n'est point Cadméen, mais qui vient de l'Eubée,
tue Créon et, ce meurtre accompli, règne sur le pays,
qu'il a surpris livré à la discorde.
L'alliance nouée entre Créon et nous
nous menace ainsi des plus grands malheurs.
Car tandis que mon fils reste retenu dans les profondeurs de
     la terre
le nouveau maître du pays, ce Lycos,
cherche à faire mourir les enfants d'Héraclès
après avoir tué leur mère
(pensant s'affranchir par un nouveau meurtre des consé-
     quences du premier)
et moi aussi, comme s'il fallait redouter la force
d'un vieux qui n'est plus bon à rien ? Il craint qu'un jour nos
     fils grandis
ne cherchent à venger leur lignée maternelle.
    Et c'est ainsi que moi, qu'Héraclès a laissé dans cette
     demeure,
pour garder son foyer et pour élever ses enfants,
tandis qu'il descendait aux sombres profondeurs,
je suis venu avec leur mère, espérant les soustraire à la mort,
m'asseoir à cet autel de Zeus Sauveur,
que le héros offrit au dieu en souvenir de sa victoire,
après qu'il eut triomphé des Minyens.
    Dénués de tout, nous refusons cependant de quitter cet
     asile,
où nous manquons de pain et d'eau, de vêtements, couchés
sur le sol nu. Car nous sommes bannis de la maison scellée,
et nous campons ici faute d'autre espoir de salut.
Quant aux amis, je vois que les uns n'étaient pas véri-
     tables,
et d'autres qui le sont ne peuvent nous aider.
Ainsi parmi les hommes agit l'adversité.
Puisse celui qui me veut quelque bien ignorer cette épreuve
où la vraie amitié se révèle infailliblement.

MÉGARA

Vénérable! Toi qui pris jadis les remparts de Taphos,
conduisant à la gloire l'armée des Cadméens,
que les mortels savent peu ce que les dieux leur réservent.
Voyez-moi : le sort à ma naissance ne m'a rien refusé ;
jadis mon père eut grand renom pour sa richesse ;
il possédait la royauté, bonheur envié,
pour lequel on risque sa vie en de grandes batailles[1].
De plus, il avait des enfants. Il me fiança à ton fils,
haute alliance qui faisait de moi l'épouse d'Héraclès.
Et maintenant tout ce bonheur s'est envolé, a disparu,
et nous voici, vieux père, sur le point de mourir,
et moi, et toi et les fils d'Héraclès, que sous mes ailes
j'abrite, comme une poule ses poussins.
L'un après l'autre ils me harcèlent de questions :
« Mère, où s'en est allé notre père ?
Que fait-il ? Quand reviendra-t-il ? » Dans leur puérile
    inconscience
ils le cherchent partout. Et moi je les distrais
par des récits que j'invente. Mais qu'on heurte à la porte,
chacun, surpris, saute sur ses pieds,
tout prêt à se jeter aux genoux de son père.
    Et maintenant quelle espérance, quelle terre de salut
nous réserves-tu, vénérable ? Car c'est vers toi que je regarde.
Nous ne pourrions, sans être vus, sortir des frontières de
    Thèbes.
Des gardes trop puissantes nous en ferment les issues.
De nul de nos amis nous ne pouvons attendre
qu'il vienne nous sauver. Quel que soit ton sentiment,
ne m'en cache rien. Si la mort est pour nous préparée
ne cherchons pas à l'ajourner, dans l'état d'impuissance où
    nous sommes.

AMPHITRYON

Un tel conseil, ma fille, est de ceux qu'on hésite à donner
à la légère. Se résigner trop vite, c'est abdiquer tout effort.

MÉGARA

Veux-tu donc souffrir davantage ? Aimes-tu la lumière à ce
    point ?

AMPHITRYON

Hé oui, elle m'est chère, et j'aime à garder l'espérance.

MÉGARA

Moi aussi, mais à quoi bon attendre l'impossible?

AMPHITRYON

Retarder le malheur, c'est donner du champ au remède.

MÉGARA

Mais l'attente est cruelle et déchire mon cœur.

AMPHITRYON

C'est qu'il pourrait arriver, ma fille, que l'événement se
    retourne
en notre faveur à tous deux, et que revienne mon fils, ton
    époux.
Allons, apaise-toi, arrête les larmes de tes enfants,
dis-leur les mots qui les consolent,
fallût-il les tromper par de pauvres mensonges.
Car même le malheur finit par se lasser,
et les souffles des vents n'ont pas toujours la même violence.
Les gens heureux ne le sont pas jusqu'à leur fin.
Toute chose à son tour recule, faisant place à une autre.
L'homme excellent est celui qui ne cesse pas
de s'appuyer sur l'espérance. Le lâche seul se livre à la
    détresse.

Entrent quinze vieux compagnons d'armes d'Am-
phitryon.

PARODOS

STROPHE

LE CHŒUR

Vers ce toit et cette maison,
vers ce lieu de repos du vieil Amphitryon,
bien soutenu par mon bâton,
je viens chanter une triste complainte,
comme ferait un cygne aux ailes grises.
Je ne suis plus rien qu'une voix, une apparence,
un fantôme semblable aux rêves de la nuit.
Oui, mon corps est tremblant, mais mon cœur est fidèle,
enfants, sachez-le, enfants privés de votre père,
et toi, vieil ami, et toi pauvre mère,
qui pleures ton mari demeuré chez Hadès!

ANTISTROPHE

Tenez bon, mes pieds et mes jambes
lourdes! Autant vers la crête rocheuse
lancer un cheval attelé à sa pesante charge¹!
Prends par la main, prends par son vêtement
celui dont le pied faible hésite et traîne.
Vieil homme, conduis le vieil homme,
qui jadis partagea tes travaux
la jeune lance à côté de la jeune lance,
combats dont la patrie sortit plus glorieuse.

ÉPODE

Voyez, l'éclat terrible du regard d'Héraclès
brille dans leurs yeux!
Le sort qui pèse sur leur père n'a pas épargné leur enfance.

Mais notre gratitude n'est point morte.
Ô Grèce, quels champions tu auras perdus
si tu les laisses périr.

Le roi Lycos et ses gardes entrent par la droite.

PREMIER ÉPISODE

LE CORYPHÉE

Silence, car je vois le roi de ce pays
Lycos, qui s'approche de cette demeure.

LYCOS

Le père d'Héraclès et son épouse,
si j'en ai le droit, je les interroge. Eh oui, j'ai le droit,
étant votre maître, de vous demander tout ce qu'il me plaît.
De combien de jours pensez-vous prolonger votre vie ?
Et quel secours espérez-vous qui vous épargne de mourir ?
Le père de ces enfants est gisant dans l'Hadès.
Vous comptez qu'il en reviendra ? Que vous vous trompez
　　　sur le peu que vous êtes
quand vous vous lamentez si haut parce qu'il faut mourir !
toi qui te vantes sottement devant toute la Grèce,
d'avoir avec Zeus partagé ta femme et ta paternité,
et toi qui te nommes l'épouse du plus grand des héros !
Qu'a-t-il donc accompli de miraculeux, ton mari,
en détruisant une hydre des marais,
ou bien le fauve de Némée ? Il l'a pris au filet
puis il a prétendu l'avoir étouffé dans ses bras.
Et ce sont là vos armes contre moi ? Et voilà pourquoi
je dois laisser en vie les enfants d'Héraclès ?
Mais cet Héraclès n'était rien ! Il se fit un renom de courage
en combattant des animaux, incapable d'autres exploits !
Jamais à son bras gauche il n'a tenu un bouclier.
Jamais au corps à corps il n'affronta la lance. L'arc à la main,
l'arme des lâches, il savait l'art de fuir.
Est-ce à jouer de l'arc qu'un homme prouve qu'il est brave ?
　　　Nullement,
mais s'il sait attendre la brusque levée d'un sillon de lances,

sans bouger de son rang et sans baisser les yeux.
Je n'agis point par cruauté, vieillard,
mais par prudence. Puis-je oublier que j'ai tué
Créon, le père de Mégara ? que j'occupe son trône ?
Je ne désire pas, en laissant grandir ces enfants,
me garder des vengeurs qui me réclameront des comptes.

AMPHITRYON

À Zeus revient de protéger ce qui est de Zeus
en son fils. Ma part pour ta défense sera de montrer, ô Héra-
    clès,
la lourde erreur de celui qui t'accuse ;
car je ne puis tolérer qu'on t'insulte.
    Et d'abord, ce blasphème, — car à mes yeux te dire lâche,
toi, Héraclès, c'est blasphémer —
les dieux sont mes témoins pour le repousser avec moi.
Oui, j'ai questionné la foudre de Zeus, questionné son qua-
    drige,
du haut duquel Héraclès combattit, les Fils de la Terre,
les Géants, criblant leurs flancs de ses traits ailés[1],
avant de mener, au milieu des dieux, la fête du triomphe.
Monte au Pholoé, ô toi le plus lâche des rois,
va demander aux brutes quadrupèdes, au peuple des Cen-
    taures,
quel homme ils jugent le plus brave
et vois si ce n'est pas mon fils, qui n'en as, dis-tu, que le
    nom !
Interroge en revanche le Dirphys des Abantes où tu as
    grandi[2] :
Il n'aura pas à te louer. En quel endroit
as-tu rien fait de grand dont ta patrie te rende témoignage ?
    Quant à l'armement de l'archer, très ingénieuse décou-
    verte
que tu viens dénigrer, écoute-moi et sache t'instruire.
Un hoplite dépend tout entier de ses armes,
et si ses compagnons de rang sont des couards
il périt par leur lâcheté.
Que sa lance se brise, il ne peut écarter de soi
la mort, puisqu'il n'a pas d'autre défense.
Mais celui dont le bras sait diriger les flèches

a l'avantage unique d'en pouvoir lancer mille,
tout en en gardant d'autres pour protéger son propre
        corps[1].
Il atteint à distance les adversaires qu'il repousse
sans leur donner prise sur sa personne
qui reste en lieu sûr. Or, telle est au combat
l'habileté suprême : frapper son ennemi,
se tenir à couvert, ne pas dépendre du hasard.
Voilà ce que j'avais à dire pour te réfuter sur ce point.

    Mais ces enfants, pourquoi veux-tu les mettre à mort ?
Que t'ont-ils fait ? Tu donnes du moins, je l'avoue, une
        preuve de sagacité :
la descendance des héros, ô lâche que tu es,
te fait trembler. En est-il moins cruel pour nous
d'être sacrifiés à ta lâcheté, nous qui valons mieux que toi,
et qui devrions t'infliger ce sort
si Zeus avait à notre égard des pensers de justice ?
Si tu tiens à garder le sceptre en cette terre,
laisse-nous la quitter et partir pour l'exil
sans user de la violence, de peur d'avoir à la subir
quand la faveur des dieux soufflera contre toi.

    Ah, terre de Cadmos ! car vers toi aussi je me tourne
pour t'adresser ta part de mon grief,
c'est donc ainsi que tu défends Héraclès et ses fils ?
Lui qui s'en fut combattre seul tous les Minyens[2]
rendant ainsi à Thèbes le regard d'une cité libre !
Et la Grèce elle-même, je ne puis la louer ni me résigner
au silence, quand je la trouve très ingrate envers mon fils,
elle qui, pour sauver ces petits, devrait saisir torches, lances
        et boucliers,
et accourir à la rescousse, en mémoire des monstres
contre lesquels, sur terre et sur mer, tu t'efforças, mon
        fils !
Ni Thèbes ni la Grèce ne sont ici pour vous défendre,
mes enfants, et c'est vers moi, faible et fidèle,
que se tournent vos yeux, moi qui ne suis rien qu'une
        voix.
Mon ancienne vigueur m'a délaissé,
l'âge fait trembler mes genoux et ma force est éteinte.
Si j'étais jeune et toujours maître de mon corps,
je saisirais une arme, et les cheveux blonds de ce garçon-là

se teindraient de sang, et il fuirait jusqu'au-delà des bornes
    d'Atlas,
à la seule vue de ma lance !

LE CORYPHÉE

Un homme de bien, même s'il hésite en prenant la parole,
sait sur quel terrain établir son discours.

LYCOS

Élève contre moi les tours de tes grands mots.
J'y réponds par des actes, qu'il te faudra souffrir.
    Gardes, allez ! Vous sur l'Hélicon, vous dans les vallons
        du Parnasse !
Dites aux bûcherons d'abattre des chênes.
Dès que les troncs seront amenés dans la ville,
entassez autour de l'autel un bûcher,
mettez-y le feu, et que ces gens y brûlent
tous ! Car il faut leur apprendre que ce n'est pas le mort
qui règne ici, mais qu'à présent le maître c'est moi !
    Et vous, les vieux, qui vous montrez hostiles
à mes desseins, vous gémirez d'abord
sur les fils d'Héraclès, puis sur le sort de vos maisons
quand le malheur sera sur elles. Et vous vous souviendrez
que vous n'êtes que mes esclaves, à moi, le roi.

Le chœur menaçant s'avance vers Lycos.

UN OU PLUSIEURS CORYPHÉES[1]

Nous qui sommes issus de la terre où Arès fit semaille
des dents qu'il prit à la mâchoire avide du dragon,
levons donc ces bâtons où notre main s'appuie,
et sur la tête impie de cet homme
faisons couler le sang ! Il n'est pas Cadméen,
et ce lâche commande à notre jeunesse, un étranger !
— Ne compte pas régner sur moi pour ton bonheur !
— Et ce que j'ai acquis du labeur de mes mains ne sera pas
pour toi !
— Va-t'en, maudit, retourne d'où tu viens ! Vas-y
exercer tes outrages !
— Moi vivant, tu ne tueras pas les enfants d'Héraclès !

Il n'est pas caché si profond sous la terre que j'oublie ceux
       qu'il a laissés !
— Toi, tu gouvernes un pays après l'avoir ruiné.
Lui, qui en fut le bienfaiteur, n'a pas reçu sa récompense.
Est-ce donc un excès de zèle, si pour un ami mort
je prends parti, et quand il a le plus besoin que les siens le
       secourent ?
— Ô mon bras, tu voudrais te saisir de la lance,
mais ta faiblesse énerve ton désir.
Autrement, Lycos, je t'aurais fait taire quand tu m'appelais
       ton esclave,
et nous habiterions avec honneur dans cette Thèbes,
où c'est toi qui vis à ton aise. Pourquoi eut-elle la folie
de se livrer à la discorde et aux mauvais conseils ?
Sans cela, t'aurait-elle jamais accepté pour son maître ?

MÉGARA

Vieillards, je vous remercie. C'est bien ainsi que l'on doit
       s'indigner
quand la justice est offensée en nos amis.
Mais n'allez pas pour nous prendre parti si vivement
qu'il vous faille en pâtir. Mon sentiment, le voici.
       Amphitryon, à toi d'en juger.
J'aime mes enfants. Comment ne pas aimer
ceux que j'ai mis au monde, élevés avec grande peine ?
Et la mort m'effraie, je l'avoue. Mais la nécessité nous force.
Seul un homme vulgaire contre elle se débat.
Puisqu'il nous faut mourir, du moins ne nous laissons pas
dévorer par le feu, en nous offrant aux moqueries
de nos ennemis. Non ! J'en souffrirais bien plus que de
       mourir.
L'honneur de nos maisons nous impose sa dignité.
Ton renom de haute vaillance guerrière
t'interdit d'accepter une mort d'homme lâche.
Pour mon illustre époux, je n'ai pas à prouver
qu'il refuserait de sauver ses fils au prix de leur gloire.
Car c'est pour ses enfants que l'homme de cœur souffre de
       la honte,
et je me dois de me ranger à l'exemple de mon mari.
       Quant à tes espérances, voici ce que j'en pense :

Crois-tu vraiment revoir ton fils sortant de dessous terre ?
Et quel mort est jamais revenu de l'Hadès ?
Ou que par nos discours nous fléchirions Lycos ?
N'y compte pas. Avec un ennemi brutal, fuir est la seule
    issue.
À la sagesse et à la courtoisie on peut demander grâce,
et se rendre clément un cœur où l'on a éveillé le scrupule.
La pensée un moment m'est venue d'implorer
l'exil pour mes enfants. Mais quelle douleur
d'acheter le salut au prix d'une pitoyable misère !
Un hôte qui héberge un ami en exil
lui sourit, ce dit-on, l'espace d'un seul jour.
    Avec nous donc résous-toi à la mort, qui t'attend aussi
    bien.
Je fais appel, mon père, à ta noblesse.
Lutter contre le sort décidé par les dieux,
c'est courage, oui certes, mais effort insensé.
Ce qui doit arriver arrive. Nul ne peut l'empêcher.

LE CORYPHÉE

Dans le temps où mes bras avaient encore leur force,
si quelqu'un t'avait outragé, je l'aurais aisément fait taire.
Mais à présent nous ne pouvons plus rien. À toi désormais,
    Amphitryon,
de voir comment le coup du sort peut être détourné.

AMPHITRYON

Je ne suis ni assez lâche ni assez attaché à la vie
pour refuser de mourir. J'ai voulu seulement à mon fils
conserver ses enfants. Mais je le vois, c'était vainement sou-
    haiter l'impossible.

(Quittant l'autel avec Mégara.)

C'est fait. Voici ma gorge que je livre au couteau.
Tu peux frapper, tuer, me précipiter d'un rocher.
Mais nous t'en supplions, seigneur, accorde-nous une grâce
    du moins.
Tue-moi, tue cette infortunée avant que meurent les enfants.
Épargne-nous, spectacle abominable,
de les voir, dans leur agonie, appeler leur mère
leur grand-père. Pour le reste, puisque tu le veux,

va jusqu'au bout. Condamnés à mourir, comment pourrions-nous résister ?

MÉGARA

Je te prie à mon tour. À cette grâce, ajoutes-en une autre,
et d'un seul mot apporte-nous double assistance.
Consens que je donne à mes fils la parure des morts.
Pour cela, fais ouvrir le palais : à présent nous en sommes
  exclus.
De tout leur patrimoine il ne leur reviendra rien d'autre.

LYCOS

J'y consens. Que mes serviteurs retirent les verrous.
Entrez et parez-vous. Je ne regarde pas à quelques vêtements.
Mais dès que vous aurez vêtu vos ornements funèbres,
je reviendrai ici pour vous mettre au tombeau

Il sort à droite.

MÉGARA

Mes enfants, venez avec votre pauvre mère
dans cette maison paternelle, dont les biens ont passé
en d'autres mains. De nom seul elle est nôtre encore.

Elle entre avec eux dans le palais.

AMPHITRYON

Qu'ai-je gagné, ô Zeus, à t'avoir de moitié dans mon lit ?
à célébrer notre paternité commune ?
Tu n'es donc pas l'ami puissant que je croyais !
Moi qui ne suis qu'un homme, je passe en vertu le plus
  grand des dieux,
car je n'ai pas trahi les enfants d'Héraclès.
Tu as bien su te glisser dans mon lit
et prendre sans nul droit celle qui était à un autre,
mais tu n'es pas là pour sauver les tiens.
Tu es donc un dieu sourd, ou bien un dieu injuste.

Il entre dans le palais.

PREMIER STASIMON

STROPHE I

LE CHŒUR

    Un refrain plaintif clôt l'hymne de joie que chante
        Apollon¹
frappant sa cithare harmonieuse
de son plectre d'or.
Celui qui est parti pour la ténèbre
souterraine, infernale,
— est-il fils de Zeus, fils d'Amphitryon ? —
je veux le chanter, louer ses prouesses,
lui tresser couronne de gloire.
L'éloge des hauts faits
est la vraie parure funèbre.
      Il délivra d'abord
      la forêt de Zeus
      du lion.
      Il mit sur son dos la fauve dépouille,
      sur sa tête blonde la gueule terrible
      du monstre.

ANTISTROPHE I

    Des fils des montagnes, des cruels Centaures, son arc fit
        jonchée,
décochant des flèches ailées,
porteuses de mort.
Vous l'avez vu, flots grondants du Pénée,
plaines infinies, piétinées, stériles,
vallées du Pélion,
grottes voisines d'Homolé !
Les bras chargés de vos sapins,
ils écrasaient sous leurs sabots
toute la terre thessalienne.

La biche aux cornes d'or,
au dos moucheté, fléau des rustiques,
il la tue,
la porte en offrande
à la chasseresse, la grande Artémis
d'Œnoé.

STROPHE II

Devant leurs râteliers sanglants les cavales de Diomède,
libres du mors, dévoraient un repas de chair,
se délectant, affreux convives,
de viande humaine.
Il les dompta, leur mit la bride,
pour les atteler en quadrige.
En revenant par les collines il franchit l'Hèbre
dont les eaux roulent de l'argent,
ayant accompli le travail
imposé par le roi de Mycènes.
Au pied du Pélion,
sur les bords de l'Anaure
ses flèches tuèrent le cruel Cycnos
qui mettait à mort, tapi dans Amphanée,
les voyageurs.

ANTISTROPHE II

Chantaient les Vierges musiciennes dans leur jardin de
l'Occident.
Aux rameaux pendaient les fruits d'or
que sa main devait conquérir.
Un dragon au dos roux tenait l'arbre dans ses replis,
et nul n'osait en approcher.
Il le tua.
Il pénétra jusqu'aux cavernes océanes
et c'est grâce à lui que nos avirons battent sans danger
une mer exempte de monstres.
Venu à la maison d'Atlas,

et tenant ses deux bras levés en plein milieu
du socle céleste,
il soutint de sa force d'homme
les palais étoilés
où sont les dieux.

STROPHE III

Pour atteindre l'armée amazone
dont les chevaux battaient la Méotide aux larges fleuves,
que d'amis par la Grèce entière il rallia !
Il passa les flots de l'Euxin
à la conquête du baudrier d'or
dont la fille d'Arès ceignait sa robe.
Fatale capture !
La Grèce a reçu le joyau pris à la Barbare.
Mycènes le conserve.

La gardienne de Lerne,
l'hydre aux mille têtes avides de sang,
la torche à la main il la détruisit,
trempa des flèches dans son sang
pour en percer le bouvier d'Érythie,
Géryon aux trois corps.

ANTISTROPHE III

Que de courses et que de victoires
dont il revint heureux et triomphant !
Mais pour l'Hadès enfin, pays des larmes, il a dû s'em-
barquer.
Sa vie finie, hélas, il n'est point revenu.
Son toit n'a plus de défenseur.
Pour le voyage sans retour, sacrilège injustice,
la barque de Charon attend ses fils.
En toi ta maison mettait tout son espoir,
et tu n'es pas là.

Si comme en ma jeunesse
j'avais la force de dresser ma lance,
avec mes amis cadméens

je serais debout devant ces enfants
pour les protéger. Mais l'heureuse jeunesse
est loin de moi.

Sortent du palais Amphitryon, Mégara et les enfants, parés comme on faisait pour les cadavres.

SECOND ÉPISODE

Mais je vois venir, portant les vêtements des morts
ceux qu'on nommait naguère les enfants du grand Héraclès.
Je vois sa fidèle épouse traînant les enfants attachés à ses pas.
Je vois le père du héros. Ô douleur!
Je ne puis retenir les larmes
dont débordent mes yeux de vieillard.

MÉGARA

Eh bien, où est le prêtre, où est le sacrificateur de ces vic-
        times?
qui plutôt sera le bourreau de ma malheureuse vie?
Voici les hosties prêtes à se laisser conduire vers l'Hadès.
Ô mes enfants, on nous emmène indignement, ensemble
        attachés au joug de la mort!
un vieillard, des petits, une mère!
Le sort m'est bien cruel, cruel aussi à ces enfants
que mes yeux regardent pour la dernière fois.
Je vous ai donc nourris et mis au monde pour que nos
        ennemis
puissent vous outrager, vous railler, vous détruire!
Ah! que je suis tombée de haut, des espérances
que me donnait jadis la parole de votre père.

(À l'aîné des enfants.)

   Toi, celui qui n'est plus te destinait Argos,
la maison d'Eurysthée pour être ton palais,
et la terre pélasge aux beaux fruits pour être ton royaume.
Sur ta tête il posait la dépouille du fauve,
du lion, qu'il revêtait pour la bataille.

(Au second.)

   Toi, tu devais régner sur Thèbes et ses beaux chars,
recevant pour ton apanage mon domaine dotal,
tel qu'il l'avait obtenu de mon père[1].
Dans ta main droite, pour ta défense,

il mettait la massue, dérisoire présent de Dédale[1].

(Au dernier.)

À toi c'est Œchalie qu'il promettait,
la cité qu'il avait conquise de ses flèches puissantes.
Pour vous trois votre père avait dressé trois trônes,
son noble cœur plein de brillants projets.

Moi, cependant, je choisissais pour vous la fleur des épou-
      sées,
vous ménageant des alliances dans Athènes,
à Sparte, à Thèbes, afin d'ancrer
fermement votre vie dans la félicité.
Tout s'est évanoui. La fortune s'est ravisée.
Vos fiancées, ce sont les Kères de la mort[2],
et votre bain nuptial, ce sont mes pleurs, infortunée.
Le banquet des noces, Amphitryon y présidera,
remplaçant Hadès, le père des épouses.

Ô douleur ! Qui de vous le premier, qui de vous pour finir
vais-je serrer sur ma poitrine et sur ma bouche ?
Lequel étreindre ? Que ne puis-je, ainsi que la fauve
abeille, puiser dans vos pleurs à tous,
les réunir en moi pour un seul flot de larmes.

Ah mon très cher mari ! si la voix des mortels
se fait entendre chez Hadès, écoute, Héraclès, ce que j'ai à te
      dire :
Ton père meurt avec tes enfants. Je péris aussi,
moi que l'on nommait, à cause de toi, trois fois bienheu-
      reuse !
Viens, secours-nous, montre-toi, ne fût-ce que ton ombre !
Parais ainsi qu'un rêve et ce sera assez,
tant ils sont lâches, ceux qui menacent tes enfants[3].

AMPHITRYON

Rends-toi favorables ceux qui sont sous terre, ma fille.
Mais moi, ô Zeus, c'est vers toi dans le ciel que je lève ma
      main
en te criant : Si tu veux sauver ces enfants,
viens à leur aide ! Bientôt tu ne pourras plus rien pour eux !

Mais combien de fois t'ai-je invoqué, toujours en vain !
La mort, je le vois bien, nous devons la subir.

(Au chœur.)

Mes vieux amis, l'existence est bien peu de chose.
Ne songez qu'à vous la rendre agréable
en allant chaque jour jusqu'au soir sans vous tourmenter.
Le temps se soucie bien d'accomplir nos espoirs !
Il fait son œuvre, et puis le voilà envolé.
Voyez-moi, vers qui se tournaient tous les yeux,
si célèbre était mon bonheur. Puis le sort m'a tout enlevé,
comme une plume au vent, en l'espace d'un jour.
La haute fortune et la renommée, je ne connais nul homme
qui puisse les tenir assurées. Adieu. Votre vieil ami,
mes compagnons, vous le voyez pour la dernière fois.

MÉGARA, *observant l'issue vers la gauche.*

Ciel !
Père, qui vois-je là ? Ce que j'ai de plus cher ! Ou me trompé-
je ?

AMPHITRYON

Je ne sais, ma fille. Moi aussi je reste sans voix.

MÉGARA

C'est lui, c'est celui qu'on disait enfermé sous la terre !
Je ne saurais rêver, il fait grand jour.
Comment croirai-je voir un fantôme né de mon délire ?
Non ! C'est ton fils et nul autre, mon père.
Venez, enfants, suspendez-vous à son manteau, c'est votre
père !
Courez, qu'attendez-vous ? Pour vous,
c'est comme si paraissait Zeus Sauveur.

*Les enfants restent blottis près d'elle et la retiennent
tandis qu'Héraclès approche.*

HÉRACLÈS

Salut, maison ! Salut, porte de mon foyer !

Avec quelle joie je vous retrouve en revenant à la lumière !
Mais quoi ? Ce sont mes enfants que je vois à l'entrée,
la tête couronnée d'ornements funéraires,
ma propre épouse entourée d'hommes,
mon père en larmes ? Pour quel malheur ?
Approchons et interrogeons.
Femme, quelle détresse inattendue est tombée sur notre
      famille ?

MÉGARA

Mon mari bien-aimé !

AMPHITRYON

Lumière de salut pour les yeux de ton père !

MÉGARA

Tu reviens sauf, à temps pour le salut des tiens.

HÉRACLÈS

Que dis-tu ? Dans quelle alarme vous trouvé-je, mon père ?

MÉGARA

Nous étions perdus… Pardonne-moi, vénérable,
si je te prends le mot que tu devais lui dire.
Plus qu'un homme, une femme est prompte à s'émouvoir,
et si mes enfants mouraient, je mourais avec eux…

HÉRACLÈS

Apollon, entends-la ! Quel prélude !

MÉGARA

Mes frères sont morts, et mon vieux père aussi.

HÉRACLÈS

Que s'est-il passé ? Une bataille ?

MÉGARA

Lycos, qui règne ici depuis peu, l'a tué.

HÉRACLÈS

Dans une guerre, ou bien pendant des dissensions?

MÉGARA

Des troubles l'ont fait roi de la Ville aux Sept Portes.

HÉRACLÈS

Mais toi, mais mon père, qu'en aviez-vous à redouter?

MÉGARA

Il allait mettre à mort ton père et moi et les enfants.

HÉRACLÈS

Que dis-tu? De mes orphelins, qu'avait-il à craindre?

MÉGARA

Qu'ils ne vengent un jour le meurtre de Créon.

HÉRACLÈS

Mais quelle est la parure qu'ils portent? celle des morts?

MÉGARA

Je leur avais noué les bandelettes funéraires.

HÉRACLÈS

Et vous alliez succomber à la force. Malheur à moi!

MÉGARA

Nul n'était là pour nous aider, et l'on te disait mort.

HÉRACLÈS

D'où venait ce bruit qui causa votre désespoir ?

MÉGARA

Les hérauts d'Eurysthée en lançaient la nouvelle.

HÉRACLÈS

Mais qui vous fit quitter ma maison, mon foyer ?

MÉGARA

La force. Ton vieux père, arraché de son lit…

HÉRACLÈS

Quoi ? Nulle pudeur ne le retint d'outrager un vieillard ?

MÉGARA

La Pudeur ? Lycos n'habite pas avec cette déesse[1].

HÉRACLÈS

En mon absence, tous mes amis firent ainsi défaut ?

MÉGARA

Quels amis garde-t-on quand on est malheureux ?

HÉRACLÈS

Mes victoires sur les Minyens leur semblaient méprisables ?

MÉGARA

Faut-il te le redire ? L'infortune s'en va solitaire.

HÉRACLÈS, *aux enfants, avec colère.*

Arrachez donc de vos cheveux ces bandeaux de la mort !

Remplissez vos yeux de ce jour qu'il est si doux de voir
quand il succède à l'obscurité des enfers.
Quant à moi, car mon poing à présent entre en jeu,
je cours renverser le palais
du nouveau tyran, couper sa tête impie,
la jeter aux chiens en pâture. Et les Thébains
qui m'ont payé d'ingratitude après tant de bienfaits,
cette arme de victoire saura les écraser,
et mes flèches ailées disperseront les autres.
Je remplirai tout l'Isménos du sang des morts !
J'en rougirai les eaux limpides de Dircé !
Qui doit compter sur mon appui ? Nul plus que ma femme,
mes enfants, mon vieux père. Je ne veux plus de mes
        prouesses.
Qu'il fut vain de les préférer à la tâche présente !
Mes fils allaient périr à cause de leur père.
J'ai le devoir de les défendre de la mort. Serait-il honorable,
après avoir lutté contre une hydre, un lion,
sur l'ordre d'Eurysthée, de laisser mourir mes enfants
sans me battre pour leur salut ? Mais alors je ne serais plus
cet Héraclès qu'on a nommé le Victorieux.

LE CORYPHÉE

Il est juste qu'un père secoure ses enfants,
son vieux père et la compagne de sa vie.

AMPHITRYON

Ta nature, mon fils, veut que tu sois ami fidèle,
implacable ennemi. Évite cependant de rien précipiter.

HÉRACLÈS

En quoi juges-tu, père, que je sois trop soudain ?

AMPHITRYON

Beaucoup de pauvres, qui se disent riches
et le paraissent, sont les soutiens du roi.
Ce sont eux qui ont excité la révolte et détruit la cité,

pour piller autour d'eux, leur patrimoine dissipé
dans le luxe et dans la paresse.
On t'a vu entrer dans la ville. Prends donc garde
que tes ennemis ne se soient entendus pour t'assaillir à l'im-
        proviste.

HÉRACLÈS

Toute la ville m'aurait vu, que m'importe ?
Mais un oiseau m'est apparu dans un mauvais quartier du
        ciel,
d'où j'ai compris qu'une disgrâce était tombée sur la maison.
C'est pourquoi j'ai pris garde et suis rentré furtivement.

AMPHITRYON

C'est bien. Franchis à présent la porte et va saluer ton foyer.
Accorde à ta maison de revoir ton visage.
Le roi va revenir pour tuer ta femme et tes fils,
pour m'égorger moi-même.
Attends-le là-dedans pour accomplir ton plan,
assurer ta sécurité. Quant à tes citoyens
évite, mon fils, de les alerter avant d'avoir gagné au premier
        coup.

HÉRACLÈS

Ton conseil est sage et je le suivrai. J'entre donc.
Enfin revenu des sombres cavernes
d'Hadès et de Coré, je ne refuserai pas
mon premier salut à mes dieux domestiques,

AMPHITRYON

Ainsi tu as vraiment pénétré chez Hadès, mon fils ?

HÉRACLÈS

et ramené à la lumière le Cerbère aux trois têtes.

AMPHITRYON

Après un combat, ou si Coré t'en fit présent ?

HÉRACLÈS

J'ai dû lutter. J'avais vu les mystères, grâce à quoi j'ai vaincu.

AMPHITRYON

Eurysthée a déjà la Bête en son palais ?

HÉRACLÈS

Elle est dans le bois de la Souterraine, à Hermione.

AMPHITRYON

Et Eurysthée ignore que tu es revenu sur la terre ?

HÉRACLÈS

Il l'ignore. Qu'il apprenne d'abord que je suis arrivé ici[1].

AMPHITRYON

Pourquoi es-tu resté si longtemps sous la terre ?

HÉRACLÈS

Il m'a fallu en ramener Thésée, ce qui m'a retardé.

AMPHITRYON

Où est-il à présent ? Rentré dans sa patrie, je pense.

HÉRACLÈS

Dans Athènes, oui, heureux de s'être échappé des enfers.
Maintenant, mes enfants, suivez votre père dans notre
     maison.
La rentrée est plus belle que n'en fut pour vous
la sortie. Ayez donc confiance et cessez de pleurer.
Et toi, ma chère femme, ressaisis-toi. Il ne faut plus trem-
     bler,
ni vous suspendre à mes habits.
Je n'ai pas d'ailes et je ne pense pas à fuir ceux que j'aime.

Mais quoi! Ils ne me lâchent pas! Ils ne s'accrochent
que davantage! Faut-il qu'ils aient vu le fond de l'abîme!
Je n'ai donc qu'à les prendre à deux mains et les entraîner
comme un bateau remorque sa chaloupe. Non cependant
    que je rougisse
d'avoir ces soins pour mes petits. Les hommes sont partout
    les mêmes.
Tous aiment leurs enfants, les plus grands
comme les plus humbles. La fortune entre eux met des dis-
    tinctions,
il y a des riches, il y a des pauvres. Mais devant l'amour
    paternel ils sont égaux.

Tous entrent dans le palais.

SECOND STASIMON

STROPHE I

LE CHŒUR

Je te chéris toujours, Jeunesse,
même aujourd'hui que sur ma tête
la vieillesse met un fardeau
plus lourd que les rocs de l'Etna,
et sur mes paupières un voile de nuit.
Ni le luxe d'un roi d'Asie, ni un palais plein d'or,
ne sauraient pour moi valoir la jeunesse
qui rayonne dans l'opulence et dans la pauvreté,
mais je hais la triste vieillesse, la meurtrière.
À la mer, la maudite!
Loin de nos maisons, de nos villes,
que le vent t'emporte là-haut,
et ne te laisse jamais retomber!

ANTISTROPHE I

Si les raisonnements des dieux
procédaient comme ceux des hommes,
les gens de bien recevraient d'eux
une double part de jeunesse
en témoignage irrécusable de vertu.
Après leur mort ils reviendraient à la lumière
pour faire une seconde course.
Le vulgaire seul n'aurait qu'une vie.
Ainsi l'on distinguerait les bons des méchants,
comme dans les nuages les marins comptent les étoiles.
Mais les dieux à tous accordent même sort.
La roue de la vie tourne et tourne,
de l'or seul accroissant le prestige.

STROPHE II

Je veux, tout au long de mon âge,
unir les Grâces avec les Muses,
délicieuse alliance.
Je ne saurais vivre sans elles,
vivre sans leurs couronnes.
Le poète a vieilli, mais sa chanson retentira encore.
Pour louer Mnémosyne et les victoires d'Héraclès,
Bromios toujours me donne son vin;
voici la cithare aux sept cordes, la flûte de Libye.
Il n'est pas temps pour moi de renoncer aux Muses,
qui m'ont admis parmi leurs chœurs.

ANTISTROPHE II

C'est un péan que les filles de Délos
chantent devant le temple,
en déroulant leurs belles danses
pour le fils dont Léto est fière.
C'est un péan aussi que j'entonnerai à ta porte, Héraclès!
Le chanteur est vieux et sa barbe est blanche,
comme est aussi la gorge du cygne,
mais ses accents se hausseront au niveau des prouesses
pour bien louer le fils de Zeus.
Grand par la naissance, plus grand par le courage,
il a lutté pour assurer notre quiétude,
nous libérant de la terreur des monstres.

Amphitryon sort du palais comme Lycos apparaît à droite.

TROISIÈME ÉPISODE

LYCOS

Tu sors à propos, Amphitryon !
Il vous a fallu bien du temps pour vous revêtir
de vos ornements funéraires !
Assez tardé. Les fils, l'épouse d'Héraclès,
va leur ordonner de paraître ici devant la demeure,
car vous avez promis d'aller librement à la mort.

AMPHITRYON

Seigneur, tu me poursuis dans mon malheur,
et tu te plais à m'outrager parce que mon soutien n'est plus.
Tu devrais, malgré ta puissance, modérer ton acharnement.
Mais puisque tu nous as condamnés à mourir,
il nous faut bien nous résigner et t'obéir.

LYCOS

Où donc est Mégara ? Où les enfants du fils d'Alcmène ?

AMPHITRYON, *regardant à l'intérieur du palais.*

De l'endroit où je suis, il me semble la voir…

LYCOS, *impatienté.*

Il te semble ? es-tu sûr[1] ?

AMPHITRYON

… assise en suppliante sur les marches sacrées d'un autel.

LYCOS

Peine perdue, si elle implore la vie sauve.

AMPHITRYON

Puis elle appelle en vain son mari qui n'est plus.

LYCOS

Qui est loin d'elle et ne reviendra plus jamais!

AMPHITRYON

Jamais! À moins qu'un dieu ne lui rende la vie!

LYCOS

Va la trouver. Amène-la hors du palais.

AMPHITRYON

Je ne saurais le faire sans avoir une part dans sa mort.

LYCOS

Si un tel souci te retient, ce sera moi
(car de ces terreurs je suis affranchi) qui vais faire sortir
la mère et les enfants. Allons, gardes, suivez-moi.
Je serai content d'être délivré de tous ces soucis[1].

Il entre dans le palais avec ses gardes

AMPHITRYON

Oui, va! Va où t'entraîne ton destin. Un autre sans doute
se chargera du reste. Attends-toi à subir le mal
de même que tu l'as commis. Mes vieux amis, c'est à mer-
      veille.
Il entre! Il va tomber dans le piège tendu,
devant l'épée levée, lui qui se vantait, l'infâme,
d'infliger la mort. Je vais le suivre, car je veux voir son
      cadavre
quand il tombera. Quel plaisir d'assister à la fin
d'un ennemi qui expie ses crimes!

Il entre dans le palais.

TROISIÈME STASIMON

STROPHE I

LE CHŒUR

Fini de souffrir! Toujours aussi grand, le roi légitime
revient vivant des Enfers!
Ô dieux, merci! Merci, justice!
Le flot du sort s'est renversé!

LE CORYPHÉE

Voici enfin l'heure venue où ta mort châtiera
les outrages dont tu accables ceux que tu devrais respecter.

LE CHŒUR

C'est la joie à présent qui fait couler mes larmes :
contre tout espoir j'ai vu revenir
le roi de ce pays.

LYCOS, *criant à l'intérieur.*

Malheur, malheur à moi!

ANTISTROPHE I

LE CHŒUR

Entends ce prélude, si doux à nos cœurs, qui vient du
palais!
C'est la mort qui s'approche!
Le roi jette un cri, une plainte,
nous annonçant qu'il va périr!

LYCOS, *de l'intérieur.*

Ô terre de Cadmos, c'est un piège! On me tue!

LE CORYPHÉE

Toi qui croyais tuer ! Il faut payer ta dette,
te résigner et accepter le châtiment.

LE CHŒUR

Quel mortel sans loi offensa les Célestes,
les dieux bienheureux, et dans sa folie
osa les taxer d'impuissance ?

LE CORYPHÉE

Mes compagnons, cet homme impie n'existe plus.
Le palais est muet. Formons donc notre chœur,
car nos amis triomphent et notre vœu est exaucé.

STROPHE II

LE CHŒUR

De danses, danses et festins,
va s'occuper Thèbes la ville sainte.
Ce ne sont plus les mêmes larmes,
ce ne sont plus les mêmes rencontres.
Partout la joie fait naître les chants[1].
Il est parti, l'usurpateur. Notre roi légitime
nous gouverne, car il a quitté le port de l'Achéron.
Qui l'aurait cru ? C'était l'espoir qui disait vrai.

ANTISTROPHE II

Les dieux, les dieux au regard pénétrant
connaissent le juste et l'injuste.
Trop d'or et de prospérité
écarte des voies de sagesse
et dévoie le pouvoir vers l'injustice.
On n'ose regarder en face le temps qui vient et ses retours,
si l'on a pour l'iniquité méprisé les rigueurs de la loi.
Le char funeste de la gloire se brise alors en pleine course.

STROPHE III

    Fleuve Isménos, couronne-toi!
Rues bien dallées de la Ville aux Sept Portes,
remplissez-vous de danses!
Dircé, pure fontaine, et vous filles de l'Asopos,
émergez du flot paternel et venez,
Nymphes, témoigner avec nous
du combat glorieux d'Héraclès!
Roc boisé du dieu de Pythô, Hélicon, séjour des Muses,
célébrez par vos cris de joie
ma ville et mes remparts,
où sortit du sol la race des Spartes,
bataillon à l'armure de bronze.
De fils en fils ils règnent sur cette terre,
pour l'éclat auguste de Thèbes.

ANTISTROPHE III

    Ô couche conjugale partagée
entre un mortel et Zeus pour la naissance d'un héros!
Zeta, c'est vrai! Tu entras autrefois dans le lit
d'une fille issue de Persée.
Je l'ai toujours cru fermement.
Ce qu'Héraclès reçut de toi
rayonne aujourd'hui contre toute attente.
Le temps a révélé l'éclat de son audace.
Il est sorti des chambres de la terre,
évadé du séjour infernal de Pluton!
Mon grand roi, c'est toi, Héraclès,
non ce tyran sorti de rien!
Mise à l'épreuve de l'épée,
devant les yeux de tous sa bassesse prouva
que les dieux toujours aiment la justice.

      Lyssa et Iris apparaissent au-dessus du toit du palais.

QUATRIÈME ÉPISODE

LE CORYPHÉE

Mais quoi ? mais quoi ?
Faut-il de nouveau trembler de terreur ?
Que vois-je, mes amis, apparaître au-dessus du palais ?

UN AUTRE CHOREUTE

Fuyons, fuyons, presse ton pas traînant et sauve-toi !

UN AUTRE

Ô dieu Péan, veuille nous garder du malheur.

IRIS

Osez donc regarder, vieillards, la fille de la Nuit
Lyssa, que voilà, et moi, la servante des dieux,
Iris. Thèbes n'a rien à redouter de nous,
car nous sommes armées contre la maison d'un seul homme,
celui que l'on prétend fils d'Alcmène et de Zeus.
Aussi longtemps qu'il terminait ses durs travaux,
le destin l'avait sous sa garde et notre père Zeus
ne nous permettait pas, à Héra et à moi, de le faire souffrir.
Mais à présent que sont remplis les ordres d'Eurysthée,
Héra veut qu'il porte la main sur son propre sang
en tuant ses enfants, et avec elle je le veux.

(À Lyssa.)

Allons, j'en appelle à ton cœur inflexible,
Fille de la Nuit ténébreuse, vierge hostile à l'hymen.
Mets cet homme en démence et qu'il tue ses enfants,
l'esprit égaré, les pieds bondissants.
À toi de le déchaîner, de l'exciter, de lâcher les rênes à sa
        fureur de sang !
Qu'il envoie par-delà l'Achéron les beaux enfants
qui sont sa couronne ! Oui, de sa propre main !

Qu'il se rappelle ainsi ce qu'est la haine d'Héra
et connaisse la mienne. Les dieux ne seront rien
et devront obéir aux mortels, si Héraclès n'est point châtié.

LYSSA

Issue d'un noble père et d'une noble mère,
je suis fille de Nuit et du sang d'Ouranos.
Ma charge est telle que je n'ai pas à rendre grâce aux dieux[1]
et je hante sans joie le seuil de ceux que j'aime.
Je veux donc avertir, avant de la voir trébucher,
Héra, et toi également, si vous consentez à m'entendre.
Vous m'envoyez vers la maison d'un homme
qui n'est sans gloire ni sur terre ni parmi les dieux.
Des régions sans accès, un océan sauvage
lui doivent la paix. Et lui seul a su relever
les honneurs dus aux dieux, renversés par des sacrilèges.
Sache donc écouter mon conseil : renonce à lui faire du mal.

IRIS

Tu n'as pas à juger les plans d'Héra, qui sont aussi les miens.

LYSSA

Je te ramène au bon chemin, quand tu prends le mauvais.

IRIS

Est-ce donc pour prêcher la sagesse qu'Héra t'envoie ici ?

LYSSA, *violemment.*

Que le Soleil m'en soit témoin, je vais agir contre ma
    volonté !
Si je suis condamnée à vous servir, Héra et toi,
à vous suivre en courant, en grondant, comme la meute le
    chasseur,
c'est bien, je pars. La mer furieuse aux vagues hurlantes,
la terre secouée, l'orage gros des dards de la foudre,
auront moins d'élan que moi pour atteindre Héraclès en
    plein cœur.
J'abattrai son toit et le lui ferai tomber sur la tête

une fois que j'aurai fait mourir ses enfants. Il les tuera en
    ignorant
qu'il détruit ce qu'il a engendré. Quand mes fureurs l'auront
    lâché il le saura.

(Montrant à Iris la cour du palais.)

Vois, déjà il agite la tête en passant la barrière,
muet, roulant des yeux révulsés, effrayants,
le souffle inégal, comme un taureau qui va foncer.
Puis il mugit en invoquant les Kères du Tartare.
Bientôt je lui ferai danser une autre danse sur ma flûte de
    panique.

(Méprisante)

Remonte, Iris, de ton pas noble, vers l'Olympe.
Moi je me glisse inaperçue au palais d'Héraclès.

Elles disparaissent.

LE CHŒUR

Hélas! crie hélas et trois fois hélas!
Tranchée la fleur de la cité, le fils de Zeus!
Ô pauvre Grèce, ton bienfaiteur, tu vas le perdre,
entraîné dans la danse de mort
par Lyssa et sa flûte démente!
    Montée sur son char, la reine des larmes pique ses
        chevaux,
comme pour la course à la mort.
Fille de la Nuit, Gorgone aux serpents,
aux sifflements de leurs cent têtes,
d'un regard Lyssa pétrifie!
    Une seconde, et le sort a détruit l'homme heureux!
Une seconde, et ses enfants vont mourir de sa main!

AMPHITRYON, *dans le palais.*

Malheur à moi!

LE CHŒUR

Zeus, ô Zeus, ton fils bientôt n'aura plus de fils!
Déchaînée, sanguinaire, exigeant rançon,
la vengeance le frappe et l'étend au sol!

AMPHITRYON, *de même.*

Ô toit de notre demeure !

LE CHŒUR

Un chœur va bondir, sans les tambourins,
les thyrses joyeux de Dionysos…

AMPHITRYON

Ô mon palais !

LE CHŒUR

… en quête de sang, méprisant les grappes
des libations à Dionysos !

AMPHITRYON

Fuyez, enfants, ah ! sauvez-vous !

LE CHŒUR

Appel de mort, sonnant la mort à mes oreilles !
Le chasseur traque les enfants !
Lyssa la bacchante, au fond du palais, va toucher le but !

AMPHITRYON

Ô malheur !

LE CHŒUR

Oui, malheur ! Combien je plains le vieillard et la mère
qui a donné en vain le jour à des enfants !
Mais voyez, voyez, la tempête secoue la maison,
le toit s'écroule !

AMPHITRYON

Quoi ? Quoi ? que veux-tu, fille de Zeus, faire de ce palais ?
Tu l'as secoué depuis ses racines.
Ainsi jadis, ô Pallas, tu ensevelis Encélade[1].

Un messager sort du palais.

LE MESSAGER

Ô têtes par l'âge blanchies…

LE CHŒUR

Pourquoi ce cri ? Que me veux-tu ?

LE MESSAGER

L'horreur règne dans la demeure.

LE CHŒUR

Je le savais sans être devin !

LE MESSAGER

Les enfants sont morts.

LE CHŒUR

Hélas !

LE MESSAGER

Pleurez sur leur sort pitoyable !

LE CHŒUR

Meurtre cruel ! Cruelles mains paternelles !

LE MESSAGER

Toute parole reste en deçà de nos malheurs.

LE CHŒUR

Fatalité sur les enfants, et fatalité sur leur père !
Comment du ciel tomba le désastre sur cette maison,
la mort sur ces pauvres enfants, dis-le-nous.

LE MESSAGER

Devant l'autel de Zeus se préparait le sacrifice
puisqu'il fallait purifier le palais du meurtre de Lycos[1]
dont Héraclès avait fait jeter le cadavre au-dehors.
Il avait près de lui le beau cortège de ses fils,
son vieux père et Mégara. Déjà circulait la corbeille
autour de l'autel et nous observions l'ordre du silence.
Il allait saisir le tison pour le plonger dans l'eau lustrale
quand il s'arrêta, sans rien dire. Ne sachant ce qu'il atten-
       dait,
les enfants sur lui levèrent leurs regards.
Il n'était plus le même, le visage altéré,
les yeux égarés, injectés de sang,
et l'écume coulait sur son épaisse barbe.
Il dit enfin, avec un rire de dément :
« À quoi bon, mon père, allumer la flamme
purificatrice, avant d'avoir tué Eurysthée ? C'est prendre
       double peine,
quand d'un seul coup je puis tout achever.
Quand j'aurai rapporté ici la tête d'Eurysthée,
je laverai mes mains du sang qu'aujourd'hui j'ai versé.
Répandez donc cette eau, jetez loin de vous ces corbeilles.
Qu'on me donne mon arc ! Où est ma massue ?
Je cours à Mycènes. Il me faut emporter
des leviers et des pioches. Les assises des Cyclopes,
dressées au cordeau rouge et au marteau,
mon pic de fer va les entamer et les démolir. »
Sur quoi il s'ébranle, parle d'un char qui serait là,
prétend monter sur le siège et tend le bras
comme s'il tenait l'aiguillon.
Partagés entre le rire et la peur, les esclaves
se regardaient et l'un d'eux demanda :
« Se joue-t-il de nous, notre maître, ou perd-il la raison ? »
Lui cependant allait et venait par les chambres.
Arrivé à la salle des hommes, il bondit au milieu. Il est à
       Mégare,
dit-il, installé au palais de Nisos.
Il s'étend sur le sol, comme si, tel qu'il est, il prenait un
       repas.
Après un arrêt d'un moment, voilà qu'il approche
de l'Isthme, de ses plateaux, de ses forêts,

dégrafe son manteau et se met nu,

lutte contre un adversaire invisible

et proclame son propre triomphe, après avoir réclamé le
silence.

Puis contre Eurysthée il éclate en menaces,

car il se croit arrivé à Mycènes. Son père alors

touche sa main puissante et lui dit :

« Mon enfant, qu'as-tu donc ? que signifie cette aberra-
tion[1] ?

C'est peut-être le sang versé qui t'égare l'esprit,

car tu viens de tuer. » Mais lui prend le vieux roi pour le
père

d'Eurysthée qui, tremblant, lui demanderait grâce en lui
touchant la main.

Il le repousse, saisit à sa portée son carquois et son arc

pour en menacer ses enfants, croyant tuer ceux d'Eurysthée.

Eux de s'enfuir, épouvantés. L'un s'attache à la robe

de sa pauvre mère, l'autre s'abrite à l'ombre d'une colonne,

le dernier se blottit sous l'autel comme un oiseau pour-
chassé.

Mégara s'écrie : « Que fais-tu, toi leur père ? Mais ce sont tes
enfants.

Veux-tu leur mort ? » Le vieux maître, la foule des esclaves ne
sont qu'un cri,

tandis que lui poursuit l'enfant autour de la colonne,

puis, terrible, fait volte-face, l'a devant lui

et le frappe au cœur. L'enfant tombe en arrière et son sang

tandis qu'il expire, trempe les colonnes du mur.

Héraclès hurle de joie et triomphe :

« Voilà mort un des fils d'Eurysthée.

Son cadavre me venge de l'hostilité de son père. »

Il tend alors son arc vers le second, toujours blotti

contre la base de l'autel, croyant y être bien caché.

Le pauvre enfant prend les devants, se jette à ses genoux,

cherche à toucher son menton et son cou.

« Père chéri, ne me tue pas, je suis à toi, je suis ton fils,

ce n'est pas celui d'Eurysthée que tu frappes ! »

Héraclès roule les yeux farouches d'une Gorgone.

L'enfant est trop près pour sa flèche cruelle.

Comme le forgeron pour battre le fer rouge, il lève haut

sa massue, la laisse retomber sur la tête blonde et fracasse le
    crâne.
Puis il court immoler la troisième victime.
Mais la pauvre mère le prévient, enlève l'enfant,
l'emporte à l'intérieur et verrouille les portes.
Il se croit alors devant les remparts des Cyclopes,
il sape, fait sauter au levier les panneaux, renverse les jam-
    bages,
et d'une flèche unique couche à terre sa femme et son fils.
Déjà il s'élançait pour tuer le vieillard
quand apparut une figure où se révéla à nos yeux
Pallas, la lance dressée et l'aigrette au casque[1].
Elle le frappa, en pleine poitrine, d'une pierre.
Le choc suspendit sa fureur de carnage et le plongea
dans le sommeil. Il tombe à terre, heurtant du dos
une colonne fendue en deux par la voûte effondrée
et gisant renversée sur sa base.

   N'ayant plus rien à craindre, nous avons quitté nos
    cachettes,
nous avons aidé le vieux maître à le lier
à la colonne. Puisse-t-il, quand viendra le réveil,
ne rien ajouter à ce qu'il a commis !
Il dort, l'infortuné, d'un funeste sommeil,
après avoir tué ses enfants et sa femme. De mortel
plus accablé que lui, je n'en saurais nommer un seul.

                    Le messager rentre dans le palais.

QUATRIÈME STASIMON

LE CHŒUR

La terre d'Argos se souvient d'un crime[1],
celui des filles de Danaos.
La Grèce n'en connaissait pas
de plus fameux, de plus inouï.
Voici dépassé le forfait d'autrefois.

Un fils royal fut tué par sa mère,
Procné. C'était son seul enfant,
qu'elle immolait aux Muses[2].

Trois fils, cruel, étaient nés de toi ;
ta folie les a tous ensemble fauchés.
Comment trouver assez de pleurs,
de chants de deuil, d'hymnes funèbres, et de chœurs pour
*   Hadès ?*

La porte du palais s'ouvre, laissant passer l'eccyclème qui supporte Héraclès attaché et endormi,
entouré des quatre cadavres. Puis vient Amphitryon.

Hélas, hélas, voyez, à deux battants
s'ouvre la porte de la haute demeure.
Hélas, hélas, nous aurons dû voir ces pauvres petits
étendus devant leur malheureux père
qui dort d'un inquiétant sommeil
après avoir tué ses fils.

Nous aurons dû voir, serré dans des cordes, lié à gros
*   nœuds,*
attaché aux colonnes de pierre
le corps d'Héraclès !

Semblable à un oiseau qui pleure sa couvée morte avant
    l'essor
voici le vieux roi qui suit lentement son chemin de souf-
    france[3].

AMPHITRYON

Mes vieux Cadméens, silence ! Faites donc silence !
Il s'abandonne au sommeil,
laissez-le oublier ses malheurs !

LE CHŒUR

Je pleure sur toi, vénérable,
sur les enfants, sur cette tête couronnée de victoires !

AMPHITRYON

Tenez-vous à distance. Pas de bruit ni de cris !
Son sommeil est calme et profond.
Ne venez pas le réveiller.

LE CHŒUR

Hélas, que de sang !

AMPHITRYON

De grâce, épargnez-moi !

LE CHŒUR

Que de sang répandu qui monte du sol !

AMPHITRYON

À voix basse, mes vieux amis, chantez l'hymne de deuil !
S'il se réveille, il rompt ses liens, tue tout le monde,
frappe son père et renverse tout le palais !

LE CHŒUR

Je ne puis, je ne puis me taire !

AMPHITRYON

Silence, que je l'écoute respirer !

LE CHŒUR

Dort-il ?

AMPHITRYON

Il dort, oui, d'un sommeil de mort,
après avoir tué son épouse et ses fils
d'une détente de son arc.

LE CHŒUR

Pleure donc !

AMPHITRYON

Je pleure...

LE CHŒUR

Sur le trépas de ces enfants !

AMPHITRYON

Hélas !

LE CHŒUR

Sur le désastre de ton fils !

AMPHITRYON

Hélas !

LE CHŒUR

Ô vénérable...

AMPHITRYON

Silence, silence ! Il se retourne et s'agite ! C'est le réveil !
Il faut que je me cache, que je cherche abri au palais.

LE CHŒUR

Rassure-toi, la nuit recouvre ses paupières.

AMPHITRYON

Prenez garde, prenez garde ! Quitter la lumière du jour
après un tel malheur, j'y consens volontiers ;

Mais s'il me tue, moi son père,
s'il ajoute au crime le crime,
si d'autres Érinyes, celles du parricide…

LE CHŒUR

Que n'es-tu mort, lorsque, pour conquérir Alcmène,
tu t'en allais venger ses frères,
ayant ravagé l'île et la cité des Taphiens!

AMPHITRYON

Fuyez, vieillards, sauvez-vous loin d'ici,
le furieux se réveille, fuyez!
Il va dans un instant mettre meurtre sur meurtre,
et remplir de sa frénésie la cité de Cadmos.

EXODOS

LE CORYPHÉE

Pourquoi, Zeus, cette haine sans borne contre un fils
né de toi ? Pourquoi l'avoir jeté dans cet océan de malheurs ?

HÉRACLÈS, *se réveillant, toujours étendu.*

Ha ! Je suis vivant !
Le monde autour de moi est bien tel qu'il doit être,
le ciel bleu, la terre, les flèches du soleil, les voilà.
Ce fut comme une vague, un vertige effrayant,
où mon esprit sombra. Mon souffle est court,
inégal, et il me brûle les poumons.

(Il tente de se lever.)

Mais quoi ? que sont ces liens qui tiennent,
ainsi qu'un navire à l'attache, mon torse robuste et mes bras,
fixés à un débris de colonne aux arêtes coupantes ?
Je ne puis me lever, des cadavres m'entourent.
Mes flèches ailées sont répandues à terre,
avec mon arc, qui armait toujours mes épaules,
défendait ma poitrine, et qu'à mon tour je défendais.
Pourtant, je ne suis pas de nouveau dans l'Hadès,
où je suis descendu, sur l'ordre d'Eurysthée, mais pour en
        revenir.
Là devant moi n'est pas le rocher de Sisyphe,
ni Pluton, ni le sceptre de la fille de Déméter.
Mais je suis étourdi. Quel est ce lieu où tout me déconcerte ?
Holà ! N'y a-t-il, ici près ou ailleurs, nul des miens
qui puisse m'aider à sortir de ce désarroi ?
Je ne distingue rien ici qui me soit familier.

AMPHITRYON

Mes amis, vais-je me rapprocher de lui, de mon malheur ?

LE CORYPHÉE

Oui, et je te suivrai, fidèle à toi en ton épreuve.

HÉRACLÈS, *distinguant Amphitryon.*

Père, pourquoi pleurer et te couvrir les yeux ?
pourquoi te tenir loin de moi, du fils qui t'est si cher ?

AMPHITRYON

Ô mon enfant, car tu es mien jusque dans ton adversité…

HÉRACLÈS

Quoi ? Il est donc en moi, ce malheur qui fait couler tes larmes ?

AMPHITRYON

Un dieu en pleurerait, s'il pouvait en être frappé.

HÉRACLÈS

Grande parole, mais qui ne me dit pas ce qui m'est arrivé.

AMPHITRYON

C'est que tu peux le voir toi-même, si tu as retrouvé ta raison.

HÉRACLÈS

Qu'imagines-tu qui ait changé dans ma vie ? Parle donc !

AMPHITRYON

Si tu n'es plus possédé par l'Enfer, je pourrai m'expliquer.

HÉRACLÈS

Dieux ! Mais tu me fais peur avec tous tes mystères !

AMPHITRYON

Es-tu maître de ta raison ? C'est ce que je veux scruter encore[1].

HÉRACLÈS

Ai-je donc déliré ? Je n'en ai nul souvenir.

AMPHITRYON, *au chœur.*

Mes amis, faut-il détacher ses liens ? Qu'en pensez-vous ?

HÉRACLÈS

Dis-moi aussi qui, pour ma honte, les a noués.

AMPHITRYON, *en le déliant.*

De tes malheurs sache le moins possible, et laisse tout le reste.

HÉRACLÈS

Ton silence peut-il suffire à m'éclairer ?

AMPHITRYON

Du lieu où tu trônes à côté d'Héra, vois-tu, Zeus, ce qui nous arrive[1] ?

HÉRACLÈS

Héra ? Ai-je encore eu à souffrir de sa haine ?

AMPHITRYON

Oublie la déesse. Ne pense qu'à voiler tes propres fautes.

HÉRACLÈS

Je me sens perdu. Tu vas m'annoncer un désastre.

AMPHITRYON

Les corps d'enfants qui gisent là, regarde-les.

HÉRACLÈS, *se soulevant.*

Ô ciel ! Que dois-je voir pour mon malheur ?

AMPHITRYON

C'est un combat sans nom, mon fils, que tu livras à tes
    enfants.

HÉRACLÈS

Que viens-tu parler d'un combat ? Qui donc les a tués ?

AMPHITRYON

Toi et ton arc, et le dieu qui a mû ton bras.

HÉRACLÈS

Que dis-tu ? qu'ai-je fait ? ô père, ô messager de mes mal-
    heurs !

AMPHITRYON

Tu délirais. Quelle torture d'avoir à te répondre !

HÉRACLÈS

Et mon épouse aussi, c'est moi qui l'ai tuée ?

AMPHITRYON

Tout est l'ouvrage d'une seule main, la tienne.

HÉRACLÈS

Ô douleur ! Un nuage de deuil m'enveloppe.

AMPHITRYON

C'est pourquoi je pleure sur ton sort.

HÉRACLÈS

La furie qui me possédait renversa aussi la maison ?

AMPHITRYON

Je ne sais qu'une chose : ton désastre est complet.

HÉRACLÈS

Où le transport m'a-t-il saisi, m'a-t-il détruit ?

AMPHITRYON

Près de l'autel. Tu purifiais tes mains au feu sacré.

HÉRACLÈS

Malheur ! Pourquoi épargner ma propre vie
après avoir tué ce que j'avais de plus cher, mes fils ?
Mieux vaut courir à la falaise et me précipiter,
ou me percer le cœur de mon couteau,
me faisant ainsi justicier du sang de mes enfants,
ou livrer mon corps à la flamme[1]
pour échapper à la vie de honte qui m'attend.
    Mais en travers de mon projet de mort,
je vois venir Thésée, mon cousin, mon ami.
Je vais tomber sous son regard ; le meurtre qui me souille
viendra sous les yeux du plus cher de mes hôtes.
Que faire ? Où fuir mon infortune ?
Je ne puis m'envoler, me cacher sous la terre :
que je mette du moins ma tête dans l'ombre.
Courbé sous la honte que m'infligent ces crimes,
et la tache sur moi du sang versé,
je ne veux pas qu'un innocent puisse en pâtir.

> *Il se couche par terre, la tête enveloppée dans son
> manteau, tandis que Thésée entre à gauche.*

THÉSÉE

J'arrive avec des jeunes gens d'Athènes
que j'ai laissés en armes au bord de l'Asopos,
pour porter, vénérable, main-forte à ton fils.
On raconte en effet dans la ville d'Érechthée
que Lycos ici a pris le pouvoir et vous fait guerre ouverte.
J'entends payer ma dette à Héraclès
qui m'a sauvé des enfers. Si vous avez besoin
de mon bras ou de mon armée, me voici venu.
    Mais quoi ? que sont tous ces corps étendus à terre ?

Suis-je arrivé trop tard pour prévenir
d'autres malheurs encore ? Qui a tué ces enfants ?
Cette femme que je vois, de qui était-elle l'épouse ?
On ne se bat point contre des enfants.
Ce qu'ici je découvre est un malheur nouveau.

AMPHITRYON

Toi qui règnes sur la colline de l'olivier...

THÉSÉE

Pourquoi me saluer de ce triste prélude ?

AMPHITRYON

Les dieux nous ont frappés d'une épreuve cruelle.

THÉSÉE

Qui sont ces enfants sur lesquels tu pleures ?

AMPHITRYON

Leur père est mon malheureux fils.
Il les a engendrés ; il les a tués ; leur sang est sur lui.

THÉSÉE

Ne prononce pas ce mot redoutable !

AMPHITRYON

Ah que je voudrais pouvoir t'obéir !

THÉSÉE

Terrible révélation !

AMPHITRYON

C'en est fait de nous, nous sommes perdus.

THÉSÉE

Que dis-tu qu'il lui arriva?

AMPHITRYON

Un sursaut de folie l'égara,
ses flèches sont trempées du sang de la Bête aux cent têtes.

THÉSÉE

C'est là l'œuvre d'Héra. Mais près des morts, qui est là
gisant?

AMPHITRYON

C'est mon fils, mon fils tant éprouvé,
le même qui s'en fut, en compagnie des dieux, combattre
les Géants,
dans la plaine de Phlégra, le bouclier à son côté.

THÉSÉE

Quel homme eut jamais destinée plus hostile?

AMPHITRYON

Nul n'a connu plus d'épreuves et plus de traverses.

THÉSÉE

Pourquoi tient-il sous son manteau sa tête infortunée?

AMPHITRYON

Il veut éviter ton regard,
car il a devant toi, son parent, son ami,
honte du sang de ses enfants.

THÉSÉE

Mais si je suis venu pour partager sa peine[1]? Obtiens qu'il se
dévoile.

AMPHITRYON

Écarte, mon fils, ton manteau de tes yeux,
oui, rejette-le et montre ta face au soleil.
Pesant sur toi pour combattre ton désespoir[1],
me voici qui supplie, en touchant, prosterné,
ton menton, tes genoux et ta main,
et je laisse couler mes larmes de vieillard.
Contiens, mon fils, ton cœur de lion farouche,
qui t'excite en grondant au meurtre, au sacrilège,
et brûle d'ajouter un malheur aux malheurs.

THÉSÉE

Voyons, ne reste pas assis, prostré dans ta douleur,
je t'en prie, et laisse ton ami regarder ton visage.
Quelle ombre recèle un nuage assez noir
pour cacher l'excès de ton infortune?
N'agite pas ta main pour me montrer le sang,
comme si un seul mot de toi devait me souiller.
Je ne crains pas de prendre part à ton malheur,
moi qui ai profité de ta bonne fortune. J'en atteste le jour
où tu me ramenas à la lumière, en me sauvant d'entre les
        morts!
Je hais les amis dont la gratitude est caduque[2]
et qui veulent bien partager vos beaux jours,
mais quittent le bateau s'il vous vient un malheur.
Mets-toi debout, découvre ta tête accablée,
regarde-moi en face. Un homme de cœur
ne se révolte pas contre les coups infligés par les dieux. Il se
        résigne.

HÉRACLÈS

Thésée, tu as vu? Voilà quel combat j'ai livré à mes fils.

THÉSÉE

J'ai entendu, je vois. Tu n'as plus rien à m'expliquer.

HÉRACLÈS

Et tu as osé découvrir ma tête, que le soleil la voie?

THÉSÉE

Pourquoi non ? Un mortel, pourrais-tu rien souiller de divin ?

HÉRACLÈS

Mais toi, un faible humain, évite mon contact impur.

THÉSÉE

D'un ami contre son ami ne peut sortir aucun démon.

HÉRACLÈS

Je te remercie, et me loue de t'avoir servi.

THÉSÉE

Tu m'as sauvé, et je ne puis en retour que te plaindre.

HÉRACLÈS

J'ai besoin de pitié. J'ai tué mes enfants.

THÉSÉE

Je pleure sur toi, sur ton adversité.

HÉRACLÈS

Qui as-tu jamais vu dans un plus grand malheur ?

THÉSÉE

Nul homme. Tu as atteint la cime.

HÉRACLÈS

Et c'est pourquoi je me prépare à me tuer[1].

THÉSÉE

Crois-tu que ton défi puisse inquiéter les dieux ?

HÉRACLÈS

Puisqu'ils me bravent, je les braverai à mon tour.

THÉSÉE

Arrête ! que ta superbe ne te vaille un surcroît de souffrances !

HÉRACLÈS

J'en suis comblé. On n'y saurait rien ajouter.

THÉSÉE

Enfin, que veux-tu faire ? Où va t'emporter ta colère ?

HÉRACLÈS

Vers la mort, vers le lieu infernal d'où je suis revenu.

THÉSÉE

C'est parler comme un homme ordinaire.

HÉRACLÈS

Toi que mon malheur laisse indemne, tu me fais la leçon ?

THÉSÉE

Est-ce un langage digne d'Héraclès, qui a traversé tant d'épreuves ?

HÉRACLÈS

Rien qui se compare à ceci. L'endurance a des bornes.

THÉSÉE

Le bienfaiteur des hommes, et leur plus grand ami !

HÉRACLÈS

Que peuvent-ils pour moi ? C'est Héra qui l'emporte.

THÉSÉE

La Grèce ne saurait souffrir qu'un moment d'erreur te vaille
   la mort.

HÉRACLÈS, *se levant.*

Écoute donc les raisons que j'oppose
à tes remontrances. Je t'expliquerai
ce qui m'exclut de la vie, aujourd'hui et depuis longtemps.
   D'abord je dois le jour à l'homme qui tua
le père de ma mère, un vieillard. Le sang le polluait
quand il épousa cette Alcmène qui me mit au monde.
Si l'assise d'une famille n'est pas droitement alignée,
fatalement le malheur frappe les descendants.
Zeus (quel que soit le dieu qui porte ce nom) m'engendra
         pour être l'ennemi
d'Héra. Vieil Amphitryon, ne vois en ceci nulle offense !
Car c'est toi et non Zeus que je tiens pour mon père.
J'étais encore au sein que des serpents aux yeux de feu
se glissaient dans mes langes,
chargés par l'épouse de Zeus de me faire périr.
Quand j'eus revêtu mes muscles de jeune homme,
ai-je besoin de dire quels furent mes travaux ?
Combien de lions, de Typhons à trois corps,
de géants, de Centaures quadrupèdes j'eus à combattre ?
La gardienne aux têtes toujours renaissantes,
l'hydre ! à peine tuée, j'avais mille autres épreuves
à traverser. Puis je descendis chez les morts,
vers le portier d'Hadès, le chien aux trois têtes,
pour l'amener à la lumière, parce qu'Eurysthée l'exigeait !
Et voici, hélas, le dernier de mes travaux, le meurtre que j'ai
         commis
sur mes enfants, mettant le faîte aux maux de ma maison.
   À quelle extrémité il m'accule à présent ! Ma chère Thèbes
ne peut pas m'abriter criminel. Si même j'y restais,
dans quel temple, quelle fête amicale
pourrais-je entrer ? Je suis de ces maudits à qui l'on n'ose
         adresser la parole !
Partir pour Argos, ma patrie ? Non, j'en suis exilé.
Soit, j'irai donc vers quelque autre ville :
pour être reconnu, suivi de regards en dessous,

vivant cloîtré pour fuir les traits des langues méchantes :
« Celui-là, n'est-ce pas le fils de Zeus qui tua un jour ses
    enfants
et sa femme. Qu'il aille donc crever ailleurs. »
    Un homme qui eut renommée de bonheur
souffre de ses revers. Celui qui fut toujours dans la disgrâce
la supporte sans peine parce qu'elle est née avec lui.
Or voici le degré de misère où je pense arriver :
la terre prendra voix pour m'interdire
de la toucher, les mers et les fleuves pour me refuser
le passage, et je serai comme Ixion,
tournant toujours enchaîné à sa roue.
Mieux vaut donc que nul Grec ne me voie
qui m'aurait connu au temps de ma grandeur.
Vivre ? à quoi bon ? Que sert de prolonger
une existence inutile et maudite ?
Elle peut danser, maintenant, l'illustre épouse de Zeus !
Pour donner le signal sur le sol de l'Olympe,
qu'elle chausse donc les souliers du dieu[1] !
Elle a réalisé ce qu'elle voulait, ayant ruiné le plus grand
homme de la Grèce
de fond en comble. Une telle déesse,
il faudrait la prier ? À cause d'une femme
aimée de Zeus dont elle était jalouse, elle a détruit
le bienfaiteur de la Grèce, un homme irréprochable.

THÉSÉE

Nul autre dieu ne t'a envoyé cette épreuve,
c'est bien l'épouse de Zeus, tu as raison de le penser...
[Plutôt cependant que de t'abandonner au désespoir],
... crois-moi, renonce à cet excès d'intransigeance[2].
Nul mortel sans blessure ne traverse sa destinée.
Si les poètes disent vrai, il en est de même des dieux.
Ils forment entre eux des unions
que nulle loi n'approuve.
Un fils qui veut régner enchaîne et avilit son père. Et cepen-
    dant
ils habitent l'Olympe ; leurs fautes leur pèsent fort peu.
Alors pourquoi, créature mortelle,
t'indigner contre les destins quand les dieux s'y résignent ?

Quitte donc Thèbes, puisque la loi l'ordonne,
et viens avec moi vers la ville de Pallas,
où je purifierai tes mains souillées.
Tu recevras une demeure, ainsi qu'une part de mes biens.
Ce que mes citoyens m'ont donné pour avoir sauvé
les sept garçons, les sept jeunes filles, en tuant le taureau de
     Cnossos,
je t'en ferai cadeau. Dans tout le pays,
des lots de terre m'ont été réservés. Ils recevront ton nom
et seront tiens aussi longtemps que tu vivras[1].
Quand viendra ton heure d'aller chez Hadès
toute la cité athénienne te déclarera son respect
par des sacrifices et des monuments de pierre.
Car un peuple reçoit de la Grèce une belle couronne
s'il a la gloire de servir un grand homme.
Ainsi acquitterai-je ma propre dette
envers celui qui m'a sauvé. Car aujourd'hui c'est toi qui as
     besoin d'amis.
On s'en passe bien quand les dieux vous comblent.
Leur faveur dispense du reste dès qu'ils veulent bien l'ac-
     corder.

HÉRACLÈS

Ce ne sont là que jeux, hélas! au prix de mes malheurs.
Mais que les dieux se plaisent aux amours interdites
je ne saurais l'admettre; que des chaînes aux poings
soient convenables à leur dignité, je ne le penserai jamais,
ni même que l'un d'eux commande à tous les autres.
Un dieu vraiment dieu ne saurait manquer
de quoi que ce fût. Ce sont de pauvres récits de poètes.
   Je me suis demandé si l'excès de mes infortunes
ne me permettait pas de quitter la vie sans être dit lâche.
Mais qui ne reste ferme devant l'adversité
risque aussi de faiblir devant l'arme d'un ennemi.
Je résisterai à l'appel de la mort. Oui, j'irai dans la ville
où tu règnes, plein de reconnaissance pour des dons si nom-
     breux.
Ah! que d'épreuves j'ai traversées!
À toutes je me suis plié sans que de mes yeux
aient coulé des larmes, et je ne pensais pas en arriver jamais
au point d'en verser une seule.

Mais aujourd'hui, je le vois bien, le sort commande et je suis
    son esclave.
   Ainsi, mon vieux père, tu devras me voir partir pour l'exil,
me voir chargé du sang de mes enfants !
Donne-leur un tombeau après les avoir honorés
de tes larmes — à moi la loi interdit de le faire —,
dépose-les sur le sein de leur mère, entourés de ses bras,
douloureuse union, que j'ai rompue
sans le vouloir. Après les avoir inhumés,
reste à Thèbes : pénible séjour, je le sais, et cependant
contrains ton cœur à vivre pour porter avec moi mes mal-
    heurs.

(Il retombe à genoux.)

Ô mes enfants, celui qui vous avait donné la vie,
vous l'a enlevée. Que vous ont profité les prouesses
au prix desquelles, à grand effort, je vous préparais
la gloire, le plus beau patrimoine ?
Et toi, infortunée, te rendant le mal pour le bien,
je t'ai perdue quand tu me gardais mon lit sauf,
veillant fidèlement, dans longues absences, à sauver la
    maison.
Pauvre femme, pauvres enfants, pauvre de moi aussi !
Ô suprême douleur, me séparer
de mes enfants et de ma femme ! Ô cruelle douceur
de ces derniers embrassements. Cruelle aussi, la compagnie
    de mes armes.
J'hésite à les abandonner, j'hésite à les reprendre.
En battant mon flanc elles me diront :
« Nous t'avons servi à les détruire ; tiens-nous bien,
nous les tueuses de ta femme, de tes fils. » Et je devrais les
    porter
à mes épaules ? Est-ce possible ? Mais me dépouiller
d'elles, par qui j'accomplis de si beaux travaux dans la Grèce,
c'est m'offrir nu à mes ennemis, à une mort honteuse.
Non, je dois les garder, fallût-il en souffrir !
   Il est, Thésée, un service que j'attends de toi. Le Chien de
    ma victoire[1]
me vaut un salaire, pour l'avoir amené en Argos.
Viens le réclamer avec moi, car, si j'y vais seul,
mon désespoir de père pourrait causer un malheur.
   Ô terre de Cadmos, ô peuple de Thèbes,

rasez vos têtes, partagez mon deuil, venez aux funérailles
de mes fils. Dans une même plainte
pleurez sur les morts, pleurez sur moi-même. Nous avons
   péri
tous ensemble, frappés d'un seul coup par Héra.

THÉSÉE

Redresse-toi, infortuné. Assez de larmes.

HÉRACLÈS

Je ne saurais ; mes genoux sont raidis.

THÉSÉE

Les duretés du sort brisent les plus robustes.

HÉRACLÈS

Ah ! que ne suis-je ici changé en pierre ! Que ne puis-je tout
   oublier !

THÉSÉE

N'en dis pas plus. Laisse ton ami prendre ta main et te soutenir.

HÉRACLÈS

Mais ma main va laisser du sang sur ton manteau.

THÉSÉE

Tu peux l'y frotter, sans ménagement, je te le permets.

HÉRACLÈS

Moi qui n'ai plus d'enfants, en toi je retrouve un fils.

Il se redresse.

THÉSÉE

Mets tes bras autour de mon cou, je te conduirai.

HÉRACLÈS

Deux amis attachés à un même joug. Mais l'un est bien misérable.

(*À Amphitryon.*)

Un tel homme, mon père, on peut le nommer son ami !

AMPHITRYON

Heureuse la patrie qui porte de tels fils !

HÉRACLÈS, *après quelques pas.*

Thésée, revenons en arrière. Je voudrais les revoir encore.

THÉSÉE

À quoi bon ? D'avoir goûté ce baume seras-tu soulagé ?

HÉRACLÈS

C'est plus fort que moi. Je voudrais aussi embrasser mon père.

AMPHITRYON

Me voici, mon enfant, tu préviens mon désir.

THÉSÉE

As-tu donc à ce point oublié tes prouesses ?

HÉRACLÈS

Qu'était-ce au prix de la douleur présente ?

THÉSÉE

Si l'on te voit pleurer comme une femme, on cessera de te louer.

HÉRACLÈS

Tu me juges abattu, quand le seul fait de vivre m'est déjà une épreuve[1].

THÉSÉE

Trop lourde même. Qu'est devenu le célèbre Héraclès ?

HÉRACLÈS

Et toi, que devenais-tu, dans la détresse des Enfers ?

THÉSÉE

Inférieur en courage au plus pauvre des hommes.

HÉRACLÈS

Comment donc peux-tu dire que mes souffrances me
ravalent ?

THÉSÉE

Allons.

HÉRACLÈS

Mon père, adieu.

AMPHITRYON

Adieu, mon cher enfant.

HÉRACLÈS

Ensevelis mes fils ainsi que je t'ai dit.

AMPHITRYON

Et moi, qui m'enterrera ?

HÉRACLÈS

Ce sera moi.

AMPHITRYON

Quand donc reviendras-tu ?

HÉRACLÈS

Dès que tu leur auras donné la sépulture[1], je te manderai à
Athènes.

Conduis maintenant le convoi de ces corps qui offensent la
    terre.
Et moi, lourd de la honte d'avoir ruiné ma maison,
je vais suivre Thésée comme la barque à la remorque.
Il se trompe celui qui s'appuie sur son or ou sa force
plutôt que sur la fidélité de ses amis.

> *Ils s'éloignent vers la gauche. L'eccyclème ramène
> les corps dans le palais, où rentre aussi Amphitryon.*

LE CORYPHÉE

Nous partons dans le deuil et les larmes,
car nous avons perdu le meilleur des amis.

LES SUPPLIANTES

Les Grecs étaient convaincus qu'un mort ne peut trouver la paix en dehors du tombeau. Si la sépulture lui était refusée, il était condamné à errer éternellement, croyance que le christianisme eut grand-peine à entamer et qui survit dans les superstitions relatives aux âmes en peine. On avait donc le devoir d'enterrer les coupables mêmes, auxquels on ne se sentait pas le droit d'infliger une peine mystérieuse qui eût risqué d'irriter les autres morts. Parfois, cependant, une cité prenait collectivement la responsabilité de refuser à un traître le repos suprême dans le sol de sa patrie.

Des usages précis réglaient l'inhumation des soldats. Après le combat, celui qui avait dû céder du terrain demandait une trêve pour enterrer ses morts et par là même il s'avouait vaincu. Le droit des gens obligeait le vainqueur à rendre les corps. Athènes se targuait d'avoir toujours observé ce devoir avec une scrupuleuse fidélité. Elle accusait Thèbes, sa voisine, de le violer souvent. Et il est de fait qu'à plusieurs reprises les Béotiens entrèrent en conflit sur ce point avec les autres Grecs. Après la victoire de Délion (424), incursion athénienne en Béotie, repoussée par les Thébains, ceux-ci refusèrent aux hérauts la restitution des cadavres aussi longtemps que les Athéniens n'auraient pas évacué le sanctuaire de Délion. Après Leuctres, en 371, ils ne rendirent leurs morts aux Spartiates qu'à certaines conditions. Cette façon de considérer les cadavres comme des otages était contraire au droit des gens.

L'épisode principal de la geste thébaine est l'expédition des Sept Chefs, menée contre la cité par Polynice et son allié argien Adraste, victorieusement repoussée par Étéocle, dont la mort laisse Créon roi de Thèbes. Or, deux épisodes de cette légende ont pour centre une histoire de sépulture refusée. Lorsque Étéocle et Polynice se furent tués l'un l'autre, Créon décida de ne pas laisser inhumer le second, qui avait pris les armes contre sa patrie. C'était le châtiment habituel des traîtres ; mais Antigone ne le laissa pas infliger à son frère. D'autre part, des Sept Chefs, un seul avait survécu, Adraste, roi d'Argos. Lorsqu'il réclama les morts, Créon les refusa. Le parallélisme est évident, encore que le refus à Adraste viole un principe universellement admis tandis que le droit autorisait parfaitement un chef d'État à laisser pourrir le cadavre d'un prince coupable de haute trahison. Les deux récits ont pu s'influencer l'un l'autre, sans qu'il soit possible de savoir lequel des deux est le plus ancien.

Non loin d'Éleusis, près d'un carrefour d'où se détache la route qui va de la Béotie vers l'Isthme, dans une terre laissée inculte en l'honneur des Déesses, était un tumulus qui passait pour être le tombeau des Sept Chefs. Le territoire, qui appartenait à Mégare au temps où celle-ci était béotienne, était devenu attique lors de l'annexion d'Éleusis. Les Athéniens prétendaient donc posséder la sépulture des Sept. Ils en vinrent à raconter qu'ils avaient dû intervenir pour obtenir la restitution des corps, puis, l'histoire prenant forme, que leur roi Thésée avait dirigé l'expédition. Bien entendu, les Thébains qui, eux aussi, montraient près de leur ville la place des bûchers élevés par Adraste, n'admirent jamais cette version. Mais Eschyle la fit prévaloir par sa tragédie des Éleusiniens. Il y racontait toutefois qu'il avait suffi à Thésée de négocier pour faire triompher le droit établi par les dieux. Eschyle imaginait volontiers des accords par quoi des volontés hostiles se résolvent en une harmonie supérieure. Euripide a préféré suivre la tradition courante.

Elle montrait les Athéniens mettant leur vie en jeu pour se faire les champions du droit. L'homme raisonnable trouve absurde que pour reconquérir des cadavres on ajoute des morts à des morts, et qu'on fasse pleurer d'autres mères pour donner à celles qui sont sur scène la satisfaction de rendre les derniers honneurs aux fils qu'elles ont perdus. Thésée se dit probablement quelque chose de semblable lorsqu'il commence par refuser l'intervention qu'on lui demande. Il formule cependant une objection différente, reprochant à Adraste d'avoir déclaré et conduit la guerre à la légère, d'avoir ajouté foi à un oracle obscur sans tenir compte d'un avertissement fort clair qui lui conseillait la prudence. Lui-même ne part qu'après avoir demandé et obtenu l'accord du peuple. Le même trait figure dans Les Suppliantes d'Eschyle : eût-elle pour objet de maintenir le droit le plus sacré, une guerre ne peut être déclarée contre la volonté de ceux qui devront la faire. On n'y entre, dira un moderne, qu'en vertu d'une loi.

Toute tragédie grecque stylise le réel, qu'il s'agisse des sentiments, des faits que nous appelons historiques ou des légendes, lesquelles pour les Grecs se distinguaient de l'histoire moins nettement que pour nous. Une transposition exemplaire est celle que subit la guerre médique dans Les Perses *d'Eschyle. Mais nulle part la stylisation n'est poussée plus loin que dans* Les Suppliantes, *ni avec une plus austère rigueur.*

L'intervention de Thésée est demandée, au nom des morts, par Adraste représentant la Cité argienne et par les mères de ceux qui sont tombés. Celles-ci gagnent à leur cause la mère du roi, Æthra. Et c'est la prière d'Æthra qui décide Thésée à intervenir, moi, *dit-elle,* qui devrais trembler pour toi *(344). La mère réelle, ennemie de la guerre, disparaît devant une mère abstraite, réduite au Sentiment de la Dignité du Fils. La dignité de Thésée veut qu'il garantisse, aujourd'hui et pour toujours, le repos éternel de tout homme tombé au combat (ainsi se projette, sur le plan des principes, la revendication des cadavres). Qu'il veuille et puisse donner cette garantie compte plus aux yeux d'Æthra que son bonheur immédiat.*

Les Mères qui forment le chœur sont également dépersonnalisées ; et les Sept Chefs qu'elles représentent ont perdu toute réalité légendaire. Le Groupe compte, non les individus.

Nous, les sept mères, disent-elles, *nous avions sept fils (963).*

Or, parmi les sept est Adraste, le seul qui ait survécu, Amphiaraos qui a été enlevé vivant pour continuer une existence de dieu oraculaire, Capanée, foudroyé par Zeus, qui doit être enterré à l'écart. Il n'y a donc ni sept cadavres, ni sept bûchers, ni sept mères. À quelques-unes de celles-ci, par exemple à Jocaste, mère de Polynice, la légende avait donné une individualité que la tragédie d'Euripide ignore délibérément. Parthénopée, tombé, dit Eschyle, à la cinquième porte, était le fils d'Atalante, qu'Euripide nomme dans l'éloge funèbre de son fils. Elle devrait se trouver dans le groupe des endeuillées gémissantes. Comment imaginer la belle chasseresse parmi ces vieilles qui ne peuvent marcher sans être soutenues ? Elles sont, sans plus, les exposants de la Maternité abstraite. Aucune d'elles n'exprime un sentiment qui lui soit particulier. Leurs petits-fils qui les accompagnent et pleurent avec elles restent enveloppés de la même grisaille. Plusieurs étaient célèbres : le fameux Diomède est le fils de Tydée, l'un des Sept. Le poète ne pouvait le distinguer de la troupe anonyme sans attirer sur lui une attention excessive : un vers de l'épilogue le nomme pour le dire absent. Impossible d'imaginer une volonté plus nette d'enlever tout support individuel au thème du devoir envers les morts.

En face de la troupe anonyme des mères et des orphelins, le deuil des épouses est symbolisé par Évadné, veuve de Capanée, qui, parée comme pour une fête, se jette vivante sur le bûcher de son mari. Or, Évadné est fille d'Iphis et sœur d'Étéoclos, un des Sept tombés devant Thèbes. Le vieil Iphis unit son fils et sa fille dans le même regret. Mais Évadné n'a pas un mot pour son frère. Et leur mère, qui est censée se trouver parmi les vieilles du chœur, ne s'en détache à aucun moment, pas même quand meurt Évadné. Celle-ci a beau porter un nom, accomplir un acte singulier, elle n'est pas une personne, elle est l'Épouse, comme Iphis est le Père. Les vieilles sans nom et sans visage sont les Mères éternelles, celles de tous les temps et de tous les pays, prêtes à envoyer à la mort les fils de toutes les autres, si c'est dans l'intérêt de l'Unique, le leur. Cela est d'une terrible grandeur.

Eschyle avait laissé une image inoubliable de Thèbes aux Sept Portes, chacune défendue par un chef irréprochable, attaquée par un adversaire arrogant. Le plus impie était Capanée qui brava Zeus et fut détruit par la foudre divine, ce qui lui valut d'être enterré à part, car ceux que les dieux marquent sont à la fois maudits et consacrés. Euripide aimait aborder une légende avec un parti pris opposé à celui de ses devanciers. Adraste prononce l'éloge funèbre des morts. C'est peu dire que son discours contredit chaque jugement d'Eschyle : il décrit un univers différent. Capanée foudroyé par Zeus, Tydée qui a dévoré la cervelle de Mélanippe, le furieux Typhée qui souffle du feu et de la fumée, toutes ces figures effrayantes des vieux mythes sont devenus des citoyens, jugés à partir de la cité. Capanée était riche, mais n'en manifestait aucun orgueil ; Étéoclos était pauvre ; ses vertus et son intégrité lui ont valu dans Argos les plus grands honneurs ; Tydée brillait aux jeux de l'épée plus qu'à ceux de la parole. Un autre a renoncé aux muses pour ne s'occuper que de ses chevaux, afin d'être mieux apte à servir sa patrie. Et le beau Parthénopée, le fils d'Atalante l'Arcadienne, devient le métèque exemplaire, modeste et capable de se battre pour sa ville adoptive. Tout le singulier, tout l'excessif qui fait le héros est ici raboté, ramené au niveau commun. Entouré de Mères, de Fils anonymes, les Chefs ne sont plus que les *citoyens d'un État modèle. Impossible d'imaginer une plus totale récusation de l'individu.*

L'on a rapproché avec raison la pièce d'Euripide de l'oraison funèbre que Périclès prononça au début de la guerre du Péloponnèse, en l'honneur des morts de la campagne de 431. Ayant devant lui des gens émus, sous prétexte de rendre hommage à leurs disparus, il leur donne des règles de conduite. Ainsi fait Euripide, à partir d'une émotion créée par lui-même.

La scène se passe à Éleusis, où Adraste, avec le train des Mères, des Orphelins et des Suivantes, s'est arrêté pour implorer Athènes, représentée par Æthra. Æthra était cette fille de Pitthée, roi de Trézène, que son père glissa subrepticement dans le lit d'Égée ivre pour qu'elle eût de lui un fils. Elle n'est plus ici que la plus respectée des reines-mères. Et Thésée est le roi constitutionnel qui se refuse à déclarer une guerre sans l'assentiment de son peuple. «Qui commande ici?» demande à son arrivée le héraut thébain; et Thésée lui-même lui répond ces paroles étonnantes :

Notre ville n'est pas au pouvoir d'un seul homme.
Elle est libre, son peuple la gouverne.
Ses chefs sont élus pour un an. L'argent n'y a nul privilège.
Le pauvre et le riche y ont les mêmes droits.

Voilà la royauté héroïque soumise aux principes de Clisthènes; Thésée aussi n'est qu'une abstraction, l'incarnation d'une Athènes éternelle. Cela ne va pas sans un pharisaïsme assez agaçant, car on imagine mal qu'Euripide ait pu être dupe de ces vertueuses fictions.

La pièce doit être de 422 ou 421, postérieure à la trêve conclue en 423 et qui aboutit à la paix de Nicias (avril 421). C'était l'époque où tout le monde à Athènes en avait assez de la guerre, sauf Alcibiade et quelques fous de son espèce qui cherchaient des alliés à Argos où l'on ne demandait qu'à abattre Sparte, l'ennemie héréditaire. Malheureusement il en trouva dès 420, et la guerre reprit. La leçon des Suppliantes *n'avait pas été entendue. Qui avait suffisamment médité l'image atroce fugitivement incluse dans le récit de la bataille? Le messager, décrivant les armées face à face, les chars devant les chars, les cavaliers devant les cavaliers, ajoute que les Thébains sont rangés sous leurs murs* ayant derrière eux les cadavres, enjeu du combat. *Terrible société. Au surplus, comme tous les autres éléments de la pièce, les corps des morts y apparaissent dépouillés de leur réalité sensible : les jours qu'ils ont passés au soleil sur la terre nue sont censés n'avoir pas altéré la beauté des jeunes hommes. Il reste que, des deux côtés, on meurt pour des morts. Euripide les a si soigneusement ramenés à de purs symboles qu'il a refusé toute éloquence à l'horreur de l'image, noyée dans un très conventionnel récit de bataille.*

Les Suppliantes

PERSONNAGES

ÆTHRA, mère de Thésée.
THÉSÉE, roi d'Athènes.
ADRASTE, roi d'Argos.
UN HÉRAUT thébain.
UN SOLDAT argien.
ÉVADNÉ, veuve de Capanée.
IPHIS, père d'Évadné.
ATHÉNA
Chœur des mères argiennes, accompagnées d'enfants et de
  suivantes.

L'autel de Déméter à Éleusis. Æthra y est debout,
entourée par les vieilles femmes du chœur qui,
chacune, tiennent le rameau du suppliant.
Derrière elles est Adraste, prosterné.

PROLOGUE

ÆTHRA

Déméter, reine du foyer en cette terre d'Éleusis,
et vous dont les autels l'entourent dans son temple[1],
donnez-moi la félicité, ainsi qu'à Thésée mon enfant,
à la ville d'Athènes, à Trézène ma patrie !
Pitthée mon père m'y éleva dans son palais splendide,
et fit de moi, Æthra, l'épouse d'Égée fils de Pandion,
pour obéir aux oracles de Loxias.
Ce qui m'incite à vous prier ainsi, c'est la vue de ces
    femmes,
ces vieilles, qui ont quitté leurs maisons au pays d'Argos,
pour prendre les rameaux des suppliants et se mettre à mes
    pieds
après leur terrible malheur. Les Sept Héros,
morts devant les portes de Thèbes, étaient leurs fils.
Elles les pleurent, eux que le roi d'Argos, Adraste,
fit partir en campagne pour que le proscrit Polynice,
son gendre, pût recevoir sa part de l'héritage paternel.
Ces hommes tombés au combat, leurs mères ont voulu les
    mettre dans la terre,
mais ceux qui ont les corps en leur pouvoir ont empêché
    qu'on les enlève,
violant ainsi une loi des dieux.
Partageant leur détresse et implorant mon aide,
Adraste est là prostré, qui gémit et déplore
la guerre qu'il a faite, et l'armée envoyée à la mort,
et qui me presse pour que j'obtienne de mon fils qu'il
    ramène les corps,
soit en négociant, soit par les armes, et qu'un tombeau leur
    soit donné.
Voilà ce qu'il demande de Thésée et d'Athènes.
    Je me trouvais ici, arrivant du palais
afin d'offrir les sacrifices en vue de la moisson prochaine,
dans cet enclos sacré où les hommes ont vu

le premier épi hérisser la terre et se remplir de grains.
Or, me voici liée aux saints autels des deux déesses, Coré et
    Déméter,
par ces feuillages, bien mieux que par une chaîne.
Car j'ai le cœur plein de pitié
pour ces mères aux cheveux blancs qui ont perdu leurs fils,
et de respect pour leurs rameaux sacrés. Je viens d'envoyer
vers la ville un héraut, pour appeler ici Thésée,
afin qu'il libère Éleusis de cette présence funèbre,
ou qu'il rompe le lien de la supplication
par un acte qu'approuvent les dieux. Les femmes qui sont
    sages
n'agissent jamais que par l'entremise des hommes.

PARODOS

STROPHE I

CHŒUR DES MÈRES

De ma voix par l'âge affaiblie,
je te supplie, ô vénérable, tombée à tes genoux,
de racheter nos fils et nous les rendre !
Ah ! que leurs membres raidis par la mort
ne restent pas en proie
aux bêtes des montagnes.

ANTISTROPHE I

Regarde avec pitié mes pleurs,
mes pâles joues ridées déchirées par mes ongles !
Sais-tu pourquoi je souffre ?
C'est que je n'ai pu dresser à mon fils
le lit funèbre en ma maison, ni voir
son tertre sur le sol.

STROPHE II

Toi aussi, souveraine, tu es mère, et d'un fils
qui t'a faite en naissant plus chère à ton époux.
Retrouve pour moi ton âme de mère,
partage la souffrance de l'infortunée :
celui que j'ai mis au monde n'est plus.
Décide ton fils, nous t'en supplions ! qu'il marche
vers l'Isménos et remette en nos bras ces jeunes corps
privés de sépulture.

ANTISTROPHE II

Je ne viens pas en pèlerin à ces autels ardents ;
c'est la nécessité qui me jette à genoux.
Nous n'avons pour nous que le droit.
Par le noble fils qui est ton orgueil
tu as le pouvoir d'alléger mon sort.
L'infortunée te prie ! Que ton fils rende à mes embrassements
le pauvre cadavre du mien,
et ses membres brisés.

STROPHE III

CHŒUR DES SUIVANTES

Mes sanglots vont répondre aux tiens.
Entends les coups frappés
par les mains des servantes !
Pleurons avec qui pleure, souffrons avec qui souffre !
Menons une danse qui ravisse Hadès.
Ensanglantons nos ongles blancs, meurtrissons notre peau,
hommage des vivants aux trépassés !

ANTISTROPHE III

La volupté insatiable des cris
m'emporte douloureusement.
Comme d'un haut rocher l'eau coule intarissable,
je ne puis arrêter mes pleurs.
Le trépas d'un enfant éveille au cœur des femmes
un regret violent qui s'épanche en sanglots.
Ah ! que la mort me le fasse oublier !

Thésée apparaît à droite.

PREMIER ÉPISODE

THÉSÉE

Pour qui ces sanglots, ces poitrines frappées,
ces chants de deuil que l'on entend de loin
venir de ce temple ? Une crainte m'a pris.
Je viens ici en quête de ma mère, absente depuis trop long-
    temps de la maison.
Quelque accident lui est-il arrivé ?
Mais quoi ? Que vois-je ? Que dire à ce spectacle inattendu ?
Ma mère vénérable assise aux marches de l'autel,
parmi des femmes inconnues qui portent tous les signes
du plus grand deuil. De leurs yeux épuisés
ruissellent jusqu'à terre leurs larmes pitoyables.
Leurs cheveux sont rasés. Leurs vêtements ne sont pas ceux
    des fêtes.
Ma mère, qu'y a-t-il ? Dis-le-moi, je t'écoute. Je crains une
    triste nouvelle.

ÆTHRA

Ce sont, mon fils, les mères de ceux qui sont tombés devant
    les portes de Thèbes,
les Sept Chefs. Leurs rameaux suppliants,
tu le vois, font un cercle où je suis enfermée.

THÉSÉE

Cet homme, qui est-il, qui pleure et gémit sur le seuil ?

ÆTHRA

Elles m'ont dit que c'est Adraste, roi d'Argos.

THÉSÉE

Et ces enfants autour de lui, sont-ce les siens ?

ÆTHRA

Ce sont les fils de ceux qui ont péri.

THÉSÉE

Que veulent de nous leurs mains suppliantes ?

ÆTHRA

Je le sais. À eux désormais de t'instruire, mon fils.

THÉSÉE

Toi, là, caché dans ton manteau, je t'interroge :
parle, découvre-toi la tête et cesse de gémir.
On n'aboutit à rien sans s'expliquer.

ADRASTE

Roi du sol athénien, toi que la victoire accompagne,
Thésée, je viens te supplier, toi et ta ville.

THÉSÉE

Que veux-tu obtenir ? de quel secours as-tu besoin ?

ADRASTE

Tu sais quelle guerre j'ai faite et perdue.

THÉSÉE

Hé oui ! tu fis beaucoup de bruit en traversant la Grèce.

ADRASTE

J'y ai perdu la fleur des guerriers argiens.

THÉSÉE

Tels sont les coups de la guerre funeste.

ADRASTE

J'ai réclamé leurs corps à la cité de Thèbes.

THÉSÉE

Des hérauts, protégés d'Hermès, ont dit que c'était pour les
enterrer ?

ADRASTE

Oui, mais les rois du pays me les refusent[1].

THÉSÉE

À quel titre ? Ta requête est conforme au principe divin.

ADRASTE

Que faire ? Ils ont été grisés par leur victoire.

THÉSÉE

Et que viens-tu me demander ? Un conseil ?

ADRASTE

Que tu nous ramènes, Thésée, les corps de nos enfants.

THÉSÉE

Que devient votre Argos et sa folle jactance ?

ADRASTE

Nous ne sommes que ruines. Tu es notre recours.

THÉSÉE

Qui en décide ainsi ? Toi seul ou la cité entière ?

ADRASTE

Tout Argos te supplie d'ensevelir ses morts.

THÉSÉE

Pourquoi as-tu mené sept armées devant Thèbes ?

ADRASTE

J'avais deux gendres : j'ai servi leur cause.

THÉSÉE

Avec quel homme du pays as-tu marié tes filles ?

ADRASTE

Ce n'est pas dans Argos que j'ai choisi mes gendres.

THÉSÉE

Tu as uni ces Argiennes à des étrangers ?

ADRASTE

Oui, à Tydée, au Thébain Polynice.

THÉSÉE

Qui te fit désirer une telle alliance ?

ADRASTE

Phoibos m'y incita par un oracle obscur.

THÉSÉE

À qui te disait-il d'unir tes filles ?

ADRASTE

L'une au Lion et l'autre au Sanglier.

THÉSÉE

Comment as-tu interprété ces mots du dieu ?

ADRASTE

Deux exilés, la même nuit, sont venus à ma porte.

THÉSÉE

Qui étaient l'un et l'autre ?

ADRASTE

Tydée et Polynice. Ils en vinrent aux mains.

THÉSÉE

Et tu reconnus là les fauves promis à tes filles ?

ADRASTE

Leur lutte ressemblait à celle de deux bêtes.

THÉSÉE

Quelle raison les amenait si loin de leur patrie ?

ADRASTE

Tydée était banni pour avoir tué un parent.

THÉSÉE

Le fils d'Œdipe, pourquoi quittait-il Thèbes ?

ADRASTE

Son père l'avait maudit ; il craignait de tuer son frère.

THÉSÉE

Sage exil celui-là, qui était volontaire.

ADRASTE

Oui, mais ceux qui restaient à Thèbes ont fait tort à l'absent.

THÉSÉE

Son frère, j'imagine, lui prit son patrimoine.

ADRASTE

Je suis parti pour le revendiquer. Ce fut ma perte.

THÉSÉE

Avais-tu consulté les devins ? vu brûler les victimes ?

ADRASTE

Hélas, tu viens de m'acculer à ma plus grande erreur !

THÉSÉE

Tu n'es point parti, semble-t-il, avec l'appui des dieux ?

ADRASTE

Bien plus, j'ai dû forcer la main à Amphiaraos[1].

THÉSÉE

Agir ainsi à la légère ! Méconnaître la volonté divine !

ADRASTE

Les jeunes gens et leurs clameurs m'ont étourdi.

THÉSÉE

Tu as écouté le sang chaud, et non les têtes sages.

ADRASTE

C'est ce qui a perdu bien d'autres capitaines.

(Il s'agenouille.)

Toi, maintenant, qui es le plus vaillant des Grecs,
ô roi d'Athènes, ce n'est pas sans rougir

que je tombe à tes pieds, tenant tes genoux embrassés,
moi, l'homme aux cheveux blancs, qui fus un roi heureux.
Mais je dois me soumettre à ce qu'exigent mes revers.
Dérobe ces morts aux outrages, par pitié pour moi-même,
par pitié pour ces mères dont les fils ont péri,
et que la vieillesse chenue va trouver solitaires.
Elles ont eu le cœur de venir jusqu'ici, en terre étrangère,
pour la grande fatigue de leurs membres cassés,
non point pour prendre part aux mystères de Déméter,
mais pour obtenir d'enterrer ces fils
dont les mains devaient les ensevelir quand le moment serait
    venu pour elles[1].
  Tu diras peut-être : «Pourquoi ne pas penser au pays de
    Pélops,
plutôt que de charger Athènes de ce devoir?» Je puis me
    justifier.
Sparte est cruelle et perfide. Les autres cités sont petites et
    sans force.
Ta ville seule peut soutenir cette entreprise.
Ses yeux regardent ce qui souffre. Elle a en toi
un roi jeune et vaillant. C'est faute de cela
que bien des États ont péri : il leur manquait un chef.

LE CORYPHÉE

Je te parlerai comme Adraste, Thésée :
aie pitié de mon infortune.

THÉSÉE

Avec d'autres déjà j'ai discuté sur le problème que voici.
L'on soutenait que les malheurs, pour les humains,
l'emportent sur le bien. Mon avis est tout opposé.
Le bien l'emporte sur le mal, et de beaucoup.
S'il n'en était ainsi, l'humanité aurait déjà péri.
Je rends grâce à celui des dieux qui soumit à un ordre
notre vie jusqu'alors confuse et bestiale,
en nous donnant d'abord l'intelligence ainsi que la parole,
messagère de nos pensées, par quoi chacun comprend les
    autres ;
puis nous donne à manger le blé issu du sol et la pluie ruis-
    selante[2]

tombée du ciel, qui nourrit ce qui sort de la terre
et coule dans sa profondeur. Contre l'hiver ensuite,
et contre l'ardeur du soleil, il nous donna de quoi nous pro-
        téger,
et l'art enfin de naviguer, afin d'acquérir par l'échange
ce qu'un pays ne peut produire.
Ce qui reste indistinct et se dérobe à notre esprit,
le devin nous l'annonce en observant le feu,
les replis des entrailles et le vol des oiseaux.
Lorsqu'un dieu prend de si grands soins pour nous amé-
        nager la vie,
sommes-nous des enfants gâtés pour vouloir davantage ?
Mais la raison aspire à dépasser la puissance des dieux,
et quand nous avons la superbe au cœur,
nous nous imaginons être plus sages qu'eux.
    Toi aussi tu es de ce nombre, et bien mal avisé,
quand docile à l'oracle de Phoibos, comme si tu avais vu le
        dieu,
tu donnes tes filles à des étrangers,
mêlant un sang coupable au sang pur de ta race,
gangrenant ainsi ta maison. Car le sage refuse
d'unir à un pécheur le corps d'un être juste,
et d'ouvrir sa demeure à d'autres qu'à des gens heureux.
Pour le dieu en effet, les destinées unies deviennent soli-
        daires :
en frappant le coupable, il atteindra du même coup
celui qui s'est agrégé au malheur, et fût-il innocent.
    Quand il s'agit pourtant de décider les Argiens à la guerre,
et que les devins parlaient haut, alors tu les as dédaignés.
Tu as fait violence aux dieux et ainsi perdu la cité,
entraîné par des jeunes gens qui, dans leur soif de gloire,
soufflent la guerre contre toute justice,
faisant bon marché de la vie des autres, l'un pour être capi-
        taine,
l'autre pour se moquer des lois après avoir pris le pouvoir,
un autre, enfin, pour s'enrichir, sans un regard
vers le peuple et ce qu'il peut souffrir.
    Car un État se divise en trois groupes : les riches,
gens inutiles et qui veulent toujours posséder davantage ;
ceux qui n'ont rien, pas même de quoi vivre,
gens dangereux, dévorés par l'envie,
et qui lancent leurs dards contre ceux qui possèdent,

trompés par les calomnies de leurs chefs.
Reste la classe du milieu, celle qui fait le salut des États[1].
    Après cela, j'irais combattre pour ta cause ?
Quelle bonne raison en donner à mon peuple ?
Adieu. Va ton chemin. Puisque tu as choisi le parti le moins
      bon,
n'accuse que ton propre sort, et laisse-nous.

LE CORYPHÉE

Il a fait fausse route ; les jeunes gens en sont la cause.
Pour lui, il faut lui pardonner.

ADRASTE

Dans mon malheur, je vins ici, seigneur, non vers un juge
pour être puni et blâmé de mes erreurs,
mais vers un médecin, et pour obtenir ton secours.

                  (Thésée détourne la tête.)

Si tu me le refuses, je devrai bien me résigner. Que faire ?

                           (Un temps.)

Allons, Mères vénérables, il faut partir. Déposez en cou-
      ronne
cette pâle ramure avec son feuillage,
et prenez les dieux à témoin, la Terre, la déesse aux torches
      brûlantes,
Déméter, et la lumière du Soleil,
que nos saintes prières ont été inutiles.

LE CORYPHÉE[2]

… Ta mère était fille de Pitthée, lui-même fils de Pélops
dont le pays est notre patrie : nous avons donc même origine.
Ah ! que fais-tu ? Vas-tu trahir ton sang et renvoyer d'ici
des vieilles qui n'ont rien obtenu de leur dû ?
Tu ne le peux. Le fauve a sa caverne où il se réfugie ;
l'esclave trouve asile près des autels des dieux ;
une cité se blottit près d'une autre quand souffle la tempête.
Penses-y : nulle chose humaine ne jouit d'un bonheur sans
      fin.

                    Thésée reste impassible.

LE CHŒUR

Quitte à présent, pauvre femme, l'autel sacré de Persé-
    phone.
Va vers le roi et supplie-le, la main sur ses genoux,
de ramener les corps de nos enfants, ô douleur,
de ceux qui sont tombés, à la fleur de leur âge, sous les
    remparts de Thèbes!
Prenez, hélas, supportez, soutenez mes pauvres mains de
    vieille!

       (Les suivantes les aident à descendre et à s'ap-
       procher de Thésée.)

Par ton menton, ô roi mon espoir, gloire de la Grèce,
je t'implore, embrassant tes genoux et ta main,
d'avoir pitié de pauvres femmes,
qui lancent pour leurs fils la plainte suppliante,
sanglot d'exilée, de mendiante, et pitoyable chant funèbre[1].
Ne souffre pas, mon fils, de laisser sans tombeau, sur le sol
    de Cadmos
et pour la joie des fauves, nos enfants qui avaient ton âge.
Vois les pleurs dans mes yeux, vois-moi me mettre
à tes genoux : donne-leur la paix du tombeau.

THÉSÉE, *à Æthra.*

Ma mère, pourquoi pleures-tu, en ramenant sur tes yeux ton
    voile léger ?
À cause des cris désolés de ces femmes ?
J'en suis touché moi-même. Mais relève ta tête blanche,
    retiens tes larmes,
car tu as devant toi l'autel sacré de Déméter[2].

ÆTHRA

Hélas !

THÉSÉE

Ne gémis pas sur les malheurs d'autrui.

ÆTHRA

Ah! les infortunées !

THÉSÉE

Tu n'es pas l'une d'elles !…

ÆTHRA

Puis-je, mon fils, parler au nom de ton honneur, et de l'honneur d'Athènes ?

THÉSÉE

Certes, la sagesse souvent sort des lèvres des femmes.

ÆTHRA

C'est que j'hésite à dire ma secrète pensée.

THÉSÉE

Il serait mal de cacher à ton fils un avis précieux.

ÆTHRA

Je ne veux pas, pour m'être tue, me reprocher,
quand il sera trop tard, un silence coupable,
ni me laisser intimider par ce que l'on répète,
que les femmes n'ont que faire de bien parler,
et je m'enhardirai à dire ce que je dois.
    Crois-moi, mon fils, examine d'abord ce que tu dois aux
        dieux,
de peur de trébucher, faute d'en avoir fait assez de cas.
C'est là ta seule erreur ; tu as raison pour tout le reste.
Quant à ces opprimés, si leur défense n'exigeait
nulle audace, je me serais tue.
Mais c'est là justement ce qui fera ta gloire,
et je n'hésite plus à t'exhorter, mon fils,
quand des hommes brutaux refusent à des morts
la sépulture et les honneurs qui leur reviennent :
lève ton bras, contrains-les par la force
de mettre fin à des pratiques qui détruisent les lois de tous
        les Grecs.
Qui en effet tient debout nos cités ?

Celui qui ose être champion de la loi en danger.
Sache-le : on dira que c'est par faiblesse ou par peur,
quand tu pouvais remporter pour Athènes la couronne de
    gloire,
que tu t'es dérobé. Le sanglier sauvage, dira-t-on,
tu l'as bien terrassé, prouesse sans grandeur,
mais pour braver le casque et la lance tendue
en un rude duel, tu t'es révélé lâche.
Toi qui es de mon sang, n'agis pas de la sorte.
Vois ta patrie, raillée pour sa légèreté,
comme elle sait se redresser, fixer sur les railleurs
un regard dont ils tremblent. Les luttes la grandissent.
Les cités timides, qui vivent dans l'ombre,
n'ont que de l'ombre aussi dans leurs regards prudents.
Va, mon fils, au secours de ces morts, et de ces femmes en
    détresse.
Je ne crains pas pour toi : tu pars pour une guerre juste,
et quand je vois les Thébains victorieux risquer un nouveau
    coup de dés,
je suis pleine de confiance. Dieu se plaît à tout renverser.

LE CORYPHÉE

Ô précieuse amie ! Tu as bien parlé, pour ton fils
et pour moi. Sois-en deux fois remerciée.

THÉSÉE

Ce que j'ai dit, ma mère, concernant Adraste, reste fondé
et j'ai bien mis le doigt sur les erreurs qui l'ont ruiné.
Mais je sais aussi que tu as raison de me rappeler
que ce n'est pas le fait d'un homme de ma sorte
de se dérober au danger. Oui, par mes nombreuses prouesses,
je me suis choisi devant tous les Grecs le rôle
de celui qui est toujours prêt à redresser les torts.
Il n'est plus de travaux où je puisse me refuser.
Car que diraient de moi mes envieux,
quand ma mère, si prompte à trembler pour moi,
est la première à me charger de ce devoir ?
J'accepte donc. J'entreprendrai de libérer ces morts,
en usant d'abord de la persuasion. Si elle échoue, la lance
décidera, et la faveur des dieux ne me manquera pas.

Mais je désire être approuvé par l'ensemble du peuple.
Il ne peut que ratifier ma décision ;
mais, consulté par moi, il me suivra avec un zèle accru.
Car j'en ai fait un État souverain, où tous sont libres et ont
    les mêmes droits.
J'emmène Adraste, qui me servira de garant,
et je me rends à l'assemblée. Aussitôt que j'aurai son accord,
j'appellerai la fleur de la jeunesse et reviendrai ici.
Mes gens étant en armes, je ferai savoir
à Créon que je réclame les cadavres, et j'attendrai sa réponse.

(Aux suppliantes.)

Vous, vénérables, enlevez les rameaux sacrés
qui entourent ma mère, afin que je la ramène au palais
    d'Égée,
sa chère main tenant la mienne. Je plains le fils
qui n'est pas prêt à tout pour servir ses parents.
Est-il un échange plus beau ? Ce qu'on a donné à ses père et
    mère,
on le recevra en retour de ses enfants.

Il sort à droite avec Æthra et Adraste.

PREMIER STASIMON

STROPHE I

LE CHŒUR

Argos aux beaux chevaux, terre de ma patrie
entends-tu ce qu'a dit le roi,
son respect pour les dieux, pour la grande contrée des
        Pélasges,
et pour toi, mon Argos?

ANTISTROPHE I

Pour terminer mes maux par la douleur dernière,
qu'il me rende un beau corps sanglant,
suprême fierté de la mère : ce bienfait lui vaudra
l'amitié d'Argos.

STROPHE II

En se faisant champion de la justice,
une cité s'acquiert honneur et reconnaissance éternelle.
Que nous accordera Athènes? Un pacte d'alliance?
Un tombeau pour nos fils?

ANTISTROPHE II

Prends le parti des mères, ô ville de Pallas,
interdis qu'on altère la pureté des lois.
Par ton respect du droit, tu es pour ceux qui souffrent
un recours éternel.

Thésée, Adraste, un héraut et les gardes arrivent
par la droite.

SECOND ÉPISODE

THÉSÉE, *au héraut.*

C'est toujours à ton expérience que nous avons recours,
Athènes et moi, pour annoncer nos ordres en tous lieux.
Passe cette fois l'Asopos, l'Isménos,
et dis ceci au superbe seigneur des Cadméens :
« Thésée réclame de ton bon vouloir
les corps, pour leur donner la sépulture,
et comme ton voisin il attend de toi cet office
qui te vaudra l'amitié du peuple athénien. »
Si la réponse est favorable, reviens-nous sans désemparer.
Mais si c'est un refus, voici l'autre message :
« Que l'on s'apprête à recevoir la visite de mes soldats. »
L'armée rangée pour la revue est en bon ordre
près du puits sacré de Callichoros.
C'est de bon gré, c'est avec joie, que la cité a pris sur elle
cette charge, dès qu'elle a su ma volonté.

(Un héraut thébain apparaît à gauche.)

  Mais quoi ? Qui vient m'interrompre tandis que je parle ?
C'est un Thébain, ce me semble, un héraut.

(Au héraut athénien.)

Toi, attends. Peut-être il pourra t'abréger le voyage
en devançant mes intentions.

LE HÉRAUT

Quel maître en ce pays commande ? À qui dois-je trans-
    mettre
les ordres de Créon, qui règne au pays de Cadmos,
depuis qu'Étéocle est tombé devant le rempart aux sept
    portes,
sous les coups de son frère Polynice ?

THÉSÉE

Dès le premier mot tu es dans l'erreur, étranger,

en cherchant ici un tyran. Notre ville n'est pas au pouvoir
    d'un seul homme.
Elle est libre. Son peuple la gouverne. Ses chefs sont élus
    pour un an.
L'argent n'y a nul privilège. Le pauvre et le riche ont les
    mêmes droits.

LE HÉRAUT

Comme si nous jouions aux dés, tu viens de me donner
un point d'avance. La cité qui m'envoie
n'est pas conduite par la multitude, mais dépend d'un seul
    homme.
Elle n'a pas d'orateurs qui l'exaltent,
et la tournent en tous sens au gré de leur propre intérêt,
ni de flatteurs pour l'enchanter et la servir d'abord,
la perdre ensuite, et puis la tromper de nouveau,
afin de couvrir leurs erreurs et esquiver le châtiment.
D'ailleurs, comment la masse, qui gouverne mal ses propres
    pensées,
pourrait-elle mener fermement la cité ?
Toute sagesse doit être mûrie. Rien de bien ne se fait à la
    hâte.
Un pauvre laboureur, si même il n'est pas ignorant,
est empêché par ses travaux de s'appliquer au bien commun.
Oui, aux yeux des honnêtes gens la cité est malade
quand un homme de rien prend du crédit
parce que ses discours ont prise sur le peuple.

THÉSÉE

Le héraut a de l'assurance, et dépasse un peu sa mission !
Mais puisque tu m'engages à cette joute,
écoute ma réplique, car c'est toi qui l'as provoquée.
    Rien pour l'État n'est plus dangereux qu'un tyran.
D'abord, avec lui, les lois ne sont pas les mêmes pour tous.
Un seul homme gouverne, qui s'empare du droit
comme d'un instrument, et c'en est fini de l'égalité.
Quand au rebours les lois sont publiées,
le pauvre devant la justice vaut autant que le riche.
Le faible peut répondre au puissant qui l'attaque,
et, s'il a raison, l'emporter sur lui.

La liberté existe où le héraut demande : «Quelqu'un pré-
    sente-t-il
à l'assemblée quelque projet pour le bien de l'État[1] ? »
Qui désire parler se met en évidence. Qui n'a rien à dire se
    tait.
Une cité peut-elle être servie plus équitablement ?
    De plus, lorsque le peuple se gouverne,
il est heureux de voir grandir les jeunes gens.
Un roi s'en inquiète au contraire, les prenant pour des
    adversaires.
Les plus nobles, ceux qu'il croit les plus sages,
il les fait mourir, tant il craint pour sa tyrannie.
Comment une cité serait-elle robuste,
quand un homme (ainsi qu'au printemps l'on fauche une
    prairie)
peut lui enlever l'épi du courage, la fleur de sa jeunesse ?
À quoi bon amasser pour orner la vie de nos fils,
si nos efforts ne font qu'enrichir le tyran ?
À quoi bon élever dignement des filles au foyer,
si c'est pour son plaisir, le jour où l'envie lui en prend,
et que les parents doivent en pleurer ? Que je meure plutôt
que de livrer mes filles à ces noces brutales.
    Voilà mes flèches en riposte aux tiennes.
Mais ta venue enfin, quel objet avait-elle ?
Si tu n'étais envoyé par Thèbes, tu aurais payé cher
tes insolences. Un messager, son rapport fait,
n'a qu'à s'en retourner, et sur-le-champ. Qu'à l'avenir
Créon envoie chez moi un héraut moins bavard.

LE CORYPHÉE

Dès que le sort, hélas, favorise un méchant,
il perd toute mesure, et croit son bonheur éternel.

LE HÉRAUT

Je réponds à l'instant. Quant à notre débat,
garde ton avis. Le mien est tout contraire.

(Solennel.)

«Or donc, je t'interdis — c'est le peuple de Thèbes qui
    parle —
de laisser pénétrer Adraste en ton pays.

S'il s'y trouvait au coucher du soleil,
romps l'auguste lien des rameaux sacrés,
et chasse-le. Ne tente pas d'enlever les cadavres
par la force. Les affaires d'Argos ne te concernent pas.
Si tu veux m'obéir, aucun orage n'atteindra la ville
dont tu es le pilote. Mais en cas de refus, un grand remous
guerrier se prépare pour toi et pour tes alliés. »

    Garde-toi, fier de conduire une cité libre,
de réagir par la colère à mon discours,
et de répondre avec l'orgueil que dicte la puissance.
Rien n'est plus mauvais que cette illusion
qui porte les cœurs aux excès et met les États en conflit.
Quand la guerre en effet est soumise aux suffrages,
nul n'envisage la mort pour lui-même,
mais n'imagine qu'un malheur dirigé contre un autre.
Si chacun en votant avait la mort devant les yeux,
la Grèce ne se perdrait pas en guerres furieuses.
En présence des deux partis, nous savons tous
lequel est le meilleur. Nous voyons le bien et le mal
et combien la Paix vaut mieux que la guerre,
la Paix chérie des Muses,
détestée des Furies, amie de la fécondité
et de l'abondance. Mais nous sommes assez méchants
pour nous détacher d'elle et choisir les combats
afin d'asservir le vaincu, citoyen ou cité.

    Or, ils étaient des ennemis des dieux, ces morts que tu
        défends[1],
en réclamant pour les ensevelir ceux qu'a perdus leur déme-
        sure.
N'était-ce pas justice, si la foudre a noirci
le corps de Capanée lorsqu'il dressait l'échelle
contre le rempart, en faisant serment
de saccager la ville, que le dieu le voulût ou non ?
La terre s'est fendue afin d'engloutir le devin[2],
entraînant son quadrige dans le gouffre.
Les autres chefs gisent aux portes, tués à coups de pierres, les
        os brisés.
Targue-toi donc de dépasser Zeus en sagesse,
ou admets que les dieux font bien de perdre les coupables.
L'homme sensé aime tout d'abord ses enfants,
puis ses parents et enfin sa patrie, mais pour l'accroître,
et non pour la ruiner. Un téméraire fait trembler

un État aussi bien qu'une barque. Le sage sait quand il doit
    s'abstenir,
et pour moi la prudence est souvent du courage.

LE CORYPHÉE

Zeus les a châtiés bien assez durement
sans que vous y ajoutiez vos outrages.

ADRASTE

Toi, misérable…

THÉSÉE

Silence, Adraste, contiens-toi,
laisse-moi d'abord lui parler.
Son message ne t'est pas adressé, mais concerne
ma personne. C'est donc à moi qu'il revient de répondre.
    Je reprendrai d'abord tes premières paroles.
Créon n'a pas à me commander, que je sache,
et son pouvoir ne s'étend pas jusqu'à forcer
Athènes de lui obéir. L'eau remontera vers sa source
avant que nous recevions vos ordres !
Ce combat-là, ce n'est pas moi qui vous l'impose.
Je n'étais pas des leurs lorsqu'ils partirent contre Thèbes.
Mais il y a les morts. Sans faire injure à votre ville,
sans provoquer de lutte meurtrière,
j'estime que leur accorder la sépulture
c'est maintenir la loi commune à tous les Grecs.
Qu'y a-t-il là qui ne soit régulier ?
Si vous avez souffert du fait des Argiens, ils sont morts.
Vous avez repoussé l'assaut, pour votre gloire et pour leur
    honte.
La justice étant satisfaite, permettez que le sol recouvre les
    cadavres,
et que chaque élément retourne à l'origine
d'où il sortit pour apparaître à la lumière,
l'esprit revenant à l'éther et le corps à la terre.
Car le corps ne nous est donné que pour servir de demeure
    à la vie ;
celle qui l'a nourri doit le reprendre ensuite.
Tu crois ne maltraiter qu'Argos en insultant ses défunts ?
Nullement. Toute la Grèce est offensée

dès que des morts sont frustrés de leur dû et privés d'un
     tombeau.
Car un tel abus, s'il devenait loi, rendrait lâches les plus vail-
     lants.
Et tu viens vers moi, avec des menaces !
Vous craignez donc ces corps, une fois inhumés ?
De quoi avez-vous peur ? Qu'ils ne minent le sol de Thèbes
quand ils seront dessous ? Que dans les replis de la terre
ils ne procréent des fils desquels viendrait une vengeance ?
Sottise et paroles perdues, vaines, misérables terreurs !
Connaissez donc, ô insensés, les souffrances des hommes.
Leur vie est une lutte. L'un aura sa chance demain,
l'autre plus tard, un autre aujourd'hui même.
Le dieu est seul à gagner à tous coups. Le malchanceux
le comble de présents pour voir tourner le sort.
Celui qui réussit l'exalte, craignant que le bon vent ne
     tombe.
Qui sait ces vérités doit porter avec calme une offense
     mineure,
et se garder de faire rien qui puisse nuire à sa cité.
     Qu'en sera-t-il ? Ceux qui gisent là-bas,
laissez-nous leur donner sépulture, nous qui suivons l'ordre
     des dieux.
Sinon vous me verrez partir, pour les enterrer contre votre
     gré.
Il ne sera pas dit dans le peuple de Grèce,
qu'ayant fait appel à Thésée, à Athènes,
l'antique loi des dieux aura été frappée à mort.

LE CORYPHÉE

Courage. En gardant allumée la flamme de justice,
tu te mets au-dessus des vains propos des hommes.

LE HÉRAUT

Vais-je rapidement répondre à ton discours[1] ?

THÉSÉE

Parle donc, car tu n'es pas homme à te taire.

LE HÉRAUT

Jamais tu ne relèveras ces morts, les fils des Argiens.

THÉSÉE

Écoute à présent, je te prie, ce que j'ai à te répliquer.

LE HÉRAUT

J'écoute. Il faut bien donner à chacun son tour.

THÉSÉE

J'enlèverai les corps des bords de l'Asopos et les inhumerai.

LE HÉRAUT

Il te faudra d'abord courir le risque d'un combat.

THÉSÉE

Ce n'est pas le premier que j'aurai accepté.

LE HÉRAUT

Ton père t'aurait-il engendré invincible ?

THÉSÉE

Oui, contre les méchants. Les bons n'ont rien à craindre de
ma part.

LE HÉRAUT

Ta ville et toi, vous vous mêlez de bien des choses.

THÉSÉE

Elle entreprend beaucoup et triomphe partout.

LE HÉRAUT

Ose venir chez nous, que la lance des Spartes te reçoive à nos
portes[1] !

THÉSÉE

Quel Arès audacieux peut naître d'un serpent?

LE HÉRAUT

Tu l'apprendras à tes dépens, toi qui n'es qu'un jeune
homme.

THÉSÉE

N'espère pas m'exciter et me mettre en colère par ta suffi-
sance.
Va-t'en d'ici, chargé des vains discours que tu nous apportas.
Nous n'en finirions pas.

(Le héraut sort.)

Et maintenant, en route,
tout le monde, soldats et conducteurs des chars.
Que vos chevaux trempent d'écume leur mentonnière
en nous emportant au pays thébain.
Je pars pour les Sept Portes de Cadmos,
tenant le fer aigu dans mes deux mains,
et sans autre héraut que moi-même. Toi, Adraste, demeure.
Ne mêle pas à mon destin la contagion du tien.
Avec ma chance pour compagne, je veux commander seul,
un nouveau chef pour une expédition nouvelle.
Mon seul vœu est d'avoir avec moi
les dieux garants de la justice.
Qu'ils appuient notre effort
et nous triompherons. Car la vaillance humaine sert à peu de
chose,
quand la faveur des dieux ne l'accompagne pas.

> *Thésée sort par la gauche. Le chœur se divise en
> deux groupes qui échangent des répliques saccadées.*

SECOND STASIMON

STROPHE I

Mères infortunées des chefs infortunés[1],
la terreur blême occupe mon cœur!

Que dit ce nouveau cri d'angoisse?

De l'armée de Pallas le sort va décider.

Dicté par la force ou par un accord?
Mieux vaudrait un accord!

Si le meurtre et la lutte et le choc des poitrines
doivent remplir la ville, malheur à moi!
L'on m'en accusera.

ANTISTROPHE I

Qui se vante à présent de sa prospérité,
le sort peut l'abattre. C'est ce que j'espère.

Tu crois donc que les dieux sont justes?

Qui donc, sinon les dieux, répartit les destins?

Mais que de cas où je ne puis les reconnaître!
L'antique peur t'aveugle!

Vengeance veut vengeance, et sang réclame sang.
Les dieux dans nos malheurs nous accordent des trêves,
se réservant le dernier mot.

STROPHE II

Ah! gagner la plaine aux illustres remparts!
gagner ton puits sacré, Callichoros!

Oui, qu'un dieu t'accorde des ailes!
Vole vers la ville aux deux fleuves, savoir ce qu'il advient
   des nôtres!

Quel succès, quel destin est promis au héros,
au roi de ce pays?

ANTISTROPHE II

Les dieux si souvent invoqués, nous les prions encore.
En vérité dans les tourments, c'est le premier des réconforts.

Ô Zeus qui fécondas notre aïeule génisse,
la fille d'Inachos, combats pour Athènes, aide-nous.

Nos fils, ornements, soutiens de la ville,
donne au feu leurs corps outragés!

Apparaît à gauche un soldat argien.

TROISIÈME ÉPISODE

LE SOLDAT

Dames, je viens avec d'heureuses nouvelles,
échappé moi-même au danger. Car je fus pris dans le combat
que les armées des Sept Chefs disparus livrèrent aux bords de
      Dircé.
Thésée est vainqueur, voilà mon message ! Je vous épargne
      les questions.
Je servais Capanée que Zeus écrasa du feu de sa foudre.

LE CORYPHÉE

Ô bienvenu ! J'apprends avec joie ton retour
et la victoire de Thésée. Si de plus l'armée athénienne
est saine et sauve, tu n'auras parlé que pour mon bonheur.

LE SOLDAT

Elle l'est ! et, ce qu'elle a réalisé, plût au ciel qu'Adraste
l'eût fait avec nos Argiens, quand il les conduisit
des bords de l'Inachos contre la cité de Cadmos !

LE CORYPHÉE

Comment le fils d'Égée et ses compagnons d'armes
en vinrent-ils à dresser le trophée à Zeus ?
Parle. Tu y étais. Nous croirons grâce à toi y être aussi.

LE SOLDAT

Le rayon brillant du Soleil, l'infaillible repère,
frappait le sol. Près de la porte Électre,
du haut d'une tour d'où la vue s'étendait au loin,
je découvrais les trois corps de l'armée.
La troupe des hoplites marchait en avant
vers la colline d'Isménion, à ce que l'on disait.

Le roi lui-même, le noble fils d'Égée, conduisait l'aile
    droite
avec ses compagnons, ceux du vieux bourg de Cécrops.
Les gens du bord de la mer, la lance levée,
étaient à l'aile gauche, non loin de la source d'Arès[1].
Les cavaliers en nombre égal étaient répartis aux deux
    flancs,
les chars massés sous le tombeau vénéré d'Amphion.
Les Cadméens, rangés devant les murs,
avaient mis derrière eux les morts, enjeu de la bataille.
Les deux cavaleries étaient face à face, et leurs chars vis-à-vis
    des nôtres.
Le héraut de Thésée proclama devant tous :
« Soldats, faites silence ! Silence, bataillons thébains !
Écoutez. Nous venons pour relever des morts
et les mettre au tombeau, afin de tenir en vigueur
le droit des gens en Grèce, non pour le plaisir de tuer. »
Le héraut de Créon ne fit point de réponse :
son roi poursuivait en silence les apprêts du combat.
Les commandants des chars engagent alors les quadriges,
qui se dépassent, pour que les combattants puissent des-
    cendre et s'affronter
au corps à corps, tandis que les cochers ramènent les chevaux
au niveau des guerriers pour un nouveau combat.
Phorbas qui conduisait les cavaliers d'Athènes
voit la mêlée et s'y engage, pour rencontrer les chefs des
    cavaliers thébains.
Ils s'arrachaient tour à tour la victoire.
    Je vis tout de mes yeux, car je me trouvais là où combat-
    taient les gens des chars,
et je ne sais où commencer le récit de tant de prouesses.
La poussière montait épaisse jusqu'au ciel.
Les rênes entraînaient des corps de-ci, de-là. Le sang
    coulait.
Des gens tombaient, d'autres roulaient de leur char fra-
    cassé,
de la tête heurtant rudement le sol, pour mourir parmi les
    débris.
    Quand Créon commença de craindre la victoire de nos
    chars,
il prit son bouclier et s'élança
pour prévenir tout fléchissement dans ses rangs.

Mais Thésée n'est pas homme à hésiter.

Il bondit aussitôt, brandissant ses armes brillantes.

Un peuple armé se bousculait dans la mêlée,

rendant coup pour coup, transmettant les ordres avec de grands cris :

« Frappe. » — « Dresse ta lance contre les fils d'Érechthée ! »

Les hommes issus des dents du dragon étaient de rudes adversaires.

On vit céder notre aile gauche, mais sur la droite ils durent reculer.

Le combat restait donc indécis.

En ce moment, le chef a donné sa mesure.

Non content de pousser son avantage, il se porte à son aile fléchissante,

et, d'un cri déchirant qui fait trembler la terre :

« Holà, enfants ! si vous pliez devant la forte lance

des fils du Dragon, c'en est fait de Pallas »,

il insuffle l'audace à tous les Cranaïdes[1].

Il saisit l'arme d'Épidaure, la terrible massue[2],

la fait tourner comme une fronde à la hauteur des cous, des têtes,

et le bois fauchait, moissonnait des casques.

Enfin, à grand effort, il les mit en déroute.

Comme alors j'ai hurlé, dansé, battu des mains !

Les Thébains refluaient vers les portes.

Dans la ville criaient les enfants, les vieillards.

Des gens affolés remplissaient les temples.

On aurait pu forcer l'enceinte.

Mais Thésée arrêta ses hommes. Ce n'est pas pour prendre une ville

qu'il est venu, dit-il, mais bien pour réclamer des morts.

    Voilà un homme à choisir pour stratège :

sans peur au moment du danger, ennemi des excès de ceux qu'un avantage

pousse à grimper toujours un échelon plus haut,

et qui perdent par là leur chance de bonheur.

LE CORYPHÉE

J'ai vu le jour que je n'espérais plus,

et voici que je crois aux dieux, et que je sens ma peine

qui s'allège : mes ennemis ont expié.

ADRASTE

Ô Zeus, que vient-on parler de notre sagesse,
à nous, pauvres mortels ? C'est de toi que nous dépendons,
et nous ne faisons que ce que tu veux.
Je croyais mon Argos invincible.
Nous y étions nombreux, pleins de jeunesse et de vigueur.
Étéocle nous offrait un traité aux exigences modérées.
Nous l'avons repoussé, pour notre perte.
Lui à son tour fut alors comblé par la chance,
et, comme un pauvre qui se jette sur une aubaine ines-
        pérée,
perdit toute mesure, et ses Cadméens avec lui,
peuple insensé qui en meurt aujourd'hui. Ô vanité des
        hommes,
qui tendent leur arc pour viser trop loin,
et souffrent des revers qu'ils ont bien mérités !
Sourds aux conseils de vos amis, vous n'y croyez qu'après
        l'événement.
Et vous, cités, qui pourriez en causant éviter tant de maux,
c'est en tuant, et non en raisonnant, que vous terminez vos
        affaires.
Mais à quoi bon parler ainsi ? Je veux d'abord savoir
comment tu t'es sauvé. Puis j'aurai d'autres questions à te
        faire.

LE SOLDAT

La mêlée remplissait Thèbes de son tumulte.
J'ai pu passer la porte où l'armée refluait.

ADRASTE

Et nos morts, l'enjeu du combat, vous les ramenez ?

LE SOLDAT

Oui, ceux qui commandaient les sept armées fameuses.

ADRASTE

Quoi donc ? Et les autres, tombés en si grand nombre ?

LE SOLDAT

Ils ont reçu la sépulture dans les vallées du Cithéron.

ADRASTE

Du côté de Thèbes, ou du côté d'Athènes ? Qui les enterra ?

LE SOLDAT

Thésée, près du roc ombragé d'Éleuthères.

ADRASTE

Et les morts qu'il ramène, où les as-tu laissés ?

LE SOLDAT

Tout près d'ici. Le zèle abrège la distance.

ADRASTE

Fut-il pénible pour les esclaves de les dégager du carnage ?

LE SOLDAT

Aucun esclave ne fut commis à cet office.

ADRASTE

[C'est donc Thésée qui s'en chargea[1] ?]

LE SOLDAT

Ah ! si tu l'avais vu quand il rendait les soins aux morts !

ADRASTE

Lui-même a donc lavé les plaies des malheureux ?

LE SOLDAT

Et préparé les lits, et recouvert les corps !

ADRASTE

Tâche pénible et dégradante !

LE SOLDAT

Qu'y a-t-il d'humiliant à partager les maux de ses sem-
    blables ?

ADRASTE

Hélas ! combien j'aurais donné pour mourir avec eux !

LE SOLDAT

Plainte inutile, qui fait pleurer ces femmes !

ADRASTE

Ce sont elles, plutôt, qui me donnent l'exemple.
Mais en voilà assez. La main levée pour saluer les morts,
j'entonnerai, avec des larmes, le cantique d'Hadès,
pour mes chers compagnons auxquels j'ai le malheur de sur-
    vivre,
seul et désolé. L'unique bien que les humains
ne peuvent reprendre, une fois qu'ils l'ont dépensé,
c'est la vie. Toute autre richesse peut se recouvrer.

Le soldat s'éloigne.

TROISIÈME STASIMON

STROPHE I

LE CHŒUR

D'un côté la joie, de l'autre le deuil.
Athènes a la gloire ; ses chefs ont accru leur renom guerrier.
Je vais revoir les corps de mes enfants,
vision cruelle, admirable aussi, jour inespéré
et suprême souffrance.

ANTISTROPHE I

Pourquoi le temps, père antique des jours,
m'a-t-il unie à un époux, en ai-je eu des enfants ?
Je voyais un grand mal à ignorer les liens des noces.
Je connais aujourd'hui l'épreuve véritable,
privée de mes chers fils.

Le cortège funèbre entre en scène.

LE CORYPHÉE

Les voici donc, les corps de nos enfants
que nous avons perdus. Avec eux, que ne suis-je morte,
descendue avec eux dans l'Hadès !

STROPHE II

ADRASTE

Mères, chantez l'hymne funèbre

pour les morts qui sont sous la terre.
En écho à ma voix faites sonner vos plaintes.

LE CHŒUR

Mon fils! ô douloureux salut pour une mère!
Je t'appelle, et tu n'es plus!

ADRASTE

Douleur!

LE CHŒUR

Et douleur pour moi!

ADRASTE

Nous souffrons…

LE CHŒUR

… la plus déchirante des peines.

ADRASTE

Ville d'Argos, vois-tu quelle est ma destinée?

LE CHŒUR

Elle voit aussi mon malheur, moi qui n'ai plus d'enfants!

ANTISTROPHE II

ADRASTE

Amenez-nous les corps sanglants des malheureux,
victimes d'un destin immérité, d'indignes ennemis,
et d'un combat mal engagé.

LE CHŒUR

Donnez-le-moi, que je l'embrasse,
et l'abrite de mon étreinte, mon fils!

ADRASTE

Tu as, tu as…

LE CHŒUR

… lourd fardeau à porter !

ADRASTE

Douleur !

LE CHŒUR

Parle aussi pour les mères !

ADRASTE

Vous m'entendez gémir…

LE CHŒUR

… sur tes maux et les nôtres.

ADRASTE

Ah ! si les Cadméens m'avaient couché dans la poussière !

LE CHŒUR

Si je m'étais tenue loin du lit d'un époux !

ÉPODE

ADRASTE

Voyez, ô pauvres mères, cet océan de maux !

LE CHŒUR

*Mes ongles déchirent ma joue,
la cendre recouvre ma tête.*

ADRASTE

*Hélas! hélas! Disparaître sous terre, me dissiper dans
    l'ouragan,
être brûlé par la foudre de Zeus!*

LE CHŒUR

*Funestes noces de tes filles!
Funeste conseil de Phoibos!
L'Érinys qui dévasta la maison d'Œdipe,
lourde de pleurs s'est abattue sur toi.*

Thésée entre à gauche.

QUATRIÈME ÉPISODE

THÉSÉE, *au chœur.*

J'allais t'interroger, mais tu t'es épuisée
à pleurer les guerriers[1]. J'y renoncerai, laissant les questions
qui vous touchent, et je me tourne vers Adraste.
D'où venaient ces héros dont la valeur brilla
si haut parmi les hommes ? Dis-le, toi plus habile qu'eux,
à ces jeunes Athéniens, car nul mieux que toi ne le sait.
J'ai pu juger de leurs prouesses, plus hardies qu'on ne peut le
      dire,
par quoi ils espéraient prendre la ville.
Mais je renonce à demander, car je ferais rire de moi,
quel adversaire eut chacun d'eux dans la mêlée,
et qui tenait l'arme ennemie qui le blessa.
De tels discours sont vains à écouter
et vains à prononcer. Qui donc, revenant du combat,
où les traits passaient dru devant ses yeux,
pourrait dire avec certitude qui s'est conduit en brave ?
Je ne saurais rien demander de tel,
ni croire ceux qui prétendent le dire.
À peine on en discerne juste assez pour défendre sa vie
quand on est debout, face à l'ennemi.

ADRASTE

Eh bien, écoute-moi, car je ne suis pas mécontent
que tu me confies leur éloge. J'entends
parler de mes amis selon la justice et la vérité.
     Vois-tu ce corps robuste au travers duquel a volé la foudre[2] ?
C'est Capanée. Il était riche, sans nulle morgue. Ses pensées
ne montaient pas plus haut que celles du plus pauvre.
Il évitait ceux qui se vantent de leur table
et méprisent la vie frugale. Se remplir le ventre
n'a rien d'honorable ; on a besoin de peu, disait-il.
C'était un ami véritable, pour les présents, pour les absents,

toujours le même. Rares sont ses pareils :
cœur droit, accueil affable, ne manquant à nulle promesse[1],
ni à l'égard de ses esclaves, ni envers ses concitoyens.

    Je nomme ensuite Étéoclos, rompu à une autre vertu.
Jeune et pauvre encore, il reçut chez nous les plus grands
       honneurs.
Ses amis bien souvent lui offrirent de l'or :
il n'en laissa jamais entrer dans sa maison,
craignant de s'asservir sous le joug des richesses.
Sa haine visait les méchants, non la cité, qu'il jugeait inno-
       cente
quand un mauvais pilote lui vaut mauvais renom.

    Le troisième est Hippomédon. Voici quel homme il fut.
Dès l'enfance il eut le courage de renoncer
aux Muses, aux plaisirs et à la vie facile.
Il voulut vivre aux champs, endurcissant son corps,
n'aimant que les exercices virils, la chasse,
les chevaux, habile à bander l'arc,
afin d'offrir à la cité un corps apte à la bien servir.

    Cet autre est le fils d'Atalante la chasseresse,
Parthénopée, et sa beauté était célèbre.
Il était Arcadien, et vint aux bords de l'Inachos
pour être élevé dans Argos. Nourri chez nous,
il fut dans la cité le modèle des hôtes, accommodant, aimé
       de tous,
évitant ces mots irritants, que l'on supporte mal
d'un citoyen, plus mal d'un étranger.
Servant parmi nos rangs, comme s'il était né chez nous,
il défendit notre pays, heureux de ses succès, souffrant de ses
       revers.
Beaucoup d'amants, beaucoup de femmes
le recherchaient. Il se gardait de toute faute.

    Tydée est l'homme qu'on loue le mieux en peu de mots.
Il brillait peu dans les discours, beaucoup dans les batailles,
où sa science était redoutée, où chacun de ses coups était une
       trouvaille.
Son frère Méléagre l'emportait en sagesse.
Lui se fit un renom égal par son génie dans le combat,
réglant d'un art exact le corps à corps,
cœur avide de gloire[2], aussi doué que lui pour l'action,
mais non quand il s'agissait de parler.

Après ce que je viens de dire, ne t'étonne pas, ô Thésée,
s'ils ont bravé la mort sous les remparts.
Toute noble école enseigne l'honneur.
Un homme rompu aux prouesses rougira d'agir lâchement.
Car le courage peut s'apprendre, de même qu'on instruit un
    nourrisson
à dire et à saisir des mots qu'il ignorait.
Ce qu'acquiert la raison subsiste jusqu'à la vieillesse.
Élevez donc bien vos enfants.

LE CHŒUR

Pour ton malheur, mon fils,
je t'ai nourri, porté dans mon sein, enfanté dans les cris !
Seul Hadès aujourd'hui a le fruit de ma peine :
le fils que j'avais mis au monde
n'est plus là pour nourrir ma vieillesse.

THÉSÉE

Pour Amphiaraos, le noble fils d'Œclès,
en l'emportant vivant aux gouffres de la terre,
avec son quadrige, les dieux hautement ont témoigné pour
    lui.
Quant au fils d'Œdipe, Polynice, je le louerai à bon escient,
car il fut mon hôte, avant de se rendre à Argos,
lorsque, de son plein gré, il se fut exilé de Thèbes.
Mais connais-tu mon intention au sujet de ces corps ?

ADRASTE

Je ne sais rien, sinon que je t'obéirai.

THÉSÉE

Capanée, que Zeus désigna par un coup de sa foudre…

ADRASTE

Son corps étant aux dieux, tu veux donc l'enterrer à part ?

THÉSÉE

Et mettre tous les autres sur un bûcher commun.

ADRASTE

Où entends-tu placer la sépulture séparée ?

THÉSÉE

On dressera la tombe ici près du palais.

ADRASTE

C'est un travail à laisser aux esclaves.

THÉSÉE

Mais nous ferons le reste. Les porteurs, avancez !

ADRASTE

Venez, mères infortunées, approchez de vos fils.

THÉSÉE

Adraste, que dis-tu ? Ah ! fâcheuse parole !

ADRASTE

Eh quoi ? Des mères ne pourraient toucher les corps de leurs enfants.

THÉSÉE

Défigurés comme ils sont là ? Mais elles en mourraient !

ADRASTE

Affreux à voir, c'est vrai, le sang, les plaies des morts !

THÉSÉE

Pourquoi leur imposer ce surcroît de douleur ?

ADRASTE

Je m'incline.

(Aux Mères.)

Il faut attendre avec patience. Thésée
a raison. Quand ils auront été soumis au feu,
vous viendrez recueillir leurs ossements. Ô malheureux
    mortels,
pourquoi accumuler des armes et vous entre-tuer ?
Cessez donc vos efforts, restez en paix, et laissez-y les autres.
Le temps est si court pour jouir de la vie.
Donnons-le au plaisir au lieu de le perdre en travaux.

Thésée sort avec les Orphelins.

QUATRIÈME STASIMON

STROPHE

LE CHŒUR

Je fus autrefois une mère heureuse,
mais je ne compte plus parmi les Argiennes
fières de leur fécondité.
Artémis qui préside aux naissances
n'accueillera plus une vieille en deuil[1].
Ma vie est semblable à la mort.
Je ne suis plus qu'une nuée errante,
jouet des bises de l'hiver.

ANTISTROPHE

Nous étions sept mères, nous avions sept fils
qui étaient glorieux parmi les Argiens.
Ô malheureuses que nous sommes!
Privées d'eux et de leur appui,
douloureuse vieillesse, celle qui nous attend!
Nous ne comptons plus ni parmi les morts,
ni parmi les vivants.
Nulle part n'est plus notre place.

ÉPODE

Il me reste les larmes,
les tristes monuments du deuil dans la maison,
cheveux coupés, couronnes déposées[2], libations pour les
    défunts,
et les chants dont le blond Apollon ne veut pas.
Tôt réveillée par mon chagrin,

chaque matin je tremperai de larmes
ma poitrine et les plis de ma robe.

Des esclaves préparent le bûcher de Capanée.

CINQUIÈME ÉPISODE

LE CORYPHÉE

Mais voici déjà la chambre funèbre
prête pour recevoir le corps sacré de Capanée,
et hors de cette enceinte, les présents de Thésée pour les
      morts.
Je vois aussi l'illustre épouse de celui que tua la foudre,
Évadné, la fille du roi Iphis.
Pourquoi se tient-elle en haut du rocher
qui domine le toit des maisons ?
Où la conduira ce chemin ?

    Évadné somptueusement vêtue apparaît au-dessus
    du bûcher.

ÉVADNÉ [1]

   Pourquoi ces feux dont rayonnait
   le char du Soleil traversant le ciel,
   le rapide flambeau de la Lune
   menant son char dans les ténèbres,
   le jour où, pour mes noces,
   la cité d'Argos, en cris d'allégresse,
   m'exaltait avec mon époux,
   Capanée à l'armure de bronze ?
   Fuyant ma maison comme une Bacchante,
   je viens partager son bûcher, son tombeau.
   Qu'Hadès me délivre d'une vie de douleur,
   des peines qui m'attendent.
   La plus douce des morts
   est de suivre celui qu'on aime
   quand le sort le permet.

LE CORYPHÉE

Tu vois à tes pieds le bûcher, domaine que Zeus se réserve.
Ton époux terrassé par l'éclair de la foudre y repose.

ÉVADNÉ

Me voici donc au terme de ma route.
La fortune m'a bien guidée.
Pour l'amour de ma gloire
je vais me jeter de cette falaise,
sauter dans le bûcher.
Au sein de la flamme brûlante,
mon corps viendra s'unir à mon époux.
Ma chair contre sa chair,
j'entrerai dans le lit de Perséphone.
Toi qui n'es plus, j'irai sous terre
avec toi que jamais mon cœur n'aura trahi.
Voilà les torches de mes noces[1]…

Iphis entre par la gauche

LE CORYPHÉE

Voici venir ton père, le vénérable Iphis, plein d'inquiétude.
Il ne sait pas quelle douleur l'attend ici.

IPHIS

Infortunée! Et moi, infortuné vieillard
poursuivi d'un double souci quant à mes deux enfants!
Mon fils, qui a péri sous la lance thébaine,
Étéoclos, je dois ramener son corps au pays.
Je cherche aussi ma fille[2], qui s'est enfuie de la maison
et qui a disparu. Capanée était son époux.
Elle veut mourir avec lui. Jusqu'à présent,
on l'a tenue dans la demeure. Et puis,
j'ai relâché ma surveillance, accablé par trop de malheurs.
Elle s'est échappée. Je croyais par ici
avoir chance de la trouver. Si vous l'avez vue, dites-le!

ÉVADNÉ

Pourquoi interroger ces femmes? Je suis ici, sur ce rocher,
perchée comme un oiseau sur le bûcher de Capanée,
prête, mon père, à m'élancer d'un bond fatal.

IPHIS

Quel vent de folie t'a poussée à partir, mon enfant ?
Pourquoi avoir fui la maison pour venir jusqu'ici ?

ÉVADNÉ

Tu ne saurais d'un cœur égal entendre mon dessein ;
mieux vaut que tu n'en saches rien.

IPHIS

Quoi ? tu n'as pas le devoir d'en avertir ton père ?

ÉVADNÉ

Comment pourrais-tu en être bon juge ?

IPHIS

Mais pourquoi donc cette parure dont tu t'es revêtue ?

ÉVADNÉ

Elle va me conduire à ma gloire, mon père.

IPHIS

Dirait-on une veuve en deuil de son époux ?

ÉVADNÉ

Non, c'est le vêtement d'une nouvelle vie.

IPHIS

Mais alors que fais-tu près d'une tombe, d'un bûcher ?

ÉVADNÉ

Je viens trouver ici une belle victoire.

IPHIS

Quelle victoire ? Dis-le-moi, je t'en prie ?

ÉVADNÉ

Sur toutes les femmes que le soleil a jamais vues.

IPHIS

Par les ouvrages d'Athéna ? par la sagesse ?

ÉVADNÉ

Par le courage. Car je vais mourir avec mon mari.

IPHIS

Que veux-tu dire ? Quelle est cette méchante énigme ?

ÉVADNÉ

Je vais bondir dans le bûcher de Capanée.

IPHIS

Ma fille ! Ne parle pas ainsi devant témoins !

ÉVADNÉ

Mais c'est ce que je veux : que tous les Argiens le sachent.

IPHIS

Tu ne le feras pas. Moi je te l'interdis !

ÉVADNÉ

Qu'importe ? Je suis hors de portée de ta main.
Vois, mon corps s'incline déjà, pour ton chagrin
et pour la joie de mon époux, que je rejoins au sein des
     flammes.

Elle se laisse tomber.

LE CHŒUR

L'acte affreux, tu l'as accompli, Évadné !

IPHIS

C'est la mort pour moi, ô filles d'Argos !

LE CHŒUR

Hélas, hélas, après ton grand malheur,
tu dois voir, pauvre père, cette audace inouïe !

IPHIS

Qui pourriez-vous trouver qui fût plus malheureux ?

LE CHŒUR

Infortuné, le destin d'Œdipe t'atteint, vénérable,
avec notre malheureuse cité.

IPHIS

Que n'est-il accordé aux mortels
d'être jeunes deux fois et de deux fois vieillir ?
Lorsque dans nos maisons une chose est mal faite,
nous la reprenons pour la redresser. La vie ne se répare
        point.
mais si nous pouvions rajeunir, puis vieillir de nouveau,
        toute faute,
grâce à cette double existence, pourrait se corriger.
Pour moi, voyant mes amis entourés d'enfants,
j'en ai souhaité au point d'en dépérir.
Si j'avais su ce qu'à présent je sais, éprouvé ce qu'un père
souffre de se voir enlever ses enfants,
j'aurais su éviter mon malheur d'aujourd'hui.
J'ai donné la lumière au plus noble des fils, et me voici privé
        de lui
    Et maintenant, que dois-je faire, infortuné ?
Rentrer chez moi, trouver des salles vides, une vie d'abandon ?

Ou me rendre chez Capanée ?
Nul séjour ne m'était plus doux quand ma fille y vivait.
Mais elle n'est plus, celle qui aimait à mettre sa bouche
contre ma joue, son bras autour de ma tête.
Un père qui vieillit sent la douceur d'avoir une fille.
Les garçons ont l'âme plus fière, mais moins tendre et moins
       caressante.
   Allons, sans m'attarder, ramenez-moi à la maison,
dans quelque coin obscur où je resterai sans manger,
tant que mon vieux corps en périsse.
À quoi bon prendre en mains les restes de mon fils ?
     Adversaire toujours victorieux, ô vieillesse, que j'ai horreur
de te sentir en moi !
Que je déteste ceux qui veulent prolonger la vie
par des aliments, des boissons et des philtres,
cherchant à détourner le terme de la mort
quand ils ne sont plus bons à rien et feraient mieux
de disparaître et de laisser la place aux jeunes gens.

> *Il sort.*
> *Thésée rentre en scène avec les Orphelins qui*
> *portent les urnes renfermant les cendres.*

LE CORYPHÉE

Voici le service funèbre pour nos fils.
On vient nous rapporter leurs cendres.
Servantes, assistez ma vieillesse épuisée.
Le deuil de nos fils m'a ravi toute force.
Trop longtemps j'ai vécu, consumée de longues douleurs.
Pour les mortels, quelle souffrance pire,
que de voir mourir leurs enfants ?

CINQUIÈME STASIMON

STROPHE I

CHŒUR DES ENFANTS

Vois, vois, ma pauvre mère,
du bûcher je rapporte les restes de mon père,
fardeau que ma peine fait lourd, car tout ce que j'avais
tient en ce peu d'espace.

CHŒUR DES MÈRES

Hélas, mon fils, hélas !
tu apportes des larmes à la mère du mort :
un peu de cendres en échange de corps
qui furent la gloire d'Argos

ANTISTROPHE I

CHŒUR DES ENFANTS

Oui, tu n'as plus de fils !
Et moi, fils privé de mon père,
je vais grandir orphelin dans la maison où il n'est plus.
Ses bras ne m'entoureront pas.

CHŒUR DES MÈRES

Hélas, où est, hélas !
le fruit de mes douleurs ? Quelle joie me revient
de l'avoir mis au monde, veillé tant de nuits,
serré contre ma joue ?

STROPHE II

CHŒUR DES ENFANTS

Ils ne sont plus. Mon père, tout est fini.

CHŒUR DES MÈRES

> *Oui, l'éther déjà les possède ;*
> *consumés dans les cendres du bûcher,*
> *ils se sont envolés vers l'Hadès.*

CHŒUR DES ENFANTS

> *Mon père, entends-tu ton fils qui te pleure ?*
> *Mais j'aurai un jour un bouclier pour venger…*

CHŒUR DES MÈRES

Sa mort ? Ah ! que le ciel t'entende, mon enfant.

ANTISTROPHE II

CHŒUR DES ENFANTS

Qu'un jour, les dieux aidant, mon père soit vengé !

CHŒUR DES MÈRES

> *Ma douleur ne peut s'endormir.*
> *Je suis rassasiée de pleurs,*
> *de revers, de souffrances !*

CHŒUR DES ENFANTS

> *Le brillant Asopos me verra revenir,*
> *couvert de bronze, menant les fils de Danaos…*

CHŒUR DES MÈRES

… et vengeur de ton père mort !

STROPHE III

CHŒUR DES ENFANTS

Je crois encore, ô père, te voir devant mes yeux…

CHŒUR DES MÈRES

… baisant tendrement ton visage.

CHŒUR DES ENFANTS

*Les noms dont tu m'encourageais
se sont évanouis dans l'air.*

CHŒUR DES MÈRES

*Il nous laisse le deuil : à moi, sa mère ; et toi,
le regret de ton père ne te quittera plus.*

ANTISTROPHE III

CHŒUR DES ENFANTS

Sous ce fardeau trop lourd je me sens succomber.

CHŒUR DES MÈRES

Je tiens enfin sa cendre sur mon sein.

CHŒUR DES ENFANTS

*Je pleure en entendant ce mot affreux
qui m'atteint en plein cœur.*

CHŒUR DES MÈRES

*Ô mon fils qui n'est plus, je ne reverrai plus jamais
celui qui fut l'orgueil et l'amour de sa mère.*

EXODOS

THÉSÉE

Adraste, et vous, dames d'Argos,
voyez ces enfants qui tiennent dans leurs bras
les restes des héros leurs pères. Je les ai reconquis.
C'est moi et ma cité qui leur en font présent.
Vous maintenant, gardez mémoire et gratitude,
ayant devant les yeux ce que j'ai fait pour vous.
Aux enfants que voilà, vous redirez sans cesse
d'honorer cette ville, et de transmettre
aux fils de leurs enfants le souvenir de ce qu'ils ont reçu.
Zeus et les dieux du ciel sont là pour témoigner
des bienfaits dont nous vous avons comblés.

ADRASTE

Thésée, nous connaissons tous les nobles offices
que tu as rendus aux Argiens dans leur détresse.
Notre reconnaissance ne vieillira pas.
Ton généreux appui recevra le nôtre en retour.

THÉSÉE

Que puis-je encore faire pour vous ?

ADRASTE

Sois heureux comme tu le mérites, ainsi que ta cité.

THÉSÉE

Qu'il en soit ainsi et pour moi et pour toi.

Athéna apparaît au-dessus du temple.

ATHÉNA

Thésée, écoute. C'est Athéna qui vient te dire

ce qui te reste à faire pour le salut de tous.
Que ces enfants emportent dans Argos les restes de leurs
     pères,
mais ne va pas t'en dessaisir si aisément.
En échange de vos travaux, à toi et à ton peuple,
demande d'abord un serment. Adraste que voilà
devra le prononcer. Il a l'autorité, étant le roi,
d'engager sous son nom tous ceux de l'Argolide.
Il jurera que son peuple jamais
ne conduira contre cette contrée soldats armés en guerre,
mais qu'ils la défendront si l'on vient l'attaquer.
S'ils renient leur serment et entrent dans l'Attique,
que la ruine alors tombe sut Argos ! Adraste lui-même devra
     prononcer l'anathème.
    Comment recueillir le sang des victimes, je vais te le dire.
Quand Héraclès eut renversé les murs de Troie,
il courut à d'autres travaux,
en te chargeant de consacrer près du foyer pythique
un trépied de bronze qui est encore dans ta demeure.
Sur ce trépied, égorge trois brebis, puis grave le serment dans
     le creux de la cuve,
et remets-la en garde au dieu de Delphes,
pour être, devant tous les Grecs, preuve et monument de la
     foi jurée.
Pour couper la gorge aux victimes, prends un couteau tran-
     chant
que tu iras enfouir, profondément, auprès des Sept Bûchers.
Si les Argiens envahissaient l'Attique,
ce couteau exhibé les mettrait en déroute.
Ces rites accomplis, tu peux laisser partir les morts.
Que l'enclos où le feu a purifié leurs corps,
au carrefour de la déesse à l'Isthme, reste une friche sacrée.
C'est ce que j'avais à te dire.
Fils des Argiens, voici pour vous.
Vous prendrez plus tard, devenus des hommes, la cité de
     Thèbes,
vengeant ainsi la mort de vos parents.
C'est toi, Aigialeus, jeune chef succédant à son père,
qui les dirigeras, avec le fils de Tydée,
venu d'Étolie, celui que son père nomme Diomède.
Mais attendez que le duvet couvre vos joues,

avant de déchaîner le peuple armé de bronze des fils de
    Danaos
contre le rempart cadméen aux Sept Portes.
Vous irez là pour leur malheur, lionceaux devenus lions,
grandis pour saccager leur ville.
Ainsi le veut le sort. La Grèce vous appellera
les Épigones, et la postérité vous célébrera de ses chants.

THÉSÉE

Reine Athéna, j'obéirai à ta parole,
car tu es le guide qui m'épargne l'erreur.
Je vais lier Adraste par serment. Tiens-moi dans le droit
    chemin,
tout est là. Si Athènes jouit de ta faveur, l'avenir nous est
    assuré.

LE CORYPHÉE

Allons, Adraste, prêter le serment
pour Thésée, pour Athènes.
Il nous faut honorer qui a souffert pour nous.

ION

Voici une tragédie romanesque. Elle se termine par une reconnaissance du type qu'Aristote considérait comme inférieur, puisqu'elle était ménagée par des objets. À lire la pièce sans tenir compte de la chronologie, on pourrait penser qu'Euripide a imité un dénouement de Ménandre, en donnant simplement un rehaut légendaire aux « croix de ma mère » providentiellement exhibées. Mais, au contraire, le modèle premier est probablement ici, quoique trop de tragédies soient perdues pour qu'on ose l'affirmer.

Les Grecs considéraient comme « proche de la comédie » toute tragédie dont la conclusion était heureuse. C'est le cas pour celle-ci. Créuse, seule fille survivante d'Érechthée roi d'Athènes, violée par Apollon, a exposé son fils nouveau-né dans la grotte même où le dieu l'a prise, puis n'a plus jamais retrouvé trace de son corps. Elle épouse ensuite Xouthos, un roitelet achéen, dans l'espoir de transmettre l'Attique, dont elle reste seule héritière, aux fils qui naîtront de leur union. Mais celle-ci reste stérile. Au début de la pièce, les époux viennent consulter le dieu de Delphes : Xouthos est plein d'espoir ; Créuse reste reluctante, car elle n'a que rancune à l'égard d'Apollon. Un jeune sacristain l'accueille sur le parvis. C'est un enfant mystérieusement trouvé dans le sanctuaire et élevé par la Pythie. Le public sait déjà que c'est le fils de Créuse et du dieu. Ion et Créuse, destinés à se reconnaître, vont d'abord être séparés par une étrange péripétie. Xouthos pénètre seul dans la chapelle oraculaire, où les femmes n'avaient pas accès, et en sort triomphant : le dieu lui a déclaré non pas qu'il aurait un fils, mais qu'il en a un, le premier homme qu'il rencontrera. Il se jette sur Ion et se livre à des démonstrations que le garçon repousse avec une pudeur offensée. Rassuré non sans peine, il s'incline et se résigne à devenir roi d'Athènes. Créuse apprend la chose par ses servantes, avec stupeur et indignation. Leur commune stérilité mettait entre son mari et elle une solidarité désormais rompue ; l'Attique va sortir de la maison d'Érechtée. Le vieux serviteur, qui symbolise la tradition nationale, lui persuade de tuer le « nouveau fils » et se charge de l'exécution. Le coup manque. Poursuivie, inculpée, Créuse se blottit sur l'autel d'où Ion, bien décidé à la tuer, hésite cependant à l'arracher de la statue qu'elle tient embrassée. Survient à point nommé la Pythie portant la corbeille où elle découvrit jadis le nouveau-né. Créuse retrouve son fils avec joie. Le garçon est beaucoup plus réticent, fort troublé par toutes ces contradictions. Le dieu lui a donné pour père Xouthos, lequel n'a pu lui nommer sa mère, lui faisant ainsi redouter une origine maternelle peu honorable. Puis la marâtre prête à le tuer, près d'être tuée par lui, se révèle sa mère et déclare l'avoir conçu d'Apollon, ce qu'Ion n'est nullement disposé à croire sans preuve. En tout cas, Xouthos est hors de jeu, et Ion, après avoir tremblé de se voir fils d'esclave, est sûr à présent de n'être qu'un bâtard. Athéna apparaît opportunément pour le rassurer. Lui et ses descendants régneront sur l'Attique dont ils élargiront l'empire en fondant les colonies ioniennes des îles et de la côte d'Asie. Xouthos devra ignorer qu'Ion n'est pas son fils. Au surplus, Créuse lui en donnera deux autres, Doros et Achéos, ancêtres des Doriens et des Achéens.

Ainsi est satisfait l'orgueil athénien : les Cyclades, l'Asie et la Grèce entière n'auront pas de rois qui ne soient de la lignée d'Érechthée. Ce dernier descend lui-même d'Érichthonios, enfant-serpent, né de la Terre. L'autochtonie athénienne est bien établie, et aussi les titres d'Athènes à considérer Apollon comme son ancêtre et à l'honorer sous le nom de Patrôos.

Mais, derrière cette patriotique façade, les choses s'arrangent moins bien pour Apollon, qui a donné un oracle faux, qui oblige les humains à confirmer ses mensonges et qui fait régler le dénouement par Athéna faute d'oser lui-même affronter des reproches qu'il sait trop bien avoir mérités. Or, c'est au point de vue d'Apollon que se place le pieux enfant élevé à l'ombre du temple. Jamais il n'a douté : ce que dit Loxias, c'est la pensée même de Zeus. Voilà Loxias pris à mentir. Athéna descend du ciel pour venir l'inviter, lui Ion, à confirmer le mensonge : Le dieu est-il véridique, *demande-t-il avec angoisse,* ou son oracle est-il vain ? *Athéna lui ouvre de fort belles perspectives, mais sans rien dire qui puisse apaiser la profonde détresse de ce jeune cœur déçu, déjà troublé dans sa croyance en la « justice des dieux » d'avoir appris que Phoibos est capable de violer une fille et de l'abandonner aux conséquences de la minute de plaisir*

*qu'il a exigée d'elle. Il ne dit rien, remercie Athéna et sort de
scène en laissant aux spectateurs le problème à résoudre.*

Comment l'ont-ils posé après avoir entendu la pièce?
Beaucoup auront admis, ainsi qu'Athéna le leur déclarait,
qu'Apollon avait tout arrangé pour le mieux. Créuse partait
avec son fils, Ion avec une mère et la promesse d'un avenir
superbe, Xouthos avec une agréable illusion. Quelques-uns com-
prirent peut-être le sens de la mince anecdote : que l'homme est
le jouet de forces auxquelles il prête les principes sur quoi lui-
même croit devoir régler sa conduite. Et que cela, qu'il appelle
le juste, soit aussi une norme pour les dieux, et, davantage,
émane d'eux, c'est la plus tenace de ses illusions. Euripide a passé
sa vie à la déranger.

On dit volontiers qu'il conçut de l'animosité à l'égard de
l'oracle parce que celui-ci était du parti de Sparte. C'est à la fois
rétrécir le problème et le fausser. L'oracle semble n'avoir jamais
eu aucune doctrine politique. Mais les politiques savaient fort
bien se servir de lui pour leur propagande, et surtout les rois de
Sparte. Il leur fallait pour cela des complices sûrs et capables de
se taire, ce qui s'accordait mal avec les méthodes bavardes de la
démocratie athénienne. Dès le début de la guerre, Sparte mit en
circulation des oracles optimistes qui trouvèrent peut-être
créance en Laconie, mais durent tromper peu de monde dans
l'autre camp. Les historiens modernes ont été plus naïfs. Euripide n'était par homme à confondre le dieu avec ses prêtres ; sa
critique vise plus haut que ceux-ci et leurs intrigues possibles. La
pièce du reste n'a pas un mot contre eux, et la Pythie, dans sa
courte apparition, ne dit rien qui ne soit mesure, dignité, par-
faite noblesse. Ce qu'Euripide met en accusation, ce n'est ni ce
sanctuaire ni aucun autre, mais toute la théologie sur quoi ils
reposent.

Les Grecs ont beaucoup goûté le roman de la princesse séduite
ou violée par un dieu, obligée d'exposer son enfant et se retrou-
vant plus tard en face d'un adolescent qu'elle ne reconnaît pas.
L'exposition du nouveau-né, thème essentiel des enfances
héroïques, était par surcroît un ressort commode pour mettre
face à face, inconnus l'un de l'autre, un fils et un père, un fils et
une mère qui vont s'affronter. Le parricide est réalisé : Œdipe

*tue Laïos ; le matricide est évité de justesse et, presque toujours,
après que la mère a mis son fils en danger. Plusieurs tragédies
perdues traitent le même sujet.*

*Ion n'est que de nom le héros de celle-ci. Ce petit sacristain
vaniteux et pédant touche les cœurs sensibles par son regret de la
mère inconnue qui a manqué à son enfance. Mais son snobisme
est encore plus fort que son amour filial et, plutôt que de se
découvrir fils d'une esclave, il préférerait encore ignorer toujours
qui l'a mis au monde ; et son enquête sur le passé de Créuse est
d'un pharisaïsme assez pénible. La haute et douloureuse figure
de Créuse sauve la pièce ; et aussi la richesse du substrat inconscient. Elle est le type même de la femme frustrée. Son père
Érechthée a immolé ses trois sœurs pour obéir à un ordre divin.
Elle-même n'a été épargnée que parce qu'elle était trop petite.
L'acte du dieu lui laisse uniquement le souvenir d'une blessure.
Au moment où il la saisissait elle a vainement appelé sa mère à
son secours et c'est terrorisée par cette même mère qu'elle a abandonné son enfant. Puis les circonstances l'amènent à prendre à
son tour le rôle de la mère redoutable et c'est sa propre hostilité
qui provoque Ion à la menacer, avec une violence que la Pythie
trouve excessive. Après un tel déchaînement de passions, le
dénouement optimiste ne saurait plus guère persuader. Racine
a repris ce thème en laissant les sentiments aller jusqu'à
leur conclusion naturelle ; et, dans Athalie, le matricide est
consommé, sinon par Joas lui-même, du moins pour lui et en
son nom. La tragédie grecque et la française n'ont pas d'autres
enfants que ceux-là, qui brûlent l'un et l'autre de tuer leur
mère. J'ai essayé ailleurs de montrer comment le matricide, de
fait ou d'intention, est lié à un certain aspect* royal *de la mère,
Agrippine, Athalie. Le nom de Créuse signifie la Reine.*

*Les parties chorales semblent avoir été assez négligées. Mais
les évocations légendaires sont riches de significations secrètes.
L'autochtonie athénienne est sans cesse rappelée dans cette pièce
qui donne ses titres de noblesse à l'impérialisme athénien. Or,
comment les Athéniens sont-ils les fils du sol ? Héphaistos poursuivait Athéna qui se dérobait à son étreinte quand le sperme du
dieu coula sur la terre. Elle en fut fécondée comme elle l'avait
été par Ouranos dans les premiers jours du monde ; et du sillon
sortit Érichthonios ancêtre d'Érechthée. Comme Cécrops, autre
roi d'Athènes également issu du sol, il était mi-homme et mi-
serpent, image de son origine tellurique.*

Voilà Créuse et Athéna mystérieusement apparentées. La déesse a pu se défendre; la mortelle a dû laisser prendre son corps, mais son intention est restée virginale et c'est pourquoi, à plusieurs reprises, et notamment dans son admirable cri d'indignation contre l'injustice de sa destinée, elle ose invoquer la Parthénos et la prendre à témoin de sa pureté intacte. Amèrement elle marque aussi la différence entre elles : sans avoir porté Érichthonios, Pallas eut la joie de le prendre dans ses bras; de l'enfantement Créuse n'eut que les souffrances, sans nulle compensation. Toute la pièce, qui diminue Apollon, grandit Athéna, victorieuse des Géants, d'Encelade, de la Gorgone (prouesse généralement réservée à Persée), et surtout, tutrice d'Érichthonios à qui elle donne en sauvegarde les deux gouttes magiques, l'une mortelle, l'autre salvatrice.

Autour de Créuse se lèvent les ombres d'autres sacrifiées : ses trois sœurs égorgées sur l'autel d'un dieu exigeant, les filles d'Aglaure auxquelles fut confié le roi-serpent Érichthonios avec interdiction d'ouvrir la corbeille qui le renfermait; elles l'ouvrirent néanmoins, furent prises de folie et se jetèrent du haut du rocher. C'est sur ce versant de l'Acropole, tout teinté du sang des vierges, que Phoibos enlève Créuse, parmi les fleurs, comme Hadès enlève Perséphone. Un très beau chœur illustre ces contiguïtés entre l'amour et la mort, en chantant la grotte de Pan où les filles d'Aglaure dansent sur le gazon (495). Les filles d'Aglaure sont mortes depuis longtemps et la flûte de Pan ne fait danser que des fantômes. Jamais ailleurs, je pense, Euripide n'évoque des revenants. Les modernes trouvent l'invention « exquise ». En vertu d'une méprise analogue ils admirent la gentillesse d'Ion qui, au début de la pièce, balaie le temple et chasse les oiseaux qui pourraient souiller les corniches, les menaçant de ses flèches s'ils refusent de s'envoler. Or, tout un folklore enseigne qu'il est interdit de tuer l'oiseau hôte du dieu car le temple est un asile inviolable; au cours du banquet sous la tente apparaît un vol de colombes que rien n'effarouche parce qu'elles vivent dans le sanctuaire. L'arc d'Ion, ses flèches dirigées contre les oiseaux, préfigurent son intention cruelle à l'égard de sa mère réfugiée sur l'autel.

Un chrétien que scandaliserait le sort des hommes et des femmes s'en prendrait au Dieu créateur et lui demanderait compte du divorce éternel entre les instincts et la raison. Aucun

Grec n'a jamais pensé que le monde fût l'œuvre d'une volonté
supérieure. Sans avoir pour eux la douloureuse acuité qu'il a
pour nous, le problème du mal se repose à l'échelon individuel
où il met alors en cause le caprice d'un dieu. Ainsi Héra persé-
cute Héraclès; ainsi Apollon abuse d'une fille et lui inflige
quinze années de souffrance solitaire. Mais aussitôt Euripide
élargit la question en incriminant, par-delà Créuse, l'horreur de
la condition des femmes, nées pour être malheureuses (252).
Et cette condition elle-même n'est pour lui que le malheur de
l'être humain parvenu à sa limite extrême.

La date de l'œuvre est inconnue; on s'accorde à la placer
entre la paix de Nicias (421) et la fin de l'expédition de Sicile
(413). Les allusions qu'on a cru y découvrir ne sont ni claires ni
probantes. L'orgueil athénien qui s'y marque pourrait aussi
bien, puisqu'il porte uniquement sur un passé lointain, compenser des revers qu'exprimer la joie de la victoire. La structure
des chœurs indiquerait une date assez tardive, 412 ou 411. On
devine une mise en scène un peu plus compliquée que celle des
pièces antérieures. Quelque chose devait être représenté concrè-
tement qui suggérait le temple de Delphes, tel que les femmes du
chœur le décrivent avec un puéril étonnement. Mais il faut être
bien insensible au pouvoir des mots pour croire que les spectateurs voyaient de leurs yeux ce que chantent les vers, pour penser
que Créuse amenait le vieillard le long d'un vrai raidillon vers
une vraie esplanade, et qu'Hermès après avoir dit le prologue
allait se cacher dans un vrai bosquet d'où ce valet curieux
pouvait suivre les péripéties de l'action. Un épisode, extraordi-
nairement mouvementé, demandait cependant quelque mise en
scène au sens moderne du mot : celle où Créuse poursuivie est
réfugiée sur l'autel. Entre Ion avec ses amis, tous armés. Elle
saisit à deux bras une vieille idole de bois et, malgré les menaces
du garçon, refuse de s'en détacher. Alors s'ouvre la grande porte
du sanctuaire et la Pythie apparaît. Créuse reste blottie et silen-
cieuse pendant l'entretien d'Ion avec sa mère adoptive et ne
bondit de l'autel qu'après le départ de la prêtresse, quand elle
voit la corbeille. Tout en répondant au goût des Grecs pour les
dialogues à deux interlocuteurs, la dissociation satisfait ici une
profonde exigence psychologique. On peut en dire autant de la
disparition de Xouthos après le second épisode. Faute d'un qua-
trième acteur, Euripide a dû le tenir à l'écart, de quoi il s'excuse

par des raisons que la stricte vraisemblance trouve mauvaises. Mais comme on comprend qu'après l'oracle et sa conversation avec Ion, Xouthos fasse tout, y compris un sacrifice en montagne, pour éviter de se retrouver face à face avec Créuse! Personne dans ce drame ne ment volontiers, excepté Apollon, lequel y contraint les simples mortels. La pièce, tout en nuances, en réticences, en hésitations, en revirements, exige des acteurs qui soient autre chose que de simples récitants.

Ion

PERSONNAGES

HERMÈS
ION
CRÉUSE, reine d'Athènes.
XOUTHOS, son époux.
UN VIEIL ESCLAVE de Créuse.
UN AUTRE SERVITEUR
LA PYTHIE
ATHÉNA
Chœur formé de servantes de Créuse.

L'esplanade du temple d'Apollon à Delphes.
Au fond, la porte du sanctuaire.
Le dieu Hermès apparaît au-dessus du temple.

PROLOGUE

HERMÈS

Atlas, dont la nuque de bronze s'use à porter le ciel,
l'antique demeure des dieux, Atlas d'une déesse eut une fille.
C'était Maïa, qui me conçut des œuvres du grand Zeus,
moi, Hermès, serviteur des immortels.
Or, me voici venu à Delphes, nombril du monde,
trône de Phoibos qui chaque jour y chante ses oracles,
révélant aux mortels ce qui est, et ce qui sera.
Il est en Grèce une cité illustre
qui porte le nom de Pallas-Lance d'or.
Apollon y surprit la fille d'Érechthée,
Créuse, et la força de subir son étreinte,
au flanc de la colline d'Athéna, sous les rochers battus du
    vent du nord,
que les gens de l'Attique nomment les Hautes-Roches.
À l'insu de son père, ainsi que le voulait le dieu,
elle porta le fardeau de son ventre. Le temps venu,
délivrée dans sa chambre d'un fils, Créuse l'emporta
vers la même caverne où le dieu s'était uni à elle
pour exposer le nouveau-né, sûre qu'il y mourrait.
Elle le coucha dans un panier rond, bien fermé,
restant fidèle à l'usage ancestral, au souvenir du Fils de la
    Terre,
Érichthonios, que la fille de Zeus remit en garde à deux ser-
    pents
avant de le confier aux vierges Aglaurides.
C'est depuis lors que les descendants d'Érechthée ont coutume
de protéger de serpents d'or le cou des enfants qu'ils nour-
    rissent.
Tous ses bijoux de jeune fille, Créuse les joignit à son fils,
ainsi qu'une offrande funèbre, et puis elle l'abandonna.

Phoibos alors me demanda, comme un frère à son frère :
« Va, je te prie, vers le peuple qui occupe l'illustre Athènes,
étant né de son sol. Tu connais bien la ville de la déesse.
Prends le nouveau-né au fond de la grotte,
avec son berceau et ses langes,
emporte-le vers Delphes et vers mon temple,
et le dépose aux portes mêmes de ma demeure.
Le reste, car, sache-le, cet enfant est mon fils,
c'est moi qui m'en occuperai. » Je rendis ce service à Loxias
      mon frère.
J'enlevai, j'emportai la corbeille de jonc,
et vins mettre l'enfant sur les degrés du temple
où nous voici, en faisant pivoter le couvercle
pour que le panier entr'ouvert laissât voir le petit.
    Or, comme le soleil ramenait ses chevaux pour la course
      du jour,
la prophétesse entrant dans la chapelle oraculaire
y arrêta les yeux, se demandant quelle fille de Delphes aurait
      osé
jeter dans la maison du dieu le fruit secret de ses amours.
Déjà elle songeait à le porter hors de l'enceinte
quand la pitié la détourna d'un acte si cruel, le dieu ne
      voulant pas
que de sa maison son fils fût chassé.
Elle le recueillit, l'éleva, ignorant que son père
est Phoibos et de quelle mère il est né.
Et lui ne connaît pas ses parents davantage.
Tant qu'il fut un enfant, nourri à côté des autels,
il y a joué à son aise. Lorsqu'il fut devenu un homme
les Delphiens lui ont confié la garde de l'or du dieu
comme au plus sûr des intendants. Ainsi dans le domaine
sacré, il mène ici, depuis sa naissance, une vie très pure.
    Cependant sa mère, Créuse, devint la femme de Xouthos,
      voici comment :
L'orage d'une guerre opposa ceux d'Athènes
aux descendants de Chalcodon, habitants de l'Eubée.
Athènes eut en Xouthos un allié ; leur victoire commune
lui valut l'honneur d'épouser Créuse,
bien qu'il fût étranger, issu d'Éole l'Achéen,
lui-même fils de Zeus. Leur union déjà longue
reste stérile et c'est pourquoi
ils viennent consulter ici l'oracle d'Apollon

dans leur désir d'une postérité. Loxias vers ce but
a conduit leur destin, moins oublieux qu'il ne paraît.
Quand Xouthos passera le seuil oraculaire
il s'entendra donner, comme étant né de lui, le fils de
    Loxias,
afin que, ramené au foyer de sa mère,
l'enfant soit reconnu par elle. Ainsi, tout en gardant le secret
    de ses noces,
le dieu restaurera celui qui en naquit.
Ion, le fondateur des colonies d'Asie,
tel est le nom qu'il veut que la Grèce lui donne.
    Que je me retire à présent sous le couvert de ces lau-
    riers
afin d'apprendre ce qui pour lui fut arrêté.
Car je vois s'avancer l'enfant de Loxias
qui vient purifier le portique du temple
avec des rameaux de laurier. Ion ! le nom qui doit être le
    sien,
je suis le premier des dieux à l'en saluer.

    Il disparaît tandis qu'Ion sort du temple avec des
    serviteurs.

ION

Voici le radieux quadrige. Déjà le soleil fait briller la terre.
L'éther en feu chasse les étoiles vers la nuit divine.
Les crêtes sacrées du Parnasse, frappées par la lumière,
reçoivent pour les hommes la roue du soleil qui apporte le
    jour.
La fumée de la myrrhe des sables
monte jusqu'aux toits de Phoibos.
Une femme s'asseoit au trépied sacro-saint,
une Delphienne, qui va chanter aux Grecs
ce qu'Apollon voudra lui révéler.
    Venez, Delphiens, serviteurs de Phoibos,
allez vers Castalie aux remous argentés.
Baignés dans ces eaux pures, vous pourrez pénétrer dans le
    temple.
Que votre bouche soit religieuse et bienfaisante,
et que chacune de vos paroles
apporte un bon augure aux consultants.

Quant à moi, fidèle à la charge que depuis mon enfance
j'accomplis chaque jour, avec ces rameaux de laurier
et ces branches sacrées, je vais purifier le parvis du dieu,
répandre de l'eau fraîche, et chasser de mes flèches
les vols d'oiseaux qui offensent les saintes offrandes.
Moi qui grandis sans mère et sans père,
moi qui fus nourri dans le temple,
je lui rends mes soins en retour.

> *Surgeon aux jeunes fleurs du plus beau des lauriers,*
> *à toi l'office de balayer l'autel du dieu.*
> *Je t'ai cueilli au pied du temple,*
> *dans les bosquets des Immortels,*
> *où les sources sacrées versent leur eau intarissable*
> *pour y faire pousser le myrte[1].*
> *De son feuillage saint je balaie le divin domaine :*
> *jour après jour, dès que s'élance l'orbe du soleil, je sers !*
> > *Péan, ô Péan bienheureux,*
> > *sois béni, fils de Létô.*

> *Je suis fier, Phoibos, d'accomplir mon service,*
> *devant ta maison, vénérant ton oracle.*
> *Noble est la tâche du serviteur*
> *dont la main travaille pour les Immortels.*
> *Jamais ce labeur béni ne me lassera.*
> *Oui, Phoibos m'a donné la vie :*
> *comment louer celui qui m'a nourri,*
> *qui fut mon bienfaiteur,*
> *sinon en appelant du nom de père*
> *Phoibos, le maître de ce temple.*
> > *Péan, ô Péan bienheureux,*
> > *sois béni, fils de Létô.*

> *Déposons à présent ce balai de laurier,*
> *et puisons dans ces vases d'or l'eau qui jaillit de terre,*
> *que Castalie fait tomber à grands flots.*
> *Je puis épancher l'eau lustrale*
> *car mon corps ignore l'amour.*
> *Puisse ma vie s'écouler tout entière*
> *au service de Phoibos.*
> *Si je le quitte, que ce soit pour mon bonheur.*

Holà! Holà!
Déjà les oiseaux du Parnasse
ont quitté leurs repaires! Je vous défends
d'aller vous poser aux corniches, aux toits dorés!
Une fois de plus je saurai t'atteindre, héraut de Zeus!
dont le bec met en fuite tous les autres oiseaux!
Un autre à grands coups d'ailes approche des autels,
un cygne! Va poser ailleurs tes pieds d'écarlate.
La lyre de Phoibos accompagne ton chant,
mais ne saurait te sauver de mes flèches.
Prends ton vol et va-t'en vers l'étang de Délos.
Si tu n'obéis pas
de ton sang montera un bel hymne de mort.

Holà! Holà!
Que vient faire ici ce nouvel oiseau?
Qu'il n'aille pas sous les corniches
porter pour sa couvée les brindilles du nid!
Déjà vibre mon arc pour te chasser.
Va-t'en. Va poser tes petits
près des tourbillons de l'Alphée
ou dans les bois de l'Isthme,
sans profaner ici nos offrandes
et le temple de Phoibos.
Car j'hésite à vous tuer
vous qui apportez aux mortels les messages des dieux.
Mais pour servir Phoibos je ferai mon devoir,
honorant jusqu'au bout le dieu qui m'a nourri.

Entre le chœur composé de servantes athéniennes
qui examinent les détails du temple.

PARODOS

STROPHE I

UN DEMI-CHŒUR

Notre divine Athènes n'est donc pas la seule cité
où les temples des dieux ont de belles colonnes,
où les piliers sacrés sont honorés.
Chez Loxias aussi, chez le fils de Létô,
rayonnent des frontons jumeaux
d'une égale beauté[1].

SECOND DEMI-CHŒUR

Vois donc, mais regarde :
voilà l'hydre de Lerne,
tombant sous la faux d'or du fils de Zeus !
Mon amie, ouvre bien les yeux !

ANTISTROPHE I

UN DEMI-CHŒUR

Je vois ; et à côté de lui
un autre héros lève une torche ardente.
N'est-ce pas celui qu'on chante chez nous en tissant la toile ?
son écuyer Iolaos qui voulut jusqu'au bout
prendre part aux travaux d'Héraclès[2] ?

SECOND DEMI-CHŒUR

Et cet autre, sur un cheval ailé,
qui égorge un monstre à trois corps
dont la gueule lance le feu[3].

STROPHE II

UN DEMI-CHŒUR

Mes yeux ne savent où se poser.
Admirez sur ce mur de marbre le combat des Géants.

SECOND DEMI-CHŒUR

Nous le regardons, mes amies.

UN DEMI-CHŒUR

Vois-tu là-bas, affrontant Encélade
et levant son écu qui porte une Gorgone...

SECOND DEMI-CHŒUR

Je vois Pallas, notre déesse[1].

UN DEMI-CHŒUR

Et puis la foudre au double éclair terrible
que lancent au loin les deux bras de Zeus !

SECOND DEMI-CHŒUR

Je le vois ! Le farouche Mimas est réduit en cendres !

UN DEMI-CHŒUR

Et Bromios armé
du pacifique thyrse enguirlandé de lierre
tue un autre des Fils de la Terre !

ANTISTROPHE II

LE CHŒUR

Toi que je vois là près du temple,
peut-on pieds nus franchir l'enceinte ?

ION

Ce n'est pas permis, étrangères.

LE CHŒUR

Je voudrais bien te demander…

ION

Parle. Que désires-tu savoir ?

LE CHŒUR

Ce palais enclôt-il vraiment
l'ombilic, centre de la terre ?

ION

Sous un réseau de bandelettes, entouré de Gorgones.

LE CHŒUR

C'est bien ainsi qu'on le décrit…

ION

Si vous avez offert devant le temple le gâteau consacré,
et que vous souhaitiez consulter Apollon,
approchez des autels. Mais vous n'aurez accès à la chapelle
qu'après avoir immolé des brebis.

LE CHŒUR

J'ai bien compris.
Nous ne transgressons pas la loi de Loxias.
L'extérieur suffit bien à enchanter nos yeux.

ION

Contemplez à loisir tout ce qu'il est permis de voir.

LE CHŒUR

Mes maîtres m'autorisent
à visiter le divin sanctuaire.

ION

De quelle maison êtes-vous les servantes ?

LE CHŒUR

Le séjour de Pallas a vu grandir notre maîtresse.
Mais la voici qui vient, celle dont tu t'enquiers.

Entre, par la gauche, Créuse. Elle et Ion se
regardent. Un silence.

PREMIER ÉPISODE

ION

Tu es de haute race, et la nature de ton âme
se marque dans tes traits, noble dame.
Rien qu'à voir l'apparence d'un homme
on reconnaît souvent celui qui est de bonne souche.
    Mais quoi? Que tu m'étonnes! Tu as fermé les yeux,
des larmes ont coulé sur ton noble visage,
rien qu'à voir devant toi le saint oracle d'Apollon!
Pourquoi ce vif chagrin qui te saisit?
Quand tous les autres, en découvrant le sanctuaire,
ont la joie dans les yeux, les tiens se mettent à pleurer?

CRÉUSE

Il faut que ton cœur, étranger, ne soit point insensible
pour que mes larmes te trouvent si surpris.
C'est qu'en voyant le palais d'Apollon
ma pensée a remonté le chemin d'un ancien souvenir.
Elle était dans Athènes, même si mon corps est ici.
Ah! que les femmes sont malheureuses! Où s'arrête l'audace
des dieux? Mais quoi? À quel tribunal demander justice
quand on meurt de l'iniquité de ceux qui nous dominent?

ION

Ce sont là des sujets que l'on ne peut scruter[1]. Pourquoi t'en
    faire du chagrin?

CRÉUSE

Je n'ai rien dit. Le trait est parti malgré moi.
Je me tairai désormais; et toi, n'y pense plus.

ION

Qui es-tu? d'où viens-tu? et quelle est ta patrie?
De quel nom dois-je t'appeler?

CRÉUSE

Je suis Créuse fille d'Érechthée. Athènes est ma patrie.

ION

La cité est illustre, et haute la lignée. Je t'en loue, noble
dame.

CRÉUSE

Tout mon bonheur tient dans ces mots, étranger. Il ne va
pas au-delà.

ION

Par les dieux, dis-moi s'il est vrai, le conte qu'on récite.

CRÉUSE

Que voudrais-tu savoir ?

ION

Le père de ton père est bien né du sol même ?

CRÉUSE

Érichthonios ? Oui certes. Mais que me sert le miracle de
cette origine ?

ION

Athéna le reçut au sortir de la terre ?…

CRÉUSE

Dans ses bras de vierge, sans l'avoir mis au monde.

ION

… et le donna, comme on le voit sur les images… ?

CRÉUSE

aux filles de Cécrops, pour qu'elles le gardent, avec défense
de le voir.

ION

Mais elles ouvrirent, dit-on, la corbeille de la déesse…

CRÉUSE

Et elles en moururent. Leur sang coula sur les rochers.

ION

Je sais une autre histoire encore. Dis-moi si elle est vraie.

CRÉUSE

Que vas-tu demander ? J'ai le loisir de te répondre.

ION

… que ton père Érechthée a immolé tes sœurs.

CRÉUSE

Pour sauver son pays, il osa sacrifier ses filles.

ION

Comment t'épargna-t-il, toi toute seule ?

CRÉUSE

Je venais de naître. J'étais dans les bras de ma mère.

ION

Et vraiment le sol se fendit pour engloutir ton père ?

CRÉUSE

D'un coup de son trident, Posidon le précipita.

ION

À l'endroit, n'est-ce pas ? nommé les Hautes-Roches ?

CRÉUSE

Pourquoi cette question ? Quel souvenir pour moi !

ION

Et Phoibos honore ce lieu marqué par des éclairs ?

CRÉUSE

L'honore ? à quoi penses-tu[1] ? Je voudrais ne l'avoir jamais
    vu !

ION

Pourquoi hais-tu un lieu qu'Apollon chérit entre tous ?

CRÉUSE

Laissons cela. Un fait m'est connu qui n'est pas à l'honneur
    de ces grottes.

Un silence.

ION

À quel Athénien es-tu mariée, noble dame ?

CRÉUSE

Mon mari n'est pas Athénien, il est venu de l'étranger.

ION

Qui est-il ? De grande naissance, assurément ?

CRÉUSE

C'est Xouthos, fils d'Éole, lui-même fils de Zeus.

ION

Comment toi, de si haut lignage, épousas-tu un étranger ?

CRÉUSE

L'Eubée est un pays voisin d'Athènes.

ION

Séparé d'elle, ce dit-on, par un bras de la mer.

CRÉUSE

Xouthos la soumit, allié aux enfants de Cécrops.

ION

Et venu à votre aide, il a reçu ta main.

CRÉUSE

Oui, je fus la dot de la guerre, le prix de la valeur.

Un temps.

ION

Viens-tu seule à l'oracle, ou avec ton mari ?

CRÉUSE

Avec lui. Mais il est descendu dans l'antre de Trophonios[1].

ION

Pour visiter le temple ou pour interroger l'oracle ?

CRÉUSE

À Trophonios comme à Phoibos, il demande une seule réponse.

ION

Concernant ses récoltes ? ou sa postérité ?

CRÉUSE

Nous n'avons pas d'enfants, unis depuis longtemps déjà.

ION

Quoi ? Jamais tu n'as été mère ?

CRÉUSE

Phoibos le dieu en connaît long sur ma stérilité.

ION

Pauvre femme, comblée pour tout le reste et privée sur ce
point !

CRÉUSE

Mais toi, qui donc es-tu ? Heureuse la mère qui te mit au
monde !

ION

On m'appelle l'esclave du dieu. Je le suis en effet.

CRÉUSE

Une cité t'a voué à son culte ? ou si l'on t'a vendu ?

ION

Je ne sais rien, sinon que l'on me nomme l'enfant de Loxias.

CRÉUSE

À mon tour maintenant de te plaindre.

ION

C'est vrai. Je ne me connais ni mère ni père.

CRÉUSE

Vis-tu dans ce temple ou bien as-tu un toit ?

ION

La maison du dieu est la mienne. J'y dors où le sommeil me
prend.

CRÉUSE

Es-tu venu ici enfant, adolescent ?

ION

Nouveau-né, disent ceux qui semblent le savoir.

CRÉUSE

Quelque Delphienne t'aura donné son lait[1]…

ION

Jamais je n'ai connu le sein. Celle qui m'a nourri…

CRÉUSE

Pauvre enfant ! qui était-ce ? Je souffre et je rencontre la
souffrance !

ION

La prophétesse d'Apollon, que je tiens pour ma mère.

CRÉUSE

Et jusqu'à l'âge d'homme, de quoi as-tu vécu ?

ION

L'autel me nourrissait et l'incessant afflux des étrangers.

CRÉUSE

Que je plains, qui qu'elle soit, celle qui t'enfanta[2] !

ION

Je suis peut-être né d'un acte violent dont souffrit une
femme…

CRÉUSE

Mais ta vie est aisée ? Tes vêtements sont beaux.

ION

Je suis paré des biens de ce dieu que je sers.

Un temps.

CRÉUSE

Tu ne t'es pas jeté à la recherche de tes parents ?

ION

Comment l'aurais-je pu ? Je n'ai aucun indice.

Un temps.

CRÉUSE

Hélas, j'en sais une autre qui a souffert ce que souffrit ta mère !

ION

Qui ? Si elle partageait ma peine, ce nous serait doux à tous deux.

CRÉUSE

C'est pour elle que je viens, devançant mon époux…

ION

Dans quel dessein ? Sache que je veux te servir.

CRÉUSE

Obtenir de Phoibos un oracle secret.

ION

Formule la demande. Je pourrai l'introduire[1].

CRÉUSE

Tu vas donc savoir ce qui s'est passé. Mais la pudeur m'arrête.

ION

Dans ce cas tu ne diras rien. C'est une déesse qui retient toujours.

CRÉUSE

Une amie à moi s'est unie, dit-elle, à Phoibos.

ION

À Phoibos, une mortelle ? Étrangère, c'est une chose à ne pas dire !

CRÉUSE

Et elle mit au monde, à l'insu de son père, un fils conçu du dieu.

ION

Cela n'est pas. C'est du crime d'un homme qu'elle avait à rougir.

CRÉUSE, *fermement.*

Elle a vraiment souffert ce qu'elle dit, l'infortunée[1].

ION

De quoi donc, si vraiment son amant fut un dieu ?

CRÉUSE

L'enfant à peine né elle s'en fut l'exposer au-dehors.

ION

Qu'est-il devenu ? Vit-il encore ?

CRÉUSE

Nul n'en sait rien. Je viens justement pour m'en enquérir.

ION

S'il n'existe plus, comment a-t-il péri ?

CRÉUSE

Les bêtes, croit-elle, auront déchiré le pauvre petit.

ION

Quel indice le lui donne à penser ?

CRÉUSE

Elle revint où elle l'avait mis et ne le trouva plus.

ION

Nulle traînée de sang n'indiquait une trace ?

CRÉUSE

Elle dit que non, après avoir pourtant bien exploré le sol.

ION

Quel temps s'est écoulé depuis que l'enfant disparut ?

CRÉUSE

S'il vivait, il aurait à peu près ton âge.

Un temps.

ION

Le dieu lui a fait tort. Et la mère est à plaindre.

CRÉUSE

Oui, car ensuite elle n'a plus eu d'autre enfant.

ION

Mais Phoibos l'a peut-être enlevé pour le nourrir secrètement.

CRÉUSE

Est-il juste que lui seul en jouisse? Ce bonheur devrait être partagé.

ION

Ce récit, hélas! réveille l'écho de ma propre épreuve.

CRÉUSE

Toi aussi, j'imagine, pleures ta pauvre mère!

ION

Ah! ne me fais pas revenir sur des peines oubliées!

CRÉUSE

Je me tais donc. C'est à toi d'accomplir mon enquête.

Un temps.

ION

Sais-tu dans ton récit ce qui surtout me trouble?

CRÉUSE

Un seul sujet de trouble fut-il épargné à l'infortunée?

ION

Comment interroger le dieu sur ce qu'il veut tenir caché?

CRÉUSE

Mais il siège au trépied pour répondre à toute la Grèce!

ION

Cet acte est à sa honte. Ne cherche pas à le faire éclater.

CRÉUSE

Et pendant ce temps, sa victime souffre !

ION

Nul ne se trouvera qui formule pour toi la question que tu
    veux !
Révélé coupable dans sa propre demeure !
Mais Apollon serait en droit de s'en venger
sur ton porte-parole ! Renonce à ton projet.
On ne prie pas un dieu de se condamner en personne.
Et notre imprudence ne serait pas moindre
si nous prétendions, contre leur volonté,
par le sang des victimes ou le vol des oiseaux,
faire dire aux dieux ce qu'ils veulent taire[1].
Ce que nous extorquons par force, en dépit d'eux,
ce n'est pour nous, sache-le bien, qu'une faveur rebelle.
Seuls les biens librement accordés peuvent nous profiter.

LE CORYPHÉE

Les malheurs pour atteindre les hommes prennent toutes les
    formes.
Quant aux bonheurs, on en trouve avec peine un seul dans
    chaque vie.

CRÉUSE

Ô Phoibos, à présent aussi bien que jadis tu te montres
    injuste
envers l'absente au nom de qui je parle ici.
Ton fils que tu devais sauver, tu l'as laissé mourir.
Et quand la mère t'interroge, ô Révélateur ! tu lui refuses une
    réponse
alors qu'elle voudrait, s'il n'est plus, l'honorer d'un tombeau,
s'il vit encore, voir enfin son visage.
Je dois donc renoncer, puisque le dieu lui-même[2]
m'empêche de savoir ce que je veux.

Mais j'aperçois, étranger, Xouthos, mon noble époux
qui arrive vers nous, venant de la retraite de Trophonios.
Ne lui répète rien de ce que je t'ai dit. Car je craindrais pour
      mon honneur
qu'on me blâme de servir un propos clandestin
et que l'affaire ne se déroule autrement que je n'ai calculé.
C'est qu'on traite les femmes bien plus durement que les
      hommes.
Comme avec les mauvaises on confond les meilleures
une même haine nous englobe toutes. Oui, nous naissons
      pour le malheur.

> *Xouthos entre par la gauche. Ion reste d'abord à
> l'écart.*

XOUTHOS

Mon salut d'abord sera pour le dieu
avec ma première parole. Salut à toi aussi, ma femme.
J'ai tardé à venir. As-tu tremblé pour moi?

CRÉUSE

Non certes. Mais tu partais pour une affaire grave[1]. Dis-moi
      sans plus attendre
de quel conseil Trophonios te fit part
afin que notre lit nous donne descendance.

XOUTHOS

Il n'a pas jugé bon de devancer l'oracle d'Apollon,
m'affirmant toutefois que ni toi ni moi
nous ne prendrons inexaucés le chemin du retour.

CRÉUSE

Auguste mère de Phoibos, bénis notre visite,
et que les rapports anciens qui nous lient à ton fils
aient aujourd'hui de plus heureuses conséquences!

XOUTHOS

Oui, qu'il en soit ainsi. Mais qui sert ici d'interprète au
      dieu?

ION, *s'avançant.*

C'est moi pour les abords du temple. À l'intérieur,
d'autres en ont la charge, ceux qui siègent autour du trépied,
les plus nobles Delphiens, désignés par le sort.

XOUTHOS

C'est fort bien. J'ai déjà ce qui m'est nécessaire
et je puis entrer. On me dit en effet
qu'au nom des consultants l'on vient d'offrir
un sacrifice collectif devant le temple. Je veux aussitôt,
car cette journée est déclarée propice, recevoir le conseil du
     dieu.
Toi, femme, avec des branches de laurier,
va d'un autel à l'autre en implorant les dieux
pour que j'emporte de ce temple promesse de postérité.

Il entre dans le temple.

CRÉUSE

Je le ferai, oui certes. Que Loxias consente
maintenant enfin à réparer ses anciens torts,
— non que jamais il soit pour moi un ami véritable —
mais si peu qu'il m'offre, je l'accepterai. Il est un dieu.

Elle sort par la droite.

ION

Pourquoi cette étrangère qui parle par énigmes
revient-elle sans cesse à la charge
pour faire au dieu des reproches obscurs ?
Est-ce par amitié pour celle qui l'envoie,
ou veut-elle cacher quelque acte qu'il faut taire ?

   Que m'importe après tout la fille d'Érechthée
qui ne m'est rien ? Prenons plutôt l'aiguière d'or,
allons remplir les vasques d'eau lustrale.

   Et cependant, je dois admonester Phoibos.
Que lui arrive-t-il ? Prendre par force des jeunes filles,

puis les abandonner, engendrer des enfants en secret
et les laisser mourir faute de soins : cela n'est pas digne de
   toi !
Puisque tu as la puissance, sois aussi vertueux. Car lorsqu'un
   homme
se conduit mal, les dieux sont là pour le punir.
Comment admettre alors que vous, qui avez gravé
des lois pour les hommes, on vous prenne à les violer ?
S'il devait arriver — ce ne sera pas, mais je l'imagine —
que les mortels vous condamnent pour vos brutales amours,
toi Posidon, toi Zeus qui règnes dans le ciel,
vos amendes épuiseraient les trésors de vos temples[1].
Car vous courez à vos plaisirs sans souci de leurs suites.
Cela est mal. De quel droit accuser les hommes
s'ils ne font qu'imiter ce dont les dieux se targuent ?
Qui faut-il blâmer ? Ceux qui donnent l'exemple.

           Il sort par la droite.

PREMIER STASIMON

STROPHE

LE CHŒUR

Tu vis le jour sans qu'Ilithye
eût de douleurs à soulager,
toi que le Titan Prométhée
fit jaillir de la tête de Zeus,
notre Athéna, je t'invoque, Bienheureuse[1]*, Victorieuse!*
Quitte l'Olympe et ton lit d'or,
viens vers ce temple, vole vers ces rues,
où le foyer de Phoibos,
au milieu de la terre,
près du trépied entouré de chants,
prononce des oracles véridiques.
Avec la fille de Latone,
chaste déesse ainsi que toi,
de Phoibos les augustes sœurs,
intercédez, vierges, auprès de lui,
et que, par la vertu de réponses limpides,
l'antique lignée d'Érechthée
soit enfin bénie d'une descendance!

ANTISTROPHE

Le plus grand bonheur pour les hommes
est solidement établi
quand dans les chambres des époux
fleurissent de jeunes vies prometteuses de fruits.
Les fils recevront de leurs pères
le riche patrimoine qu'ils transmettront
un jour à leurs propres enfants.
Dans le malheur, des fils sont notre force,
notre joie dans la bonne fortune.

Quand vient la guerre, à leur patrie
leur lance apporte salut et victoire[1].
Plus que les trésors, plus que le lit d'un roi,
j'estime la joie d'élever chez moi mes propres enfants.
Une vie bréhaigne me ferait horreur,
honte à celui qui la préfère!
Je ne demande que peu de biens,
pourvu qu'en mes enfants je sois bénie.

ÉPODE[2]

Séjour de Pan et cavernes voisines
abritées sous les Hautes-Roches,
où les trois filles d'Aglauros
devant les temples de Pallas mènent leur ronde,
marquant le gazon de leurs pas, en suivant les notes légères
du pipeau dont tu joues au fond de la grotte, Pan!
C'est là que tu vins, pauvre fille,
avec ton enfant qui venait de naître,
avec le fils du dieu Phoibos,
pour l'exposer en pâture aux oiseaux,
pour le donner aux bêtes fauves,
affreux épilogue à des noces cruelles.
Nos chants de tisserandes et nos légendes nous l'ont appris :
jamais les dieux ne donnent le bonheur
aux enfants qu'ils ont eus des mortelles.

Ion rentre en scène.

SECOND ÉPISODE

ION

Vous, suivantes, qui près des degrés de l'autel
attendez le retour du maître, dites-moi
si Xouthos a déjà quitté le saint trépied, s'il est sorti de la
    chapelle
ou s'il se trouve encore à consulter sur sa stérilité.

LE CORYPHÉE

Il est dans le temple, étranger, et n'en a pas repassé le seuil.
Mais on vient, je crois, car j'entends résonner les portes.

> *Xouthos sort du temple et se précipite sur Ion qui*
> *l'écarte et le tient à distance.*

XOUTHOS

Sois heureux, mon fils. Oui, j'ai le droit de commencer
    ainsi.

ION

Je suis heureux. Si tu t'abstiens de déraisonner, nous irons
    fort bien tous les deux.

XOUTHOS

Donne-moi ta main, que je la baise, ton corps, que je l'em-
    brasse!

ION, *le repoussant.*

Es-tu dans ton bon sens, ou un dieu te fait-il délirer?

XOUTHOS

Je suis fort sage[1]. Je retrouve ce que j'ai de plus cher et je
    veux l'embrasser.

ION

Arrête! Ce sont les guirlandes du dieu! Garde-toi de les rompre!

XOUTHOS

Je ne te lâche pas. J'use de mon droit. Tu es mon bien que je recouvre.

ION, *le menaçant de son arc.*

Arrête, ou tu recevras ma flèche en pleine poitrine.

XOUTHOS

Que me fuis-tu? Reconnais en moi ton meilleur ami.

ION

Je ne suis pas l'ami d'étrangers hors de sens qui se conduisent en rustres.

XOUTHOS

Frappe-moi. Puis tu devras brûler mon corps, car tu auras tué ton père[1].

ION

D'où serais-tu mon père? Vraiment, je ne puis qu'en rire.

XOUTHOS

Tu as tort. Je m'en vais m'expliquer, en allant droit au but.

ION

Que vas-tu inventer?

XOUTHOS

Je suis ton père, tu es mon fils.

ION

Qui le dit ?

XOUTHOS

Loxias qui t'a élevé, toi né de moi.

ION

Tu n'as d'autre témoin que toi-même.

XOUTHOS

Mais j'ai entendu la parole du dieu.

ION

Un mot obscur t'aura trompé.

XOUTHOS

Crois-tu que je sois sourd ?

ION

Mais que t'a dit Phoibos ?

XOUTHOS

Que celui qui viendrait sur ma route…

ION

En quelle rencontre ?

XOUTHOS

Comme je sortirais du temple…

ION

Était promis à quoi ?

XOUTHOS

Serait mon fils.

ION

Né de toi ou simplement offert[1] ?

XOUTHOS

Offert, mais né de moi.

ION

Et c'est moi le premier qui viens croiser ta route ?

XOUTHOS

Nul autre que toi, mon fils.

ION

Comment expliquer ce hasard ?

XOUTHOS

Je m'en étonne autant que toi.

ION

Attends ! qui est la mère qui de toi m'a conçu ?

XOUTHOS

Je ne sais.

ION

Et Phoibos ne l'a pas nommée ?

XOUTHOS

J'étais si heureux que je n'ai rien demandé de plus.

ION, *amer.*

Suis-je donc issu de la terre ?

XOUTHOS

Le sol ne produit pas d'enfants.

ION

Comment alors serais-je ton fils ?

XOUTHOS

Je l'ignore et m'en remets au dieu.

> *Un silence.*

ION, *avec résolution.*

Allons, changeons de langage.

XOUTHOS

Tu as raison, mon fils.

ION

Tu as bien eu quelque amour secret ?

XOUTHOS

Oui, dans l'ardeur de ma jeunesse.

ION

Avant d'épouser la fille d'Érechthée ?

XOUTHOS

Jamais depuis.

ION

C'est donc alors que tu m'as engendré.

XOUTHOS

Et ce moment concorde avec ton âge.

ION

Mais comment ensuite suis-je arrivé ici ?

XOUTHOS

Je ne puis l'expliquer.

ION

Comment ai-je fait cette longue route ?

XOUTHOS

Cela m'étonne autant que toi.

ION

Vins-tu jamais ici, au rocher de Pythô ?

XOUTHOS

Oui, pour les grands feux de Bacchos[1].

ION

Un des proxènes t'hébergea ?

XOUTHOS

Il me mêla aux Delphiennes.

ION

Dans leur thiase, veux-tu dire ?

XOUTHOS

Oui, au cours des orgies des Ménades.

ION

Étais-tu ivre ou maître de toi?

XOUTHOS

Possédé des plaisirs de Bacchos!

ION

Je comprends. C'est donc où je fus engendré…

XOUTHOS

… que le hasard me fit te découvrir[1].

ION

Mais comment suis-je arrivé dans le temple?

XOUTHOS

La jeune fille t'y déposa peut-être?

ION

J'échappe donc à l'infamie d'être un esclave.

XOUTHOS

Tu as un père, accueille-le, mon fils.

ION

C'est vrai, on ne peut mettre en doute la parole du dieu.

XOUTHOS

Enfin te voilà raisonnable.

ION

D'ailleurs, que puis-je désirer de plus…

XOUTHOS

Tu vois les choses ainsi qu'il faut les voir.

ION

… que d'être issu d'un fils de Zeus.

XOUTHOS

Et c'est ce qui t'échoit.

ION

Toucherais-je enfin celui qui m'a donné la vie ?

XOUTHOS

Crois-en le dieu !

ION

Salut donc, ô mon père !

XOUTHOS

Douce parole, accueillie avec joie !

ION

Et salut à ce jour…

XOUTHOS

… qui a fait mon bonheur !

ION, *à mi-voix.*

Ô ma mère chérie, quand donc verrai-je ton visage ?
Qui que tu sois, plus que jamais je voudrais te connaître.
Mais peut-être es-tu morte et n'ai-je rien à espérer[1].

LE CORYPHÉE

Nous prenons notre part de la joie de nos maîtres,

mais nous faisons le vœu qu'une postérité
fasse la joie de ma maîtresse aussi et de la maison d'Érechthée.

XOUTHOS

En me faisant te découvrir, mon cher enfant,
le dieu a prononcé un excellent oracle.
Il m'a fait toucher la main de mon fils,
il t'a révélé ce qu'à ton insu tu avais de plus cher.
Le juste désir qui te presse, je le partage et je souhaite
que tu revoies ta mère et que je sache de quelle femme tu es
       né.
Laissons faire le temps. Nous la retrouverons peut-être.
Quitte à présent le temple et ta vie d'exilé.
Viens à Athènes. C'est le vœu de ton père.
Son sceptre illustre t'y attend et toutes ses richesses.
Ainsi il te sera désormais épargné
de souffrir d'une double disgrâce, basse naissance et pau-
       vreté.
Tu seras à la fois grand seigneur et fort riche[1].

(Un temps.)

    Mais tu te tais. Pourquoi tenir les yeux baissés,
perdu dans tes pensées, répudier ta joie
et mettre le souci dans le cœur de ton père?

ION

Les choses changent de visage
selon qu'elles sont loin de nous ou qu'on les voit de près.
Je rends grâce à l'événement qui me fit en toi retrouver un
       père,
mais il me faut te dire ce qui me donne à réfléchir.
Le peuple d'Athènes issu, dit-on, du sol ne doit rien à nul
       autre.
J'y vais tomber, avec la double tache d'être bâtard et de père
       étranger.
Flétri de ce nom, si je reste obscur
on me nommera un Rien fils de Rien[2].
Que je veuille au contraire me hausser à la barre,
aspirer à être quelqu'un, les incapables me haïront:
toute excellence est importune.
Une élite de gens s'entendraient aux affaires[3],

mais ils ont choisi le silence et restent loin de la mêlée.
Ceux-là me trouveront ridicule, insensé,
si je ne me tiens pas sur la réserve dans une ville pleine
     d'embûches.
À plus forte raison les orateurs qui mènent la cité[1],
si j'arrive aux honneurs, me tiendront en respect
par leurs votes hostiles. Car c'est ainsi, mon père, que vont
     les choses.
Plus dans un État un homme a de pouvoir,
plus sa haine est grande contre ses rivaux.

    Enfin je viens comme un intrus dans un foyer étranger,
chez une femme sans enfant, unie à toi jusqu'à présent
par une disgrâce partagée, et tout à coup déçue,
réduite à porter seule un destin douloureux.
Comment sans aversion pourrait-elle me voir
m'asseoir, marcher à ton côté,
tandis qu'elle, toujours privée, suivra d'un œil d'envie l'objet
     de ton amour.
Alors que feras-tu? Tu me trahiras par égard pour elle,
ou c'est moi que tu choisiras et ton foyer sera détruit.
Que de meurtres et de poisons
les femmes ont trouvés pour perdre leur mari !
Sache au surplus, mon père, que j'ai pitié de ta compagne
qui vieillit sans enfant. Il n'est pas juste
que la fille d'un si noble sang ne puisse le transmettre.

    Et j'en viens à la royauté, qui reçoit tant d'éloges vains.
Elle a un dehors qui séduit. Mais au fond du palais
se cache la souffrance. Qui pourrait vivre heureux
dans la crainte, à observer de biais toute force qui croît?
J'aime mieux vivre heureux dans le rang qu'être un roi
qui choisit à plaisir ses amis parmi ceux qu'il méprise,
et tient les meilleurs à l'écart, dans la terreur d'un atten-
     tat.
    Tu répondras que l'or compense tout,
et qu'il est doux de posséder. Je n'aime pas trembler au
     moindre bruit,
vivre dans le souci pour garder un trésor.
Je préfère une vie modeste, exempte de tourments.

    Que je te dise, père, ce qui fit mon bonheur ici :
tout d'abord le loisir, le bien le plus précieux ;
peu d'embarras ; personne qui m'écarte du chemin

par malveillance — c'est chose intolérable
que de céder le pas à qui vaut moins que soi —;
prier les dieux; causer avec les hommes
que je sers pour les rendre heureux, jamais pour les faire
     pleurer;
escorter ceux qui partent; et quand d'autres arrivent
accueillir avec joie tous ces nouveaux visages.
Le don que les mortels implorent, fût-il contraire à leur pen-
     chant,
la droiture du cœur, je l'ai reçu tout à la fois de la nature et
     de la loi du temple,
pour la gloire du dieu. Lorsque je remue ces pensées,
je crois que je serai ici plus heureux que chez toi, mon père.
Laisse-moi donc vivre où je suis. On peut trouver autant de
     joie
à des plaisirs modestes qu'à jouir des grandeurs.

LE CORYPHÉE

J'approuve tes paroles, à condition qu'elles s'accordent
avec le bonheur de ceux qui me sont chers.

XOUTHOS

Cesse de parler de la sorte : apprends à être heureux.
Au lieu même où je t'ai retrouvé, mon enfant,
j'entends inaugurer par un banquet notre table commune,
et faire enfin le sacrifice qui devait célébrer ta naissance.
Je t'offrirai aujourd'hui ce festin comme à un hôte accueilli
     au foyer,
après quoi je t'emmènerai à Athènes, te donnant pour un
     visiteur,
non pour mon fils. Car je ne veux pas que ma femme
souffre de sa stérilité quand je suis si heureux.
Plus tard, l'occasion aidant, je saurai l'amener
à voir en toi l'héritier du royaume.
Je te donne le nom d'Ion qui répond bien à ton destin,
car je sortais du sanctuaire quand tu croisas ma route[1],
le premier. Tous tes amis ensemble,
invite-les à profiter de l'hécatombe,
et fais-leur tes adieux, car tu vas quitter Delphes.

(Au chœur.)

Vous, les servantes, je vous interdis
de rien révéler à ma femme, et sous peine de mort.

ION

Je vais te suivre ; mais le destin me refuse un bonheur
    complet.
Avant d'avoir trouvé, mon père, celle qui m'a porté,
ma vie ne saurait être heureuse. Et si je puis faire un second
    souhait
qu'elle soit Athénienne ! Que du chef de ma mère
je possède le droit de parler librement !
Un étranger tombant dans une cité au sang pur, fût-il
    déclaré citoyen[1],
sa langue reste serve et n'ose pas tout dire.

Ils sortent par la droite.

SECOND STASIMON

STROPHE

LE CHŒUR

Je prévois des larmes, des cris de douleur,
une tempête de sanglots,
quand ma reine verra comblé
le vœu paternel de Xouthos,
elle restant seule et privée d'espoir.
Ô fils de Latone, ô grand Interprète,
comment comprendre ton oracle?
D'où vient cet enfant, nourri dans ton temple?
qui est celle qui l'a porté?
L'arrêt prononcé ne me sourit pas.
J'y redoute une trahison.
L'avenir est plein de menaces.
Tout est étrange, inattendu.
Ruse et hasard entrent chez nous
avec ce fils d'un autre sang.
Qui ne partagerait mes doutes?

ANTISTROPHE

À notre maîtresse faut-il, mes amies,
dire ouvertement ce que nous savons?
Son mari était tout pour elle.
Tous leurs espoirs étaient communs.
Le voilà comblé, la voici maudite
à la saison des cheveux blancs,
et l'époux dédaigne l'épouse.
Malheur à l'intrus installé chez nous,
inégal à sa grande chance.
Périsse, périsse qui trompe ma reine!
Que les dieux refusent d'agréer son vœu,

malgré le gâteau consacré
qu'il a purifié par la flamme…
… assis côte à côte,
un nouveau père, un nouveau fils
vont rompre le pain de leur vie nouvelle.

ÉPODE

Crêtes du Parnasse, domaine escarpé,
séjour aérien
où Bacchos tient la double torche
et mène d'un bond la danse nocturne, le train des
        Bacchantes,
je vous demande en grâce
que jamais cet enfant n'arrive dans ma ville!
Que ce jour qu'il prend pour une naissance
soit aussi celui de sa mort!
Une ville en diffculté[1]
peut bien demander secours au-dehors.
Mais nous ne voulons plus de rois
qui ne soient du sang d'Érechthée.

Créuse rentre par la droite, soutenant la marche
d'un très vieil esclave. Ils sont censés monter le
chemin abrupt qui mène à l'esplanade et ne pas
voir le chœur tout de suite.

TROISIÈME ÉPISODE

CRÉUSE

Vénérable ami, toi qu'Érechthée mon père,
tant qu'il vécut, chargea d'élever ses enfants,
courage! Fais l'effort d'arriver à l'oracle du dieu
afin de partager ma joie si Loxias
a prononcé le mot qui promet des enfants!
Il est doux d'avoir des amis pour mettre en commun la
      bonne fortune,
et doux, si la mauvaise arrive, ce qu'aux dieux ne plaise,
de reposer ses yeux sur un regard fidèle.
Tu as beau être mon esclave, à l'égal d'un père
Je te respecte, comme jadis tu respectais le mien.

LE VIEILLARD

Ma chère fille, tes sentiments toujours ont été dignes
de tes nobles parents. Tu ne démens pas
ta lignée, issue de ceux qui naquirent du sol[1].
Traîne-moi, oui, traîne-moi vers le temple, et sache me
      guider.
L'accès est escarpé. Soutiens mon pas, et remédie à ma vieil-
      lesse.

CRÉUSE

Laisse-toi conduire. Vois bien où tu poses le pied.

LE VIEILLARD

Voilà. Mais mon désir est plus prompt que mes jambes!

CRÉUSE

Pèse sur ton bâton pour gravir les tournants du sentier.

LE VIEILLARD

Mon bâton y voit encore moins que mes yeux!

CRÉUSE

C'est vrai, mais ne perds pas courage.

LE VIEILLARD

Ce serait malgré moi. Mais qu'y puis-je si la force me
    manque?

CRÉUSE, *au chœur.*

Femmes, servantes fidèles à mon métier,
à ma navette, quelle réponse a reçu mon mari
sur l'objet de notre voyage, notre postérité?
Répondez. Si vous me donnez une heureuse nouvelle,
votre reine fidèlement vous en revaudra l'allégresse[1].

LE CORYPHÉE

Ô destin!

LE VIEILLARD

Ce début m'inquiète!

LE CORYPHÉE

Infortunée!

LE VIEILLARD

L'oracle est-il menaçant pour la maison royale[2]?

LE CORYPHÉE

Que faire quand la mort nous est promise?

CRÉUSE

Que chantes-tu là, et qu'as-tu lieu de craindre?

LE CORYPHÉE

Devons-nous parler ou nous taire? prendre quel parti?

CRÉUSE

Parle. J'ai compris que tu as un malheur à m'apprendre.

LE CORYPHÉE

Je parlerai et fallût-il mourir deux fois.
N'espère plus, maîtresse, tenir un enfant dans tes bras,
l'approcher de ton sein.

CRÉUSE

Si c'est vrai, que je meure !

LE VIEILLARD

Ma chère fille !

CRÉUSE

Ô cruelle infortune, ô chagrin qui me frappe
aux sources de ma vie !

LE VIEILLARD

Ah ! nous sommes perdus !

CRÉUSE

Hélas, hélas ! Une douleur aiguë traverse ma poitrine !

LE VIEILLARD

Ne gémis pas encore…

CRÉUSE

J'en ai lieu cependant…

LE VIEILLARD

Avant que nous sachions…

CRÉUSE

Que veux-tu que j'apprenne ?

LE VIEILLARD

Si le maître avec toi partage ta disgrâce,
ou si tu restes seule à en souffrir.

LE CORYPHÉE

Le roi, vieillard, a reçu d'Apollon un fils
et savoure sa joie de son côté, loin d'elle.

CRÉUSE

Tu dis là ma suprême souffrance! Que j'ai lieu de gémir!

LE VIEILLARD

Cet enfant dont tu parles est-il encore à naître,
ou l'oracle dit-il qu'il existe déjà?

LE CORYPHÉE

C'est un garçon dans la force de l'âge
dont Loxias lui fait présent. Moi-même je l'ai vu.

CRÉUSE

*Parole maudite que tu me dis là! Affreuse à entendre pour
        moi!*

LE VIEILLARD

Pour moi aussi. Comment s'est déroulé l'oracle?
Explique-toi plus clairement. Qui est le fils?

LE CORYPHÉE

L'homme que, le premier, Xouthos sortant du temple
rencontrerait, le dieu le lui donnait pour fils.

CRÉUSE

*Ô douleur! Car c'était décréter que ma vie
serait privée d'enfant, que dans la solitude
j'habiterais une maison orpheline!*

LE VIEILLARD

Mais qui fut désigné ? Qui croisa sur sa route
l'époux de cette infortunée ? Où l'a-t-il vu ? Comment ?

LE CORYPHÉE

Chère maîtresse, tu le connais : c'est cet adolescent
qui balayait le temple. Le fils du roi, c'est lui !

CRÉUSE

Ah ! m'enlever dans l'éther limpide,
aller vers le couchant, loin de la Grèce,
si grande, amies, est ma douleur !

LE VIEILLARD

Quel nom lui a donné son père ?
Le sait-on ? Ou n'en dit-on rien ? N'est-ce pas décidé ?

LE CORYPHÉE

Ion, car il fut le premier qui rencontra le roi.

LE VIEILLARD

Et de quelle mère est-il né ?

LE CORYPHÉE

Je l'ignore.
Le roi s'en est allé, c'est tout ce que je puis te dire,
à l'insu de sa femme, vers les tentes du dieu,
pour offrir en l'honneur de son fils retrouvé
les sacrifices de naissance et d'hospitalité, et y manger à son
　　　côté.

LE VIEILLARD

Maîtresse, nous sommes trahis, car je fais mienne ta dis-
　　　grâce,
trahis par ton époux, qui a dressé son plan

afin de nous bafouer, de nous chasser du palais d'Érechthée.
Je parle ainsi, non que je le haïsse, mais parce que je te
 préfère
à cet étranger qui pénétra chez nous en t'épousant,
qui prit ta maison et ton héritage,
et puis on le découvre avoir des fruits d'un autre lit,
secrètement. Le secret, je vais te le dire.
Quand il vit ta stérilité, il ne put se résoudre
à la partager en laissant au tien son destin lié.
Il choisit une esclave, s'unit avec elle dans l'ombre,
engendra ce fils qu'il fit passer à l'étranger
et confia aux soins de quelque Delphien.
On éleva l'enfant, librement, dans le temple
afin d'éviter tout soupçon. Quand il le sut en âge d'homme,
Xouthos te décide à venir à Delphes demander descendance.
Le dieu dit donc la vérité, mais Xouthos ment,
qui de longue date élevait ce fils et combinait des plans
que tu vois. S'il était découvert, il imputait la faute au
 dieu.
S'il réussit, il se prémunit contre un risque futur
en préparant son fils à revêtir la royauté.
Seul le nom est nouveau, forgé d'après la circonstance,
Ion, parce qu'il l'a rencontré sur sa route[1].

LE CORYPHÉE

Combien je hais ces hommes malfaisants
qui cachent sous des fourberies leurs œuvres torses.
S'il s'agit de choisir un ami j'aime mieux
un honnête ignorant qu'un méchant trop habile.

LE VIEILLARD

Et ce que tu devras endurer de pire,
ce sera de voir cet être sans mère, ce néant, ce fils
d'une esclave, entrer dans ta maison en maître.
Moindre serait le mal si, d'accord avec toi, alléguant ta stérilité,
Xouthos avait choisi une femme de bonne souche
pour peupler son foyer. Si tu n'avais pu t'y résoudre,

il devait retourner au pays de son père pour y prendre une
    épouse.
   Il te faut défendre à présent ton honneur de femme,
saisir une épée, préparer un piège,
ou des poisons pour tuer ton époux,
avec son fils, avant qu'eux-mêmes te préviennent.
Car si tu hésites, c'est toi qui mourras.
Quand un seul toit couvre deux ennemis,
il faut que l'un des deux succombe.
Tu peux donc compter sur mon aide
pour tuer le garçon, en entrant avec lui dans la tente
où le festin s'apprête. Pourvu que je rende à mes maîtres
la nourriture qu'ils m'ont donnée, peu m'importe de mourir
    ou de vivre.
Qu'est-ce qui dégrade un esclave? Un nom, sans plus.
Pour tout le reste, s'il a du cœur, il vaut un homme libre.

LE CORYPHÉE

Moi aussi, ma chère maîtresse, j'entends partager ton sort
pour vivre ou pour mourir avec honneur.

CRÉUSE

Pourquoi me tairai-je, ô mon âme?
Mais comment révéler ma ténébreuse union,
sans dépouiller toute pudeur?

   Quel obstacle pourtant me retiendrait encore?
Envers quel être sans reproche
suis-je tenue de me trouver irréprochable?
envers l'époux qui me trahit?
Je n'ai plus de foyer et je n'ai pas d'enfant.
Mort, mon espoir de redresser ma destinée,
en me taisant sur l'union, sur la naissance dans les larmes!
   Tout a échoué!

   Non, par le palais étoilé de Zeus,
par Athéna reine de mes grottes,
par la rive sainte du lac Tritonis[1],
je ne veux plus taire mon hymen.
Que ma poitrine s'en allège et respire enfin à son aise,
et que mes pleurs coulent librement.

Mon âme souffre, blessée par les hommes, blessée par les
       dieux!
Je les accuse d'user des femmes et puis de les trahir,
oublieux du plaisir qu'ils ont eu!

    Apollon! la cithare aux sept cordes
où vibrent les cornes des bêtes des prés que l'on a tuées,
tu sais y faire chanter les beaux hymnes des Muses.
C'est toi que je cite, ô fils de Létô,
devant le soleil qui nous voit!

    Tu vins vers moi dans l'éclat d'or de tes cheveux.
Le pli de ma robe était plein de crocus,
reflets du soleil cueillis pour ma guirlande.
Tu m'as saisie par mes poignets de fille,
tu m'as jetée par terre dans la grotte,
quand je criais : « Ma mère, à moi! »
Un dieu et mon amant,
tu m'emportas sans pitié, pour faire de moi
ce que voulait Cypris.

    Et je mets au monde, moi l'infortunée,
l'enfant né de toi. Redoutant ma mère,
je l'ai porté vers ce lit même
où pour une étreinte cruelle
tu pris cruellement la pauvre fille!
Hélas, hélas! il a péri, dévoré des oiseaux, mon fils — le
       tien aussi —
et toi, pendant ce temps, tu joues de la cithare,
tu chantes des péans!

    Holà! C'est toi que j'appelle, ô fils de Létô!
Vers ton trône d'or, au centre du monde,
où ta voix parle dans les sorts[1],
je crie pour que tu m'entendes,
amant à l'âme de vilain!
    À mon époux tu ne dois rien
et tu lui donnes un fils pour son foyer!
Mon enfant et le tien, tu ne le connais pas
et il périt dévoré des oiseaux,
arraché aux langes maternels.
Délos te hait! Il te hait, le laurier,
voisin du palmier au puissant feuillage,

qui virent Létô, auguste naissance,
délivrée du fruit de Zeus !

LE CORYPHÉE

Une resserre de souffrance dont la porte a cédé
nous donne grand sujet de larmes.

LE VIEILLARD

Ma fille, je ne puis de toi détacher mes yeux,
trop ému pour rester de sang-froid[1].
À peine j'émergeais d'un premier flot d'adversité
qu'un autre à ta parole me prenait à revers,
et tu ne me détournes des souffrances présentes
que pour m'aiguiller vers d'autres douleurs[2].
    Qu'as-tu dit ? Quel grief as-tu contre Loxias ?
Qu'est-ce que cet enfant que tu dis avoir eu ? En quel lieu
l'as-tu porté aux fauves, fossoyeurs volontaires ? Redis-le-
moi.

CRÉUSE

J'en rougis devant toi, et cependant je parlerai.

LE VIEILLARD

Oui, car mon cœur est riche de pitié pour ceux qu'il aime.

CRÉUSE

Écoute donc. Sous l'acropole est le versant creusé de grottes
tourné aux vents du nord, qu'on nomme Haute-Roche.

LE VIEILLARD

Je sais. Tout près est le domaine et le temple de Pan.

CRÉUSE

C'est là que je livrai ce terrible combat.

LE VIEILLARD

Lequel ? Déjà mes pleurs rencontrent tes paroles.

CRÉUSE

Phoibos me contraignit à une étreinte détestée.

LE VIEILLARD

C'était donc là, ma fille, ce que je pressentais…

CRÉUSE

Quoi donc ? Si tu devines juste, j'en tomberai d'accord.

LE VIEILLARD

… lorsque d'un mal secret tu gémissais tout bas.

CRÉUSE

Oui, c'était bien celui qu'à présent je révèle.

LE VIEILLARD

Comment ensuite as-tu caché ton union avec le dieu ?

CRÉUSE

J'eus un enfant. Supporte de m'entendre, vieil ami.

LE VIEILLARD

Où ? qui t'assista ? étais-tu seule quand vinrent les douleurs ?

CRÉUSE

Seule. Et porté dans l'antre où le dieu m'avait prise[1]…

LE VIEILLARD

Qu'est-il devenu ? que du moins tu n'en sois plus privée !

CRÉUSE

… il est mort, exposé aux bêtes.

LE VIEILLARD

Mort? Apollon lâchement le laissa sans secours?

CRÉUSE

Sans secours. La demeure d'Hadès fut sa chambre d'école.

LE VIEILLARD

Qui l'exposa? Dis que ce n'est pas toi!

CRÉUSE

C'est moi. Il faisait nuit. Mon manteau lui servit de lange.

LE VIEILLARD

Nul n'a su que tu l'exposais?

CRÉUSE

Deux témoins seulement : Détresse et Silence.

LE VIEILLARD

Et comment osas-tu laisser ton fils seul dans la grotte?

CRÉUSE

Tu demandes comment? Avec des cris de désespoir!

LE VIEILLARD

Ton crime est grand, celui du dieu plus grand encore!

CRÉUSE

Si tu avais vu mon enfant tendre les mains vers moi!

LE VIEILLARD

Cherchant le sein? Cherchant les bras?

CRÉUSE

La place qui lui revenait et dont je l'exilais injustement.

LE VIEILLARD

En l'exposant, qu'espérais-tu?

CRÉUSE

Que le dieu sûrement viendrait sauver son fils.

Un temps.

LE VIEILLARD

Opulente maison d'Érechthée, quelle tempête te secoue!

CRÉUSE

Pourquoi, vieil ami, te couvrir la tête et te mettre à pleurer?

LE VIEILLARD

Je vois ton père et toi accablés d'infortune!

CRÉUSE

C'est le sort des mortels. Rien n'est stable ici-bas.

LE VIEILLARD

Allons, ma fille, redressons-nous. L'heure n'est plus aux pleurs.

CRÉUSE

Que dois-je faire? La détresse est irrésolue.

LE VIEILLARD

La première injure t'est venue du dieu, venge-toi de lui.

CRÉUSE

Et comment, moi mortelle, vaincre ce dieu puissant ?

LE VIEILLARD

Porte le feu au temple d'Apollon.

CRÉUSE

Je crains les représailles. Mon malheur présent ne suffit-il
pas ?

LE VIEILLARD

Eh bien, ose ce qui est possible : tu peux tuer le roi.

CRÉUSE

J'ai le respect de notre lit, le souvenir de sa bonté passée.

LE VIEILLARD

Frappe du moins ce fils suscité contre toi.

CRÉUSE

Comment ? Ah ! si je le pouvais, certes je le ferais !

LE VIEILLARD

Arme d'épées tes serviteurs.

CRÉUSE

Je veux bien. Mais où les envoyer ?

LE VIEILLARD

Dans la tente sacrée, où Ion traite ses amis.

CRÉUSE

Un meurtre au grand jour, quand l'esclave a si peu de
  courage!

LE VIEILLARD

Misère! tu faiblis. Trouve donc un moyen meilleur.

CRÉUSE

Hé oui, j'en ai un, fondé sur la ruse et l'audace.

LE VIEILLARD

Pour te servir, j'emploierai l'une et l'autre.

CRÉUSE

Écoute donc. Tu sais ce que fut la guerre des Géants, les fils
  de la Terre?

LE VIEILLARD

Quand à Phlégra ils s'en prirent aux dieux?

CRÉUSE

C'est là que la Terre enfanta la Gorgone, ce monstre redoutable…

LE VIEILLARD

… pour secourir ses fils et accabler les dieux…

CRÉUSE

… cette Gorgone à qui Pallas, fille de Zeus, donna la mort.

LE VIEILLARD

Quel aspect avait-elle en sa forme sauvage?

CRÉUSE

Des serpents enlacés défendaient sa poitrine.

LE VIEILLARD

C'est bien le vieux récit que l'on m'a toujours raconté.

CRÉUSE

Dépouille qu'Athéna porte sur les épaules.

LE VIEILLARD

On l'appelle l'égide, l'armure d'Athéna.

CRÉUSE

Oui, car Pallas bondit dans la mêlée des dieux[1]

LE VIEILLARD

Mais où trouves-tu là, ma fille, un moyen de nuire à tes
ennemis?

CRÉUSE

Tu sais qui est Érichthonios? Comment pourrais-tu l'ignorer?

LE VIEILLARD

Celui que la Terre a émis pour qu'il fût votre ancêtre?

CRÉUSE

Comme il venait de naître, Athéna lui donna...

LE VIEILLARD

Quoi donc? Tu tardes bien à t'expliquer.

CRÉUSE

... deux gouttes du sang de Gorgone.

LE VIEILLARD

Quel pouvoir ont-elles sur un être humain?

CRÉUSE

L'une est un venin mortel ; l'autre est un remède.

LE VIEILLARD

Dans quoi les mit-elle, pour les attacher à l'enfant ?

CRÉUSE

Dans une chaîne d'or dont mon père hérita.

LE VIEILLARD

Et qui te revint à la mort d'Érechthée ?

CRÉUSE

Oui, je la porte à mon poignet.

LE VIEILLARD

Et comment s'accomplit en elles le double don de la déesse[1] ?

CRÉUSE

Sous le coup mortel, de la veine creuse jaillit une goutte…

LE VIEILLARD

À quoi sert-elle ? quelle en est la vertu ?

CRÉUSE

Elle écarte les maladies et nourrit la vigueur.

LE VIEILLARD

Et comment agit la seconde ?

CRÉUSE

Elle tue. C'est le venin des serpents de Gorgone.

LE VIEILLARD

Les portes-tu réunies, séparées?

CRÉUSE

Séparées. Mélange-t-on le salutaire et le nocif?

LE VIEILLARD

Eh bien tu as, très chère enfant, tout ce qu'il faut.

CRÉUSE

Ainsi périra le garçon. Et tu seras l'exécuteur.

LE VIEILLARD

Où et comment? Dis-moi le plan. Je frapperai.

CRÉUSE

Ce sera dans Athènes, quand il pénétrera chez moi.

LE VIEILLARD

Je puis bien blâmer ton projet, puisque tu as blâmé le mien.

CRÉUSE

Que lui reproches-tu? Un risque peut-être qui me vient à l'esprit…

LE VIEILLARD

C'est toi qui seras accusée, quand même ta main n'aurait pas tué.

CRÉUSE

C'est vrai. Parle-t-on assez des haineuses marâtres!

LE VIEILLARD

C'est ici qu'il faut le tuer, ici où tu pourras nier.

CRÉUSE

Ainsi sans plus attendre j'en aurai le plaisir.

LE VIEILLARD

Et tu joueras ton mari sur le point même où il essaie de te
jouer.

CRÉUSE

Que je te dicte à présent ta conduite. Enlève de mon bras
ce joyau d'or, antique ouvrage d'Athéna.
Va dans la salle où mon mari, à mon insu, offre son hécatombe.
À la fin du repas, quand on préparera
les libations aux dieux, ce poison que tu auras caché sous ton
manteau
verse-le au jeune garçon,
dans sa coupe, et non pas dans le commun cratère ! Réserve-
le
pour celui qui prétend régner à mon foyer.
Une seule gorgée, et jamais il n'arrivera
dans la glorieuse Athènes ! Ici restera son cadavre.

LE VIEILLARD

Retire-toi chez les proxènes[1]
tandis que je m'en vais accomplir ma mission.
Allons, mes vieilles jambes, faites-vous jeunes
par l'effort, faute de pouvoir remédier à l'âge,
marchez contre cet homme, ennemi de ma reine,
pour tuer avec elle et libérer notre maison.
Il convient d'avoir des scrupules, oui, quand on est heureux,
mais si l'on veut frapper un ennemi,
aucune loi ne doit se mettre à la traverse.

Créuse et le vieillard sortent par la droite.

TROISIÈME STASIMON

STROPHE I

LE CHŒUR [1]

Fille de Déméter, Hécate,
dame des carrefours, des rencontres nocturnes,
voici en plein jour une œuvre pour toi :
montre la route à ces cratères
remplis jusqu'au bord d'une mort cruelle,
vers le lieu désigné par ma reine !
De la gorge tranchée de Gorgone,
fille de la Terre, du sang a coulé.
Conduis-le aux lèvres
de celui qui convoite le palais d'Érechthée.
Que jamais intrus, fils d'une autre race, ne règne chez nous.
Notre sceptre appartient aux nobles Érechthides
et à eux seuls.

ANTISTROPHE I

Si la mort venait à faillir,
décevant ma maîtresse,
si l'occasion trahit le cœur audacieux,
dont en ce moment elle espère tout,
la reine prendra l'épée aiguisée,
nouera le lacet à son cou,
dans la douleur achevant ses douleurs.
Elle descendra vers une autre vie
plutôt que d'admettre que règnent chez elle des fils d'étranger
elle vivante ! face à ses yeux !
Car des maisons les plus illustres
elle descend.

STROPHE II

J'en rougis pour Iacchos que tant d'hymnes célèbrent !
Près du puits de Callichoros,
qui assisterait au spectacle ? qui viendrait voir,
dans la nuit de la fête, la torche des mystères,
quand au ciel de Zeus dansent la lune et les étoiles,
quand les cinquante filles du vieux Nérée,
sur les plaines au fond de la mer,
parmi les flots des fleuves éternels,
dansent pour Coré au diadème d'or et pour sa mère
    auguste ?
Et c'est là qu'il espère régner,
maître de biens acquis par d'autres,
le vagabond cher à Phoibos !

ANTISTROPHE II

Ouvrez donc vos yeux, poètes en quête
de chansons qui outragent les femmes,
avides d'amour, de plaisirs coupables,
esclaves de Cypris qui se moque des lois[1].
Voyez combien notre piété surpasse
celle des hommes, race sans justice.
C'est contre eux qu'il faut à présent chanter,
accuser leurs amours.
Un roi issu du sang de Zeus révèle son ingratitude.
Le lit commun ne lui a pas donné d'enfant ;
dans ce malheur il trahit la reine,
accorde son cœur à d'autres amours,
à un fils qui n'est qu'un bâtard.

Un serviteur de Créuse entre par la droite.

QUATRIÈME ÉPISODE

LE SERVITEUR

Fidèles servantes[1], où trouverai-je la fille d'Érechthée,
notre reine, qu'en vain j'ai cherchée par toute la ville ?

LE CORYPHÉE

Qu'y a-t-il, camarade ? pourquoi courir ainsi ?
quelle nouvelle apportes-tu ?

LE SERVITEUR

Nous sommes poursuivis. Les magistrats de Delphes
cherchent Créuse, veulent la faire lapider.

LE CORYPHÉE

Ciel, que dis-tu ? aurait-on découvert
notre complot contre la vie de l'enfant

LE SERVITEUR

Tu en étais complice ? Tu le paieras, et en première ligne.

LE CORYPHÉE

Comment fut dévoilé notre dessein caché ?

LE SERVITEUR

Comme l'injuste allait l'emporter sur le juste,
le dieu révéla tout, pour épargner la souillure à son temple[2].

LE CORYPHÉE

Comment ? explique-toi, je t'en supplie.
Quand nous saurons la vérité, la mort s'il faut mourir
nous semblera moins dure, et il sera plus doux de voir la
    lumière.

LE SERVITEUR

En compagnie du fils récemment révélé,
le roi quittait le temple pour se rendre
au festin et au sacrifice qu'il préparait pour les dieux.
Mais il allait d'abord à l'endroit où Bacchos fit jaillir la
        flamme,
voulant, pour son action de grâces, répandre le sang des vic-
        times
sur le double sommet, domaine de Dionysos[1].
« Mon fils, dit-il, reste ici ; fais dresser une tente carrée[2]
et pour cela mets les ouvriers au travail.
Je vais sacrifier aux dieux des naissances. Si je tarde,
fais servir le festin dès que tes amis seront arrivés. »
Puis il partit, emmenant les génisses. Le jeune garçon,
conformément aux rites, fit planter les piquets
pour tendre les parois de toile,
évitant avec soin l'ardeur du soleil,
les rayons de midi comme ceux du couchant,
marquant au cordeau, pour chacun des côtés de l'équerre,
un plèthre, afin que la surface enclose
eût dix mille pieds carrés, pour parler comme les savants,
car il voulait inviter au festin tout le peuple de Delphes.
    Pour lui donner de l'ombre, il prit dans le trésor
les tapisseries du dieu, et ce fut admirable à voir.
Comme toiture, il déploie un écran de tissus,
offrande d'un fils de Zeus. Héraclès en effet
en fit présent au dieu sur le butin des Amazones.
On y voit des tissus tout brodés de figures :
Ouranos rassemblant les astres dans le cercle du ciel,
Hélios entraînant ses chevaux vers le point où les flammes se
        meurent,
la Nuit au voile noir poussant son char qui n'a que deux
        chevaux de joug,
et les étoiles escortant la déesse.
La Pléiade suit son chemin au milieu de l'éther,
avec Orion à l'épée levée, dominés par l'Ourse
qui par sa queue d'or tourne autour du pôle[3].
Le disque de la lune y est haut lancé dans le ciel,
coupant le mois en deux. On y voit aussi les Hyades,
signe très sûr pour les marins, et l'Aurore
porteuse de lumière, qui fait fuir les étoiles.

Sur les côtés il déploya d'autres étoffes venues des pays
   barbares.
On y voyait de beaux vaisseaux affrontant les navires
   grecs,
des Centaures à demi chevaux, des cavaliers
poursuivant des cerfs, chassant de sauvages lions.
Il mit près de l'entrée Cécrops au milieu de ses filles,
déroulant ses anneaux de serpent. C'est une offrande athénienne.
Au milieu de la salle il plaça des cratères d'or.
      Haut dressé sur la pointe des pieds,
un héraut annonça à tous ceux du pays
qu'ils étaient invités au festin, et bientôt la tente fut
   comble.
Chacun se couronna pour déguster la bonne chère.
      Or, l'appétit était calmé quand apparut parmi les tables
un vieil homme qui mit l'assemblée en gaîté
par l'excès de son zèle. Il s'emparait des cruches
et venait offrir de l'eau pour les mains, brûlait de la gomme
   de myrrhe,
donnait le signal de présenter les coupes d'or
et se chargeait lui-même du service.
      L'heure venue où l'on entend les flûtes,
où l'on puise au cratère commun, il dit :
« Enlevez donc ces gobelets, ils sont trop petits,
qu'on en apporte de plus grands pour mettre aussitôt nos
   gens en gaîté. »
Et l'on s'empressa de faire venir coupes d'or et d'argent.
Il choisit la plus belle, comme pour rendre hommage au
   nouveau maître,
et la lui tend toute remplie. Or dans le vin était versé
un poison violent que la reine, dit-on, lui avait remis
pour tuer l'enfant retrouvé.
      Mais nul n'avait rien vu. Le fils révélé tenait à deux mains,
comme tous les autres, sa coupe pour la libation,
quand un des esclaves prononça un mot de mauvais augure.
Élevé dans le temple par les devins les plus savants,
il saisit le présage et dit qu'on remplisse un autre cratère.
Ce qu'on avait versé pour être offert aux dieux,
il le donne à la terre et prie chacun de l'imiter
en respectant un moment de silence. Puis, de nouveau,

nous versons l'eau et le vin de Byblos dans les cratères consacrés.
    Tandis qu'on s'affairait pénètre dans la tente
tout un vol de colombes — nichant dans le temple,
rien ne les effarouche — qui voyant le vin répandu
y donnèrent à grands coups de bec
et le firent passer dans leurs gorges au beau plumage.
Toutes, sans en souffrir, burent la libation,
mais une se posa où le fils de Xouthos avait vidé sa coupe
et goûta du vin. Aussitôt son corps emplumé
se mit à trembler, à se tordre. Elle jeta un cri déchirant,
inconnu des augures, puis une plainte. L'assemblée stupé-
  faite
la vit se débattre, palpiter,
et mourir enfin, ses pattes écarlates
détendues. Rejetant son manteau, l'enfant de l'oracle
bondit jambes nues par-dessus la table
et s'écrie : « Quel est l'homme qui a voulu me tuer ?
Dénonce-le, vieillard ! C'est toi qui t'empressais,
et c'est ta main qui m'a tendu la coupe. »
Déjà il tient son bras débile, il le fouille
pour le prendre sur le fait tant qu'il a encore le poison sur
  lui.
Le vieux est découvert. Non sans peine on le force à parler.
    Il rejette
sur Créuse l'attentat, le piège de la boisson préparée.
Suivi des convives, le jeune homme élu par le dieu
s'élance, et déclare devant les magistrats :
« Ô sainte Terre, la fille d'Érechthée,
une étrangère, m'a empoisonné ! »
Parmi les chefs du peuple, le conseil prévalut
de mettre à mort ma reine, en la jetant du haut des roches,
pour le meurtre d'un homme consacré,
et pour la souillure infligée au sanctuaire.
Toute la ville la recherche, celle que sa mauvaise fortune
jeta sur ce chemin de perdition.
    Venue vers Phoibos par désir d'avoir des enfants,
elle perd tout d'un coup sa vie avec son espérance.

                                        Il sort.

QUATRIÈME STASIMON

LE CHŒUR

Il n'est plus pour moi, pauvre femme
aucun moyen de détourner la mort !
Tout s'est découvert, tout s'est révélé
par la libation des grappes du dieu,
où se mêlait, porteur de mort,
le venin foudroyant de la vipère.
Nous voici vouées aux dieux infernaux.
Ma vie est condamnée, ma reine périt lapidée.
Où est la fuite ailée,
où la retraite aux grottes ténébreuses,
qui me déroberait aux pierres du supplice ?
Où est le char au galop rapide,
où le navire où je pourrais monter ?

EXODOS

LE CORYPHÉE

Mais qui peut se cacher quand un dieu se refuse
à lui accorder le secret ?
Maîtresse infortunée, que de souffrance attend ton cœur !
Le mal que nous voulions faire à autrui
va-t-il tomber sur nous par le décret de la justice ?

> *Créuse entre en courant par la droite.*

CRÉUSE

Mes femmes, à l'aide ! Je suis poursuivie, on veut m'égorger !
Un décret pythien me condamne. Je vais être livrée…

LE CORYPHÉE

Nous savions tes malheurs et quelle est ta détresse.

CRÉUSE

Où fuir ? J'ai pu m'échapper à grand'peine de la maison où
      l'on m'aurait tuée,
et je me suis sauvée en évitant mes ennemis.

LE CORYPHÉE

Est-il meilleur abri que cet autel ?

CRÉUSE

Que gagnerai-je à m'y réfugier ?

LE CORYPHÉE

Une suppliante ! Les dieux défendent de la tuer !

CRÉUSE

Mais une loi m'a condamnée !

LE CORYPHÉE

Il faut d'abord qu'on te saisisse.

CRÉUSE

Voici déjà mes cruels adversaires, qui me traquent, l'épée
    levée !

LE CORYPHÉE

Serre-toi contre le foyer.
S'ils osent t'y tuer, ton sang retombera sur eux.
Incline-toi devant ta destinée.

> *Ion et des hommes armés entrent par la droite. Il
> commence par ne pas voir Créuse.*

ION

Fleuve Céphise au front de taureau [1]
quelle vipère as-tu donc engendrée ?
quel dragon au regard de sang et de feu ?
Toute audace est en elle. Elle est pire
que ce venin de la Gorgone dont elle voulait me tuer.
Saisissez-la ! que ses longues tresses
soient cardées aux rochers du Parnasse,
où l'on va la lancer pour rebondir de pierre en pierre !
Mon bon génie m'a préservé d'arriver à Athènes
pour y tomber à la merci d'une marâtre.
Ici, entouré d'alliés, j'ai mesuré
ton audace et le mal que me ferait ta haine.
Dans ta maison et pris à tes filets,
tu m'aurais haut la main envoyé chez Hadès !

> *(Il découvre Créuse.)*

Ne viens pas compter sur l'autel, sur la maison du dieu
pour te sauver. Pas de pitié ! Je garde la mienne pour moi

et pour ma mère, de qui la vue m'est refusée,
mais dont je ne renonce pas à prononcer le nom.

    Regardez donc! Voyez la misérable! Après une ruse
elle en trame une autre, blottie à côté de l'autel,
dans l'espoir d'échapper à la justice.

CRÉUSE

Je te dénie le droit de me tuer,
en mon nom, au nom du dieu qui me donne asile.

ION

Quel lien entre Apollon et toi écarterait mon coup?

CRÉUSE

Mon corps est consacré. Je l'ai donné au dieu.

ION

Et tu voulais m'empoisonner, moi qui lui appartiens?

CRÉUSE

Tu n'étais plus à lui, tu étais à ton père.

ION

Fils de mon père, propriété du dieu!

CRÉUSE

Tu l'as été, c'est vrai. À présent, je le suis à ta place.

ION

Mais la piété te manque, que moi je pratiquais.

CRÉUSE

C'est l'ennemi de ma maison que j'ai frappé en toi.

ION

Ai-je pris les armes contre ton pays?

CRÉUSE

Certainement, et mis à feu le palais d'Érechthée!

ION

Avec quelle torche? avec quel tison?

CRÉUSE

Tu t'installais chez moi contre ma volonté.

ION

Mon père m'accordait ce qu'il a reconquis.

CRÉUSE

Les fils d'Éole, quel droit ont-ils sur le sol de Pallas?

ION

Ils l'ont sauvé par leur armée et leur courage.

CRÉUSE

Un soldat de fortune ne devient pas un régnicole.

ION

Ainsi tu me mettais à mort dans ta peur d'un maître à venir?

CRÉUSE

Je craignais pour ma vie, si actuellement tu devenais le maître.

ION

Jalousie de femme stérile, dont le mari retrouve un fils!

CRÉUSE

Les foyers des femmes stériles sont-ils faits pour tes griffes?

ION

N'avais-je pas mes droits à l'hoirie paternelle?

CRÉUSE, *ironique.*

Un bouclier et une lance! Ce sera tout ton héritage.

ION, *furieux.*

Quitte cet autel et ce séjour sacré!

CRÉUSE

Donne un ordre à ta mère, si tu sais où elle est!

ION

Tu m'as tué et tu seras punie.

CRÉUSE

Oui, si tu tiens à m'égorger ici, dans cet asile inviolable.

ION

Quelle joie aurais-tu à mourir sous les rameaux du dieu?

CRÉUSE

Mon sang retombera sur celui qui m'a fait souffrir.

ION

Misère! Pourquoi un dieu a-t-il donné aux hommes
des lois qui ne sont ni justes ni sages?
Bien loin que l'accès des autels fût ouvert aux coupables,
ils devraient en être chassés, pour épargner aux dieux

le contact offensant de la main criminelle ; et seuls les gens
    de bien
viendraient à eux, après avoir subi dommage.
Les dieux ne peuvent faire même accueil au bon et au
    méchant.

> *La Pythie sort du temple, tenant une corbeille*
> *enveloppée de linges.*

LA PYTHIE

Mon fils, arrête. Je viens du trépied fatidique et je franchis
    l'enceinte,
moi qui parle au nom de Phoibos, gardienne du vieux rite
    oraculaire,
désignée par le dieu parmi toutes les Delphiennes.

ION

Salut, mère que je chéris sans être né de toi.

LA PYTHIE

Oui, donne-moi ce nom, car il m'est doux.

ION

Tu sais comment cette perfide a machiné ma mort ?

LA PYTHIE

Je sais. Mais toi aussi, la cruauté te rend coupable.

ION

Je n'ai donc pas le droit de rendre coup pour coup ?

LA PYTHIE

Toute épouse en voudra aux fils d'un premier lit.

ION

Et nous à ces marâtres qui nous maltraitent !

LA PYTHIE

Ne parle pas ainsi. Tu vas quitter le temple, aller dans ta
patrie.

ION

Et quel conseil en ce moment as-tu à me donner?

LA PYTHIE

Pars pour Athènes les mains pures, et sous d'heureux aus-
pices.

ION

On ne cesse pas d'être pur en se vengeant d'un ennemi.

LA PYTHIE

Ne le crois pas. Mais entends ce que j'ai à te dire.

ION

Parle. De toi je n'attends qu'amitié.

LA PYTHIE

Tu vois cette corbeille que je tiens sous mon bras?

ION

Je vois un vieux panier, tout entouré de bandelettes.

LA PYTHIE

C'est là que je t'ai pris, quand tu n'étais qu'un nouveau-né.

ION

Que dis-tu là? Jamais tu n'en avais parlé.

LA PYTHIE

J'ai tenu le secret. Je le révèle enfin.

ION

Pourquoi l'avoir caché, depuis si longtemps que tu m'as
recueilli ?

LA PYTHIE

Le dieu voulait t'avoir comme serviteur dans son temple.

ION

Il a cessé de le vouloir ? Comment pourrai-je en être sûr ?

LA PYTHIE

En te nommant ton père il t'invite à partir.

ION

C'est sur son ordre, j'imagine, que tu as conservé ceci ?

LA PYTHIE

Loxias en ce temps me dicta la pensée…

ION

De faire quoi ? Parle donc, achève.

LA PYTHIE

De garder ma trouvaille jusqu'à l'heure présente.

ION

Quel bien ou quel dommage peut-il m'en arriver ?

LA PYTHIE

Là sont serrés les langes dont tu étais enveloppé.

ION

Tu me produis donc un moyen de retrouver ma mère ?

LA PYTHIE

Oui, car le dieu le veut, lui qui s'y opposait jadis.

ION

Ô journée des révélations bienheureuses !

LA PYTHIE

Prends ces reliques. Mets-toi en quête de ta mère.

ION

Oui, fallût-il courir et l'Europe et l'Asie.

LA PYTHIE

À toi d'en décider. C'est à cause du dieu
que je t'élevai, mon enfant, et que je te restitue
ce que son vœu, sinon son ordre, m'inspira de prendre
et de conserver. Pourquoi il le voulut, je l'ignore.
Nul au monde n'a su que j'eusse ces objets ni où je les tenais
        cachés.
Adieu, mon fils, mon baiser est celui d'une mère.
Entreprends où il faut ton enquête,
te demandant d'abord si c'est une Delphienne qui t'aurait
        mis au monde
exposé dans le temple, une fille sans mari.
Sinon cherche ailleurs dans la Grèce. C'est tout ce que j'ai à
        te dire
de ma part, et au nom du dieu qui a conduit ta destinée.

Elle rentre dans le temple.

ION

Ô douleur ! Les larmes coulent de mes yeux
quand je pense à ce jour où, délivrée de moi,
du fruit de ses amours cachées, furtivement elle vint m'ex-
        poser
sans me tendre son sein. Je n'avais même pas un nom.
Mon existence dans le temple fut celle d'un esclave.

Le dieu me fut clément si la fortune
m'accabla. À l'âge où je devais, dans les bras de ma mère,
être choyé et sourire à la vie,
je fus privé du doux lait de son sein…
    Infortunée aussi, celle qui m'enfanta, frustrée ainsi que
       moi
pour n'avoir point joui de sa maternité.

(Un temps.)

    Maintenant ce berceau, je vais le dédier au dieu
de peur de découvrir ce que je souhaite éviter.
Si ma mère en effet était une esclave,
plutôt que de la retrouver, mieux vaut le silence et la nuit.
Phoibos, voilà donc une offrande que je dépose dans ton
      temple!

(Un temps.)

    Qu'allais-je faire? Mais c'est contrecarrer les intentions
      du dieu
qui sauva ces objets pour qu'ils me servent à retrouver ma
      mère!
Il me faut ouvrir la corbeille et aller jusqu'au bout.
Échappe-t-on à son destin?

(Il prend la corbeille.)

    Ô bandelettes saintes, que dissimulez-vous,
cordons qui enfermez mon bien le plus précieux?
Voici une corbeille ronde avec son couvercle.
Elle paraît neuve! Comme par un miracle
l'osier est net de toute moisissure. Et cependant,
depuis combien d'années elle est dans les resserres!

CRÉUSE, *se lève et s'écrie.*

Que vois-je? apparition inespérée?

ION

Toi, silence! Voilà déjà longtemps, tu le sais[1]…

CRÉUSE

Je n'ai pas à me taire! Laisse là tes semonces!
Je vois le berceau où je mis jadis
toi, oui, toi, mon fils, un enfant nouveau-né,

pour le porter à la caverne de Cécrops, au creux des Roches-
    Hautes.
Ah! Que je quitte cet autel, et dussé-je en mourir!

Elle court vers lui.

ION

Saisissez-la! Un dieu l'égare et me la livre!
Elle a bondi loin de l'autel et des statues. Liez ses bras.

CRÉUSE

Égorgez-moi si vous voulez! Je ne me dessaisirai plus
de toi, de ce berceau, ni de ce qu'il enferme[1].

ION

Quelle audace! La voilà qui veut s'emparer de moi!

CRÉUSE

Tu comprends mal : celle qui t'est le plus chère te retrouve
    pour t'aimer.

ION

Toi, m'aimer? Celle qui me tuait sournoisement!

CRÉUSE

Tu es mon fils, ce qu'une mère a de plus cher au monde[2].

ION

Assez de fables! Je te confondrai aisément.

CRÉUSE

Éprouve-moi, mon fils. C'est ce que je souhaite.

ION

Le berceau est-il vide, ou bien qu'enferme-t-il?

CRÉUSE

Les langes qui t'enveloppaient quand jadis je t'ai exposé.

ION

Tu pourrais, sans les voir, me les énumérer ?

CRÉUSE

Et que je meure si j'y manque !

ION

Je te laisse parler, étonné d'une telle assurance.

CRÉUSE

Cherchez. Vous verrez un tissu que je fis. Je n'étais qu'une
enfant.

ION

C'est qu'il y en a tant, de ces travaux de jeune fille !

CRÉUSE

Ouvrage inachevé d'une navette qui s'exerce !

ION

Que représente-t-il ? N'espère pas me tromper !

CRÉUSE

Une Gorgone tient le milieu de l'étoffe.

ION

Zeus ! quel destin est lancé sur ma trace ?

CRÉUSE

La frange imite les serpents de l'égide.

ION

C'est vrai, la voilà, telle que tu la décris.

CRÉUSE

Dans quel lointain passé mes jeunes mains s'y essayèrent!

ION

Est-ce tout? Ne réussiras-tu qu'une seule fois?

CRÉUSE

Des serpents, un bijou en or, d'antique origine[1].
cadeau d'Athéna qui veut que les enfants le portent
en souvenir d'Érichthonios notre ancêtre.

ION

Cet objet d'or, qu'en peut-on faire? à quoi sert-il?

CRÉUSE

On l'attache, mon fils, au cou de chaque nouveau-né.

ION

Oui, le collier est là. Reste un troisième objet, que je veux
    que tu nommes.

CRÉUSE

Une guirlande d'olivier dont je te couronnai,
cueillie à la souche première, celle qu'Athéna planta sur le
    rocher.
Aussi vrai qu'elle est là, elle est verdoyante et le restera,
car elle provient d'un arbre consacré.

ION

Ma mère bien-aimée, ô joie de te revoir,
de laisser tomber, pour ta joie aussi, ma joue sur la tienne!

CRÉUSE

Enfant, rayon plus doux pour une mère que celui du Soleil
— que le dieu me pardonne — je te tiens dans mes bras,
quand je n'espérais plus te retrouver,
te croyant dans le sein de la terre, hôte de Perséphone!

ION

Oui, dans tes bras, ma mère bien-aimée,
qui m'as cru un fantôme et qui me vois vivant!

CRÉUSE

Ô joie, ô joie! Splendeur de l'éther qui nous enveloppe,
quel cri d'allégresse je voudrais pousser!
D'où me vient ce bonheur imprévu, cette félicité?

ION

J'aurais pu tout imaginer, ma mère, avant de me croire ton
fils.

CRÉUSE

La peur me fait trembler encore…

ION

De n'avoir pas ton fils, quand il est dans tes bras?

CRÉUSE

Moi qui me refusais à espérer encore!
Prêtresse, dis-moi: qui dans les bras te mit mon
nouveau-né?
quelles mains l'ont porté au temple d'Apollon?

ION

Le dieu est seul à le savoir. Puissions-nous goûter désormais
le bonheur qui nous fut jusqu'ici refusé.

CRÉUSE

Mon enfant né parmi les larmes,
ta mère sanglotait en te séparant d'elle ;
maintenant je respire l'odeur de ta joue,
nul bonheur plus grand ne pouvait m'arriver.

ION

Celui que tu décris est aussi mon partage.

CRÉUSE

Je ne suis plus une épouse privée !
Je ne suis plus une femme stérile !
Dans ma demeure le foyer se rallume,
mon pays retrouve des rois, Érechthée refleurit ;
la maison des fils de la Terre n'est plus baignée de nuit,
elle renaît à la lumière du soleil !

ION

Que mon père aussi vienne prendre sa part
de la félicité, mère, que je vous donne !

CRÉUSE

Mon enfant, que demandes-tu ?
À quel aveu tu me contrains !

ION

Je ne te comprends pas.

CRÉUSE

Je t'ai conçu d'un autre, oui, d'un autre !

ION

Enfant de ta virginité, je ne suis hélas qu'un bâtard !

CRÉUSE

Les flambeaux, les danses des noces
n'ont pas préludé, mon fils, à ta naissance!

ION

Ainsi je suis issu de quelque souche obscure[1]?

CRÉUSE

J'en jure par celle qui tua la Gorgone…

ION

Pourquoi l'invoques-tu?

CRÉUSE

… qui trône sur notre rocher
sur la hauteur où poussa le premier olivier…

ION

Tu cherches à me dérouter, à m'induire en erreur!

CRÉUSE

Près de la grotte aux rossignols, Apollon…

ION

Qu'as-tu à le nommer?

CRÉUSE

S'unit à moi furtivement…

ION

Ah, parle! ceci enfin est clair et fait pour mon bonheur!

CRÉUSE

Au dixième retour de la lune, en secret aussi,
je t'ai mis au monde, toi, le fils de Phoibos.

ION

Pour moi, si tu dis vrai, quelles douces paroles !

CRÉUSE

En guise de maillot, je t'entourai, par crainte de ma
*   mère[1],*
de l'ouvrage enfantin de mon hésitante navette,
sans t'offrir mon sein et le maternel aliment du lait,
sans te laver de mes mains,
je t'ai porté à la grotte déserte, aux griffes des oiseaux, à
*   leur avidité,*
et jeté à l'Hadès !

ION

Ô mère, quel affreux courage !

CRÉUSE

J'étais liée par la terreur
quand j'exposai ta vie, mon fils. Je t'ai malgré moi livré à
*   la mort.*

ION

Et de ma main impie toi aussi tu allais périr.

CRÉUSE

Étranges accidents, ceux d'autrefois, ceux d'aujourd'hui.
D'heur en malheur nous font tournoyer les remous du sort.
Que ce vent qui change sans cesse s'apaise pour nous !
Nous avons bien assez souffert !
Qu'après la tempête vienne enfin la brise !

LE CORYPHÉE

À voir cette aventure, chacun estimera
qu'on peut s'attendre à tout dans l'existence des mortels.

ION

Ô destinée, que d'hommes connurent tes revirements,
tour à tour éprouvés, puis heureux !
J'allais vers la ligne où la vie se décide,
à deux doigts de tuer ma mère, de subir moi-même une
      mort indigne.
Mais quoi ? dans tous les lieux qu'embrassent les rayons du
      soleil
ne peut-on pas, jour après jour, en voir autant ?
Je suis heureux, ma mère, de t'avoir retrouvée,
de me savoir d'un sang irréprochable.
Mais il me reste à demander ce que toi seule dois entendre.
Viens près de moi que je te le dise à l'oreille,
pour cacher le secret et le laisser dans l'ombre.

    Mère, comme il arrive aux jeunes filles,
si tu as trébuché, si tu portes la tache d'un amour clandestin,
prends garde et n'en rends pas Apollon responsable.
Pour te dérober à la honte de m'avoir mis au monde,
ne me dis pas son fils si je suis né d'un autre.

CRÉUSE

Par Athéna la victorieuse, qui sur le char de Zeus
à son côté combattit les Géants,
ton père n'est pas un mortel,
mais le dieu même qui t'a nourri, le puissant Loxias.

ION

Comment alors, moi né de lui, peut-il me donner à un
      autre,
me déclarant engendré par Xouthos ?

CRÉUSE

Il n'a rien dit de tel. Il dispose de toi

qui es issu de lui. Pour lui procurer un domaine,
un père donne parfois son propre fils à un ami.

ION

La parole du dieu est-elle véridique ou bien est-elle vaine ?
Tel est le problème à résoudre et qui a de quoi me troubler.

CRÉUSE

Écoute donc, mon fils, la pensée qui me vient.
C'est parce qu'il veut ton bonheur qu'il t'introduit
dans une maison noble. Qu'on te dise le fils du dieu,
tu perds à jamais tout titre à un patrimoine,
à un nom. Comment en effet y prétendre quand j'ai dissi-
    mulé
l'union dont tu es né et la mort où je te vouais ?
C'est pour ton bien qu'il te déclare enfant d'un autre.

ION

Mon désir de savoir ne se satisfait pas à si bon compte.
Je m'en vais dans le temple interroger Phoibos
pour savoir si je suis d'un mortel ou de lui.

(Athéna apparaît au-dessus du toit.)

Mais quoi ? à la crête du sanctuaire, quelle est la déité
dont apparaît la face radieuse ?
Mère, fuyons, de peur que nos yeux ne l'atteignent
en dehors du moment où sa vue nous est accordée.

ATHÉNA

Ne fuyez point. Ce serait éviter une amie
qui vous protège ici aussi bien qu'en Attique.
Je viens de la cité qui a reçu mon nom,
moi, Pallas, par Apollon dépêchée en ce lieu.
Il n'a pas jugé bon de paraître lui-même,
craignant que surgisse entre vous un reproche au sujet du
    passé,
et c'est moi qu'il envoie vous dire son message.
Oui, Créuse est ta mère et t'a conçu du dieu.

Ton père te donne à l'homme de son choix, non que tu sois
   issu de lui,
mais pour qu'il t'introduise à la plus noble des familles.
Ce dessein entrepris se trouva révélé.
Craignant de te voir succomber aux entreprises de ta mère,
et elle sous tes coups, le dieu prit des détours pour vous
   sauver.
Son intention était de garder le silence
et que vous fussiez dans Athènes pour te révéler à ta mère
et te faire savoir qu'elle t'a conçu d'Apollon.
   Qu'à présent j'achève mon œuvre et dise les oracles que
      j'ai reçus du dieu[1].
Sachez pourquoi j'ai dirigé mon char vers vous.
   Avec ton fils, Créuse, va vers la terre de Cécrops,
fais-le asseoir au trône royal.
Né du sang d'Érechthée, il règne de droit sur ma terre.
Sa gloire en Grèce sera grande.
Ses quatre fils, issus d'une racine unique,
donneront leur nom au pays, aux tribus
où sont groupés les gens qui habitent sur mon rocher.
Le premier sera Téléon[2]. Viendront ensuite
les Hoplètes, les Argades, ceux enfin qui posséderont
la tribu d'Égicore, désignée du nom de mon égide.
Leurs enfants à leur tour, les temps une fois accomplis,
iront peupler les îles des Cyclades,
les rivages d'Asie, et la puissance de ma ville
en sera confirmée. Puis leurs colons iront aux rivages
   jumeaux
des deux continents d'Europe et d'Asie. Et pour te faire
   honneur, Ion,
ils seront glorieux sous le nom d'Ioniens.
   Xouthos et toi aurez d'autres enfants :
Doros qui donnera la gloire à la Doride du pays de Pélops.
Son cadet Actéos gouvernera la côte près de Rhion,
un peuple portera son nom et le fera illustre.
   Oui, Apollon a tout conduit avec sagesse. D'abord
il bannit la souffrance de ton enfantement, dont les tiens
   n'ont rien su.
Comme ce fils venait de naître, exposé par toi dans ses
   langes,
Hermès sur son ordre le prit dans ses bras et l'apporta ici,
où Phoibos l'éleva, soucieux de préserver sa vie.

Il te faut cacher à présent que ce fils est le tien.
Laisse à Xouthos la joie de son illusion,
quand c'est toi qui t'en vas d'ici en emportant ton bien.
Adieu. Vous goûtez un répit après bien des souffrances.
Je vous promets dorénavant un sort heureux.

ION

Ô Pallas, fille du grand Zeus, j'ai reçu tes paroles
d'un cœur qui ne doute plus. Oui, je crois à présent que je
    suis né de Loxias et de Créuse.
Même avant de t'avoir entendue, j'aurais dû n'être pas incré-
    dule.

CRÉUSE

Voici ce que j'ai à te dire. J'accusais Loxias, je le loue à
    présent,
d'avoir pris soin de notre enfant et me l'avoir rendu.
Je regarde avec joie ce portail et ce temple
dont la vue me fut douloureuse. Mes mains aujourd'hui
ont de la joie à s'attacher à leurs anneaux. Je salue cette
    entrée.

ATHÉNA

Heureux revirement. Tu fais bien de louer Apollon.
L'action des dieux est souvent tardive, mais leur puissance
    éclate enfin.

CRÉUSE

Partons, mon fils, et rentrons dans notre patrie.

ATHÉNA

Allez, et je vous accompagnerai.

ION

Conduite digne de nos vœux!

CRÉUSE

Témoignage d'amour pour Athènes!

ATHÉNA

Va t'asseoir au trône de tes pères.

ION

Acquisition dont je sais le prix !

Ils sortent tous.

LE CORYPHÉE

Apollon, fils de Zeus et de Létô, salut. L'homme dont la
      maison
est battue par le malheur, qu'il honore les dieux et reste
      ferme.
Les gens de bien reçoivent enfin ce qu'ils ont mérité.
Les méchants auront un sort aussi mauvais qu'eux-mêmes.

NOTES

Le texte traduit est en principe celui de l'édition des Belles-Lettres. On trouvera ci-dessous les passages pour lesquels d'autres lectures ont été adoptées. Elles sont suivies d'un astérisque lorsqu'elles sont attestées source ancienne. La traduction revient souvent, contre l'avis des éditeurs modernes, à l'ordre traditionnel des vers : il m'a paru inutile de le signaler.

En ce qui concerne les manuscrits, il y a peu de chose à ajouter à ce qu'en disent Murray et Méridier dans leurs préfaces. Toutefois, un examen attentif a permis à A. Turyn (The byzantine tradition of the tragedies of Euripides, Illinois Studies, t. XLIII, 1957, p. 268) d'affirmer que P n'est pas une copie de L, même pour les pièces sans scholies, mais un manuscrit jumeau. K. Horna (Hermes, t. LX 1929, p. 416) a pu étudier un palimpseste de Jérusalem du Xe siècle (injustement méprisé par Wilamawitz et Murray) qui contient des morceaux des six premières pièces, et y relever plusieurs bonnes leçons.

LE CYCLOPE

Page 33.

L'édition de Jacqueline Duchemin (Paris, 1945) renvoie à des travaux antérieurs dont le plus instructif est probablement G. Kaibel, *Odysses und Euripides Kyklops, Hermes,* t. XXX, 1895, p. 71.

1. 1 Sur le nom de Bromios, cf. *Notice* des *Bacchantes.*
2. 5 ἔπειτά γε*.
3. 8 Bouffonnerie ; c'est Athéna qui tua le géant Encélade.

Page 34.

1. 40 Althaia était la femme d'Oineus roi de Calydon qui la rendit mère de Méléagre ; de Dionysos elle eut Déjanire.

Page 35.

1. 41 παῖ.

2. 44 αὐλά 48 οὗ σοι.
3. 53 στασιωρός.
4. 60 ποτ' ἄν σι βαλοῖς.

Page 38.

1. 104 On racontait en Grèce que Laërte avait épousé Anticlée alors qu'elle avait déjà conçu Ulysse de l'astucieux Sisyphe fondateur de Corinthe.

Page 40.

1. 131 δράσεις*.

Page 41.

1. 145 ἀσκός. Maron est dans l'*Odyssée* (IX, 209) le petit-fils de Dionysos. Il donne à Ulysse un vin si fort qu'une mesure suffit pour vingt mesures d'eau. Euripide a probablement voulu suggérer une outre magique, inépuisable. Mais les vers qui la décrivent semblent altérés.

Page 42.

1. 152 ἐκπάταξον*.

Page 44.

1. 172 οὐ κυνήσομαι*.

Page 45.

1. 203 ἄνεχε πάρεχε semble bien être le refrain d'un chant nuptial; cf. *Troyennes*, 308.

Page 47.

1. 235 κᾆτα τὸν ὀφθαλμόν*, le texte est peut-être altéré ou incomplet.

Page 49.

1. 295-6 Traduction conjecturale d'un passage altéré.

Page 54.

1. 395 Même remarque.

Page 55.

1. 440 τόνδ'. οὐ γὰρ ἔχομεν καταφυγήν.

Page 56.

1. 471 πόνου. 475 ἐκθλίψομεν.

Page 58.

1. 507 φόρτος.

Page 59.

1. 515 Sens conjectural d'un texte gâté.

Page 62.

1. 546 καταλάβῃ.

Page 63.

1. 559 τέ τι.
2. 561 ἀπομυκτέον.

Page 65.

1. 586 'κ τῶν*. Sur Ganymède, cf. *Argument légendaire, Troie*, 1.

Page 69.

1. 654 Littéralement : aux frais du Carien. Les Cariens se louaient comme mercenaires.

ALCESTE

Excellente édition de D. F. W. van Lennep (Leyde, Brill, 1949) avec un commentaire (en anglais) qui renouvelle plus d'une question ; voir aussi celle de Leo Weber, Leipzig, 1930.

Page 85.

1. 22 Le contact et même la vue de la mort sont une souillure pour les hommes et aussi pour les dieux, qui l'évitent soigneusement.

Page 89.

1. 76 Thanatos agit comme le sacrificateur, qui consacre la victime en lui coupant sur le front des poils qu'il jette au feu.

Page 92.

1. 114-6 Un Grec pense aussitôt à l'oracle d'Apollon à Patares en Lycie, à celui de Zeus Ammon en Libye.

Page 94.

1. 163 Artémis ou Hestia, protectrice du foyer.

Page 95.

1. 198 ἄλγος οὖ ποτ' οὐ*.

Page 97.

1. 223 Sens probable d'un vers altéré.

Page 101.

1. 304 ἐμῶν δόμων*.
2. 321 μηνός s'explique mal, mais le sens est clair.

Page 105.

1. 400-402 et 408-12 Sens conjectural de couplets altérés.

Page 111.

1. 502-3 Ce Lycaon est un double de Cyknos. Héraclès tua ces deux malfaisants fils d'Arès. Cf. n. 1, p. 506.

Page 112.

1. 520 ζώσης ἔτι*.

Page 115.

1. 548 εὖ δὲ κλήσατε.

Page 117.

1. 587 Les noms des enfants d'Admète, Eumêlos, Polymêlé, signifient un patrimoine abondant en brebis. Les vers suivants, dont le texte et très douteux, décrivent une Thessalie à demi fabuleuse, car Eumêlos dans l'*Iliade* est un prince très modeste qui règne sur un domaine beaucoup moins étendu.

Page 119.

1. 608 Il est question à plusieurs reprises du bûcher, bien que l'incinération n'ait évidemment pas lieu.
2. 617 δυσμενῆ*.
3. 625 τὸν δ' ἐμὸν*.

Page 120.

1. 635 ἀποιμώξῃ*.
2. 647 πατέρα τέ γε.

Page 121.

1. 665 Une loi athénienne libérait de ses autres devoirs le fils livré par son père à la prostitution, mais ne le dispensait pas de l'inhumation.
2. 673-4 παύσασθ' ἅλις... ὦ παῖ πατρός*.

Page 122.

1. 708 λέξαντος.

Page 123.

1. 713 C'est une menace, inspirée par les contes du *vœu incomplet* qui accorde à un homme une longévité dérisoire, sans la jeunesse éternelle qui devrait en être le complément.

Page 125.

1. 737 Le père avait le droit de répudier son fils, sans réciprocité.

Page 127.

1. 811 θυραῖος*.

Page 130.

1. 860 Héraclès devrait, en allant vers la tombe, rencontrer Admète qui en vient, et cela ne se peut. On ne voit pas comment les metteurs en scène anciens ont résolu le problème.

Page 133.

1. 932 πολλοῖς... δαμάρτας*.

Page 139.

1. 1071 ὅστις εἶ σύ* texte peut-être altéré.

Page 140.

1. 1087 νέου γάμου πόθοι*.
2. 1094 Ce vers et le précédent, peut-être interpolés, se construisent difficilement, mais le sens est clair.

MÉDÉE

Page 162.

1. 135 Traduction conjecturale d'un passage peu sûr, chanté sans correspondance.
2. 153 σπεύδει τελευτάν*.

Page 163.

1. 160 ὦ μεγάλα Θέμι, πότνι᾽ Ἄρτεμι*.

Page 172.

1. Sur Sisyphe, ancêtre des rois de Corinthe cf. *Cyclope*, n. 1, p. 38.

Page 176.

1. 479 Voir *Notice*, p. 149.

Page 179.

1. 592 Aucun mariage régulier ne peut unir un Grec et une Barbare, si haute que soit la lignée de celle-ci. Les enfants nés d'une telle union sont toujours des bâtards.

Page 180.

1. 613 Les relations d'hospitalité constituent une alliance héréditaire qui a pour preuve des osselets ou des tessons partagés qui servent de signes de reconnaissance entre des *hôtes* qui peuvent très bien ne s'être jamais rencontrés. C'est ce que Jason se propose d'envoyer pour faire accueillir Médée.

Page 185.

1. 679 Tout Grec comprend le sens de cette transparente interdiction. L'oracle fait partie de la vieille légende. Pitthée, roi de Trézène, fit en sorte qu'Égée, enivré par lui, l'enfreignit en passant une nuit avec sa fille Æthra qui conçut Thésée ; cf. *Notice* des *Suppliantes*. Euripide a remplacé ποδάονα du texte primitif par πόδα qui est moins cru et qui a l'avantage d'être énigmatique. Si Égée comprenait du premier coup, il ne saurait attacher l'importance qu'il faut aux promesses de Médée.

Page 186.

1. 694 Un homme pouvait avoir une concubine, mais non une seconde épouse. Égée s'émeut lorsqu'il apprend que Jason répudie Médée pour conclure un mariage avec la fille du roi.

Page 190.

1. 777 ἔχειν.

Page 191.

1. 798 τί μοι ζῆν*.

Page 193.

1. 835 ἐπὶ ῥοαῖς*.

2. 850 Traduction conjecturale d'un texte peut-être altéré. Plusieurs passages du second couplet strophique sont difficiles à construire.

Page 198.

1. 970 δεσπότιν τ' ἐμήν*. Cf. M. Delcourt, *Mélanges Boisacq*, t. I, p. 288.

Page 203.

1. 1016 κατάγειν peut signifier à la fois ramener d'exil et descendre chez les morts.

Page 204.

1. 1053 Elle parle comme s'il s'agissait d'un acte rituel précédé d'une sommation à ceux dont la présence compromettrait le succès du sacrifice.

2. 1058 ἐκεῖ μεθ' ἡμῶν*.

Page 205.

1. 1078 δρᾶν μέλλω*.

2. 1057 Traduction conjecturale d'un texte altéré.

Page 207.

1. 1157 Texte douteux, mais le sens est sûr.

Page 208.

1. 1081 Texte peut-être altéré.

Page 211.

1. 1269 μίασματ' ἐπὶ γαῖαν*. La fin de l'antistrophe semble altérée.

Page 218.

1. 1388 ἐμῶν γάμων*.

HIPPOLYTE

Excellente édition d'Émile Chambry, malheureusement épuisée (Garnier, 1898).

Page 233.

1. 26 Cf. *Argument légendaire, Athènes.*

Page 234.

1. 32-33 ἔκδηλον… θεά. Pour ὠνόμαζον, certainement altéré, aucune correction ne se propose et l'on ne peut que deviner le sens. Phèdre en élevant le temple se reconnaît touchée par l'amour

(ἔκδηλον) mais sans dire de qui elle est éprise. La déesse se targue de l'hommage indirect qu'elle y reçoit d'Hippolyte, à l'insu de celui-ci et malgré lui.

Page 237.

1. 114-115 μιμητέον, φρονοῦντες οὕτως ὡς*.

Page 239.

1. 145 Après Pan, dieu des terreurs subites, la redoutable Hécate, la Cybèle d'Asie Mineure dont les prêtres Corybantes menaient leurs orgies dans la montagne (cf. *Bacch.*, 126), le poète nomme Dictynne, apparentée à la fois à la Grande-Mère et à Artémis, adorée en Crète, qui aurait traversé la mer pour poursuivre Phèdre.

2. 160 εὐνάια*.

3. 169 Les Ilithyes, déesses protectrices des femmes en couches.

Page 246.

1. 324 Traduction conjecturale d'un vers dont le texte est sûr, mais sur le sens duquel les critiques anciens hésitaient déjà.

2. 328 μεῖζον γὰρ ἤ σ' — ὃ μὴ τύχοι.

Page 251.

1. 441-442 traduction conjecturale de deux vers altérés.

Page 255.

1. 535 En face des sacrifices offerts à Zeus à Olympie, à Apollon à Delphes, Euripide remarque ici comme le fera Platon (*Banquet* 177 a b, 189 c) qu'Éros n'avait à peu près aucun culte en Grèce.

2. 545 Texte altéré et douteux. Héraclès détruisit Œchalie, massacra le roi Eurytos et ses fils et enleva Iole pour en faire sa concubine ; c'est le sujet des *Trachiniennes*.

Page 256.

1. 555 Sémélé fille de Cadmos aimée de Zeus voulut le voir dans toute sa gloire. Consumée par les flammes elle mourut en accouchant avant terme de Bacchus que Zeus enferma dans sa cuisse pour le faire naître une seconde fois. Je prends βροντᾷ avec τοκάδα comme s'il y avait ἔτικτε.

Page 258.

1. 585-586 ἔχω. γεγωνεῖν avec valeur d'impératif.

Page 260.

1. 614 Littéralement *je crache*, je rejette avec horreur ce que je viens d'entendre.

Page 261.

1. 669 Ce morceau chanté est l'antistrophe des vers 362-372 chantés par le chœur après l'aveu de Phèdre.

Page 262.

1. 695 Traduction conjecturale d'un texte peut-être altéré.

Page 265.

1. 735 Phaéthon fils du Soleil foudroyé par Zeus tomba dans l'Éridan, qui était peut-être le Pô. Ses sœurs changées en peupliers continuaient de le pleurer et leurs larmes étaient de l'ambre. Le texte est suspect.

2. 749 παρὰ κοίταις*, mais le texte est altéré. Les noces de Zeus et d'Héra avaient lieu à l'ouest du monde, là où le ciel se confond avec la mer.

Page 268.

1. 792 Une *théoria*, visite à un sanctuaire, comportait l'emploi rituel de certains feuillages. Les paroles de bon augure que recevait le théore à son retour devaient confirmer les promesses du pèlerinage.

Page 269.

1. Le vers 825 est ici transposé avant 810. Les portes sont fermées à l'intérieur par des barres transversales ajustées l'une sur l'autre ou enfoncées dans les jambages, assujetties par des chevilles qui servent de verrous. Elles ne peuvent être manœuvrées que de l'intérieur.

Page 270.

1. 852 Antistrophe mutilée, texte altéré.

Page 271.

1. 868 Sens douteux d'un passage altéré.

Page 274.

1. 952 Les pythagoriciens s'interdisaient de manger la chair des animaux. Les orphiques prétendaient posséder des révélations secrètes sur l'essence de l'âme.

Page 275.

1. 977 Deux des exploits de Thésée qui avait purgé de leurs brigands les confins de l'Attique en tuant Sinis près de Corinthe et Sciron près de Mégare.

Page 276.

1. 1005 ταῦτα γάϱ*.
2. 1011 D'après le droit attique, Phèdre ne pouvait transmettre l'héritage de Thésée qui allait aux fils de celui-ci. Mais il y a des exemples légendaires (Jocaste, Pénélope) où la veuve transmet le pouvoir. Cela était assez vague pour que l'hypothèse évoquée par Hippolyte fût vraisemblable.
3. 1014 εἰ μή*.

Page 280.

1. 1105 Les participes des deux strophes sont au masculin singulier; Murray suppose qu'elles sont chantées par un chœur de chasseurs. Même emploi du masculin par une femme (*Hélène*, 1628 sqq.) dans des répliques que Clark attribue à un hypothétique serviteur de Théonoé. Mais il y a d'autres passages où apparaît le masculin là où le féminin est attendu : *Iph. en Tauride*, 1071, *Oreste*, 1038.

Page 281.

1. 1130 Voir note 1, p. 239.

Page 283.

1. 1189 πόδε, seul passage qui donne à penser que le plancher du char portait des empreintes en creux nommées chaussures destinées à recevoir, ainsi que le dit le scholiaste, les pieds du conducteur. L'ἀϱϐύλη est une chaussure de marche et le vers signifie peut-être : ayant affermi ses pieds dans leurs lourdes chaussures.

Page 289.

1. 1337 Sens douteux d'un vers peut-être altéré.

Page 290.

1. 1381 Traduction conjecturale d'un texte peu sûr.

Page 293.

1. 1421 Probablement allusion à Adonis qui fut tué à la chasse par un sanglier.
2. 1438 Voir *Alceste*, 22.

LES HÉRACLIDES

Voir M. Delcourt, *Euripide et les événements de 431-424, Serta Leodiensia*, 1930, p. 117 ; *Argument légendaire, Argos,* et *Notice* de la *Folie d'Héraclès*.

Page 308.

1. 63 Il n'y a pas de raison pour refuser au héraut, anonyme dans la pièce, le nom que lui donne la liste des personnages et qu'il a déjà chez Homère (*Iliade*, XV, 639). C'est Copreus qu'Eurysthée envoyait vers Héraclès pour lui ordonner les travaux.

Page 311.

1. 97 μήτ' ἐκδοθῆναι μήτε πρὸς βίαν θεῶν τῶν σῶν ἀποσπα-σθέντες εἰς "Αργος μολεῖν*.

Page 312.

1. 110 Correspondance imparfaite, lacune probable.

Page 316.

1. 215 Le baudrier d'Hippolyte, reine des Amazones, le neu-vième des travaux imposés par Eurysthée qui voulait la ceinture pour sa fille Admète. Cf. *Folie d'Héraclès*, 408. Héraclès donna à Thésée Antiope fille d'Hippolyte.

Page 317.

1. 228 λαβεῖν.
2. 236 συμφορᾶς*.

Page 318.

1. 255 Je lis οὔκουν… ; ou οὐκοῦν, de sens équivalents.

Page 320.

1. 278 C'est-à-dire de Mégare dont Alcathos fils de Pélops avait été roi.

Page 325.

1. 385 τὰ πρὸς θεῶν*.

Page 327.

1. 460 αἰδοῦς καὶ δίκης*.

Page 328.

1. 486 δόμος*.

Page 331.

1. 588 Elle demande à être enterrée à Argos où les Héraclides
ne rentreront qu'après plusieurs générations, avec Témenos arrière-
petit-fils de Hyllos.

Page 344.

1. 783 C'est probablement une description des Grandes Panathénées, où la fête proprement dite était précédée d'une veillée de
danses et de chants rituels sur la colline de l'Acropole.

Page 345.

1. 788 διήγαγεν.

Page 347.

1. 842 Iolaos prend la place du cocher, Hyllos restant avec lui
comme combattant.

Page 349.

1. 892 Traduction conjecturale d'un texte altéré ; celui de l'antistrophe est également douteux.

Page 350.

1. 919 Sens vraisemblable d'un passage altéré.

Page 351.

1. 923 Cet envoyé est probablement le même qui est venu
annoncer le retour d'Hyllos son maître, le narrateur de la bataille
étant un esclave personnel d'Alcmène. Comme le même acteur
jouait les trois scènes, ces comparses devaient se distinguer malaisément.

Page 353.

1. 987 Sthénélos père d'Eurysthée et Électryon père d'Alcmène
étaient frères, mariés à deux filles de Pélops.

Page 354.

1. 1015 Sens probable d'un passage difficile : Eurysthée
vengera la ville de l'ingratitude des Héraclides et il prouvera sa
noblesse en ne lui imputant pas la souillure résultant de sa mort.

Page 355.

1. 1031 On montrait plusieurs tombeaux d'Eurysthée en
Attique, dont l'un près de Gargettos qui est peut-être celui auquel
Euripide fait allusion.

2. 1046 ὑμῶν*.
3. 1050 κυσίν*.

ANDROMAQUE

Cf. ʿ*Argument légendaire, Troie.*

Page 365.

1. 1 Thèbes de Mysie, dont le roi était Éétion, père d'Andromaque, ville prise et saccagée par Achille.

2. 14 Scyros. Les Grecs parlent toujours des insulaires avec mépris.

3. 25 δεσπότη τ'*, cf. *Médée*, note 1, p. 198.

Page 370.

1. 122 Texte difficile ; il faut peut-être lire avec Jackson ἀμφιλέκτῳ διδύμων ἐπίκοινον εὐνᾶν en supprimant τι dans l'antistrophe, 133.

Page 378.

1. 275 Hermès amène à Pâris les trois déesses, comparées à un char splendide.

2. 292 sqq. Texte probablement altéré, mais dont le sens est clair. Sur le rêve d'Hécube et la naissance d'Alexandre-Pâris, cf. *Argument légendaire, Troie* 2.

Page 380.

1. Les vers 330-2 viennent peut-être d'une annotation marginale. Si c'est une interpolation, elle est très ancienne.

Page 381.

1. 346 Traduction conjecturale ; ἀλλὰ ψεύδεται (mss et schol.) est impossible. Toutes les corrections donnent un sens faible, alors qu'on attend un trait. Parmentier propose ἄλλα ψεύδετε « inventez d'autres mensonges ». L'altération est difficile à localiser.

Page 382.

1. 384 πικρὰν κλήρωσιν αἵπεσίν semble signifier αἵρεσιν κλήρου.

Page 383.

1. 427 ἔχω σ', ἵν' ἁγνόν.

Page 385.

1. 457 Litt. « fit de toi, combattant de terre, un lâche matelot ».

Page 386.

1. 470 ἀνδρὸς εὐνάν « le lit où règne un homme », cf. *Suppl.*, 822.

Page 387.

1. 492 μετατροπή, retournement, suggère les deux sens.

Page 395.

1. 687 Sur le fratricide de Pélée, cf. *Notice*, p. 361.

Page 396.

1. 734 Peut-être Argos que la propagande athénienne travaillait contre Sparte depuis 425 ; mais l'excuse de Ménélas est peut-être une dérobade sous laquelle il ne faut chercher aucune allusion précise.

Page 399.

1. 794 ποντίαν Συμπληγάδα*. 800 Εὐρώταν* allusion à l'expédition d'Héraclès et Pélée contre Sparte, cf. M. Delcourt, *Rev. belge de phil. et d'hist.*, t. VIII, 1927, p. 127.

Page 402.

1. 862 Sur Procné changée en hirondelle, cf. *Folie d'Héraclès*, note 2, p. 535.

Page 407.

1. 970 Seul l'arc de Philoctète tendu par Néoptolème devait prendre Troie.

Page 409.

1. 1015 Apollon et Posidon, ayant bâti Troie, l'abandonnent à la guerre, représentée par Enyalios, doublet d'Arès.

Page 410.

1. 1032 Ἀργόθεν πορευθείς*.
2. 1039 δυστάνων τεκέων*. Il s'agit des Phrygiennes vendues sur les places publiques.
3. 1041 σοί est difficile à interpréter ; ni Hermione ni Andromaque ne sont en scène.

Page 414.

1. 1113 L'*hestia*, dans le temple. On ne brûlait de victimes

qu'en plein air sur le grand autel. Ensuite Néoptolème retraverse le temple, se retrouve à l'extérieur et saute sur l'autel bas qui est en face du pronaos. Sur la mort de Néoptolème, cf. M. Delcourt, *Revue belge de phil. et d'hist.*, t. II, 1923, p. 185.

2. 1136 Jeu de mots sur le nom de Pyrrhos. En arrivant à Troie, Achille avait sauté, d'un bond fameux, de son navire sur le sol (*Odyssée*, XI, 513).

Page 415.

1. 1147 L'*adyton* où la Pythie rendait ses oracles.

2. 1157 Un cadavre souille un temple. Néoptolème est mort sur l'esplanade. On jette son corps hors de l'enceinte.

3. 1172 Texte probablement altéré.

Page 416.

1. 1191 Le nom d'Hermione est parfois associé à celui de Perséphone, déesse infernale, laquelle avait disparu à Hermione en Argolide. Cf. *Folie d'Hér.*, note 1, p. 518.

Page 418.

1. 1246 Fils de Priam, devin comme sa sœur Cassandre. Virgile imagina qu'Énée passe en Molossie et y retrouve Andromaque mariée à Hélénos (*Énéide*, III, 292).

Page 419.

1. 1261 Sur l'île Blanche, voir *Tragédies complètes*, t. II, n. 1, p. 96.

2. 1265 C'est là que Pélée avait réussi à s'emparer de Thétis.

HÉCUBE

Voir *Argument légendaire, Troie.*

Page 429.

1. 16 L'image est celle des grosses pierres dont les paysans bornaient leurs champs (*Iliade*, XXI, 405). Elle ne correspond politiquement à rien de concret, les frontières d'un État archaïque étant fort imprécises.

Page 433.

1. 158 φευκτᾶς.

Page 434.

2. 176 Texte altéré ; la correspondance strophique est difficile à établir.

Page 435.

1. 205 On choisissait pour les sacrifices des bêtes vierges, nourries dans des pâturages de montagne.

Page 436.

1. 231 κἄγωγ' ἄρ'.
2. 237 Sens probable d'un vers altéré.

Page 439.

1. 292 L'égalité se réduisait à ceci, que le maître d'un esclave assassiné pouvait intenter une poursuite contre le meurtrier. La loi protégeait le bien du maître, nullement l'esclave.

Page 440.

1. 333 κρατούμενον*.

Page 443.

1. 421 Dix-neuf étaient nés d'Hécube (*Iliade*, XXIV, 495).

Page 444.

1. 426 Jeu de mots sur χαῖρε, litt. « sois heureux », devenu un banal terme d'adieu.
2. 432 κάρα πέπλοις : elle ne veut pas qu'on la voie pleurer.

Page 446.

1. 460 Au moment de donner le jour à Apollon, Létô entoura le palmier de ses bras.

Page 447.

1. 470 Sur le péplos des Panathénées était brodée la déesse sur son char luttant contre les ennemis des dieux.

Page 448.

1. 490 Le scholiaste lisait déjà ce vers. Le poète passe de l'idée d'un dieu à celle de plusieurs. κεκτῆσθαι a pour sujets à la fois σε et ὑμᾶς impliqué dans δοκοῦντας, lequel reprend δόξαν κεκτῆσθαι, être objet d'opinion.

Page 450.

1. 574 C'est la récompense des athlètes vainqueurs.

Page 453.

1. 642 σὺν φθορᾷ τυράννων.

Page 455.

1. 685 καταρχόμαν νόμον… ἀρτιμαθὴς κακῶν.

Page 459.

1. 759 Un vers perdu empêche de comprendre la portée de cette réponse.

Page 462.

1. 827 ὡς καλοῦσι.

Page 463.

1. 847 τῆς ἀνάγκης.
2. 859 εἰ δὲ σοὶ φίλος*.

Page 465.

1. 901 ὁρῶντ᾽ἐς*. 902 κεδνὸν τόδε.

Page 472.

1. 1030 Sens douteux d'un passage altéré.

Page 474.

1. 1059 τιθέμενος ἐπὶ χεῖρα κατ᾽ ἴχνος ποίαν*. χεῖρα a le sens de « direction » ; cf. *Cycl.*, 680 dans une scène analogue.
2. 1069 Les Anciens croyaient que l'œil contient de la lumière et que le soleil ou les astres peuvent rallumer l'œil aveugle, cf. *Cycl.*, *Notice*, p. 27.
3. 1081-2 passage altéré, où il faut peut-être lire ποντίοις χείμασι… στέλλουσ᾽.

Page 475.

1. 1102 Cf. *supra*, n. 2, p. 47.

Page 477.

1. 1154 Les Édones, habitants de la région d'Amphipolis en Thrace.

Page 478.

1. 1173 Polymestor qui se retourne contre les Troyennes est à la fois gibier et chasseur.
2. 1185 πολλαὶ γὰρ. ἡμῶν δ᾽αἰ μέν.

Page 479.

1. 1215 Texte probablement altéré. Lire πολεμίων δαμέν ?

Page 482.

1. 1270 La réponse semble indiquer qu'ἐνθάδε est pris au figuré, signifiant, non pas *ici* mais *comme je suis à présent*. On montrait sur la côte européenne de l'Hellespont un *Tombeau de la Chienne* où Hécube était censée être enterrée.

2. 1276 Sur la signification du crachat, cf. n. 1, p. 260.

LA FOLIE D'HÉRACLÈS

Voir *Argument légendaire*, *Argos* et Marcel Simon, *Hercule et le christianisme*, Strasbourg, 1955.

Page 493.

1. 5 Sur les Spartes, cf. *Argument légendaire*, Thèbes 1. Dans la légende courante, c'est Cadmos qui sème les dents du dragon fils d'Arès. Ici (vers 252), c'est Arès lui-même.

Page 495.

1. 66 Texte difficile dont le sens reste incertain.

Page 497.

1. 122 Sens probable d'un passage altéré.

Page 500.

1. 180 Des vases archaïques représentent la lutte des dieux contre les Géants. On y voit sur un même char Zeus tenant la foudre et Héraclès armé de l'arc.

2. 185 Héraclès combattit les Centaures à Pholoé en Arcadie. Diphrys est une obscure bourgade au centre de l'île des Abantes, l'Eubée.

Page 501.

1. 197 Sens douteux d'un passage difficile.

2. 220 Cette prouesse extraordinaire ne figure qu'ici. On racontait simplement qu'Héraclès à la tête des Thébains vainquit les Minyens et libéra sa ville du tribut qu'elle leur payait.

Page 502.

1. 252-74 Les mss attribuent ce morceau à Amphitryon. Murray a probablement raison de le diviser entre plusieurs récitants.

Page 506.

1. 348-441 L'*ailinos*, un chant plaintif, achevait le chant triomphal en l'honneur d'Apollon. Il en sera de même pour la louange d'Héraclès, couronne funéraire composée par le chœur en l'honneur du héros présumé mort. Ce très beau *stasimon* se compose de trois groupes strophiques de rythme presque semblable, surtout dans les refrains qui terminent chaque couplet. La traduction s'efforce de rendre cette unité sensible. Les images légendaires relatives aux Travaux étaient familières à tous les enfants grecs. Des touches rapides suffisaient à en suggérer la totalité. Des ellipses un peu dures risquent de dérouter le lecteur moderne. *Str.* I : Lion de Némée. *Ant.* Destruction des Centaures, placés ici en Thessalie (vers 182 en Arcadie). Biche d'Argos. *Str.* II, 380 Cavales carnivores de Diomède. La traduction déplace les deux premiers vers, l'ordre du grec donnant à penser qu'Héraclès monte en quadrige pour se rendre en Thrace. Il suffit de lire *Alceste* pour voir qu'il y va, comme partout ailleurs, à pied. Il attelle les cavales après les avoir domptées, et comme preuve de sa prouesse. Un auditeur grec comprenait cela immédiatement. Il tue Cycnos, bandit d'Amphanées près de Pagase. *Ant.* 394 Il conquiert les pommes des Hespérides après avoir tué le dragon qui les garde, soutient le ciel à la place d'Atlas et vainc des êtres marins indéterminés, Triton ou quelque Vieux de la Mer redouté des marins. *Str.* III, 408 Il vainc les Amazones, campées en Scythie entre les bouches du Danube et du Dniéper, conquiert le baudrier de leur reine fille d'Arès (cf. *Héraclides*, 215). 414 Texte douteux. φᾶρος désigne un tissu long et s'applique mal à la ceinture masculine d'une Amazone. On montrait la ceinture dans le temple d'Héra à Argos. 419 L'Hydre servait de chienne de garde à Lerna, la nymphe du marais. Héraclès dut brûler les têtes à mesure qu'elles renaissaient. 422 Il vainc le monstre tricéphale Géryon près de Gadès (Érythie).

Page 510.

1. 469 ἐξέπειθε*.

Page 511.

1. 471 Allusion à une légende inconnue où Dédale a fabriqué la massue d'Héraclès, présent inutile, maintenant qu'il est mort.
2. 484 Cf. L. Parmentier, *Rev. de philologie*, 1920, p. 145.
3. 496 εἰσιν.

Page 515.

1. 556 ἔσχεν αἰδώς. 557 αἰδώς.

Page 518.

1. 617 οὐκ οἶδεν· ἐλθόντ᾿ ἐνθάδ᾿ εἰδείη πάρος. On montrait à Hermione près de Trézène l'issue par laquelle Héraclès avait ramené des Enfers le chien Cerbère, près d'un bois de Déméter (ou de Coré) honorée sous le nom de Souterraine. Sur la prouesse elle-même existaient deux légendes : ou bien Héraclès doit lutter contre la Bête (ou contre la Mort) ou bien Coré la lui accorde. Euripide concilie les deux versions : Héraclès prend Cerbère de force, mais doit son succès à son initiation. On racontait qu'il avait prié Thésée de le laisser initier à Éleusis, mais il n'était pas de naissance attique. Thésée avait alors institué les petits mystères ouverts aux étrangers.

Page 522.

1. 714 Sens incertain d'un vers altéré.

Page 523.

1. 725 λύσωμεν σχολὴν πόνων = λύσωμεν πόνους ὥστε σχολὴν εἶναι.

Page 525.

1. 767 Sens probable d'un passage altéré.

Page 528.

1. 845 θεοῖς, texte et sens douteux.

Page 530.

1. 908 Cf. *Cyclope*, 8.

Page 532.

1. 922 Le rite s'accomplit dans la cour. La flamme étant purifi-catrice, un tison est plongé dans l'eau lustrale, dont on asperge ensuite la maison. Les corbeilles servent à transporter le matériel du sacrifice.

Page 533.

1. 965 Le sens de ξένωσις est très douteux.

Page 534.

1. 1003 ἐπιλόφῳ κάρᾳ ? Vers altéré.

Page 535.

1. 1016 πάτρα*.
2. 1021 Procné fille de Pandion roi d'Athènes tua son fils Itys pour se venger de son mari le roi Térée. Changée en oiseau, elle appelle sans cesse Itys. La légende comporte beaucoup de variantes.

Euripide semble en avoir connu une, inconnue de nous, qui présentait la mort de l'enfant comme un sacrifice aux Muses.

3. 1041 πικρὰν διώκων.

Page 540.

1. 1121 καί σ'.

Page 541.

1. 1126 Peut-être faut-il entendre avec Robert Browning *Dost witness here throned Hera's work*?

Page 543.

1. 1152 Vers altéré.

Page 545.

1. 1202 εἰ συναλγῶν γ' ἦλθον.

Page 546.

1. 1206 Sens douteux ; ces mots altérés cachent peut-être un proverbe du type : on diminue sa souffrance en la partageant avec un ami.

2. 1223 « Qu'est-ce qui vieillit vite ? La reconnaissance » disait un proverbe grec.

Page 547.

1. 1241 Il faut garder κατθανεῖν. Héraclès est prêt à se tuer contre Zeus : suicide par vengeance.

Page 550.

1. 1304 κρούουσ' Ὀλυμπίου Ζηνὸς ἀρβύλῃ πόδα, texte altéré, mais l'étrangeté de l'image détourne de toute correction imprudente. Héra marque la mesure après avoir chaussé l'ἀρβύλη, forte bottine d'homme que portaient aussi les femmes d'Argos, de même qu'Hécube donne le signal de la danse appuyée sur le sceptre de Priam (*Troyennes*, 150 ; cf. *Électre*, 180).

2. 1313 Lacune. La transition proposée est conjecturale.

Page 551.

1. 1330 Tradition athénienne attestée par Plutarque, *Thésée*, 35.

Page 552.

1. 1386 ἀεθλίου κυνός Héraclès devait fournir à Eurysthée la preuve de ses exploits. Et l'enlèvement du Chien marquait la fin de son bannissement.

748 *Notes*

Page 554.

1. 1413 ἄλλα « J'estime qu'en vivant j'ajoute à mes prouesses, même abaissé. »

Page 555.

1. 1421 καὶ σὲ εἰς.

LES SUPPLIANTES

Page 567.

1. 2 Les πρόσπολοι ne peuvent désigner des prêtres, auxquels jamais un Grec n'aurait adressé une prière : il leur aurait simplement demandé de mettre en forme sa requête aux dieux. Le texte présente peut-être une lacune, car on n'a pas d'autre exemple de πρόσπολοι dans le sens de *dieux parèdres*.

Page 573.

1. 122 κρατοῦντες.

Page 576.

1. 158 Sur Amphiaraos, cf. *Argument légendaire, Argos*, 3.

Page 577.

1. Viennent ensuite les vers suivants (176-83) : « L'opulence fait sagement de considérer la misère, et la pauvreté de lever les yeux avec envie sur l'opulence, pour prendre le goût des richesses. Ceux qui n'ont point éprouvé le malheur, qu'ils en craignent les revers (δεδοικέναι). Un poète ne peut créer ses chants sinon dans la joie. S'il n'en éprouve aucune, comment pourrait-il enchanter les autres ? On ne saurait l'exiger de lui. » Je n'arrive à rattacher ces vers ni entre eux, ni à l'ensemble du discours d'Adraste. Ou bien ils sont intrus, empruntés peut-être à une autre tragédie, ou bien les raccords ont disparu, ce qui est probable, car les lois du genre exigeaient que le discours d'Adraste eût à peu près la même importance que celui de Thésée.

2. 205 γητραφῇ κἀπ'.

Page 579.

1. 238-45 Ce couplet semble intrus.
2. 263 Lacune au début du discours.

Page 580.

1. 280 ἀλάταν est peut-être altéré.
2. 290 On ne pouvait donner aux dieux le spectacle des larmes.

Page 587.

1. 439 Le héraut athénien prononçait une formule analogue en ouvrant la séance de l'assemblée du peuple.

Page 588.

1. 494 ἐχθροὺς θεῶν θανόντας.
2. 500 Cf. note 1, p. 576.

Page 590.

1. 565-6 λόγους… μύθῳ συνάψω.

Page 591.

1. 578 πόλει. Sur les Spartes, cf. *Argument légendaire*, *Thèbes*, 1.

Page 593.

1. 600 sqq. Texte très peu sûr, dont le sens même est souvent douteux, notamment au début de l'antistrophe.

Page 596.

1. 659 λαιὸν δὲ Πάραλον : le petit peuple de la région maritime ; le régime démocratique attribué à Thésée avait donné à tous des droits égaux.

Page 597.

1. 713 Cranaos était un roi autochtone d'Athènes qui régnait au temps du déluge de Deucalion.
2. 714 Au cours de son premier combat, Thésée enleva la massue du brigand Périphétès, fils d'Héphaistos.

Page 599.

1. Un vers manque entre 763 et 764, dont la réponse indique le sens.

Page 605.

1. 837 στρατῷ et 842 σοφώτεπος sont probablement altérés.
2. 860 τὸν ἁδρόν.

Page 606.

1. 870 ἄκραντον*.
2. 907 πλούσιον est certainement altéré.

Page 610.

1. 958 Entendons : Artémis ne viendra plus l'aider, puisqu'elle n'aura plus d'enfant.

2. 971-6 Texte incertain, concernant des coutumes funéraires mal connues ; la traduction ne peut être que conjecturale.

Page 612.

1. 990 Texte et sens douteux.

Page 613.

1. 1026-30 Texte si incertain que toute traduction est impossible.

2. 1038 ζητῶν τ'*.

ION

Voir M. Delcourt, *Oreste et Alcméon, Recherches sur la projection légendaire du matricide en Grèce*, 1959.

Page 640.

1. 119 Sens conjectural d'un passage altéré ou écrit très négligemment.

Page 642.

1. 188 Les « visages jumeaux » sont probablement les frontons, mais l'expression est bizarre.

2. 198 Cf. *Héraclides, Notice.*

3. 201 Bellérophon tuant la Chimère.

Page 643.

1. 209 Athéna tuant Encélade.

Page 646.

1. 255 τί χρῆμ' ἄρ' ἀνέρευτα.

Page 649.

1. 286 Vers altéré. Lire peut-être τιμᾷ ; τί μήν ; ou quelque autre formule (on en a proposé une dizaine) marquant une ironie amère. Pour la légende, cf. *Argument légendaire, Athènes* 1. Les « éclairs de Phoibos » font penser à ceux qui, à l'époque historique, donnaient le signal du départ de la Pythaïde, la procession athénienne vers Delphes.

Page 650.

1. 300 σηκοῖς ἐνστρέφει. Le démon Trophonios avait un antre prophétique à Lébadée en Béotie.

Page 652.

1. 318 καί τις, le mot n'est pas interrogatif.

2. 324 Vers altéré, qui n'est pas une question. Lire peut-être τάλαιν' ἄρ' ἡ τεκοῦσά σ' ἥτιν ἦν ποτέ.

Page 653.

1. 335 Litt. *te servir de proxène.* Les proxènes étaient les Delphiens chargés de recevoir les hôtes des différentes cités grecques et d'assurer les rapports d'avec celles-ci. Les femmes n'avaient pas accès à l'oracle et ne pouvaient le consulter que par un intermédiaire.

Page 654.

1. 342 ὅ φησιν αὐτὴ καὶ πέπονθεν ἀθλία*.

Page 657.

1. 376 Texte probablement altéré, qui juxtapose un moyen d'action des hommes sur les dieux (le sang des victimes) et la parole des dieux par le vol des oiseaux.

2. 390 Vers incomplet.

Page 658.

1. 404 Sens douteux.

Page 660.

1. 447 La loi athénienne punissait le viol d'une amende.

Page 661.

1. 457 μάκαρ, qui peut être féminin.

Page 662.

1. 484 σωτήριον αἰχμάν.

2. 499 Tout le texte de l'épode est altéré.

Page 663.

1. 520 σωφρονῶ*.

Page 664.

1. 527 La loi grecque obligeait le fils à enterrer son père.

Page 666.

1. 538 ἄλλως.

Page 668.

1. 550 Les fêtes de Dionysos célébrées tous les deux ans sur le haut du Parnasse. Sur les proxènes, cf. *supra*, note 1, p. 653.

Page 669.

1. 554 τοῦτ' ἐκεῖν'. ἵν' ἐσπάρημεν... ὁ πότμος.

Page 670.

1. 565 οὐδὲν ἄν δυναίμεθα. L'ingénieuse correction de Parmentier οὐδ' ὄναρ δυναίμεθ' ἄν ne tient pas compte des notions grecques concernant le rêve.

Page 671.

1. 579 Texte et sens incertains.
2. 594-5 Sens probable de vers altérés.
3. 598 δυνάμενοί τ' εἶναι σοφοί*.

Page 672.

1. 602 τῶν δ'αὖ λεγόντων. Tout ce discours est altéré.

Page 673.

1. 661 Jeu de mots sur *venant.*

Page 674.

1. 674 λόγοισι désigne peut-être les κατάλογοι, listes de métèques naturalisés.

Page 676.

1. 721 στενομένα, sens conjectural d'un passage corrompu. Tout le stasimon est difficile.

Page 677.

1. 738-9 κοὐ καταισχύνασ' ἔχεις τοὺς σούς, παλαιῶν ἐκγόνους αὐτοχθόνων.

Page 678.

1. 751 χαράν*.
2. 755 νοσεῖ.

Page 682.

1. 828 ἐλθὼν δὲ καὶ τὸν χρόνον ἀμύνεσθαι θέλων, traduction conjecturale d'un texte gâté qu'il est vain de corriger. Le sens des

vers suivants est douteux. D'après les règles du théâtre grec, Créuse devrait répondre à l'intervention du coryphée. Accablée, elle ne dit rien et le vieillard reprend la parole.

Page 683.

1. 870 Créuse est si sûre de son droit qu'elle ose prendre à témoin la déesse vierge, les éléments purs, le Ciel, le lac Tritonis où Athéna était née et où se faisaient des épreuves de virginité. Cf. M. Delcourt, *La Prière de Créuse et la pureté des éléments, Rev. belge de philologie et d'histoire*, 1938, p. 195.

Page 684.

1. 908 La valeur exacte d'ὀμφὰν κληροῖς est difficile à préciser mais le sens semble clair.

Page 685.

1. 925 οὔτοι σόν*.
2. 930 Le texte des mss donne κακάς, ce qui double πημάτων. La correction καινὰς doublerait ἄλλων. Si le texte est sain, il est négligemment écrit.

Page 686.

1. 949 μόνη. Κατ' ἄντρον.

Page 691.

1. 997 Jeu de mots sur αἰγίς, *égide*, et ἀΐσσειν, *bondir*.

Page 692.

1. 1011 φόνῳ*.

Page 694.

1. 1039 Cf. n. 1, p. 653.

Page 695.

1. 1048 Le stasimon n'est intelligible qu'au prix de quelques raccords et gloses, que la traduction introduit. Le chœur déplore d'avance la présence d'un étranger en Attique et singulièrement aux mystères d'Éleusis, où Dionysos était honoré sous le nom d'Iacchos.

Page 696.

1. 1093 ἀθέμιτος, génitif d'ἄθεμις.

Page 697.

1. 1106 κεδναὶ γυναῖκες.

2. 1117-8 Interprétation conjecturale de deux vers difficiles.

Page 698.

1. 1127 On offrait après une naissance des cadeaux « pour la vue » du nouveau-né ; le fiancé en offrait à la fiancée la première fois qu'il la voyait sans voiles.

2. 1128 ἀμφήρης, soutenue des deux côtés : c'est la « tente marquise » des officiers supérieurs dans les anciennes armées.

3. 1154 χρυσήρη.

Page 703.

1. 1261 Les Grecs représentaient les fleuves avec une tête de taureau, l'animal géniteur par excellence.

Page 711.

1. 1396 Si on lit avec les mss σιγᾶν σύ, il faut le prendre comme un impératif suivi d'une phrase interrompue dont la valeur exacte nous échappe.

Page 712.

1. 1405 τῶν δ' ἔσω.
2. 1409 παῖς γ' εἶ.

Page 714.

1. 1427 ἀρχαίῳ τι πάγχρυσον γένει.

Page 717.

1. 1477 ποθέν indéfini.

Page 718.

1. 1489 Restitution conjecturale d'un texte altéré.

Page 721.

1. 1569 θεῷ*.
2. 1579 sqq. Passage mutilé, où les différentes tribus athéniennes sont rattachées à Ion.

L'ANTIQUITÉ
DANS *FOLIO CLASSIQUE*

L'ANTIQUITÉ
DANS *FOLIO THÉÂTRE*

SÉNÈQUE. MÉDÉE. *Traduction nouvelle de Blandine Le Callet. Édition bilingue.*

SOPHOCLE. ANTIGONE. *Traduction de Jean Grosjean. Préface et dossier de Jean-Louis Backès. Notes et lexique de Raphaël Dreyfus.*

Composition Cmb Graphic
Impression 🖨 Grafica Veneta
à Trebaseleghe, le 7 juillet 2016
Dépôt légal : juillet 2016
1er dépôt légal dans la collection: décembre 1988

ISBN : 978-2-07-038191-3./Imprimé en Italie

COLLECTION
FOLIO CLASSIQUE